三联经典文库

181

托尔斯泰传

（第三部）

[英]阿尔麦·莫德 著　　徐迟 译

生活·讀書·新知 三联书店

图书在版编目(CIP)数据

托尔斯泰传 / (英) 阿尔麦·莫德著；徐迟译. -- 北京：生活·读书·新知三联书店, 2014.1
（三联经典文库第二辑）
ISBN 978-7-108-04687-1

Ⅰ.①托… Ⅱ.①阿… ②徐… Ⅲ.①托尔斯泰，L.N.（1828～1910）－传记 Ⅳ.①K835.125.6

中国版本图书馆CIP数据核字(2013)第246692号

181 托尔斯泰传(1—3)

责任编辑 胡群英
封扉设计 蔡立国
责任印制 宋 家
出版发行 生活·讀書·新知 三联书店
(北京市东城区美术馆东街22号)
邮　　编 100010
经　　销 新华书店
印　　刷 北京鹏润伟业印刷有限公司
版　　次 2014年1月北京第1版 2014年1月北京第1次印刷
开　　本 787毫米×1092毫米 1/32 印张 28.875
字　　数 407千字
定　　价 96.00元

目次

第一章　新的生命开始了

跟着来到的托尔斯泰的生命，像他的观点一样，一个时期融入另一个时期，要把它来分门别类，那总是不能满意的。我们也许会很乐意地说，是一八八五年以后，托尔斯泰才显然走上了他新生活的道路的：这生命是单纯的，工作勤恳的生活；智力的一方面，他是在清除一些在道德的进展底路程上的障碍物，并且粉碎那扰乱了人类的灵魂的各种错综。然而这样的概括的说法不一定与事实完全相符，我们还能够发现他旧日的生命在织入他的新生命的努力中。举一个例，譬如 L.D. 乌罗梭夫亲王——他是《我信仰什么》(*What I Believe*)的第一个法译本的译者——患了一场病，医生叫他迁地治疗，到克里米亚去，但没有同行的人，那时我们知道托尔斯泰是自愿陪伴他前去的。自然这一来就非常地损害了他的工作，那是跟他心目中的生活得单纯与工作得辛勤并不符合的。

在这一次的旅行中发生了一件奇遇，要不然这是不至于发生的。

还记得在塞伐斯多波之围底当时，托尔斯泰在“旗杆稜堡”服役过后被调遣到贝尔倍克河边俄军的左翼阵地，他的炮队在现在是英国纪念碑的地方耽了一个时期。两军对垒的距离本来很远，可是有一天，有联军的一小队骑兵跑到了碇泊处的南岸，俄军司令官就下令发炮要把他们吓跑。托尔斯泰亲自瞄准了，也亲自施发了。他并没有看到炮弹掉落的地方，然而敌骑兵是立时消失了的。

现在，徘徊在三十年前是联军右翼的战地上，他却发现了一个半埋在土里的炮弹。他指给一个熟悉当年的战役的老兵看了。老兵确定地说，可以达到这地点的唯一的炮弹应该是他，托尔斯泰所放射的，而他自己也知道他那个炮队只放过这么一炮，显然他现在拣拾起来的正是那一炮的炮弹了。

我们都知道他是很难得离开他的妻子的，现在向南旅行了，他时时感到一种危险，我们一再提起过的，那奢侈和优哉游哉底危险，这又使他匆匆地遁了回来。

一八八五年可以记录的事件中，有最大最永恒的影响的一件要算他和他的文坛同僚（契尔特可夫，皮留可夫和哥尔本诺夫等）创设的一个“媒介”（Posrednik）出版社，这也可以说是托尔斯泰的一些意念中，于实践时最有成功的一个事业。

绝至此时，供给农民们的读物是很糟的，大都是《圣经》中的传说，即使有道德的教训的也给朴素的迷信所邪曲了，此外的廉价读物，也都粗俗不堪。

“媒介出版社”的主旨是供给人民大众以最好的思想与感情底文学，不但目的不在赢利，出版物的形式还要力求其简单，醒目和价廉。托尔斯泰深深地感到，如果我们可以容许作家舒舒服服地坐着，一边吃喝一边写书，穿得好，住得好，如果我们可以允许作家消费旁人的劳动，那么为他们流汗劳动的那些人也应该从他们那儿得到些康健的精神食粮。如果著作家只为了特权阶级的娱乐而写作，给予农民的却是不能消化的精神食粮，那么著作家成为一种苛捐重税，从他们的同类的人民大众说来，他们是一种罪恶了。

谈到丹尼莱夫斯基的时候，他说：

> 在不止三十年之前，当我们的一些流行作家，包括我自己在内，开始写作时，在这上万万人口的皇国之内不过千分之一的读者罢了。现在，乡村城市的学校设立了之后，读者的数量上百万了，然而这成百万能够阅读的俄罗斯人，站在我们前面像张开了嘴吧的乌鸦一样对我们说："祖国的绅士著作家们，请在这嘴吧里投下一些不伤失你们和我们的尊严的食物；为我们这批人著述吧，我们饥渴地需要活生生的语言，让我们从粗俗不堪的廉价读物中解放出来吧。"这些简单而忠实的俄罗斯人民的呼声是值得我们的响应的。这一点我想得很多，而且决定了我要全副精力向这一个方向努力。

"媒介出版社"的工作实在很可佩服，自然它也遭到了不少的困难。它还开始不久，检查官已经感到这种简单的小册子和小说很有作用，因为它帮助人民思想，他们觉得这对于现存秩序是一种威胁了。他们发觉了这一点之后，又看到了托尔斯泰在这个新的出版社里面的影响，就百计千方的出来挠阻。检查处是如何的精明，只看一件事就可以知道，“媒介”出版社以《登山宝训》的一段作为初级课本时，检查处非要他们把“而不想想明天”这句话删去，否则就不肯发下审查通过证！

要把这出版社来写一段历史——他们的撰述人有哪些人，这些人如何狡黠地使作品能够通过，等等可以写成一部大书。撰述人有迦尔洵，西门诺夫，卜洛迦文，斯多罗钦科，斯托拉霍夫等。自从莫斯科和彼得堡的检查官提高了警觉性之后，他们时常到偏僻的外省去领审查证。这一点，契尔特可夫特别的活跃，而且请求作家撰稿他也十分热心，可是社里的常务全是皮留可夫办理的，直到他被放逐的一天。以后 I.I. 哥尔本诺夫负责了这个出版社，大革命时他还负责着，当时它的范围和作用已经大大的增加了。

因为契尔特可夫是他的亲密的朋友，托尔斯泰总让任何愿意帮忙的人找契尔特可夫接头。出版社的经费又是他垫出来的，所以大部分读者的感谢都归他契尔特可夫所有。他外表很动人，性格很坚强，是一个有钱有势的母亲的独子，凡他的话她是言听计从的。从这时起，契尔特可夫就跟出版界有了密切的关联，读书界每提到他就想到他和“媒介”——在这件亟不及待的工作上，他是一个拓荒者。他给予托尔斯泰的影响——后来使伯爵夫人蒙受了严重的伤害的——主要是因为他做过那么多事，托尔斯泰私心里十分感谢他。托尔斯泰和夫人之间的冲突最后是这样的重要，所以关于契尔特可夫的琐细事件，否则是不值得记载的，现在却饶有兴味了。例如，他的许多合作者告诉我，事实上他非但没有帮助“媒介”，倒很有阻碍，出版社的业务是在一八九七年，他离开了俄罗斯之后才得开展的。有人告诉过我一件事，作为他的办事的典范的，我久久不忘，因为这是有关于他出版的一本书，我自己初次看到时曾心生诧异。“媒介”的宗旨是用最低廉的价格给农民最好的读物；出版物大都只卖一个铜板。因为资本有限，出版物的数量当然也很有限，可是契尔特可夫自己写了一本《行猎之残酷》时，这不是值得出版的书，他一定要求出版，还不问成本多少，坚持要在封面上用一个照相纸印的美丽的鹿贴上去，出版社的财力实在是做不到的。他退出这个出版社时，他要把垫款都收回，他这样做是为了要出版社无法继续营业。他说起话来总像这出版社是最重要的事务，然而一到他自己退出的时候，他就根本不关心它的命运了。

托尔斯泰却要每一个人都做朋友，要消弭那些诉苦的话语。所以没有和他发生更亲密感情的社员是很难以使他明白何以他们难与契尔特可夫相处的。而契尔特可夫本来就有一副外交手腕，跟托尔斯泰又很亲昵，说起自己的事情来总占上风。当时候许多事情都和解了，外面也很少听说到内部纠纷的。只在后来，同样的情形在英国发生了，契尔特可夫和伯爵夫人的冲突也真相毕露了，那时人们才回想起他对待“媒介”的许多坏态度来。

“媒介”的全盛时代，每年销售的图书有三四百万册。在找寻材料的时候，托尔斯泰发现了某些故事，虽然很好却还好得不够，他都奉送给薛丁（Sitin）——一个大出版商，和“媒介”联络在一起工作的——并且劝他改良他的出版物，证明他出好书跟出版坏书是一样可以赚钱的。

在“媒介”出世的时候，英国的“莫莱世界文库”也同时问世，但就是在英国，目前畅销的廉价的文库也沾了托尔斯泰的光。一八八八年W.T.史丹德拜访耶斯那耶时，两人会谈了“一便士世界文库”的计划，史丹德后来的努力便是这次谈话的结果。牛津大学古典文学丛书是史丹德的助手格兰脱·李却兹（Grant Richards）后来自行经营时搅起来的。这套丛书的成功鼓励了许多其他一先令，九便士和六便士的丛书，而使任何阶级的人士都能得到良好的文学。像托尔斯泰这样一个人的影响，一心一意为大众福利着想的结果是不可以道里计，并且是流过了许多海峡的。

起先“媒介”的台柱是托尔斯泰的短篇小说，其中有几篇是被禁的，有几篇印了一两版之后，检查证给撤销了。一八八五年他写的是《两老人》,《星火足以燎原》,《有爱的地方有上帝》，这些现在都收在他的《二十三个故事》中。

托尔斯泰写《勤懒论》（*Industry and Idleness*）是在一八八四至一八八五年间，这是一个放逐在西伯利亚的农民分教徒彭大莱夫（Bondarev）所写的一个小册子的序文，彭大莱夫是一个优秀的农夫，看到富人逃避劳动而又轻视农民，愤怒异常，他的著作中所论劳动的教义，行文明晰而又强烈，使托尔斯泰无限地热心起来了。

在《勤懒论》中，托尔斯泰综合彭大莱夫的意见如下：

> 人生中的不幸和罪恶是把许多空虚的有害的规则视作宗教的义务，同时又不仅忘记了，还瞒起来，不让人记得那经文中劈头就说的人类的第一个义务："你面上流汗，你才能吃面包。"……人们非但不承认这句话，反而承认了相反的意思。从皇帝到乞丐，全有坚信要避免这条经文，不肯按照它做……在一切人类的责任中，彭大莱夫认为第一个，最重要的，永古不变，人人皆然的义务是用他自己的一双手来赚面包吃——所谓"面包劳动"，包含了一切使人免于饥寒的粗笨的劳动，所谓"面包"，那意义也包含了食物、饮料、衣服、住处和燃

料……一切人类的罪恶啊——除了来自直接的暴力的——就来自饥饿，来自物质的需要，来自劳动过度；或者从另一方面说，来自他们所生产的靡费品，懒惰和恶德。除了摧残这不平等的制度——这一方面是贫困，一方面是富人的陷阱底制度——之外，还有什么别的事值得人们合作了呢？……生命与生命的快乐并不像一般人所想的在个人的享受中存在，而是存在于为上帝及人类服役之中的……那么消费别人生产的劳动而自己一双手却不能养活自己。这可以算做服务人类吗……不管你是谁，不管你天赋多高，你对你周围的人如何和气，更不必管这是什么什么特别情形，你难道坐着喝茶，谈你的政治的、艺术的、科学的、医药的或教育的话而虽然听到，虽然看到门口有饥饿，寒冷，疾病的人却一无感动，这是可以的吗？不可以！然而他们总存在，不在门口。就在十码或十里之外。他们是存在的，你们都知道！而你们怎么能够心平气和，知道这个事实之后，你们是不能够快乐的啊！

这里顺便提起，据彭大莱夫的估计，一个从事面包劳动的努力的工作者一年之内只要劳动四十天就可以维持他自己的生命了。

一八八五年的托尔斯泰的文艺创作大都是在这方向下的。他给罗曼·罗兰（Romain Rolland），那时还是一个学生呢，写了一封论文式的信《论体力劳动》，并且继续写他的《那么我们必须做什么？》。他还从希腊文译出十二使徒传的第一部，那是一八八三年勃吕安尼奥教主发现的著名的文献。

他也精悍地下田工作，而且使伯爵夫人非常困惑的，渐渐他有了许多门徒。

当时在场的人都有记载，比较研究时，可以发现这年及这年以后的夏天里耶斯那耶的生活。

安娜·舍隆告诉我们：

冲茶的时候，伯爵要数一数茶叶的张数，可是管理地产失当，他正在成千成千的损失之中。有一个时期，他不再注意他自己的外表容貌了，那模样真是肮脏，不整齐。他一向穿很好的袜子，现在突然要求了布条条，像农民一样的绑起了他的腿……

有一天他宣布，作为昆虫之一种的虱子虽然是被认为脏东西，一个人生虱子却并不算脏。人穷自然要生虱子，要清洁必须化钱——清洁是一种奢侈呢！……

这是最惊人的一个时期，人们听到他那时各种诡奇的行为而认为他发了疯，原是很可以理解的。

可是在这时期内他再清醒也没有了。他正在内心的外形的测验他自己，要看他能忍受到何等程度，缺乏了这样或那样，他要如何的难受。自然，只有最接近他的人才知道这个。

下面是她另一个速记的印象：

割草！如何的图画啊！伯爵们，亲王们，

教师们，和各式各样高贵血液的人们想跟农民一起工作竞赛。镰刀的声音也不对劲地刈割着多液汁的草。人人想胜过别人。一眼望去，到处是工作者。农民也在场，伯爵夫人穿了一件俄罗斯的衣衫也在；小孩和家庭教师——我们全都帮着翻干草。猎犬到处躺着，在微笑的草原上有一个不平常的赤日照耀着。远处一个山上是村庄，另一个山上是伯爵的房子。

而他却站在这里，一个农夫伯爵，穿了俄罗斯的衬衫和裤子，两脚分开，在刈草，我看了看他，觉得他全神都贯注在里面。他正在听镰刀的声音。自个儿在享乐呢……

这时候有一个非常卓越的人物从美国来拜访伯爵。他自称茀莱（Frey），实在是一个俄国人。他差不多五十岁的样子，看去却鲜艳而且年轻；他是一个素食家，几乎有十年甚至于盐巴也没有尝过。

伯爵夫人真是困惑得失性了，因为她的女儿都受了他的影响，他们不再吃肉了，越来越惨白了。幸而这一年年终之前，这一阵热病已经过去，素食家也跟我们一起吃起肉来。

但我可以证明，数年之后，当我结识他们的时候，玛丽女伯爵是一个素食家，她的大姐姐蒂阿娜也差不多是一个严格的素食家。而托尔斯泰虽从克里米亚的那时起就有消化不良症，尽管他的妻子也一再反对他，他至死还是一个素食家。安娜·舍隆的看法是这样的：

伯爵患上这些疯症是因为悔愆的缘故，要磨折他的肉体，提高他的灵魂。甚至有一个时期他真似乎是憔悴不堪，变得瘦极了。他磨折他自己，还用他自己心头的血来著写……

只有在八十年代注意到伯爵如何突然消瘦，他的皮带越扣越紧了一两个皮带孔，只有注意到的人能知道这也是得救的一法……

然而同时他也是脾气和善，时常很快乐的人物。他玩木球，和他的孩子赛跑，弹钢琴，有一个黄昏还在纸上绘了许多魔鬼。在别人看来庄严的事他嘲笑，他自己做新靴子又补旧靴子，生活的省俭使他满心欢喜，他也和小孩玩；简单地说，他是一个简单和气良善的家长，一二三以外的数字都数不出，任何河流里的污泥不肯掏。

还有点日子，他把自己身上的著作家的辽夫·托尔斯泰像剥去洋葱的皮一样剥去了，然后剥去了他的伯爵，他的鞋匠，贵族和家长，赤裸裸地变了他自己——他是做得来这样的。发生这种变形的日子自然没有在日历上注明日期，不注明倒好，否则人们更要担忧他了。在这样的日子，伯爵完全变了一个人，连他自己的祖宗也要怀疑的。

安娜·舍隆提起的所谓“卓越的人物”，自称威廉·茀莱，真名却是V.K.赫恩斯。他生来是俄罗斯人。除了在芬兰兵队中服役过之外，他还在两个军事学校——炮兵学校和参谋学校——中毕业。从小他就是奇异的人才。他是一个优良的数学家，有丰富的科学智识。为了一个道德的动机，他抛弃了他的远大的前程，于一八六八年移居美国，创设了一个公社式的垦殖区，而这一类事业的结果差不多都相同，不几年就宣告失败了。他就到了柴阔夫斯基在加萨斯的垦殖区去，很不甘心地以教育工作来换了体力劳动，但是他教授科学的成绩却好极了。柴阔夫斯基的垦殖地跟着也完结了，作为一个通常的工人地在美国过了一个时候之后，弗莱迁移到英国。

赴美国时是一个共产主义社会主义者，回来时却是一个严酷的实证主义孔德主义者。

一八八五年他回到俄国，他的《给托尔斯泰的书简集》上面有一篇序文，从中我们知道了他如何和托尔斯泰结识，如何他们心心相印，虽然在宗教上也有完全相左的意见。完全是托尔斯泰式的精神，弗莱说道：

> 我看到俄罗斯人民愈是有心要接受一个新的宗教和道德，为了他们的生命要有所指引，我愈是感到苦痛，想起多少精力多少生命，有时几乎是完全虚掷的，虚掷于和政府斗争的行

为上，而自我牺牲的精神，不自私的爱的心肠，实在在另一个斗争上（我认为这是更真实的斗争）是更需要的，在这另一个斗争中人不必拿起罪恶的武器来和罪恶作战，倒是要勇敢地，用不屈的意志来面对这种罪恶武器。不惜任何牺牲，不怕任何阻挠，把自己献给人类。

关于他自己和托尔斯泰，他说道：

显然是在不同的情形，在不同的旗帜之下工作的，我们却一样的达到了这个坚决信仰，就是说，人生问题的解决，对个人和社会言，都只有宗教是唯一的锁钥。我们同样地达到了不自私的爱的结论，而且并没有依赖了传说中的魔鬼，更没有依赖了永生的祝福，都同样地在旁人的生命中解决了自己的疑虑，在伦理方面即便是细小末节，我们也有许多共通的地方，所以能了解彼此……

去年夏天，我到了俄罗斯，第一次听到

托尔斯泰的活动和他在俄罗斯社会的生长的一方面底影响之大，还听说了他的作品如何成千地销行。以前我还没有听说过这类事情呢。从托尔斯泰的作品中，我并不能明确地把握住他的世界观，虽然我也不能忽略了他的力量。我写了信给他，（一）我的宗教观，为了要从中演绎出（二）我对于他的教义的批评。收到我的信之后，托尔斯泰立刻写信给我，叫我去看他……我立刻接受了他的邀请，和他过了五天的永不磨灭的日子（一八八五年十月七日至十二日）。

那时候在耶斯那耶的斐纳曼报告我们：

辽夫·尼古莱维奇初次听到素食主义是从弗莱那里听到的，他也从弗莱那儿看到第一个有意识地戒杀生的人物。

“这是多么好啊！多么好！……”辽夫·尼古莱维奇说，狂喜不自禁了，“可是吃素菜够营养吗？”

“光是麦子就够营养了，”茀莱说，“把麦子晒干就可以吃了。”

“什么？不辗一下吗？”辽夫·尼古莱维奇吃惊地说。

“人的嘴吧里不是有一个更好的磨坊吗？”茀莱回答，而引起了对方一个热情的大风暴。

辽夫·尼古莱维奇的喜悦已经无边无际了。他拥抱了茀莱，吻了他，处处表示了对他的好感。

“我提起谷物来，”茀莱继续的说，“是因为它们容易得到。可是从田里拔来的禾木料的食物，对于人类，真的也不是最自然的。另一种更高贵的食物对人类自然得多，可以使它不割也不拔——这是屠杀植物的生命啊！幸而人的构造教他吃一种奇异的食物，尝到有如天堂的处女乐园中尝到的香味……是的！我们的牙齿和我们的肠子的长度，无争论之余地，证明了人不是一种残杀动物的动物。他没有那尖利的分开的牙齿，而他的肠子的长度大于残杀的动物。这两个情形，比所有的论文有力量得多，证明人食兽肉是不自然的。

“也很明显的——人不是吃草的动物。这一点，他的肠子又太短了一点：要变一个草食的动物，他的肠子必须两倍的长，他的牙齿必须有两倍阔，像草食动物一样。人属于动物之中的另一种，吃另一种食物是最自然的——果子和硬壳果实。他不是吃肉，也不是吃草，而是吃果子的动物。在果子中间硬壳果实尤其好。以森林中的猴子做例子吧。它们只吃硬壳果实，它们多么灵捷，灵活，强壮啊！猩猩只要一击就可以把狮子的脑壳打碎，它的牙齿可以把枪膛咬扁。

“吃肉的人徒然哓哓不休的说，吃肉可以使未成年动物的成长获到利益，而兽尸肉可以在人类的机能中起同化作用，成为光辉的思想，动人的情操以及崇高的行动。他们还问，这里面有什么不道德呢？相反的，牛被吃掉，牛还要谢谢人类呢！

“这正像尼采及其超人哲学一样。他说祖宗没有积德的大众底福利，必须为了栽培一种新型的人类底高尚目的而牺牲。人民大众确实是在田地，竖矿，矿底，工厂和铁路里受苦的，然而他们所生产的物质利益，妙不可言地转变为一种新的，神奇的人类典型——有文化的人群了。为了大自然的经济起见，他们的受苦并非一无酬给，而资本主义的罪恶因为超人的优越性得到了赎罪了！”

托尔斯泰回答道：“当我听你说着你这些括括叫的比较的时候，我倒想起了我去祈祷过的奥涉丁修道院里，有个僧侣讲过的一个传说了：

“上帝先创造了精神的世界，安琪儿的国度。他们向上帝赞唱，颂扬他的伟大。可是这时在安琪儿中间，最受宠爱的一个，却因为骄傲和嫉妒，挑拨全体安琪儿起来反叛上帝，上帝就把他和他的扈从掷在深渊底奥。

“降落的安琪儿变成了妖魔，为首的名叫撒旦。

“于是留在天堂，屈伏在上帝威力之下的安琪儿向他请求，说：

“‘呜呼，我们呜呼！你剥夺了我们的同志，我们的数量是减少了……’

“上帝生气了他们，说道：

“‘你们信仰不坚的！你们还不知道我的大力！所以我要在大地之上创造一种东西，最苦恼的东西，然后会有相当于你们的人类出来，补足你们的数目！’

“在愤怒之中，上帝创造了人。

“人类在沉重的劳役的压迫之下生活，热情地生活在淫欲和苦痛之中，可是这一切并不徒劳，因为在人类中间，还有着圣洁的土地，那就是寺院，从那里苦难的人类的礼物和人子飞翔了，在那里，依照了上帝的意志，从最苦恼的动物底人类中间，会有相当于安琪儿一样的人类出来，补充了安琪儿的数目。

“在这个僧院的墙壁外面，我可以听到一把巨大的锯子，嗞嗞！……嗞嗞！的声音。这是雇来的木匠在锯断木板，为这些未来的安琪儿建筑住处的！

“是的，我的朋友；欺诈强暴地统治着我们的世界，你的话都很对，谢谢你，谢谢你给我的忠实而智慧的语言！我自然要学你的样子，从此不再吃肉。”

从此辽夫·尼古莱维奇不再吃杀生的食物了，甚至有一个时期只吃一些稀薄的麦片粥过日子。

有一天，在他改信素食主义之后不久，托尔斯泰访问他的朋友 I.I. 拉艾芙斯基。拉艾芙斯基正在一个图拉的旅店中吃饭。托尔斯泰开始说人不应该吃肉，也不应该贪吃，面包和开水尽够足意了。送上来一碟子布丁，而托尔斯泰一边谈天，一边拿过碟子想尝一尝。“呃，不行……”拉艾芙斯基幽默地抗议了，“这也是贪吃！”托尔斯泰立刻推开了碟子，表示悔艾。

安娜·舍隆告诉我们：

正在这时，他反对了行猎和射击，这如何使他感到困难，如何这一项游戏强烈地吸引了他，可以从下面的故事中看到。有一次在著写了好几个小时之后，他走进了厅堂把枪挂在肩上，可是找不到他的帽子。因为太阳照耀得凶，他随手抓到了一顶帽子就像一道闪电似的从屋子里倏忽不见了。黄昏回来时，他正浸渍在深思之中，光光的头低垂着，贼偷一样地跑进了屋子来，背后拖着一只他杀死的死兔子，而他的皮带上挂着他大女儿的一顶巨大的红色的帽子，那是他刚才一股劲儿出去时抢下来戴上的。

这是他杀死的最后一只兔子，要不是他的儿子在借用，那枝枪也早该生锈了，孩子们是纵然尊敬他，可是这一件事并不学样……他并没有禁止他们打枪行猎，可是曾请求他们弗太残酷，他们猎回了一些什么动物来，他也从来不看一眼……

又来到了磨练的日子。伯爵似乎给否定

一切的热病所执着了。现在是戒烟草。啊，不幸的人啊！离开烟草多么困难，离开它老是想抽，抽得极有味道的纸烟是如何困难！“抽烟甚为可耻，”伯爵在有一天的早晨宣布，“这是奢侈品！不应该种烟草，应该种救灾的大麦。”于是他的象牙烟嘴放开在书架上了，它躺在卢梭，斯当达尔，倍拿亭·德·圣比埃尔等等著作之旁。

伯爵打了一个新的，特别艰难的战胜自己的硬仗，也受了不可忍受的苦。绝对不晓得他自己该怎么办了。他会从这儿那儿拣起一个烟屁股来，像学生子一样，呼那个一口，或者在别人当他面前喷烟时，鼻子里吸入他们的烟。片刻之后，尽管信心坚强。他又屈伏在爱嗜之下，因为吸了烟他的神经立刻平静了，谁要把伯爵当做一个言符其实的修道之士来看，多少是错误的。他曾经有过，以后还是会有一些时候，完全不能否定他自己，他那样的体力，他那样的感性的人物是永远不能做一个圣人的。

这斗争纵然艰难，最后托尔斯泰克服了他的烟瘾。

弗莱在他拜访了耶斯那斯之后向南旅行去了，十二月中他回来，在莫斯科碰到了托尔斯泰，已经完成了他的《那么我们必须做什么？》——而在第二十九章内，他综合了许多不同宗教哲学的体系，并说明据他看来，这些体系是为习俗作诡辩，拥护罪恶，转移人们的视线，使忽略人生中应有的改变的。

在这些体系中，托尔斯泰也包含了福音派的堕落与赎罪的教义，据他看这是排斥了基督指摘社会的错误的奸计；还包含了黑格尔的体系，它的“存在的都是合理的”那个原则在内。

第三十章全章是为摧毁实证主义的批判，他认为实证主义也是近乎一种“为自己辩护”的体系。这一章托尔斯泰读给弗莱听了，因为弗莱的一个主要争论点在于宗教道德的原则须有科学活动的附助，托尔斯泰希望他能同意，孔德的科学体系是篡去了宗教的地位，而且废黜了道德原则应有的控制力的。

弗莱接受了第二十九章，那里面因为宗教与科学的体系转移了人们的视线，使人从道德的指引转移到智力的抽象思维上面去，受到了批判；可是弗莱听到第三十章里，连孔德也被视为同样的教条的作者时，他反对了。他在托尔斯泰的书斋内过了一夜，黎明很早就起了身，坐在托尔斯泰的书桌上，他写了一个申请的书翰，要他毁去第三十章，修改第二十九章，不要把实证主义归入统治阶级的，为自己辩护的，科学的理论内，也不要把孔德作为这一类体系的创导者。

托尔斯泰照样的守住他的枪炮不让步。他一直继续的认为弗莱是言行一致的人物，对他表示好感，可是从此两人不再往返了。一八八六年二月里弗莱回到了英国去，三年之后他逝世了。

第二章　干草堆上的故事

已经提起过的了，托尔斯泰既浸渍在他的新的思潮，它们所引起的讨论，和他要广播他的观点底那些文学活动就全部跟他有效地管理田产这件事格格不入，他的产业从此是要荒芜下去了。安娜·舍隆告诉我们：

> 这年冬天伯爵完全忽视了他在沙玛拉的好产业。那地方离他又远，当时还没有火车相通，而且时时刻刻还有饥饿的教师来登门拜访，再三告诉伯爵说他（教师）是熟悉农事的。好像他们只要表示了和伯爵的意见相合，就准可以在沙玛拉找到一席之地似的。……那里的事情却是如此地或如彼地非常的不顺利……几十万卢布都损失了，然而这产业到最后却还是证

明了它像一座金矿一样，纵然事情不顺利，最后还有好收益……

这些日子里，伯爵要使任何观察者都当他疯人看待了。他的举动是完全不加检点的，他像一条大蟒蛇一样，一口吞下了一只鸟去，然后安静地消化它。他又像一个反刍动物一样的吞下，吐出，又吞下他的思潮，他周围的人——特别是那些反对他的人——在这样的反刍过程中真吃足了他的苦头。

在这周围的环境中，一般人以为重要的事，被认为平淡无奇，而连“文化之士”也认为毫不重要的一些事，却又被认为天经地义的大事情，所以许多诡奇的遭遇在这里发生，却谁也不加注意。

如著名的江洋大盗，谋财害命的楚尔金，杀死过十五个人，两次给托尔斯泰写要挟信。他三次从西伯利亚逃回来。离耶斯那耶的庄园一哩半外有一道河流。有一次安娜·舍隆上那里去洗澡还给他吓了一次。托尔斯泰收到他的信时，毫不惊奇，随后他完全忘记了楚尔金给他写信的事情了。

耶斯那耶的来客自然而然的分为两大阵营，一方面是随附着托尔斯泰，赞成流汗劳动，过农民一样的生活的访客；另外是就在伯爵夫人那方面，希从事情像以前一样过下去的访客。这两个阵营有时被称做“黑派”和“白派”。

“黑派”中间有一个是当时来访，身材魁梧的年轻犹太人，名叫斐纳曼，十九岁，前面我们已经提起过了，关于这个人，安娜·舍隆告诉我们：

> 有一天他登场了，谁也不知道他为什么来和从哪儿来，他宣布他愿意工作。伯爵喜欢了他说话的神气，就带领他到村中去，这少年就住下了几个星期，他的行动都很好，到处帮助人家做最粗重的工作，并且在农舍中帮助病人。村中正有窒扶斯疾病。这时斐纳曼真是个大英雄；可是虽然这些孩子们，侄子们和一切少年人，连我自己的孩子在内，都想给他一个地盘，我却觉得这件事有点可疑，而且有点可

笑。伯爵夫人的看法是实事求是的，很想给这年轻人做点实际的事情。他说他懂得一点缝纫，于是她买了几个卢布的土布，请他给伯爵做一条裤子。可是，唉！裤子是个什么样子？无论你如何穿都穿不上。斐纳曼就在伯爵夫人的眼睛底下，落伍下去了。

可是他并不因失败而羞涩……他下田做工去了。后来事情平静了一点，他又搅起了宗教来。伯爵时常请他来吃茶，他确是一个愉快的，受有教育，态度很好的人物。有一天日光明丽，他宣布他希望能加入希腊正教，立刻他出去找了牧师……

入教的事一点不夸张地进行了。斐纳曼是一个安静而乐天的性格。我确信他的入教与伯爵无关，伯爵只顺着事情自己所趋的方向。洗礼时，伯爵和伯爵夫人都没有到场，而变成了基督徒之后，只给斐纳曼一个忏悔的机会，说他已经有一个妻子了，他就要求他的妻子能够来和他住在一起……

伯爵夫人说，斐纳曼要求加入希腊正教的理由不过是想获得一个资格来做耶斯那耶乡村学校的教师罢了。伯爵夫人又认为他有坏影响，农民也并不喜欢他，就跟当局谈判，请他离开了。

安娜·舍隆说：

> 于是在一个有太阳的日子里斐纳曼应召服兵役去……不久后就谁也不再记得他了。他从我们地平线上消失，快得正同他的出现一样。在伯爵眼下，犹太人和基督教徒本无不同，而这些人跑来只不过一忽儿，却想在他的教义之下得救，他哪来那么多精力侍候他们呢？似乎这一句格言“各人为各人自己打算，而上帝为全体打算”可以在这里应用了。

现在我们已经知道斐纳曼的大概了，让我们来看他描写的一八八五年的耶斯那耶·朴利阿那。下文中所描写的那位夫人玛丽亚·亚历克山德罗芙娜·徐密德脱原先是彼得堡的圣尼古拉女校的舍监，受了托尔斯泰的影响之后，她跑来了，希望能改变她的生活。

托尔斯泰最喜欢的女儿玛夏奔进来了：一个轻疾的，长条子的少女，头上缚了一条帕子，打扮得像一个农家少女一样，穿的是手织的农家的衣衫和裙子。她轻轻地摇摆她的身体，迅疾地说：

“玛丽亚·亚历克山德罗芙娜，你要看他们怎么样把干草捆放在棚里吗？跟我来！”

不等一个回答，她就拉了玛丽亚·亚历克山德罗芙娜跑了，可是她那铃子一样的笑声，等她跑远了还能听到，她正在勾住了玛丽亚·亚历克山德罗芙娜吻她。“哈！哈！哈！我的小舍监！”

第二天我们大家在寡妇阿尼西亚的天井里碰到。因为没有男人耕植她的土地，所以辽夫·尼古莱维奇担任了施肥和耕种。我们驾车而往，带去了铁叉子，开始用叉子挑起那层层的润湿的棕黄色的牛粪——那是一个冬天的积蓄。玛丽亚·亚历克山德罗芙娜也帮忙，用一根叉子把牛粪铺开。

“你的火的洗礼！”辽夫·尼古莱维奇责叱她，“不要因为这是你的第一个工作而羞愧。在一切农业活动中这是第一件事情，你必须从这里开始。”

“可是我很高兴……你说这话是什么意思呢？”她的纤嫩的棕黄脸儿红了起来。

当时玛夏也在场，神气活现的从草堆里搬下干草来，在已经干了的泥土上铺草，说教似的评论：

“我想工作还比说一些聪明的演讲辞好一点！”立刻又去搬第二捆干草了。

黄昏我们都在辽夫·尼古莱维奇的巨大的餐厅内会见了。虽然我们都已经换了衣服，那些“贵妇人”（他们用这名字来称呼伯爵夫人，她的姐姐，T.A. 库兹明斯基和女教师），做了鬼脸，还拿进香炉来，上面燎烧着燃烧的香草的烟。

"用烟来熏掉恶魔！"辽夫·尼古莱维奇说，"最好还是你们跟我来工作，这就用不到这样的熏烟了！"

这一个场景给玛丽亚·亚历克山德罗芙娜的印象极深。"多么苦痛啊！"她后来对我说，"这对于他一定是如何的苦痛啊！除了他自己之外，这两重生活如何苦恼他之外是谁也不会知道的了。"

玛丽亚·亚历克山德罗芙娜停了片刻才接下来说：

"他说了这是他的'十字架'。我只能鞠躬，并且承认我是没有这一个力量来背起这个十字架的。"

我说了："一个人的敌人是他自己家里的人。"

"对，对，对极了！"她接下来说，"玛夏说过的，'你知道爸爸希望什么吗？他希望他能把我们大家带到一个新的生命中去，希望他做的事我们都能相信'。我们的可爱的珍贵的辽夫·尼古莱维奇！他的任务是如何的艰难！他不会完成的。我早已看到了最可怕的结局了：不仅仅他不能看到他的家庭过什么新的生命，便是他周围的一群朋友也要被放逐赶跑的。现在这里只剩你一个人了：就是你，我听说他们也快要对付你了。他们害怕你给孩子们，家庭，仆人和村农民的影响。就算我们有这么的一个小圈子了，第一个反对我们的言语还是会从那熏烟的房间里说出来的。一定是这样的……”

辽夫·尼古莱维奇恰好走上来，已听到了我们的谈话内容，就说：

“这是我的罪恶，不可否认的。在我的心里，我不止一次要走掉，去那儿过生活，去生活在那儿，森林的转角上——你们知道的，就在伏隆卡河向柴塞卡折回去的地方，在那儿曾经有过一个养蜂场，养蜂人的茅屋还在那儿矗立着。我能在那儿生活，工作，著写。我一直心向往之，便是现在我也强烈地心向往之，可是我对我自己说，‘这却变成遁隐了；这却成了独善其身的行为了’。我要生活，要侍奉上帝，在‘他’的田地里工作，用他给我的工具来工作，用他给我的困难来工作，因为这些工具和困难是他的感情赐给我的。我曾全副诚意地衡量过我的灵魂，也测过我自己的灵魂的深度了。时常在我想像我目前的遭遇，如何受压迫，受反对，受嘲笑的时候，我同样又觉得我如何地征服了我的骄傲和我的野心和欲望，以便做别人的榜样。我能够感觉到的是，我和指引我的生命的‘他’很接近，我觉得我握住了‘他’的手。而只要我想像一下，遁隐在那里，在自由的状态下，和平地过一个模范的生活，我又感到我和‘他’很远了。‘他’的手不再握着我，寒冷而荒凉的恐怖袭上心来，我对我自己说，‘不然，我还是住在我原来的地方好了’。”

而玛丽亚·亚历克山德罗芙娜，本来也想走掉的，现在也留下来了。她和玛夏之间，茁生了一种友情。她们一起在田地工作，一起割草，为农民料理家务——为他们挤牛奶，纺织，煮饭，看管小孩。

我们帮她施肥的阿尼西亚的一个邻居病了。病了很久，最后知道是窒扶斯；而玛丽亚·亚历克山德罗芙娜看护了他好几个星期，同时还要照顾他的妻子，叫陀玛老婆婆的，一个良善的高大的但是体质极弱的老农妇。

“上帝啊，这一个灵魂何以是如此的优美呢？”陀玛老婆婆时常说，抚着玛丽亚·亚历克山德罗芙娜的衣裳的镶边，“为什么你自己要这样地吃苦？你，本该像有钱人一样的吃喝得好，住得好！你在这里把你的身体都弄坏了，像圣像前面的一支烛火一样的燃烧……”

下面是这一件事的安娜·舍隆的记录：

有一天，他给一个田地施肥之后一径回家来。这件愉快的劳动，当时候的耶斯那耶有好几个业余家在做。全部门窗都得打开，要不然那股奇臭只得把你赶跑。伯爵微微笑着，四面看看，闻到了粪臭就高兴得不得了，似乎他确信他做了好事情一样，害我制不住大笑了……

阿尔布楚夫告诉我们，下田工作时托尔斯泰赛过农民一样，说：

辽夫·尼古莱维奇做工是有报酬的，因为他耕种和刈草不像一个业余家，他是十分认真的。他像农民一样的工作，对半平分（ispolu，农夫在别人的土地做工时，他可以得到收成的一半）。伯爵每次得到五堆谷物，三堆他自己装回家去，两堆送给一个穷寡妇。

N.N. 盖（画家）住在耶斯那耶的时候，他和托尔斯泰为阿尼西亚寡妇化了三个月功夫砌砖，一起造了一座茅屋和围墙。

伯爵和 N.N. 盖砌砖的时候，妲蒂阿娜和玛丽亚女伯爵就编织屋顶上的稻草。用砖瓦造灶头的时候却很有困难，我没法形容他们如何的欢笑了！

辽夫·尼古莱维奇坐在里面，N.N. 盖从外面把材料递给他。化了不少功夫，灶头还是看不见，自然后来他们还是造成功了的。

关于这座茅屋，人家再三提起，实在并不成功。泥土加水时加得不对头，所以不久这茅屋就邪斜不正，后面片片掉下来了。可惊的事并不是托尔斯泰不善于造屋子，倒是他做过许多别的事情，都做得非常出色。阿尔布楚夫接下来还说：

“后来，辽夫·尼古莱维奇生了阿尼西亚的气，不再帮她的忙了。”

“为什么呢？”

“因为她开始了伏特加酒的生意，使农民喝醉。辽夫·尼古莱维奇劝她停止营业，她不服从他。”

“耶斯那耶买得到伏特加吗？”为阿尔布楚夫执笔记录的人问他。

“不，现在这个毒药是出钱也买不到的了，因为我们非常地爱我们的伯爵，而且敬重他，而辽夫·尼古莱维奇痛恨酒和烟草，比什么也利害。他说过，‘一个人不抽烟，可以多活十年，一个人不喝酒可以多活二十年’。”

“他自己喝酒吗？”

“他以前是喝的，也喝得很少。譬如打猎回来，他会喝一点少量的酒，兑上一半水。现在他可是什么也不喝，只喝开水和Kras（没有酒精的饮料）了。”

九十年代之初，我本想走开，因为管家妇和奶娘都和我过不去，可是辽夫·尼古莱维奇要我别走。

“你别听这些老处女，”他说，“因为她们一变老处女都变成白痴了。”

所以我没有走。

现在，我们让斐纳曼继续来谈托尔斯泰的活动底故事：

我们在收割花园附近田野上的第二次干草，上午我们弄松它们，耙在一起，黄昏时我们开始把它们堆成 Kopna（草堆）。

辽夫·尼古莱维奇挥舞着一根叉子，站在中央，我们递送过成堆鲜美的干草去，满是这夏季第二次长成的花叶，而他只把手腕轻快地一动又一动，把它们放成了一口井的模样，它们迅疾地加高起来了。

当他把圆圈围好，把手上的最后一捆干草压平了，挺直了身子时，就胜利者一样向还在抱着干草来去的人喊了：

“我比你们快！你们干什么啦？”

玛丽亚·亚历克山德罗芙娜干得比任何人凶，总是小心翼翼地把一大堆干草连着耙按在她胸膛上，像一个母亲抱着她的婴孩过河一样。

玛夏在她后面跟上来，一路上还掉落了一半干草，她后面又是另一个女人，那是苍白而热情的，谦卑而梦似的俄尔伽。跳跃着过来，铁耙的柄紧压在她的小肩膀上，她是把干草掮在肩上的。

他们造成了一个 Kopna 之后，辽夫·尼古莱维奇就跳到地上来，用铁耙把它的围和顶头梳平剪齐。太阳差不多要西沉了，我们得赶紧把最后一个草堆来搭成功。

“让我们赶快，”辽夫·尼古莱维奇不断的鼓励我们，“‘太阳一落山，工作做不来’，老古话就这么说！”

这时已只有少许干草了，最后一个干草堆很小，而且有一个尖顶。

把四周修剪了，辽夫·尼古莱维奇把剪子投在顶上，肘子支在堆上，叹了一口气。

“我们总算恰恰正好，和太阳的步调一致了！看那边！……阳光的最后的边沿接触了铁路，而从那火车头的恶烟囱里喷出来的一缕长烟还要想把这玫瑰色的边沿掩没呢。我想我看到了太阳旁边有一个谁，正在威吓那恶烟囱和我们这整个可耻的生命。”

我们围住了辽夫·尼古莱维奇，把我们衣服上的干草和草茎拂掉了，也在草堆之旁依靠上去，它是我们自己的东西！玛夏站在辽夫·尼古莱维奇的左边，玛丽亚·亚历克山德罗芙娜在右。辽夫·尼古莱维奇把他的手插入他的皮带，他的胳膊画了一个半圆形，而从这半圆形中间我看到玛丽亚·亚历克山德罗芙娜的脸是充满了温和，像一个圣女一样，我的眼睛真是不自主的看看她头顶，看有没有灵的圆光了。

俄尔伽的地位在玛夏的后面。用力伸长了她的脖子看到了辽夫·尼古莱维奇的脸，羞答答地问，仿佛是回答他刚才的最后一句话似的：

“可是有没有罪恶的生命底可能呢？没有罪恶，人可以生活下去吗？”

“俄尔伽·尼古莱芙娜，想得好，”辽夫·尼古莱维奇生动地说，“可是这并不对。人是为好而生，不是为罪恶而生的。前几天我在读一套古代的传说神话，有的正针对这个问题，读得我高兴非凡。在这些传说中，有惊人的深刻的思想，表现得出奇地简洁，而且不讲究艺术。例如，这一个，自然，现在我是用我自己的讲法来讲给你们听的了。”于是他开始了：

……

“上帝想到了一种新的动物，天与地的神奇的结晶。

“‘不要创造他！’真理的天使庄严地说，‘他很快就要把你的庙堂弄脏，要把地球上的欺诈变成光荣，到处就都是引诱了。’

“‘不要创造他！’正义的天使求上帝，‘他一定是残酷的，伤害一切人，若然他爱，只爱他自己。别人的受苦，他一定佯作不闻，被压迫者的眼泪一点不会感动他的心。’

“‘他要弄得遍地流血了，’和平的天使继续开言，‘他一定以杀戮为耕作。大地将要荒凉的危机就满布大地，每一个灵魂里都要有不得好死的恐惧了。’

“于是万物的主宰面露愁容了。天与地的神奇的结晶品似乎是罪恶的，卑劣的了。上帝想着想着在他的永恒的意志中渐渐地他的决心要成熟了——‘就不要……’

“可是，正在这时，在这生命赐与者的室座之前，出现了他的最幼小，也是他最宠爱的孩子，慈悲之天使。她拥抱了天父的膝头，祈求他：

“‘创造他！你周围的天使们都可以离弃他，我却要找寻他，帮助他，纵然他有短处，我要把他变成良善。我会指引他使不离开真理的道路。我要拉他的心，使他同情，我要教他，使他对最弱者慈悲！’

“于是万物之主宰的上帝容光焕发了。天与地的神奇结晶品生下了，形同天父，貌似天父。

“‘生活吧，’万物之主宰向他吹了一口气，‘记住了你是慈悲的孩子！’”

……

“人便是这样创造出来的，而你说人是罪恶的孩子。”辽夫·尼古莱维奇用一道仁慈的，带着责备的笑容，看了一看俄尔伽。

“美丽的传说。”她说，喜悦的声调，羞答答地一笑。

……

落日的余晖开始消隐，紫黑色的圆顶似的云，一个在一个之上地浮了起来，像巨大的带子向东方延长。

“看，天上有如何愤怒的形象出现了！一切都充塞着明天的希望……美极了！……而在我说完话之前，再说一个传说吧，”辽夫·尼古莱维奇说了，我们快走近屋子了，“今天晚上，我是在传说的情怀之中。”

……

“一个国皇的女儿嫁给一个富人了，他什么也不顾惜要娱悦他的新娘，要把一切快乐供给她。他为她造了大理石的宫殿，用金子做装饰，为了她的光荣，摆下了盛大的宴席，珍珠和宝石装满了她全身……可是她的新娘还是冰冷，冷漠，对于宴会和礼物一点不在乎。为什么？因为他是国皇的女儿啊。

“我们的灵魂也是如此。大地把它的珍藏展开在她的前面，用肉欲的欢快铺在她的路上。可是灵魂冰冷，冷漠，她的心不爱这些快乐。为什么？因为她是上帝的女儿啊！”

……

我们在深邃的思想中分别。这些传说的意义，它们所用的字眼，和整个劳动和信仰的氛围气，留下在心灵里，像是特别快活特别崇高的东西。

此后不久，玛丽亚·亚历克山德罗芙娜就离开了耶斯那耶。

在俄罗斯的另外一角设立了一个托尔斯泰的垦殖区，她去参加了。

她开始有了困难的日子。她的来信说起了新的生命的困难和斗争。垦殖区所买下的土地是荆棘丛生的，而且只有用手去拔才拔得掉。

垦殖者的手全破了。而且这个工作非常累，主要的是前途又渺茫，这土地不能很快就扫除清楚。

除了玛丽亚·亚历克山德罗芙娜之外，这社团之内还有几个“寻找的灵魂”，他们都给这无穷荣役，真已变成了苦刑之一种了的，使人不能置信的艰难，所毁损……但玛丽亚·亚历克山德罗芙娜不出一声苦，忍耐地熬着她自己。“现在这里虽然坏，绅士淑女的生活坏得还多！”

辽夫·尼古莱维奇写了鼓励的书信去，信到的日子是垦殖区的节庆日一样。

后来这垦殖区破灭了，玛丽亚·亚历克山德罗芙娜和她一个以前也是教师的朋友在克里米亚海岸边，一个荒凉的地方住下，在她们的小小的厨房花园中从早上起工作，直到夜深。

“傻瓜。”邻居都这样称呼她们。

“圣者。”辽夫·尼古莱维奇说。

后来，玛丽亚·亚历克山德罗芙娜住在离耶斯那耶不多几里的村子，直住到托尔斯泰过世，她养牛，还种一点托尔斯泰的女儿借给她的地，生活得完全像一个农妇一样。

自然，关于玛丽亚·亚历克山德罗芙娜的诚实，勤垦，忠于托尔斯泰的教义，是没有话说的。唯一的问题是普遍地说起来，离开教育工作，离开她自己的阶级而从事于胼胝手足的劳动，是否这样子服务于人类的成效已比一般的服务更好了呢？这样单独地耕作，她既不能养活自己；而且像她这样的和柔，受有教育，善意而又可靠的妇人，若能在社会的整个复杂的机械中作为一个小轮子地转动，岂不比她单独耕作糊口更有价值，我并且相信她要是这样地做了，她的典范与影响一定不会小的。

秋收之外，N.N. 盖总到耶斯那耶来。伯爵夫人带了儿子上莫斯科去了，托尔斯泰和他的女儿却留下来陪他。

那时托尔斯泰就要从事文学作品了，盖也帮他的忙。晚上邮差来时，他们就把信件一起的来分列，托尔斯泰分出了（一）他自己复的信；（二）他女儿可以复的信；和（三）那些根本不必复的信。

伐西利·莫洛查夫的回忆录中，我们看到了从另一个角度来观看的托尔斯泰。在七十年代之初，莫洛查夫是托尔斯泰学校中最优良的学生，后来他在图拉驾车子，偶然也投稿到杂志上去。

> 九十年代时我听到了关于辽夫·托尔斯泰的奇异的故事了，从我的一些耶斯那耶的同伴那儿；怎么他变成一个单纯的工人啦，耕田人啦，割草人，播壳人，伐木人啦，炉灶匠人，木匠，鞋匠啦。属于农民的一切于他都很自然。我的同伴告诉我的故事是惊人的。我的好朋友，老同事依格拿脱·麦加洛夫对我说："莫洛查夫，现在你不会知道辽夫·尼古莱维奇是怎样的一个人了！你想必记得我们在学校里的时候。他那时候只不过对我们好罢了，现在却对我们更好，而且对人人都一样。你应该看看他现在如何工作，如何耕作，如何割草！你知

道他多么强壮啊！如果马衰弱了，你只得装上辽夫·尼古莱维奇去犁地了！他跟我们在乡下如何地工作的啊！他疾病也不怕——便是虎列拉也不怕，我们把他训练好了……他也替自己的工作吹牛。‘啊，依格拿脱，’他说，‘我昨天真累了，可是我睡得多么好！’我对他说，‘只为了睡得好，也该拼命工作’。他就说：‘对，对，依格拿脱！这是对的！’……你应该去看看辽夫·尼古莱维奇啊，莫洛查夫。他一定很高兴看见你。他老是问起，‘莫洛查夫过得怎么样了？’——你来，我们一起去找他，他一定会送我们几本书。我已经从他那儿得到好些书了。”

跟我朋友谈话，我感到轻快，他是跟我一样懂得良好是什么的。

所以我打算到耶斯那耶去拜访我的亲戚和辽夫·尼古莱维奇了。我还没有到那儿，还没有停马，我的八十岁的老姑母就奔出来了，一开口就说活在世上是多么艰难。

“我什么也没有了，”她说，“一根拐杖也没有。可是谢谢伯爵，请上帝保护他的康健！他为我们绝望的人支撑；他为我割草，给我施肥，耕田还播种。上帝赐他康健和精力！……现在，你看，他在重建我们的房子了。他自己去买木材。老房子是快要坍下来了……”

和姑母说了一会，我去看辽夫·尼古莱维奇，这个木匠了。我并不立刻走近他，站在他看不见我的地方我先看他。我站着羡慕他的工作。我的天！辽夫·尼古莱维奇变了，须发都苍白，皱纹也起来了……他老了。可是看他如何的跨在梁木上，要先劈出一个口来好让大锯子锯得下去！袖口卷了起来了，没有扣上的衬衫露出了胸膛，头发是蓬松的。斧一劈下去，胡子上的鬈球就震动，他皮带上还插了一柄钻子，手腕上还宕了一把锯子……

在看到木匠辽夫·尼古莱维奇之后，我和他谈了一次，那印象还没有磨灭。

“伯爵”啊，“大人”啊，这些我已经完全

不觉得了，我只觉得他是木匠老辽夫，耕田人老辽夫，或刈草人，炉灶匠，这些都是明显地一眼就看得清楚的，他跟我谈“良善”，那些字眼我也永不会忘记。“让我不要浪费了我这剩下来的短短的日子！今天我是活着的，明天我在坟墓里了。”

我全副灵魂爱上了辽夫·尼古莱维奇，时常想法去找他。他总是翻复的说着“爱和良善”，并且赞美乡下生活，劳动，康健，胃口和睡眠。

第二年，一八八六，一开头就很悲哀，一月十八日，四岁的阿历克赛死于喉头炎。

安娜·舍隆说：

三十六个小时尽够伯爵的可爱的小孩子从康健的鲜花变成尸体一具了。他在北风中散散步，就伤了风。医生把诊断弄错了，只当他是喉痛来医治，后来自已承认他的荒唐了。

伯爵的态度正如他的后期作品中所说一样。“对于心灵坚强的人，死亡只是提醒你一声。”当小孩子在临终时要他到病床之侧时，他在走廊上像十八岁年轻人一样的奔跑，然而进房间时，还露出了庄重的神气来。

孩子看看他的父亲，相信这真是父亲了，向天花板伸出了他的小手和眼睛，清晰地说，“我看见……我看见……”——“什么？”伯爵夫人问，然而没有回答。

安娜·舍隆说，那时托尔斯泰虽然反对牧师僧侣，葬礼还是照旧样的举行了。

俄罗斯的家庭总是这样，死亡等事不提在口上。阿历克赛是一个小小的聪明的好思索的孩子。伯爵夫人本人也有一种精神世界中的，电火似的，精神的火焰，闪耀在她迅速地生动地说话时；这孩子是承继了父母的优点的。

第三章 《那么我们必须做什么？》

给他自己证实了贫穷人和富有人之间有着的关系，托尔斯泰向贫穷问题进攻了。他的书《那么我们必须做什么？》已经在前面引用过一些，是一八八六年二月完成的。这是他最惊人的作品，有浓厚的自传式的兴味。任何人要了解托尔斯泰和他的观点的，不能不读它。它底经济学上的结论——因为他的环境影响，他对于图拉省的农民生活（穷得比南部黑土区域的农民还更甚）知道得太无隔阂了——却是片面的，对于科学，资本和组织所能贡献的利益又太看轻了。可是在许多可以永垂不朽的段落里面，托尔斯泰已贯穿了生命的根本。要不是因为这里的篇幅有限，说不定读者手上也有了这部书，我在下面一定要引得比现在我引用了的更多。

他说：

我们，参加过城市里面那永不休止的狂欢宴会的，也许习惯成自然，认为一个人住五个大房间，装起了足够二十家人家饱暖底火炉来，极其平常；两匹马，两个御者或侍者送我们走半里路，极其平常；在镂木的地板上还要铺地毯，我不去说一个跳舞会所化的五千或一万卢布了，就说二十五个卢布的一枝圣诞树罢，也认为极其平常。可是一个缺少养家的十个卢布的人，为了七卢布的税捐卖掉了他最后一条羊子的人，即使做粗工也不能过活的人，他们的看法就觉得极其不平常。我们呢，我们认为穷人的一切都非常自然。还有一种天真的人物说全亏我们奢侈，他们才有活命之资。可是他们虽然穷，并没有穷得失去了理性，穷人像我们一样的讲道理。“我们”，听说某某人赌输了，或浪费了一两万卢布之后，立刻想到：“这笨而不学好的家伙，胡滥化钱，要是我拿了这笔款子来造我很久就需要的房子或改良我的农场，那是多么好啊”，等等；然而穷人看到富人胡滥化钱，也像我们一样地思想的，他们所想的还格外强烈，因为他们所需要的钱，并不是为了满足他们的狂想，而是为了活命……

别人可以继续不断的飨宴而他们必须常常绝食劳作，这话是穷人永远不会承认，也永远不肯承认的。起先，这使他们看得又惊又生气。后来他们也看惯了，觉得这种生活是合法的，就也尽量的偷懒，要想参加这永恒的假日了。

所以我们常听人咒他们的仆人的懒。仆人的行为确是坏的居多，可是我们不能说他们天生如此，倒要说他们是看了主人的榜样。如果——他们所看到的榜样时常是这样地告诉他们的——一个人享享福，不做工作多么好，那么他们也要尽量的享受好东西，岂不是顶自然的事吗？有的人成功了，参与了永恒的飨宴，别的人部分地在这中间挤得一个地位，另一些人没有达到目的却摔了下来，可是他们已经失去了工作的习惯，就只好混到娼妓和酒徒中间去了……

到底，我的钱是什么？我的钱是从哪儿来的呢？一部分是从我父亲遗留下来的田地上得来的。一个农奴卖了他的牛或者羊，来付租给我。另一部分钱是我从我们的作品——一本本书——上得来的。如果我的书是有害的，我是在买我的书那些人的道路上放下了诱惑，那么我拿的钱是拿得很坏的；如果我的书是有益的，情形可更坏呢。我并不是把书送给读者的，我说："拿十七个卢布来（这是当时的《托尔斯泰全集》的价格），我就给你一部书。"于是正如第一个情形里，农奴卖掉了他最后的羊一样，所以在这个情形里，是一个可怜的学生，一个教师，或者任何穷人，牺牲了他的必需品，把这笔钱给了我。这样一来，我就很有钱了，有了钱我怎么办呢？我带了钱到城里去，拿一点钱给穷人，如果他们也进了城来了，而且如果我有什么怪想头，他们都肯听从我，打扫了我的走廊，灯和鞋子，为我在工厂中做工了。就拿了我这些钱，他们所有的我都能买下：换句话说，我尽量的少给他们钱，尽量的多拿他们的东西。那么真是出乎意料之外了，毫无特殊理由的，我突然已开始把我从穷人身上刮来的钱还给同样的穷人了；自然不是给穷人全体，我是挑选了几个穷人来给的。可是怎么能叫每一个穷人们不想呢，说不定他有一天运道好，给一个阔佬挑中了，当他疯狂地挥霍钱财时，挑他来寻欢作乐，就给了他几个钱？

一手任性地浪费掉小数目的钱财，一手则成千地从穷人身人搜刮下钱财来，我还时常说，这是“做好事”！现在我感到羞愧，岂不又奇怪了吗？……在利阿宾大厦我看到了饥寒交迫的人民的景像，我立刻想到了——该受责备的是我，一个人不应该，不应该，“不应该！”像我一样的生活，这是千真万确的！……

使我明白这件事也不容易，我明白了之后，就对我曾经生活过的荒唐行为惊骇万分了。我自己已淹没到耳朵上头了，我还在想救出别人来呢。

真的，我要什么呢？我要良善，要这样做，使不应该饥寒交迫的人民能像人一样的生活。

我要做这个，因为我已经看到了我自己也曾经参加过的，用了暴力，劫夺和各种巧计；来把工作者的最日常的必需品都剥削了，而同时非工作者（我自己就是其中之一）则把劳动者的劳动的果实大量地消费……

我看到在我们这个时代底做工的人，特别是老年人，女人和孩子，简简单单为了工作过度和营养不足而消灭……而那些幸福的宠儿（我就是其中之一）却安居逸乐到这样的地步，正像从前人梦想的神话一样。我们变成了一只有魔法的取之不竭用之不尽的钱袋的主人——这是说，非但我们从那条为了生活而要劳动底规律中得到了解放，而且无需劳动可以得到生命的一切福利，这只魔法钱袋还可以传给我们的孩子，或任何我们喜欢的人……我看到一个勤恳的生活理想变成了魔法的钱袋理想……我坐在一个人的脖子上，叉住他脖子叫他向前跑，同时还告诉我自己和别人，我是非常地同情他，我希望改善他的命运，要不惜任何代价——只是不肯从他的脖子上跳下来！……

后来我觉得金钱本身，把金钱加以占有，就是罪恶，就是不道德；而金钱本身以及金钱的占有就是我看到的周围那全部罪恶底主要原因——我就问了我自己：什么是金钱呢？

对于这个问题，托尔斯泰写了好几章。他说了，不论在什么地方只要一方面有不事生产而奢侈地消费的人，另方面又有过度劳动却贫困无比的人，那里就有奴隶制度存在，其基础总是暴力。金钱使穷人做了全体富人的共有奴隶。

金钱并不代表金钱所有者所做的工作。它代表役使别人工作的权力。这是近代形式底奴隶制度。

当我明白了富有是什么，金钱又是什么，

我就明白了从古时候就留传下来的真理，佛陀的，以赛亚的，老子的，苏格拉底的，和对于我们尤其明显的，耶稣基督的和他的前驱者施洗约翰的真理了。人民问："那么我们必须做什么呢？"施洗约翰简单，明白，清楚地回答："有两件衣服的人，分一件给没有衣服穿的，有食物的人也照样做！"同样的话，基督说了许多次，说得更明白。他说："穷人有福了，呜呼富人。"他又说："你不能同时服侍上帝和财神。"他禁止门徒拿钱，或有两件衣服。他告诉那有钱的少年人，因为他富有，他不能进天国，骆驼穿过针眼还比富人进天国容易点。他说，谁不要否定一切——屋子，孩子，田地——来跟随他的人，就不是他的门徒。他还讲了一个譬喻，一个富人像我们这些富人一样，并没有做坏事情，就只是穿得好，吃喝得好，结果灵魂堕落了，而那个穷人拉撒路，并没有做好事情！就只因为他是穷人而得救了……

排斥了习惯的剥削旁人的生活方式之后，不可避免地来到了两个必需的条件，一方面要减少我们的需欲，另方面是为我们自己做一切一向是别人在替我们做的工作……

最后我得到了如下的简单的结论：为了不要产生苦痛和致成罪恶，我应该尽量减少旁人的生产物底消费，我还应该自己尽量地多做工作。走了一条极长的路，我不可避免地归纳得到了一个结论，正同一千余年前一个中国人说过的话，“有一个人懒惰了，就有一个人要饿死了”。

我必须在这里略去托尔斯泰的几段戏剧化的描写，如何他的屋子附近一个娼妓被捕，以及如何一个可敬的老年的洗衣妇死在街头，她是如何因为了贫困，给警士从她的住家驱逐出来的。

接下来他写道：“我著写这一切的同时，莫斯科举行了一个大跳舞会。”接下来他描写了他那莫斯科住宅旁边矗立的工厂，制造些丝袜，丝织品，香料和发油——一切跳舞会所必须的东西，又描写了他如何观察到放假日子里，工厂关门之后，街上的工人群。

我走来走去，观察在街上浮浪的工人，直到十一点。于是他们的举动渐渐安静下来了。只剩下几个喝醉了酒的，这里那里还有些男男女女被警察抓到局里去。于是现在从各处来到了马车，驰向一个目标。

车座上是御者和跟班，穿得整齐，帽上有帽章。喂养得既好，装饰得又美底骏马以一小时十四里的速度在雪上飞过，车厢里坐着的贵妇人，包裹在圆形的外衣里，小心地注意她们的花朵和云鬓。一切——从马匹的辔杆，马车，橡皮轮子，御者的温暖的衣服的料子，到丝袜，鞋子，花，天鹅绒，手套和香水——一切都是这些人制造出来的，这些人现在有的躺在宿舍里的炕上，有的和娼妓在下等客栈里胡调，有的给关在监牢里了。经过了他们——穿着属于他们的一切而经过，在属于他们的一切的里面经过——这些人驰车上跳舞大会去了；他们的头脑里从来不想想，在他们要去参加的舞会和御者大声呼叱的醉鬼之间有没有什么关系……

在舞会上寻欢作乐的人良心一点不难过，从十一点跳起一直跳到六点，跳过那子夜时分，当时正有人空着肚子在下等客栈里转侧，还有人在死去，像那洗衣妇一样。

寻欢作乐所包含的是妇人和少女露出她们的胸房，露出她们的肩脊，在这些不规矩的形状里卖弄她们自己，那是一个个未堕落的少女和妇人决不愿意这样裸露给男人看的；而在这半裸体的情形之内……裙子包紧了她们的臀部，在强烈的光芒之下，少女和少妇，以贞静作为她们主要的美德的，出现在陌生的男人中间，他们也是穿得很不规矩的，她们和他们一听到醉人的音乐就拥抱了，拥抱了之后他们就兜圈子了。老年的妇人，露出她们的身体跟年轻女人一样多，坐着观望，吃喝的都是好东西；老年的男子也这样，自然这件事是在夜里干的，那时平常人都睡觉了，看不见了。可是这也不是偷偷摸摸地干的事情；干的人觉得这一切大大方方，这一切何必偷偷摸摸，而这样的寻欢作乐就把成千人的苦役消耗了，但是他们觉得他们并没有损害了什么人，全靠他们才养活了穷人呢。

跳舞会上可能是欢乐的。可是这又如何可能呢？当看到我们自己，人类的中间，有人会没有吃，有人会冷，那时我们却欢乐岂不可耻，除非他们吃有暖温，我们是不能欢乐的；我们不能明白，那寻欢作乐既是别人受了苦的结果，人们何以还能寻欢作乐。残酷的孩子用一根棍子来绞一条狗的尾巴，我们决不会跟了他来嘻嘻哈哈的，我们不喜欢这样的。

那么何以在这里，在我们的欢乐中，我们瞎了眼睛看不见那一根棍子？我们拿它来绞那些为了我们的寻欢作乐而转侧受苦底人们的尾巴，我们如何会看不见的呢？

穿了一百五十卢布一套的衣服的女人没有一个是生下来就活在跳舞厅上，或生在米南哥亚夫人（莫斯科最著名的时装铺）铺子里的。她们个个都在乡下住过，看到过农民，也知道她们自己的奶娘或女仆有穷苦的爸爸或兄弟，正在省下一百五十卢布来造一座屋子，那是他们长年辛苦生涯的目的。她知道这件事——她如何能够快乐呢？她知道在跳舞会里她半裸的身体上穿的是一座她的好女仆的哥哥梦中所想的茅屋——她如何能够快乐呢？就算这一点她不知道——那这些她不该不知道的天鹅绒，丝织品，糖果，花朵，花边和衣服，都不是自己生长出来的，都是人造出来的，她不该不知道什么人造出了它们来，什么人在什么情形里造出了它们来，什么人为了什么才在什么情形里面造它们。她必须知道她骂了的那个女裁缝并不是为了爱她才给她缝衣服的；她必须知道那女裁缝是被强迫了来缝她的衣服的，正同那件衣服一样，她的花边，她的花朵，她的天鹅绒是为了同样的理由造出来的。然而，也许她们是在浓雾之下，连这点道理也没有懂。那么，有五个六个人，年纪已老，为人正直，却多半有疾病，这些跟班和侍女，因为她在跳舞，他们也彻夜不眠，还因而受苦，这个她不该不知道了。她看到过这种疲劳，忧悒的面孔啊。她也不该不知道这一晚上霜雪使温度降到零下三十一度，而在这严寒之中，老年的御者坐在御者座上坐了一夜。可是我知道她们也没有看见这个。如果说年轻而新婚的少妇和一些少女因为跳舞会给她们的陶醉而没有看见这个，她们可以原谅。可怜的东西，她们所做的是那些老年人认为合适的呢；可是这些老年人的残酷可有人能够解释呢？

老年人总说这一句同样的话："我并没有强迫了谁；我购买东西；雇用车夫。购买和雇用，有什么错误呢……"

"这里面有什么坏呢？我不购买，我不雇用，别人还是会购买，还是会雇用的，别人还是要强迫穷人制造天鹅绒，糖果和香烟的，别人还是要雇穷人来洗他们的衬衫的，就是我不这样，这也没有用。因此，世上的事情既已如此安排好，为什么我要放弃权利不买天鹅绒，糖果，香烟，不要干净的衬衫呢？”我老听人家这样答辩……

我如果跑到野蛮人中间去，他们请我吃了肉片，第二天我知道（也许是亲眼看到）那好吃的肉片是人肉做的，是他们杀了一个囚犯来做的；那么，我知道吃人肉是不对的，不管它如何好吃，也不管这些野蛮人底吃人肉是如何普遍的现象，而且就是我不吃人肉了，对于那些被斩做肉片来吃掉的囚犯也不会有什么利益可言的，可是我总不能再吃这人肉了。

在饥荒的时候，也许我会吃人肉！可是在吃人肉飨宴之上，我不会感到快乐，我也根本不会参加，更不会想尽法子要参加这种飨宴，尤其不会参加了回来逢人便夸耀！

……

只在我看自己正同旁人一样的是人的时候，我的道路才明白了……走在这条路上，第一件事是人必须忠实于喂他自己，就是说，不能骑在别人的脖子上，必须随时随地用一双手帮助人，用两只脚，用脑子，用心肠，用一切我们所有的力量帮助人家的需要……没有人是有权有特殊势力的，也没有人能有权有特殊势力，人所有的只是无穷无尽的责任和义务，而人的第一个，最没有问题的责任是参加那为了自己的和别人的生存而向大自然作战的斗争……只在这第一个要求充实了之后，其余的人类活动才是合理的。

要回答这个问题，“我必须做什么？”，我的意思是天经地义的答复是，第一，做我自己所需要的一切——收拾我的房间，生我的火炉，取我的水，洗我的衣服，做一切因我自己能做到的事。我想仆人对这句话一定要奇怪，可是他们顶多奇怪了一个星期罢了，要是一星期之后我回复了旧习惯，那才真叫奇怪了……

当我了解了这一切，我才知道这一切是可笑了。我长时期的怀疑，追寻，思考，却发现了这个惊人的真理——人有眼睛为了要看见，人有耳为了要听，有腿为了要走，有手有背脊为了要工作！要是人所有的并不按照目的而应用，他就不堪设想的变坏……

我们生活在中间的可怕的矛盾，其解决现在在我们眼前了。

这显然不能解答的问题还是那人剥削旁人的劳动底老问题，在我们目前的时代，这是私有财产的问题。

从前，人剥削劳人的劳动是用暴力的——奴隶制度；现在，我们用了私有财产的方法。

私有财产是今天的万恶的源泉：拥有财产或财产被剥夺了的人们底受苦，它是泉源；误用财产的人受良心呵责，它是泉源；有剩余的人和饥寒交迫的人之间，将行有斗争的危险，它是泉源……

私有财产是一切罪恶的泉源：全世界的问

题是如何均分财产和使财产得到安全……

……

在托尔斯泰这本书的最后一章里，他说出当年（一八八六）对于妇女责任的看法来，一两年后他的看法虽然改变了，这里的意见还值得注意，因为在这里——正如全书中一贯的作风——读者能感到他的心房的搏动，能感到他所说的事物是接触到了他自己的生命的。这最后的一章却并非全书中所不能缺少的，我在这里只综合言之。

托尔斯泰说，直到现在，女性完成她们的责任比男性完成得好得多，接下来继续用这个事实来证说。他的必须服从“为面包而劳动”这基本的原则。

如男人全体不服从这原则，男性就立刻灭亡了，如女人全体不服从这个原则，第二代就立刻灭亡了；可是一部分男性和一部分女性不服从这个原则并不使全人类毁灭，只使这一部分男女失去了他们的作为人类的合理性。

他接下来说，男性逃避这原则是由来已久，而女性逃避这原则，除非是卖淫和打胎，才是默默然不为人所知的。在富有的阶级内，男性早不服从这原则了，女性却还继续服从，女性的影响自然很合理的加强了。“常听人说，女人（特别是没有孩子的巴黎式的女人）变得这样的迷人了，利用了一切文化的艺术，她们凭她们的迷人管辖了男子。事实是适得其反。不是没有孩子的女性能管辖男性，而是一般母亲——她们在男性忽略了他们的天职时，继续贯彻她们的天然法则。”

> 人工地使她们不生育的女性，用她们的肩膀和发鬈来迷男性，不是一个管辖男性的女性，而是一个为男性所辱没，降落到男性同样地位的女性，像他一样地放弃了她的天职，像他一样地遗失了生命的每一个合理性了……
>
> 女性的天职是生孩子：不能模仿那有闲阶级的男性，逃避了真正的劳动而从事于虚伪的“银行，部院，大学，专门学校和美术室”的工作。

“在我的记忆中，”托尔斯泰说，“女性的堕落——她的放弃天职——已经开始了，而在我的记忆中，这堕落的范围也愈广大了。”

女性忘记了她的天职，相信了她的力量是潜伏在她诱人的美貌之中，或潜伏在学男性的样，从事虚伪的工作中。

这两者，孩子都是阻碍。所以，用科学的帮助（科学专门帮助恶形恶状的东西），这也在我的记忆之中，这种事发生了，有闲阶级至少有一打以上的妙法来避孕，而节制生育的妙法，变成女厕所里的老生常谈了。

每一个女人，不管她穿得怎么样，不管她自称什么，不管她如何高雅，凡拒绝生育而不拒绝性交者，就是娼妓。而不管一个女人堕落到如何地步，如果她诚心诚意献身于婴孩养育上，她就做到了那最高级，最优等的人生服务——服务了上帝的意志——没有人比得上她了。

如果你是这样的一个女人，不要在你生了两个或二十个孩子之后，说你养得很够了，这正同一个五十岁的工人，在他还吃还睡，还有肌肉等着动用的时候说他工作得够了一样。如果你是这样的一个女人，你不要把喂孩子的奶，抚养孩子的责任交托给另外一个母亲……虽然劳苦，还冒着生命的危险，尽力养育孩子的母亲要把同样的要求要求别的女性，要求她们也做同样的真真的工作，生产食物和生命的必需品。她必须督促她的丈夫做同样的劳动，有这样的劳动才能说明并估量一个人的价值，这样的劳动能供养她孩子……一个真真的母亲，凭她的经验能知道上帝的意志，如果她看到她的孩子喂得太胖了，太扭扭捏捏了，打扮得太花巧是会感到苦痛的，因为她知道这些东西会使得孩子难于服务上帝的意志，这意志她是知道的。

……

结束了这部书的，是赞颂一个多果实的母亲，这样的母亲知道真真的生命是危险的，劳苦的，牺牲自我的，她是在天职，服务和不自私的道路上，指引了人类向前迈进。

这书内关于母性的职责的意见及批评，我留在下面专有的一章内讨论。为了防止一种目前流行的误解起见，我请求读者注意几个日期。以多果实的母性底赞美作结束的《那么我们必须做什么？》完成于一八八六年。托尔斯泰的最幼子依凡，两年后，在一八八八年生下；而托尔斯泰的《克洛亚采奏鸣曲》（*The Kreutzer Sonata*）是一八八九年下半年写的，等到一八九〇年他才添上《后记》（*Afterword*），其中《克洛亚采奏鸣曲》里变态的主人翁所说的若干意见（并非全部）为托尔斯泰所鉴定了。在《后记》中托尔斯泰说，他在写《克洛亚采奏鸣曲》的时候得出了这样的结论来——贞洁是不论已婚未婚，每一个人应该努力追求的绝对真理。他解释道："贞洁不是一条规则或一个意念，而是一个理想，或者说，理想的一个条件。可是理想之为理想，因为它只在理想中完成，只在思想中完成，它只能在无限中得到，所以向它接近的可能也是无限的了。如果理想可以得到，甚至达到理想以后的情形，我们可以想像得到的话，理想就不再成了理想了。”在另一个地方他说：“反对基督的教义也许是可能的……但是，一旦接受了这个教义，我们不能不承认，它是指向完全贞洁的理想的……许多人会以为这些思想奇怪而且矛盾……这种情感在我得到了这个结论之后也最强烈地汹涌而来。我绝想不到我的思想的发展会带领我到这个结论的。我给这结论惊倒了，希望我不去相信它们，然而不信又是不可能的，虽然它们和我们的生活方式相反，虽然它们会跟我以前所想的和以前说过的话相反，我却不能不承认它们。”

上面这些札录和日期都是有案可稽的。然而托尔斯泰自己便是有十三个孩子的人啊。说出个结论来却以贞洁为理想（虽然说了这是一个不可达到的理想），这一件事使某些人认为他不能自圆其说，而且是不够的忠实的了。这种说法，散见在许多不负责任的作家底怀有恶意，满纸胡言的论文中。奇怪的是今年（一九二九）在《时与潮》这样著名的刊物上，一个著名的女作家也写了一篇论文，在里面说起托尔斯泰：“他让莎菲亚·安特莱芙娜替他生了十三个孩子，一面却哓哓不休，又公又私的宣称：他认为性欲是可憎的，他自己的希望是离开家庭。”愈与事实相反的话愈难以答辩——因为把《克洛亚采奏鸣曲》和它的《后记》的著述年代放在托尔斯泰的儿子们诞生之前，而不是他们的诞生之后，这错误可不算小，虽然这还只是魏斯脱（Rebecca West）小姐的许多错误中的一个错误而已。她把她对于托尔斯泰生命的无知作为求出托尔斯泰的灵魂的秘密底资料，她的颖悟真是惊人，她是接下来就告诉我们的，那使托尔斯泰鼓舞的乃是“残忍”，而这种性格，凡是熟悉他的为人底人，凡是同情地和有智觉地读过他的作品的人，是决计不会加到他头上去的。

性格像托尔斯泰这样强烈，时常冲动的人，有时说出粗暴不驯的话来，做些粗暴不驯的事是可能的，可是他同情的时候，仁慈的时候比较更多些，虽然魏斯脱小姐的话只不过反映了她自己的心灵，可是也可能引起一些对托尔斯泰的误会的呢。

……

《那么我们必须做什么？》是一部头等重要的作

品，因为我们这时代最急迫，实际的问题——贫穷的问题——宗教，教会，政党对之束手无策的问题——在里面坦白，而又新鲜地处理了。

我想，在近代文学中，这是最明确，最深刻的一部预言作品，有些人以为理论家的托尔斯泰与实际人生之间并无关系可寻，也请他们看一看这一部作品，写在大革命之前三十一年，他却已坚定地预言了正在来到的“工人”革命，其恐怖以及其破坏性了，他警告了他的一代人，说出这样的话来，“可怕的大不幸快来到了”，以及“不愿意改变生活的人们只有一件事可以希望，那就是希望他活着的时候，它还没有来到——等他死后，来什么就什么吧”。他自己的态度正如洪水之与诺亚。他并不希望它来，可是他准备了。

托尔斯泰所告发的，是我们之间存在着外表给蒙蔽了的奴隶制度，是我们容忍了永远在飨宴的阶层，是束缚了营养不足却永远在劳动的阶层——都很好，他所感觉到的是这不可容忍的情形越来越利害，每一年有更多些人容忍不了。大概近代的作品都没有《那么我们必须做什么？》那样的有效力。他唤起读者的情感作用，并不因为这一切事必须终止，而是在于他告诉了读者，一个人所能够做的最伟大最光辉的工作，就是尽力来结束终止这些事。

可是如何个终止的办法呢？托尔斯泰是敏锐地看到了贫穷的事实的，特别因为贫穷就在他生活着的那个世界里存在，他是生动地描写了贫穷，也把他从道德立足点判罪的感情传达了出来，然而他有没有找到这个大谜的真真钥匙呢？我想他并没有。他的药方是人人应该单纯地生活，应该为“面包劳动”出力，而且不应该有政府用暴力来制止人们做他们认为正确的事情。他的理想生命是最好的俄罗斯农民的社会，毫无政府插身其间。他否定财富，他否定财富的象征底金钱，他的教义使我们想起新约，圣·芳济，和许多古代的，中世纪的，东方的圣哲贤人的意见，可是他不注意近代欧罗巴思想。在实际与理论上化费了多年之后，我发现我不能完全同意他，我不同意他忽视了，或完全否定了一个半世纪来西方世界对这个问题所有的许多成就。

以前还没曾有过先例，我们已把大自然的强暴的能力管辖住了，使他们从属于人，使它们举重，使它们帮助工作。无疑，人与大自然作战的动机是复杂而且很自私的。无疑，劳动成果的分配是不公平的。无疑，劳动的组织虽然使劳动成果百倍于以前，以前所没有的工厂制度的罪恶现在有了，也是应该痛斥的。可是这些话都说过了，我却不能完全否定已经完成的成绩。把整个产业革命作为罪恶踢在一旁，这是无理的，而且有负于这些人士的，自斯蒂芬生（Stephenson）和克尔文（Kelvin），自罗拔脱·渥温（Robert Owen）至蒙大格·瑙门（Montague Norman），他们带来了勇敢，恒心，忍耐，坚定，智慧，天才，还有赤热的心肠要服务他们的种族，使这个地球上的生活更好一些乃是他们的工作。产业革命所产生的结果既不是全好，也不是全坏。生产更容易了，更迅速了，这是可能了，人人都可能生活得像像样样，虽然还没有做到剩余价值的均分，也没有做到使小孩子上学校时并不饥寒，全体病人的照顾还没有确立，怀孕的母亲，抚养第二代人类的母亲大多数还是没有休养和营养，而且直到现在，体弱的人工作过度时也还没有保障。可是一个艰巨的大工作我们已经做成了一大部分。我们收服了大瀑布，剪裁了运河，建造了铁路。蒸汽是我们的男仆，电气是我们的侍女。漂洋的巨轮比我们祖先陆行的车辆还舒服便利，集中全球的资源，管理财产的分配，消灭贫穷的现象已是近在眼前的事，至少比我们祖先要防止疫病，黑死病或丹麦人的进犯可能性还更大一点。

实在，光辉的成功之前，心必须首先向住，所以我们感谢托尔斯泰对于消灭贫穷这事，给了我们精神上的鼓舞，在这部书中，呼吸着一般的英雄的呼吸，这是弥足珍贵的。可是在他的攘臂一呼之下，我们啸聚了，却并不同意他的物质成就的一笔抹杀，我们未完成的工作是全亏这点成就才有可能，才更轻易的呢。

商业和实业的事物，奇怪的是他的确无知，而他这无知又和他们伦理学的骄矜结合在一起了——他自己的经验所不及的工作，他立刻排斥，他自己不了解的人与事，他立刻否定。他们要求的过分简单化是他的一个严重的缺点。要了解我们这转变的时代那些复杂的现象，需要更大的耐性，更大的容忍，更大的均衡，少不了还需要一种事物底演变的智觉——而托尔斯泰在处理人生问题时，那样地猛烈，那样如洪水之来，是没有这些的。

他不肯承认授权政府来办理社会的有条有理的组织化，也可以是我们追求正义的一部分努力。他却认为两者是对立的。我不同意，虽然我承认他有许多话都说得对。政府办事情，社会组织化都是不可能的，除非我们能有确实忠于职守的人，有确实饥求正义的人，有确实信仰一种他描写得这样好的大于个人底力量的人。国府的人除非是比目前的监狱长或工头更高尚更优秀，一切就不可能，然而组织的改进，也许渐渐能使人明了，服务同胞——即使是领薪俸的服务——是服务上帝。托尔斯泰主张的心脑的改变，必须与公仆负责的组织的改进 Pari Passc（步调一致）。

反对他的一部分意见，并未使我忽视了托尔斯泰的作品的价值。例如，再真切不过的了，一个人对人类的账册应该有支出之部分，他生产的部分，他服务的部分；以及收入之部分，他要求的消费，他要求于人类的服务。他又说“给己做成一条金钱流入的管子”，那些不事生产的富人就是这样做的，并不是什么好生活，便是长江大河也要灌溉一些土地，并不灌溉，这根管子只是一个障碍，这话也是对的。当托尔斯泰要求把光荣归于体力劳动者，把文学和科学的利益给它们，那时他是光辉灿烂的。最后，生命的快乐来自把生命献给一个崇高的目的，难道有比他这个更充沛的理论了吗？即使是游戏运动（棋手和网球家都知道的）越出力越快乐，工作也是这样。谁避免了生命的恶战的，就得不到生命的最精美的意义。

可是托尔斯泰失误在他以前的高贵的心智失误的地方。他看到了一个大恶，生气了，失去控制了，一跃而攫到了一个并未经过足够的试验的急救法，它是不会成功的，一经试验，它便要失败的。一次又一次，他劝说了，医疗社会的罪恶的方法是离开人生的川流，是在隐居生活中救他们的灵魂；可是除了千万人的脚踏出来的千万人的道路之外，所有改良社会的道路都是此路不通的道路。那样的是最早的基督教徒公社，演了几幕戏之后就偃旗息鼓了。同样的是伟大的圣·芳济的运动，在这个伟大的首创者死去一百五十年后，形成了大批懒惰的无用的云游者，吃十方的固定劳动者的食物，因此威克列夫不得不宣布，“凡布施给乞食的僧侣者，Pso facto（即此事实）作为驱逐出教”。同样是托尔斯泰的运动，这运动中不止一个在他的作品影响下组织的垦殖区或集团，在俄国的也好，在英美的也好，都不能维持他的原则，得到满意的结果。这是不足为奇的，因为我们是“彼此间的同胞”，把我们自己和别个分了开来生活是不能便生活更好的。实际上，一个拒绝专门化的人——就是说，拒绝做他自己专长的工作的人——是在过一个不合理的生活。人类要公共生活安好，除了心地良善之外，主要的还要有智慧，效能，可靠，组织力和合作。有这种才能的人站在政治商业和工业之外，做仅仅他们自己需要的事物，结果就惨了。有效能的组织者——那是最珍贵的人——要使工作做得好，要使浪费，混乱，劳力或冲突尽量的减少。为了这许多人的合作有成效起见，住在不同的国土，说不同的文字，有不同的习性，时常还是必需的，而要使这种合作可能，明确性的法规和法令的公正是尤其必需的。然而托尔斯泰强烈地否定了它们。如果几千年来，人类所走的道路完全错误，我们必需把这条崎岖的道路否定，而采用不能成功的另一条路，采用这另一条走一步就立刻发生磨擦和苦痛的路，这事情真是惨极惨极了。

托尔斯泰埋怨专家的专门训练，怕的是——化了多年的劳力之后——专家还不能做真真有用于人类的工作。这种危险，我们是一定要冒一冒的。叫人在行动之前静坐默察，比起用刺马铁催促他鲁莽地行动当然更好，却不用思想家先相信他是无用的寄生虫，然后要人来鼓动他，让他拿他的专长来服务。

然而托尔斯泰也不是他自己的理论的奴仆，在他的作品中，很多这里争论的意见，他有一大部分是承认了的。

他否定金钱曾引起人家的困惑；因为他没有解释了除了财富的象征之外，他对于作为交换媒介的金钱的看法。他的朋友 V.G. 契尔特可夫的行为曾引起多少人的微笑，我很记得，他宣称他不再使用金钱，但让他的妻子签他的支票，他的秘书则陪伴了他上车站去替他买火车票。腐儒看到了他的用钱妙法之后自然很高兴，说他是一个骗子了，实际上他可诚恳的，只是做法不对。我听他热情地演讲过使用金钱的罪恶。这已经事过三十年了，可是火热的演辞中有两段我还记得。他告诉我们以写作交换金钱的人并不比一个娼妓更好，再根据统计学，全家住在一个房间里的人底死亡率是高出于全家住在几个房里的，他的结论是如果你在假日化费了五镑，若干若干人便因此而死，因为这一笔钱已够他们从一个房间搬到两个房间里去了。

托尔斯泰的生活是毫不奢侈的，可是他决意抛弃自己的财产时，他还继续的饮食，因为在一切之中，饮食是最为私有的；我也不懂，饮食之前既必须有土地，食物，柴火和灶头，锅斧，这些东西的所有者何以有罪恶，财产是必须为人，或为社团所有的，否则那骚扰可不能想像了，所以罪恶并不在占有，而在应用不得当。托尔斯泰说“尽量的消费得少”，可是何不说，“仅消费到给你的效能的地步”。因为事实有时是——如一个人的训练，工具，书籍，实验室——相当浩繁的消费却可以给人类以福利，其价值远超过原来的消费值。这一点不必我强调，同为这一点西方世界已在坚决实行了，若然和托尔斯泰的经济学作辩论，还是让我们记取他的还不流行的真理。一切对社会秩序有兴趣的人，把他的作品作为矿藏的，可以发现这中间有最富的金属脉，只要把泥土淘去，它们的价值就显示了。

第四章　生活态度和创作态度

一八八六年初，画家盖和托尔斯泰住在莫斯科。除了为托尔斯泰的短篇作插画之外，还因为托尔斯泰所译的《福音书》给了他的灵感，画了一套素描画来图解基督的一生及其教义。写字的铅笔与画笔的合作使两人十分满意。斐纳曼这样告诉我们：

辽夫·尼古莱维奇之爱那近逝世的画家盖，是异常地温暖，和柔，兄弟一样的感情。

“你肯信吗，”辽夫·尼古莱维奇说，“当他坐在我旁边，头靠在我肩上，抖抖地抚我的手，这时候他对我有这样一种近密的柔情，我感到我苦恼，因为我一点也不值得他给我的爱，我希望我能够更好，更伟大，更崇高……

他窥测那灵魂里不可见的回转是如何的透彻啊，在任何他的作品中，他可以抓到别人抓不到，甚至于本人也莫明其妙的感情。他给我的短篇所画的插图中，我经历了这个，注意到这个了。……”

盖谈到托尔斯泰时说：

他——自然你知道我指谁，因为我只觉得我只有一个“他”：我们的亲爱的，无价的，神圣的辽夫·尼古莱维奇！——在我心中点亮了新的生命，在我眼前展示了一个真理的田园底幻景。我希望报答他。我希望解释他的教义。他用他的笔，我用我的画笔。我只希望我并不重复他的话，而是完成他的话——在画上表达文字所不能形容的。跟着这样一个文字的大师走，并不是容易的，可是我真快活，工作在进展了。

托尔斯泰全家都爱盖。他帮助了，并且教了长女妲蒂阿娜，她正在莫斯科艺术学校研究绘画，我们还看到伯爵夫人和她的女儿们在写给他信的时候，也很多情。

大约在这时候，在一切钢琴家中托尔斯泰最羡慕最重视的安东·鲁平斯坦因（Anton Rubinstein）要在莫斯科举行他的最后几个音乐会中的一个，而托尔斯泰在矛盾的心理中苦痛得粉碎了。一方面他知道他听到鲁平斯坦因时，可以强烈感受，另一方面，根据他的艺术理论，鲁平斯坦因却并不是一个良好的，全世界能了解的音乐演奏者，因此托尔斯泰不愿意去买一张票。然而演奏会的上一夜，N. 喀希金去访托尔斯泰时，后者表示了此刻已买不到票，他又失去一个听鲁平斯坦因的机会，不胜遗憾。

喀希金答道，像托尔斯泰这样的一个听众总可以找到一席地，自告奋勇要给他买票。

托尔斯泰高兴起来了，向他道谢；而鲁平斯坦因听到这件事，就安排了他一个座位，亲自送了他一张票。托尔斯泰却没有去听。收到了票子，他真很高兴，而且已经披上大衣，要上音乐会场去了，可是他突然又起了疑心，不知道他还是去的好或不去的好。这疑心立刻在他的精神上打击了他，这样地严重，马上请来了医生。

后来，鲁平斯坦因要求拜访托尔斯泰，给他弹奏，但又因为小阿历克赛之死而无结果。

一八八六年春，托尔斯泰搬回了耶斯那耶，又像以前一样，他反对乘坐火车，他不愿意化钱，他爱户外运动，他愿意和人民生活接近，他宁可从莫斯科到耶斯那耶步行一百三十哩路。看到他出发，走上这个长途旅行的安娜·舍隆告诉了我们：

> 伯爵步行到耶斯那耶去了。他这样准备他的行程：肩上背了一个食粮袋，里面还放了一双大靴子，一件软衬衫，两双袜子，几条手帕，一小瓶肠胃药水，因为他老是消化不良。他又拿了一本上系小铅笔的札记本，以便行路时看到有趣的事物，做札记用。他出发了，三个年轻人陪他，两个都是好人家的子弟，一个是艺术家盖的孩子。两个公子哥儿半途折回了，只有伯爵和小盖，在窑屋里睡过夜，第三天到了

目的地。谁也不认识伯爵，这使他十分高兴。

看到他到达的斐纳曼说：

复活节后的第一个星期，来到了两个巡礼者，穿上草鞋，背着背囊，走进了耶斯那耶公园大门。两个人全有生气；快快活活，脸给太阳和风晒黑吹黑了，一呼一吸都是满足，欣喜之间，看出他们完成了什么好事情了。

这两个巡礼者中间，一位便是托尔斯泰，另一位是年轻的盖。

“我从没有欣赏得这样多，”托尔斯泰说……“在人民中间，睡、吃，跟他们谈天……啊，我听到了‘尼古拉大棒’（指沙皇尼古拉第一）的故事，一个九十岁以上的可爱的，口齿不清的老头子，在塞波霍夫附近一个小村里，和我一起躺在炕上，讲给我听！那可怕的时代，我所亲身经历的不过是最后那几年，那可怕他讲得多么艺术似的温暖啊！”

"那种日子，他们剥下一条裤子来至少打五十大棒，"他说，"没有一个礼拜没有一两个兵不给打死的。人们只听到，'大棒！大棒！……二百、三百一次，有时还不止！'"

三天之后，托尔斯泰的速写《尼古拉大棒》写好了，可是从题目到内容休想检查通过。

另一位作家讲起过一个胶版印刷的《尼古拉大棒》的版本。著名的 Agent-Provoc-ateur（特务）朱巴托夫这时正伪装了一个革命党，找到了 M.N. 其人的行踪，他是出版者了！

M.N. 立刻被捕。他的母亲苦了，两眶子眼泪请求我找一次托尔斯泰，请求他在审讯时说这本小册子的出版曾获有允许。我知道当时并没有允许：M.N. 给托尔斯泰写过信，因为没有回信，他不等回信就出版了它。这个差使真不容易办，可是我去找托尔斯泰，告诉了他 M.N. 的母亲的恳请。他立刻温和地手腕极好解除了我的不安。“自然这是得了我允许的啊，”他说，“我的作品得到流通，我顶高兴了。告诉他的母亲就是，在审问的时候我会这样说的！”

数天后，莫斯科总督杜尔哥罗基亲王召见托尔斯泰。他说这位绅士他还无缘识荆，如果要看他，请他自己来就是。杜尔哥罗基不来，只派了一个副官，一个年轻人来责备并警告托尔斯泰。这位特使像一切访客的受到了招待，可是在谈话的时候，托尔斯泰自始至终谈他的职位，服务于这样的一个政府，是如何如何的不道德！

如何形成他自己的生命，如何影响他周围的人，这疑难问题还占有了托尔斯泰的头脑，可是宣传工作的最初几年中所明显表现的粗鲁已渐渐成熟了。这改变在五月二十一日给盖的一封信中可以看到一瞥：

我就说你很好，在做你自己的工作，很喜欢。刈割耕植是好的，可是一个人做自己的工作来有利于旁人，没有再好的事了。

我们已搬到乡下。工作淹到了我的脖子上，十分高兴。我允许我自己这个“这些是不会没有用的”底一个希望。关于你的生命——我的和你的（我想到了你，你的家里各种不同的人物）——开头是头也眩了，会发生什么事呢，如何安排一切呢？其实，人只要用点脑子来对付就行，“对甲，我如何对付最好，对乙，对丙，如何如何，对每一个和我接触的人，如何如何”？一切困难，就同扫除蜘蛛网一样扫空了，而一切的合适可出乎意料之外。

文学艺术的鉴赏家这时都在哀悼托尔斯泰底迷在非艺术的事物中。可是世界全体却对他十分兴浓，正因为他关心了宗教和责任对于财产的关系底这样一个大问题，敢于坦白地历陈之外，又擅长地说得明白。他的名誉日益高涨可以从外国人请求拜访耶斯那耶·朴利阿那来看出，他们来到的目的，不外乎这个计划或那个计划要听听他的赞成反对。例如，这时候那个乔治·铿南

（George Keennen），从他的西伯利亚一回来，就来拜访过他。

有一天在外面刈草，托尔斯泰和他的一同工作者正放下镰刀吃午饭的时候，两个儿子安特莱和米开尔，一个九岁一个七岁奔来告诉他，家里来了一个外国人。访客是一位法兰西的军人，诗人兼爱国者，名叫德罗莱（Deroulede），特地到俄国来联络一个反德同盟，以报一八七一年的仇恨，以索还阿尔萨司—劳莱恩给法国。不用说《福音书》的译者是不会鼓励他的了。安娜·舍隆记道：

> 谁也不知道他是谁，这军装的高个子，钮子从上系到下面，是托尔斯泰的一个亲戚有一天带他到耶斯那耶来的。
>
> 德罗莱！这是一个陌生的名字，因为这里很少读报纸。有一个时期根本禁止报纸！读报纸耗费时间，使人昏迷，使人变坏。自然，重要事件还是会到这里来的，可是大体上说来，外面的世界上正在发生的事件的详情，没有人

知道，也没有人愿去知道。

德罗莱是流畅的，健谈的，善于反应的。

战争和复仇，Pro（正）和 Contra（反）的辩论，在伯爵是中国文字一样的不懂；嘴唇一咬，钢一样的眼睛里闪光一道，立刻德罗莱知道他必需提出别些理由来作为访问的借口，而不是联俄反德从事复仇战争的理由了，他立刻抓住了热忱的希望，“见见俄罗斯文学中的一颗明星”。

只在这个理由之下，他才能在耶斯那耶停留了三天功夫。无疑问的，他还想一条路不通换上另一条来回到了他的复仇主题上，可是每一次他提及这个，伯爵的脸变成了一块石头。

只有一次，伯爵总算肯谈一谈战争的恐怖了。他自己在一个夜天空之下，看到战场上躺着几千个不动一动的，有玻璃眼睛的尸首，仿佛他们在责问那些送他们到死亡境地去的人们，仿佛他们要求知道这是什么缘故。而当德罗莱说了，“莱茵河应属于法国”之后，伯爵只笑了一笑说，“两国的疆界不能用血来划开——必须用理智来协定一个有利于两方面的疆界线”。德罗莱说了战争是在人的天性中存在着的。伯爵回答道，“应该，并且可能，防制战争；主要的是人不应该甘心情愿地挑拨战争。制造战争”。于是他站起身来，快步走出了房间。

托尔斯泰自己说过，有一次在无可奈何之中，奔出房间，把大门大声的碰上，可是第二次他碰到德罗莱，他丝毫不在乎，好像并不曾发生过什么事一样，又复述他的报仇宣传了。最后，托尔斯泰提议给他的宾客，他们可以把这个计划，即俄国和法国，既恰巧在德国的两侧，应该两面夹攻，把德国的桔子汁挤出来底计划，放在一个普通的，典型的农民之前。把这计划解释清楚了之后，农夫搔搔头皮，回答道，照他的看法，法国人和俄国人顶好先做一点有用的工作，然后一起到酒店去喝一杯酒，把德国人也带了一起去！

这晚上，德罗莱离开了，失望得很，因为他不能使托尔斯泰相信，以他那样的好文笔，顶好写一点劝人互相屠杀的文章，但是这俄罗斯的作家坚强地宣称，战争的真真危机，是埋伏在微菌一样的爱国的迷信者，有如德罗莱这等人中间的，他们没有有用的工作做，也不信上帝，给我们自己发明了挑拨性的紧张兴奋和伪的热忱。

耶斯那耶的常来的宾客中有年轻的M.A.斯塔霍维奇，他在俄国的宪政运动解放运动中活动了一角。斐纳曼告诉我们这个：

> 全家都爱节开尔·阿历克山德罗维奇·斯塔霍维奇，他一来到就有机会大吵大闹——打猎，兜风和游戏了。
>
> 身体好，一脸胡子，客客气气的笑容，他真是这一类事情的心和灵魂，又是辽夫·勒伏维奇（第三个儿子）的特别好朋友，他也长成了一个运动和游戏的专家了。
>
> 辽夫·尼古莱维奇看到他们的活泼有生气

的面孔时，不能没有热情，他们的欢乐传染给他了，他也跟了他们在长长的赤杨夹道上开始赛跑起来，要是他冲到了前面，赶出了人，不能不兴高采烈了。

“蚱蜢！”他胜利地喊了，“二十年之前，你在哪儿？那时候我真可以告诉你什么样子的才叫做赛跑。不是一鼓作气，而是一气到底！你——树胶脸的东西——你要学马跑步！我们来看看在生命的赛跑里你可以得到什么奖品——也是马跑步的样子，也是一鼓作气吧，我想！”

于是谈话突然转了一个弯，庄严的说教，接触了人生问题，工作职司以及和人民一起了。

年轻的斯塔霍维奇全神贯注了，皱结了眉头来听，赛跑后的呼吸还是起伏不定，老师的话字字听进去。

他真孝敬托尔斯泰。

“我高兴，伯爵！我最可爱的梦想就是和

人民大众生活在一起！”他诚恳地说出来了。

他常常到田地，诚心诚意抓住一柄 Sokha（锄），不熟练的手热望地要锄一条直直的垄。

后来他学会了耕，刈，把干草装到大车上去。

和人民大众在一起，生活得像人民大众一样底热情的欲望，当时几乎勾摄了托尔斯泰全家人。甚至莎菲亚·安特莱芙娜伯爵夫人，很久以来不肯做粗工，反对生活简单化的也穿了一件土制的农妇的裙子，为耙那新鲜的，芬香扑鼻的干草而来到了。

而当这家人的尤其热忱的几个开始计划了，要实行他们的愿望。住到村中的农民里面去，那时斯塔霍维奇这年轻人整个灵魂跑进了计划里。

“我们已经挑中了茅屋和一切！”他欢乐地说，热情得烧起来了，想像到那是多么好。多么伟大，使自己变成百万人中的同样的一个——做着一件伟大重要的工作，维持生活，服务人类。

“我们睡得要早，起得要早，看那日出，毫无羞愧，看到人们的眼睛里面去，也毫无羞愧，我们也是劳动者了。这一种快乐是不能讲，讲不出来的！”

可是，伯爵夫人听到了这个计划。在吃茶的时候，大家都从工作中回来了，起来了一场暴风雨。她开始凶辣地否定这个计划了：

“这是不容许的！”她坚决宣布，向她自己的孩子，“你们生下来就是伯爵。伯爵就是你们的身份！”

这场面把我们全弄得忧郁了，后来我们一整个黄昏谈一个主题，“一个人的仇敌是他家里的人……”

我还记得托尔斯泰那晚上说，亲戚的反对正可以看见一个准备为真理服务的人有多少决心。

“这意思是我们自己之间还有什么一回事可以使人怀疑我们的存意，以为我们是拿生活的单纯化来耍着玩的。也因为他们看到这什么一回事了，他们嚷着嗓子喊出反对，因为我们所做的，是在他们的生活习惯底下埋了炸药了。只要他们日久以后，看到我们真是受不了这地主大老爷的生活，看到这生活窒息了我们，使我们病倒，要是我们生活不改变会使我们死去——相信我，那时候他们一个字也不会说的。”

大约在这时候，丹尼莱夫斯基来访托尔斯泰了，他和他“小小的散步”一下，化了三个半小时。

托尔斯泰对他谈起了屠格涅夫，关于这一位作家写出下面的评语，可以说是盖棺论定的评语了：

他一直到他的生命底终点是一个独立的，探求的精神……他是一个纯粹的，依赖自己的艺术家，决不肯有意识地降低了他自己来服务一些当时间刹那即逝的要求的。他可以迷路，即使在错误中，他也是诚恳的。

关于体力劳动，托尔斯泰说：

用脑太久了，用简单的体力劳动来休息是如何的欢乐啊！每一天，我按照了季候，或掘地，或伐木锯木，或用刈草刀镰刀或别的来工作。犁地，你真不晓得犁地如何使人满足……这不是一般人所想的艰难；这纯粹是享受！你一直去了，举起，并且指挥自如的犁着，你就不会晓得一小时两小时三小时过去了。血液在你的血管里欢快地奔流，你的脑子就清楚起来了，你不觉得你脚上的重量——以后胃口好，睡得着！……

对于我，每天运动的体力劳动像空气一样的不能缺少。夏天在乡下，有许多事可以让我挑。我能犁或割草，可见秋天在两季里真糟……久坐的智力工作而没有体力劳动真是大不幸。如果一整天我不走路，也不用四肢来工作，到晚上我什么也做不来了。我就不能读，不能专心听任何人说话，头也眩了，眼睛里也像有火星了，我就整夜要失眠。

托尔斯泰的工作，这里有斐纳曼的记录：

寡妇阿尼西亚的茅屋又坍下来了，托尔斯泰总是帮她忙的，这一次要给她盖个新的。

“我们会搭一个的。”辽夫·尼古莱维奇安慰地说，就立刻工作起来，先预备下造墙壁的屋顶的木料。

他自己在森林里砍下几枝大小不同的白杨，全装了回来，用斧用刨劈开，打光。我们掘了洞。把它们直立起来。我们的指导师是邻居朴洛各菲，他又聪明又实际，探过一切农家工作。

只要工作是在地上的——掘啊，预备材料啊等等——辽夫·尼古莱维奇总是第一，从早上工作到夜。卷起了袖子，跨在木料上，像一个木匠一样，朴洛各菲过来喊，使他高兴：

“耐一耐！耐一耐……就完事啦。”

"我耐着呢！"辽夫·尼古莱维奇笑一笑回答。

一个星期，墙直立了，椽木也装上了，可是现在要用了榛条来系上一些十四呎的梁，以便装屋顶的时候，每一个草脊可以系上去。所以这些梁木排得很紧密，用大木栓钉牢。

要装木栓子，梁木和椽木都得打洞，然后把木栓子装入。这打洞苦了辽夫·尼古莱维奇。

他在屋脊较低的地方，第一个梁木上打了个洞，站在梯子上，一手扶稳了自己的身体，总算装入了第一个木栓子。可是第二个洞，梯子没有那个高，他得爬到椽木上，辽夫·尼古莱维奇开头有一点犹豫了。

"别怕！看我……"朴洛各菲催他。

辽夫·尼古莱维奇爬了上去，跨在椽木上。可是手刚拿起钻子来，还没有弯后身子去钻洞，钻子脱手掉下。他有一点眩晕，身子摇摆了，扶住椽木立刻爬回了梯子上。

"不成，我不干了！我永远学不来这个！"

“等一下，不要逃阵……”朴洛各菲继续嘲弄他，“显狐狸尾巴还不到时候！你看我的样！”……

辽夫·尼古莱维奇又爬上去，跨坐在椽木上，像朴洛各菲一样，可是他还没有把钻子的光头刺进，他又摇摆了，钻子又落下了，往旁边一溜，摸到了梯子又下来了。

“不，办不了！”他说，“你来吧！”

于是朴洛各菲停止了他的工作，也下来，手握辽夫·尼古莱维奇的手，带领到旁边去说话：

“我知道你为什么在椽木上眩晕……你往下看了。”

“是啊。”辽夫·尼古莱维奇承认。

“是啊，你不能往下看。头晕就是这个道理。你必须两眼看着你的工作，两眼瞪住那钻子和你钻着的那个孔，安安静静的扭转。你试一试看！你就知道这是多么容易啊！”

辽夫·尼古莱维奇闪闪地喜悦了。

“这倒说得好，也许你是对的。”

他又爬上去了，跨坐在椽木上，拿起了钻子，把尖头刺入，两眼不再离开它。把钻子转了又转，他打成了一个洞，把木栓子顺利地装了进去。

他的快乐无边无际了。

“我懂了！我懂了！”他向朴洛各菲喊，勇敢地爬上第二个椽木，开始钻凿那第二个洞了。

这晚上，当我们把梁木一一的装好了，回到了家里以后，辽夫·尼古莱维奇说话了：

“你们知道，今天我懂了，比学一年也学不到的那么多的东西。朴洛各菲的话是很微细的，可是它多么地深刻啊。只在现在，我才了解了在其他的人生境遇之中，也应该如何地无所恐惧。

“我记得我一向是如何妒忌非凡又如何的暗暗称奇不止啊。我每一次炮战之中，看到这些头脑简单的炮手瞄准了，装上炮弹了，沉静得很，一点不困惑，仿佛他们头上并没有炮火正如雹雨一样的洒落，四周并没有炮弹在爆炸，在撕裂战马和士卒为片片。我不知道他们的勇敢的秘密。我们说的并不是指完全屈伏于‘他’，屈伏于给我们生命的上帝，这个基本秘密；这和我们距离太远了，你在近大炮瞄准它的时候是不会和上帝感应的。我们不了解的是一个秘密，它简简单单的适应自己，使自己能在这样的地狱中间支持几小时之久的秘密。现在我懂得这秘密是朴洛各菲的‘不要往下看！看住你的工作！’。炮手所看见的，只是那一发，那瞄准和那炮膛；所以他能做他的工作了。”

在这惊人的多方面的时期内，托尔斯泰写了好几个为人民而写的短篇：《一个人需要多少土地？》（*How Much Land Does a Man Need？*），《依利阿斯》（*Ilyas*），《三隐士》（*Three Hermits*），和那惊人的节欲故事《小鬼和面包皮》（*The lmp and The Crust*），还有一两个从中世纪传说及《使徒行传》中找来材料的较差的故事，说的是对于一切物质的成就底怀疑，人间事自有神意可以依赖，在托尔斯泰的时常合理的世界观中间有时偶掺入这种东西的。我特别指《教子》(*The Godson*)和《蜡烛》(*The Candle*)两篇。这一年内他写的一套短篇小说中最好的是《愚人依凡》(*Ivan The Fool*)，这是《那么我们应该做什么？》的一部论文底精心地压缩而成的故事。

关于《愚人依凡》的写作，斐纳曼也讲过，他有一个时期是在耶斯那耶管学校，黄昏的时候常常对学生朗诵，有时农民也三三五五来到。托尔斯泰也来参加了这些朗诵：

> 他就坐在最后的一条凳子上听。朗诵的时候或朗诵以后，常常是有生动活泼的谈话，从听众中间升腾起来的，辽夫·尼古莱维奇在这里担任一个非常温和的角色。
>
> 他最享受这种和人民一起的亲昵谈话，从这样的谈话中，他时常能够得到新的崇高的感觉。

“多好啊！”有一次在离开我的时候他对我说，“我们很少知道真真的快乐，存在在何处？这样的谈话只要一个小时就比多少次的学会的黄昏和辩论有价值得多了。”

有一次，我们朗诵一个短故事，完结了之后，辽夫·尼古莱维奇从口袋里拖出原稿来说：

“现在我来朗诵我自己的作品，题目叫《一个仙人的故事》”；于是明晰的声音读出了他的著名的《愚人伊凡》，我注意到他在朗诵这个包含了他对于人生看法的故事时是如何激动。

故事大受欢迎。

长者赞灵，年轻的人已开始在讨论这故事中的许多遭遇，把他们的印象来作比较了……

注意到有一个农人特别地为这个故事所感动，辽夫·尼古莱维奇向他说话了：

“康斯丹丁·尼古莱维奇啊，现在，你肯把这个故事再讲一遍吗？你肯试一试，真好了！……”

“为什么不能？我每一个字都背得了。”这

人说，开始流畅的说了。可是使我们惊奇的，这不是原来的故事的重复，他所讲的跟原来的大相径庭。好些地方说出来了完全不同的话，文字的句语都改变了。有一个地方事件的程序也给他弄得颠倒了。

群众要修改他了。

“这是不对的！是这样的！……”

可是辽夫·尼古莱维奇热忱地抓住了所有不同的地方，一方面还制止那些打断了故事的人：

“不要打断他……他讲他自己的讲法，讲得好啊！”

这说故事的农夫是全村中最穷苦的一个，可是他的用字是天赋的一样，他也读得很多书。

辽夫·尼古莱维奇做了顶快的速记，每碰到一个生动的语句，一个合适的例证或一个快快活活的文辞转折出现在这农夫的叙述中时，他快乐得发光，《愚人伊凡》出版时已是康斯丹丁叙述的形式了。

“我常常这样做，”辽夫·尼古莱维奇说，“我从他们那儿学习了写作，我用他们来试验我的作品。为人民写作便只有这个办法。我的故事《上帝知道真理》也是这样写成功的。那次重述这故事的是我的学生。”

除了从农民和学生，托尔斯泰还从农妇得到文学的帮助。邻村有一个老太太叫阿尼西亚的时常来看托尔斯泰，给他说故事，她的故事使得他高兴，她说故事的方法也听得他高兴了，就说：“你真是一个大艺术家啊，阿尼西亚！谢谢你教会了我俄罗斯语言——教会了我用俄罗斯的心来思索。”

第五章　托尔斯泰垦殖区的成败

田里的工作，访客，通讯，家务，经济学批判，为人民而写作的短篇，还没有穷极托尔斯泰的精力。他的新的信仰似乎已使他的智力和道德力增加了四倍之多，而体力毫不受损害。然而，我们也注意到，到了他这个晚年，还是有一个猛烈的矛盾和斗争的：一方面是他的艺术天性——总在找机会表现它自己，要在习俗的形式中为智识分子写作，而另一方面他的性格使他反对写一切农民所不能了解的东西。结果是，托尔斯泰并没有停止了艺术作品，只在他那个时间中写的小说，短篇，和戏剧，全都对于中产阶级和贵族阶级的生活，有了不满，有了控诉，这种不满和控诉于是经常地表现出来了。

在《安娜·卡列尼娜》以后，托尔斯泰写的第一个显明是艺术品的作品，除了为人民而写的短篇之外，要推《依凡·依利奇之死》(*The Death of Ivan Ilych*)，一个裁判官的生活和他的苦痛的逝世底描写，这位裁判官在他致命的疾病底最后，明白他过去的生命徒劳了，明白了为旁人而牺牲自己的欢乐。这是一八八六年三月二十日脱稿的。

我已经指出过，在托尔斯泰的后期艺术作品中，他做了一些有人称为“心理学测验”的工作。《依凡·依利奇之死》便是一例。照那篇故事里所说的，依凡被传唤到一个道德法庭上，被控告的是他这一生“最平凡的生活”却同时又是“最可怕的生活”。这“最平凡”同时又“最可怕”底生活测验，在生花妙笔之下表现了出来。

这一八八六年夏天还没有过去之前，托尔斯泰自己为了腿伤而患上丹毒病。这腿伤他毫不注意，虽然耕种时疼痛，虽然伯爵夫人再三劝告他。最后，知道再拖延时日就危险了，伯爵夫人假装她有风湿症，用这个借口跑了一趟莫斯科，劝诱一个熟朋友，契尔可夫医师随同她立刻回耶斯那耶。因为反对医药，托尔斯泰接待契尔可夫时十分不满。后者淡淡地责备他没有遵守他自己宣布过要遵守的“爱邻如己”的原则，后来的事情就好办了，医生可以诊断他的胫骨上的疮了。托尔斯泰的温度已经到了华氏一〇四度，腿已经肿了，连生命都已经垂危了。立刻一个流脓的管子要装置，这手术真是痛苦。

受苦异常的日子一天天过去，到后来腐烂了的骨头一一的取去。要是痛得不太剧烈，托尔斯泰是很和顺的病人，有时候他的喊声却吓得看护都逃走。时事至此，他就需要医生了，就不止一次，从图拉请来了医生过夜。病人睡了几个礼拜，一个月不准著作。

安娜·舍隆记着：

> 伯爵夫人是一个顶好的看护，特别在最早最危险的时候，她总是精神气爽的，而且动作敏捷也许太敏捷一点，因为在一个人病得很凶的时候，他需要安静的行动。

托尔斯泰在这次病中写了一本剧本。最先他念给他的妻子写下，可是他可以坐到一个沙发上去的时候，他就要求一块写字的板，笔和纸了。

安娜·舍隆说：

> 他们的父亲在著作的时候，全家都用足尖走路了。头往后靠在皮垫子上，手上的笔也掷掉了，他脸上显出了双重的受苦表情来。他是在创造一个剧本，那《黑暗的势力》（*The Power of Darknesi*）。

这本可怕的剧本是根据了图拉省法院里的一件案子的。它表现了农民生活的最坏一面：一个罪恶在增强音似的进行中，引到另外的一个个可怕的罪恶，直到结尾的一个极有力的场面，一个醉鬼，一个退伍士兵，给尼基泰的勇敢的灵感；在最后一场中，在一个婚礼上，在一个警察长的面前，尼基泰坦白自首。

这几场戏在处理极高明的手法下面，把以前许多可怕的细节都盖下去了。我们忘记了剧情所处理的本是奸淫，药和婴孩杀戮——现在，我们的印象中却有悔恨以及忏悔留下。

在地下室的一场，当尼基泰用一条木板打死他的孩子，以至“骨头粉碎”，托尔斯泰自己每朗读必至泪下。

关于这个作品他给斐纳曼说过：

> 当我写小说的时候，我是画，可以说用一支油画笔来画的。我觉得运用自如。要是有的地方不大合适，我改它，加上颜色，扩大它。可是一个戏就不然了……这是雕刻家的工作。它没有影子，没有暗音。一切必须鲜明，强烈地浮呈。事件必须准备就绪，必须到达完成，整个作品就在表现这些羽毛已丰的成熟的时刻和这些人物的酝酿过后成熟了的情绪。这是特别难的——特别又因为题材是农民生活，那是我们的外国，另外一个西半球！

《黑暗的势力》具有第一流剧本的卓超的特点。它有动作，生命，鲜明的意志的冲突，故行动是必然产生的。

谈到这个剧本了，让我提前来说说它的命运吧。

直到一八九五年，尼古拉第二登极以后，这个戏才准在莫斯科上演。宫廷中曾由贵族上演过一次，亚历山大第三还表示过十分钦佩，可是卜倍陀诺斯采夫摇头，给沙皇写了一封信，说西欧人士会因之对俄罗斯农民发生坏印象的。沙皇就请他的师傅考虑。

这个戏倒是一八八八年二月二十二日首先公演于巴黎的安东妮自由剧场的。左拉（Zola）十分热心，把它当成自己的剧本一样费了许多力气要它上演成功。在某一次排演时他说："第一，不要删去一场，更不要删去一个字，上演决定成功，决不要担心。"

成功之大，可以从巴黎三个剧场都上演它看到。

一八八七年十二月，托尔斯泰写信给盖：

> 我在莫斯科，然而大部分时间十分安逸，安静。我并不缺少什么。我有这么多的工作（希望是有利于人民的），知道我一时做不完它们。你也一定是这样，我知道的。当一个人知道他做不完结了，私人的利益就完全不顾了，而服务人民的意识却还留着。我有时有这样的经验，那真是好；可是当人们称赞我起来（正如现在

他们称赞我的剧本），那时私人的利益观念又跳起来了，跟着还有沉闷的自满的意识。我就是这样！怎么办呢？真的，而且你也知道的，全靠一个人没有时间可浪费，必须立刻开始做什么事，这搭救了我。

这同一年内，除了已经提起过的作品之外，托尔斯泰写了另外几个短篇，很多书简体的论文，还有论盖的画的小文章：题目叫《基督对门徒的最后一次训话》。他又把《小鬼和面包皮》改编为剧本，题名《第一个蒸馏器》（*The First Distiller*）。

在托尔斯泰的莫斯科住宅附近，有一个大而空旷的场子，因为上有尼姑庵，叫做"贞女场"。在嘉年华会和其他假日，搭起了凉棚来就有了廉价的娱乐场所让人民享受。托尔斯泰总是跑去看热闹，看里面所演出的戏的。他发现其中最受欢迎的是血和雷的杂戏；而最流行的却是上一章里面我们提起过江洋大盗楚尔金，他除了杀人越货之外，原来还侠义非凡，从西伯利亚逃回来已经有四次之多。《第一个蒸馏器》之作就是为了在凉棚里上演，来代替楚尔金那种戏的，在那里这戏果真上演了。这戏在禁酒会之类上演最合适，又短又容易演，在英国也曾演出过好几次。

在这个时候，“托尔斯泰垦殖区”在俄罗斯的许多地方茁生了，后来斐纳曼也参加了其中之一。这些垦殖区的命运，是在本书的范围之外的；可是大体上说来，它们全部失败了，除了加入的人受到种种艰难之外，还有不少的争吵。日后，在英国，荷兰和美国，也有同样的垦殖区，结果却也相同。这些小集团的经验很可以说明托尔斯泰的教义底应用了。

他否定了这么多的人类活动的形式，包含中央或地方的政府一切组织，陆军海军，宗教，教会的一切组织，资本主义和地主主义的一切形式和一切为资本家大地主做的工作，也否定了商业和医药——因而有些人，听他指摘现存经济制度之不合理，那慷慨陈词感动了他们之后，不觉已经在他的口才的影响之下，深信他的把握的是真理，深信他能解决整个问题，就在他的领导下放弃了他们惯常的生活，从他们生了根的地方连根拔起似的，和他们的家庭脱离了，要在新的路线上重新生活，而疾恶如仇，凡是他认为使生命可憎，空虚与罪恶的一切事物，他们都拒绝了。

这样做了以后，再做什么呢？他主要地介绍了艰苦的体力劳动，可是没有合作，没有熟练人手的指导，在俄国就正同在许多国家里一样，拼命地劳动也不能获得一饱。

心理相同的男男女女来组织一个垦殖区，看来是能够解决这个困难的，托尔斯泰本人也这样看法，就算他不怎样的鼓励，至少他是用非常的同情态度来对待这些垦殖者的，他对于许多受有教育的人底一般的谋生方法是痛加抨击的，但是他并不否定他们。

然而垦殖区在开始活动之后却立刻显出了托尔斯泰主义实践时的缺点，它并不是一个建设性的东西。一开头就不合原则——例如买地或租地——，不过这也还可以作为从罪恶的生活转变到良好的生活时偶然发生的坏事；同样，买锄锹及其他农具，也可以这样解释了；可是那最大的困难在于参加垦殖的人大多数是漠视或反对政府或宗教的法令的。他们认为民法和刑法是可憎的东西。他们已经离开了，跨出了生命的习惯的车辙，他们只在理性或良心的统治下生活。已经不再有营业的旧方式或大家接受的方式来指点他们路线了，在他们向托尔斯泰请教的时候，似乎他们所需要的，他并不能够给。这一类的非难和控诉并不包含一个社团的生活底指针；“理性”与“良心”又人人不同，这里既没有固定的法律或已成的习惯，又没有一个摩西来制定一个神权，在工作中便不知要化掉多少时候和精力来讨论和磨擦。误会一发生，合作愈来愈不可能。人们得到这个苦痛的经验后，知道法律和政府是多么的需要，人必须从这些中间知道别人之所需以及一己之所期望。托尔斯泰垦殖区的失败所给予的教训是：我们和我们的同志之间订立关系的明确对于内部的和谐实最重要，而法规条文的最终极最主要的存在原因以及励行原因，并不是托尔斯泰所想像的为了助纣为虐，使富者剥削贫者，使机巧者欺凌弱者，使恶讼师不劳而获——而是因为大公无私的仲裁乃一条解决纠纷的最终捷径，两个人为了一片田地争吵，问题不是甲方应该有这片田地或乙方应该有这片田地，问题是争吵必需解决，使田地不再成为争论中的田地，使田地还能够生产，使甲方乙方都能继续的安居乐业，无需为未决的田地讨论不休。把这样的法律取消，让人知道并无法律这回事，也并无法庭这东西，那时候还能像像样样生活的人，恐怕只有俄罗斯革命以前的农民，完全依照了旧传统，依照了他们的父亲祖父的生活法则，永恒地循遵着古道了。

托尔斯泰主义的基本错误是它轻视了，废黜了我们祖先汇集积蓄的智慧，我们的祖先所织制而成的制度纵然至今还是毛病百出，却能够使人实践地合作，把不同的业务发展而磨擦甚少。

托尔斯泰主义的最大拌脚石便是非暴力主义了，那是制止别人为所欲为底否定暴力的法则。自然，人们用高出于暴力的力量来完成了许多惊人的工作，知力或道德力可以代替强暴的暴力。用“比较法”来说明，则劝解胜于暴力，心智强于物质是很好的议论。可是一个人或一个社团以之为严格的规律来实行时，害处就很大了，它使这人或这社团本身少去了一个力量，以裁制一些有时非暴力不可的显明的错误行为。

这里我并不要写一部托尔斯泰垦殖区的历史，但可以举几个标本式的事实来看它们的失败。

第一例发生于斯莫棱斯克省的斯卡凡夫斯基垦殖区。垦殖者收容了一个年轻的无依靠的孩子，给他住在一起。他听了他们的讨论，朗诵和谈话，知道任何人不得用暴力，也知道私有财产是一种错误，也知道垦殖者跟警吏和法院不相往来。有一天早上，负责照顾这孩子的垦殖者醒来穿衣服的时候，找来找去没有他的背心，最后发现它穿在孩子身上。那人要索还，孩子却拒绝。那人解释了偷窃是如何的不对，可是孩子不能懂。私有财产如果不应该，一个孩子从一个成人那里拿一样东西有什么不对？其他的垦殖者也参加了这个讨论，渐渐的他们发现了托尔斯泰的整个理论的炮火，关于财产的，以及关于裁判的，以及他对于人被触犯以后的态度，放弃一切权利，只承认责任等等的意见，都站在孩子的一方面。他并没有辱骂了什么人，所以谁也不能在道德的境界上比他高明。他需要那件背心正同那人需要它一样。他很愿意参加讨论；可是他的意见不改，他不能归还那件背心，谁要夺取它就不应该。这一件背心自然本身问题很小，可是代表的问题是，人可以保留一些什么，保留一枝钢笔，一件工具或者他在开始著写的一册书吗？

这一个原则上的问题已透入经济效能以及合作的可能性底根柢里。这一件事可以证明垦殖者不知道他们赞成什么或反对什么。这更说明在托尔斯泰摧残了教会和国家以后，他所摧残的更不止此，人与人之间任何可能成立的约法和任何固定的协定，也连基础都给摧残了。如果我们接受了他所说的一切并认为都对，那么任何神经病人，醉鬼，刚愎的孩子和愤怒的人可以随时把伦敦的街道阻塞，不要多少人就可以把社会闹得天翻地覆了。

另一件事实发生在塔佛尔垦殖区。他们在那儿买的土地是坏得可怕，全是沙土，可是有一个森林连着它，离它一哩半，广深有八十亩。垦殖者在那儿住下不久，有一个人来了希望加入他们，并且开始在那森林里伐木，要为自己盖一个屋子，想把全家搬进去住。可是这人又变了卦，不愿意参加了，就有邻村的一些农民愿意出钱来买这些木材。有一个垦殖者就提起了这个应不应该卖树的伦理上的问题，因为当初大家同意了的是凡属于自己的工作，或为工作所必需的物品，才是属于他们的，而在他们并不以木材工作，木材也并非他们的工作所必需。

“如果，”他说了，“我们并不需要它们，那么我们有什么权利来说这是我们的呢？它们属于需要它们的人，就是说，属于来购买它们的农人。一个人自己并没有必需而加以占有的财产是暴力的占有，那么，要说这财产属于我们就等于承认暴力。而我们的垦殖区为何成立？为了向暴力抗议。如果我们承认并且赞助，出卖那并不需要的木材，这罪恶的原则，那么我们这整个的工作还有什么意义留剩下来呢？”

他的一番话吸引了他的同伴。他们请来了需要买木材的农夫，还给他们解释，木材并不属于垦殖者，使树木生长的是上帝。既然农民们需要它，胜过他们，那么，应该让农民拿去。

农民于发觉垦殖者并非发疯，而是十分的认真，就高兴起来了，赶快的搬木材；而且他们也很讲逻辑，说：“那么这些木材所从而来的树林子你们也不要了？这也是上帝的，我们可以要多少就拿多少了。”

说了甲，垦殖者就得说乙，就得同样地承认下来，说这一个树林子他们也没有权利。

冬天快过完了，而消息一传出去，邻村的农民全都赶早，趁还用雪橇的日子利用这融雪以前的最后几天，免得不久后融雪时行走不得。有人驾了一个雪橇来，却有人驾了五个。立刻，最近一个村子的农民奔跑过来对垦殖者说，到树林子去的人是这么多，似乎立刻要发生械斗了，维持秩序是当务之急，决不能让每一个人同一个时候里伐木。垦殖区惊惶了，只怕有人死掉；可是他们应用这非暴力的原则会有这样的结果，也使人气短了，要到树林子里去维持秩序，他们也没有决心去做。然而办法总得想一个，他们就指定了来报讯的农民当一个森林看守人，指定一次只能容许若干人去斲伐。后来，他们知道这一位森林看守人只让那些纳款给他的人进林子去。

农民就大为不满了。已经拿到了木材的所恨的是拿不到更多的木材，虽然木材在那里只要他拣拾就有，那些拿不到木材的心中就怀恨。大批的农民到垦殖区来要求发给通行证，而这一次垦殖者却只能拒绝了，一方面觉得事情闹得这样乱，发生了这么多的争吵，实在也难为情。良好的农民也责备垦殖者说："如果你们要行善，就应该把森林平分给贫农。现在有几匹马的富翁都把木材载走了，贫穷的农民还是没有。”

……

事实是财产制度并不完全因自私而发生，财产的应用时常是坏而自私的，可是制度本身却没有好的一面。如果财产不存在，我们都要消灭而至于死亡了。如果财产存在呢，必需有人或有一个集团加以管理，要不然浪费，混乱，磨擦便是后果。

世界急亟需要的乃是这个有财产者（不管是个人，集团，市政府，或代表人民全体的政府）必须有一种责任感，管理得法——使劳动的结晶品并不被自私地消费；可是像托尔斯泰那样的一口否定，就使许多有意识地敏感的男女对他们的责任感感到惭愧了，于是他们既不管理财产，更不去活动，以便他们县，省，国家的政府受影响后改良了。

发生于喀尔库夫垦殖区的事实具有同样的道德训义。垦殖区的土地和房屋都是用M.阿辽奥的名义购下的，由他交给垦殖区用，说明这不是谁个的财产，不必谁个去防御，也不必拿这东西去和法律打交涉了。

有一天这地方来了一个奇人，叫做克洛卜斯基，自称“人生的教师”。把这整个问题和阿辽奥和垦殖地谈过之后，他上床睡了。第一天在用早餐的时候，他当众宣布：

“绅士们！我报告你们，从今天起，你的垦殖区已没有房产和土地了。你们吃惊了吗？”他说了，举起头来望他们，“那么我说得更明白一点。你的田庄，小舍，园子和土地现在都属于我了。我是这里的主人，请你们搬家。听到吗？我限你们三天！”

垦殖者听到时如晴天霹雳一样。不知道这算是发生了什么事。事实很简单，阿辽奥并不认为他是代理人，别人没有给他用法律或用暴力的权利，而克洛卜斯基却下了个决心要占有这产业了。

这些垦殖者一个也不反抗他，他们都走掉了，可是两天之后，阿辽奥把邻村的农民请在一起，把产业交到他们的村社手上，还是照法律签字在契约上，让他们有所有权。

于是克洛卜斯基看到戏已经演完了，走出去让农民来占有。至少，他们在占有土地的时候，毫不受良心的苛责，而一种犹豫的态度造成的这一切纠纷于是平息了。

托尔斯泰自己对于这件事表示过满意。土地归于人民，智识分子则侧身其间，为他们工作。可是这一来，我想托尔斯泰也有点自相矛盾，因为财产的制度如果是错误的，村社占有一个产业便是给农民用也是错误的了，因为基本的原则是绝对的；“财产是劫夺”，并不曾指出财产有多少，也不曾指出财产为多少人所有；一个喀尔库夫村社有什么权利可以有财产呢，他们占有这财产之后而且一定不利于别的村中的贫穷农民的。

尝试了住在农村中生活的托尔斯泰主义者，也并不比垦殖区的命运更好了些，安娜·舍隆的话我们虽然不可以十分当真的接受下来，可是在她的话里面也有一点真理。

> 有很多家庭很好的青年和农村中的少女结了婚，他们就在肮脏和酗酒之中死去了。有的人一直工作，工作到死。这些事实所以大家不十分详尽知道，因为他们的家庭隐匿了起来。

托尔斯泰的基督徒的无政府主义和反政府的理论自然也使他反对了国有财产，因为既有不能完全忠实，也不能完全不自私的人，成立起共产主义的垦殖区来，在我们目前的社会里也是会碰到许多使他惊骇的事实的。

奇怪的是他并没有从这些垦殖区学到什么，我们也必须记得他或他最好的朋友（如盖，契尔特可夫等等）都没有参加过一个垦殖区，托尔斯泰是深深浸在他的工作中，这样地忙着给一些和他直接面对的人帮助，又这样蒙在他自己的思想和感情中，对于共产主义的垦殖者既不予注意，对于西欧的宪政改革也视若无睹，一个俄罗斯的作家曾经说过："他只全神听他自己耳朵里的声音，他几乎不听见别人的声音了。"（译者注：莫德批评托尔斯泰的许多地方，都成问题，但这不是一个政治经济学的读物而只是一个人物的传记，所以读者幸弗予以过分的重视。）

第六章　教义所发生的影响

到一八八七年，开始到现在差不多已经不止十年了的托尔斯泰的观点现在已近乎完成了。他的意见已经坚固，除了一两个问题之外，以后的岁月中就很少有改变了。

这时他写的主要工作是他的哲学论文《论生命》(*On Life*)，大约是六月中他写的一封信中间说："我不断的在工作着我的《论生与死》。不到结束，我怎么样也放不开它。"

这样重要的作品而又这样少人知道，本书的初版中间，我曾经译下一段摘要，在这里我只请求我的读者注意一个要点。《我信仰什么？》(一八八四)，有时题名为《我的宗教》的，销行比《论生命》(一八八七)来得广，在前面的一篇中表示的意见是——"基督并没有假定过他自己的复活，除了坟墓之外，他也并没有别的个体的不朽”，一般人都以为这是托尔斯泰的一贯的见解。可是《论生命》中间表达了另一个见解，这一个见解以后他一直保持了。他在这里面说：“人怕看见死尸，因为一想到死，人就想到一个真实的生命上来了，而他似乎感觉到他并没有这真实的生命……既然知道我们这些人是从一个看不见的过去接受了我们的生命，发展了它的，一个我们也看不到的未来就不应该让我们害怕了。”接下来的论证很明显的说明了托尔斯泰已经信仰了未来生命。

《论生命》不能在俄国出版，因此托尔斯泰并没有读校样，并没有一再地修改校订它，像他对待其余的作品一样。其实一个哲学作品是更需要这样的校订的，但它在日内瓦根据了一个草率的稿纸，漫不经心地印了出来，读者要得到它的真谛尤须有批判的能力。第一个英译本尤其坏，似乎不应该是这样头脑明晰的作家写出来的东西，然而纽约的鲍尔顿·霍尔先生，虽然不懂俄文，却抓住了原意，写一段摘要时，把精萃全部抉发了。足见托尔斯泰的思想的纯粹战胜了坏的译本，他的思想还是能传达给读者的。

为了使他的观点普及起见，托尔斯泰曾在莫斯科心理学会上朗读一篇《生命之意义》。集会是挤得满满的，因为人人都想一听托尔斯泰，可是当时唯物论日益抬头，而托尔斯泰对这个问题的处理，听他宣读讲辞的人都不十分了解。

《论生命》对于若干读者的影响很深。如最近逝世的恩斯脱·霍华德·克劳斯贝，纽约立法会议上的共和党人，后来到亚历山大城当联合法院的裁判官的，便是一例。一个法译文的《论生命》（S.A. 伯爵夫人底译本）到了他的手上，深刻地改变了他对于生命中应挣扎追求的观点。他访问了托尔斯泰，后者就告诉他，由于青春，康健，财富的限制，他（克劳斯贝）很难于向善，但是他必须不终止向善的追求。克劳斯贝回到美国，放弃了政治，写了三卷宣扬托尔斯泰观点的诗，其中有非常好的诗篇。他也不断的演说。他不是“从人家的脖子上跳下来”，只能“尽量减轻他自己的体重”，在英国文字的托尔斯泰门徒中，他是最清醒，最使人满意，更富于友情的一个。

一八八七年八月，托尔斯泰的妻弟S.A.贝尔斯，从高加索回来拜访耶斯那耶了。下面是他九年没有看到的托尔斯泰这些年后所有的改变，通过贝尔斯的眼睛看出来的。贝尔斯年轻时和托尔斯泰是相知甚深的。

他说托尔斯泰苍老了一点，可是并不过分：

> 然而他脸上显然呈现了他忍求心灵的剧痛的记号。他的脸平静，悲哀，似乎是全新的容貌，也不仅他的容貌如此，连他整个的性格也是如此，而且不仅他这个人，连他跟旁人的关系，连他整个智力的活动也都改变了。他如果还有跟以前相同的见解的话（例如他仇视“进步”和“文明”），这些坚定信心的基础也跟以前不同了。
>
> 辽夫·尼古莱维奇变了“爱邻如此”的理想的化身，如果我可以说一句反话，有时理想的缘故他犯了罪，例如他对于行为失检的人总是很严厉的。
>
> 作为大自然，人和生命的意义底教育，他

认为是良善的，因为这是帮助邻人所不可缺少的，但是教育在代表“进步”，帮助我们奴役邻人的时候是有害的，他认为后者便是今日社会的教育目标，求教育的原因是使自己爬得比别人高，使自己与众不同，使自己驾驭众人。所以，他已经停止了他自己对于子女教育的关心，而且对他妻子的关心表示不满。长子在大学得到学位以后，请他父亲为他未来的事业给一点忠告，后者的忠告是叫他作为一个工作匠到农民中间去。

他认为，教育应该发扬。对邻居的爱心和慈心，因此更应该窒息性欲，于性欲冲动时制止它，不应该像目前的社会那样地发扬它。爱简单的生活，对一个人的周围环境不得太精明，他认为是教育应该有的目标，心里诚恳的客气是很好的（又是爱邻居的一个明证），可是外形上的客气是坏的，是自私自利的一个记号……辽夫·尼古莱维奇现在最喜欢用农民的言语，因为他认为这是生活简单的一个最好的证明。

贝尔斯接下来说：

他以前的对于贵族爱赏的态度现在已代以主要对待农民的同情态度了。一个人在社会地位愈低的，他认为值得同情。所以在《黑暗的暴力》中，污水坑的工人阿金姆，是最好的一个人。

托尔斯泰以前爱好的孤独现在也改变为人人都接待的态度了，只除了他妻子因为他的康健的缘故而限制时是例外。

关于他与财产的关系，他告诉我，他希望能脱去它们，像脱去一个压迫他的罪恶，可是最初时他的行为也是不对的，因为他想把他的责任扔在别人身上，就是说，他想平分它们，而这是造成许多别的罪恶的——首先他的妻子就发出过强烈的反对和严重的不满来。因为她的反对，他提议要把全部财产交给他妻子，她拒绝了，他又提议要交给他的子女，他们也拒绝了。后来，不愿意的暴力来反对他的妻子，同时也放弃了把财产送给别人的念头，他采取了忽略他的财产的办法：根本不理睬他的财产，不关心它的得失，除了他还住在耶斯那耶之外，就不再动用他的财产了。原则上他反对用金钱布施，因为每使用一个小钱就是束缚一个同类的人，然而他又觉得不化钱不可能，因为他全家都住在这产地上。我的姐姐告诉我，他们每年救贫费用到达三千卢布。我在那里的时候，有一个贫农家里失了火，跑来请求辽夫·尼古莱维奇给他一些盖屋子的木料。他约了我同去，还带去了斧头，在耶斯那耶的森林中砍下了几枝树，把桠枝也砍去了，然后把木料装在农民的车上。我承认在这样做的时候真说不出来的感到了以前所没有的喜悦，也许因为这是辽夫·尼古莱维奇的影响，也许因为我所做的事是为一个真真病了，不中用了，在绝望中的农民的缘故……这位农民走了之后，辽夫·尼古莱维奇对我说："这种帮助的必要和喜悦，谁个能怀疑呢？"

贝尔斯对于托尔斯泰已戒绝了烟酒的事实十分震动，还注意当时的托尔斯泰决不要求别人为他服务，尽量地减少家里的人为他做工作，如果他让家里的人帮助他，还是因为这样可以使人高兴一点……

因为对禽兽的仁慈，他停止了行猎。他还告诉我，不仅他不想打猎，对于以前他的爱猎还很觉得奇怪呢。

有一个享受他是允许他自己的：夏天里他常常在桌上供花，或在皮带上簪上鲜花，或者手上拿一把花。"你真该看看他，"安娜·舍隆也说过，"他时时用大鼻子嗅它们，然后四面看看，仿佛在感谢创造主赐了鲜花给我们。"贝尔斯这样地告诉我们：

家里已经上莫斯科了，托尔斯泰却还在耶斯那耶住几天，那时他给他自己煮饭……他还保留着他对于运动的爱好，但现在是有目标的动物了，如耕地，造屋子，步行的旅行等……

以前托尔斯泰有种嬉笑的神情，感染得旁人也开开心心，现在这却也消失了。他的外表并没有什么忧悒或特殊地悲恸的模样，可是以前的喜悦却已经找不到了。这一个特点似乎是一片片地粉碎后，由他的孩子平分了去。虽然在他面前也丝毫不害羞，他们噪聒而且活泼，然而又跟他的庄严神奇地取得和谐，而且更浮雕地刻划出他的道德态度来。由我看来他们的谈话，歌唱，钢琴演奏和青年人的一般的性格都使他快活，只是他自己并不参加他们罢了。我到达那里的一天——无疑的，他揣出了我的心里正因为发现了他的改变有一点失望了——跟我开了一次玩笑，使我们大家快活无比，我在房间里来去走着的时候，他突然跃到了我的背上。他还是更多跟孩子们在一起，可是不像以前的刺激他们了。

他劝我离开公务人员的生活，换一个生活的方式，告诉我一个人帮助邻人是如何的快乐，他特别提起了D.A.基尔库夫亲王做例子，基尔库夫并不跟辽夫·尼古莱维奇相识，大约也并不曾读过他的作品，可是和他的作品在同一时候，毅然不顾他的地位和关系，这年轻的亲王把土地分给农民，只留下二十五亩地给自己，并且他不在这片土地上安居，他变了一个工作匠，到农民中间去工作，但不求报酬。他勤恳非凡，变成一个精练的工作匠，后来一个邻居犹太人每个月给他五个卢布的报酬了。那时，基尔库夫才结了婚，并且在他这二十五亩的土地上成家立业。

基尔库夫亲王是一个卓越的人物，并且跟托尔斯泰后来的关系很深，为了把他的事迹说得更明白一点，让我在这里插一段话描写他吧。在俄罗斯的军队中，他是最年轻的军官，不仅和土耳其人，并且和俄奸勇敢地战斗过。管理的才能极好，为他手下人所爱，他自己也爱好他的工作，可是就在他驾骑冲锋，亲手杀死了一个土耳其人之后，从此心有不安，他等到一八七八年战争结束之后，就退伍离开了军队。然后，他采取了几乎跟托尔斯泰相同的路线，改变了生活方式，正如贝尔斯前面的一段话里所描写的一样。因为是一个有才干的人，善用战略，心地又诚恳，立刻把邻近的全部农民影响了过来，但因为他反对俄罗斯的教会，后来给僧侣排斥，放逐到高加索，而参加了“多库宝”教民群，而一八九五年，当这些教民拒服兵役的时候，当局疑心是他的影响所致，又放逐了他——这一次是到巴尔的克海边的省份去了。一八九八年，基尔库夫获准了出国，他到了英国爱赛克斯群的波莱垦殖区，我是在那里首先结识了他的。在下面谈到“多库宝教民”的时候，我还会提到他的。

如果用托尔斯泰的取消贫困的办法实行起来是行得通的，如果说实行这个办法，内心里可以确信它是一个正路，实行的人固然多，D.A. 基尔库夫亲王可说是最适合做试验的一个人了。没有人禅让得比他还多，没有人把生活处理得比他还更简单，没有人试验这基督教徒的无政府主义比他更热情了。托尔斯泰自己都因种种困难没有做到的，可是基尔库夫在试验了之后，得到一个结论，说这个办法并不适用。俄罗斯的人民需要的是忠实而能干的领导者，要有天赋组织能力的，但不要以为请这些人去从事了农业的劳动，便可以免掉灾荒，法治便可以代替暴政了。受了这一番经历的基尔库夫后来更近乎社会革命党，距托尔斯泰主义较远了。只要想一想，没有经过审判，连起诉书也没有，他却被放逐到这皇国内一个最遥远的角落里去了，这可以说明一个单独的，热心的，忠实的，要帮助人民的个人跟一个不顾一切法律的政府相撞时，如何不生效用了。

然而让我们回到贝尔斯记叙的托尔斯泰上来吧：

> 为了附合并不以暴力来反抗罪恶的原则，辽夫·尼古莱维奇首先认为他的孩子对他的教义的关系是自由的。他所相信的是什么，他告诉他们了，可是声调中一点没有强迫他们的意思……他告诉过我，他最怕的是他的孩子假心假意地接受他的教义，也同样的怕他们虽是真心真意地接受了，却并非自然流露。他们也了解这一点，所以行动很自由。
>
> 他另一方面，辽夫·尼古莱维奇对他妻子

的态度却要求得很精确，不断责备她，甚至表示过不满。他责备她阻止了财产的分散，责备她教育孩子还是那老方法。

而他的妻子，从她这方面说来，认为她自己也是很对的，看到了他的态度这样就很不愉快了。他这一切精神的受难，她是亲眼目击了的，她看到了他一步步地发展他的思想，而现在却反过来要轮到她受难了。无意之间，她对于他的教义和这些教条的后果的看法，现在已发展成为恐惧憎恶的看法了。感到她自己的无用，既不能影响他的天才，又不能在他的精神发展中帮助他，自然她只能想到她的孩子，只能反对她丈夫所要求的跟孩子有关的两件事，即财产的分割与孩子的教育了。成语所谓“两个火焰中间”，还不能描写她的地位，一方面是她丈夫的精神的受难和要求，另一方面是她坚信的，为了孩子的缘故，决不能屈伏在这些要求之下的磨难。十年来，他的教义只拿她做试验，这些教义是在这试验中修正，并慢慢地完成的，其结果在他们互相攻击的中间，矛盾的声音便时常可以听见了。他们的不协和只在这一个基础上，除此之外，他们真是一对模范夫妻。

若干年后，我在著写本书的上卷的时候，契尔特可夫和她的冲突还没有在丈夫和妻子之间展开时，伯爵夫人对我说起过，她的结婚生涯开头和结尾都很快活，但是中间的一个时期却很不快乐。就在这一个时期，因为经济的困难，她在编印她丈夫的作品，收入颇好。安娜·舍隆告诉我们：

这时期，伯爵很平静，他的教义已使人更加注意他了，他的书籍销行更广。他根本不管出版的事务，只要求安静不受打扰。他正在从事重要的工作。可是就在这情形之下，他的妻子抄出了他的许多稿子，还把它们整理出一个头绪来（其中，凡有关于艺术的，可以在俄罗斯印行），有时她还在她的桌子上放下了清洁的巨大的纸张，引诱他再写一点——偶然他的确写下了一点。有时他好像可以让人把他牵来牵去似的，我觉得他被牵出来的时候很像一个好脾气的食人生番，或像一个驯熊。这时候他笑起来很惨凄，他的眼睛总是润湿的。

在贝尔斯的《回忆录》结束处有几段显然是他这部书一八九三年出版时加添上去的，似乎把他一八八七年所看到的真情做了一点修改。例如，他说：

为了保护她的孩子底利益起见，在辽夫·尼古莱维奇想要把他的产业分给外人的时候，他的妻子已经准备了向法院声请，使产业得有一个保护人了。而当她的丈夫把他的所有献给她的时候，他接受了一个管事之权，除了发表他的教义精神底晚年作品之外，一概财产文稿都归她掌握了。

他也说了几个年纪较大的孩子对他们的父亲的教义所取的态度：

据我所知，长子（舍尔该）并不同意他父

亲的意见。当父亲放弃他的一切财产时，长子顺从了母亲的意旨，除了管理产业之外，同时还在当地的自治机关里办公。

次子依理阿极愿顺从他父亲规定底宗教的与社会的教条。他高中毕业后结了婚，在一个小产地住了下来。虽然他的妻子出身高贵，他们却过了一个严肃简单的生活，没有用人。

但依理阿并非他父亲的最忠实的门徒，他倒是写出了一部隽永可读又可靠的书，《托尔斯泰回忆录》。

第三个孩子辽夫·勒伏维奇（俄文的意思是雄狮的雄狮之子），“还在求学，但是他说过他要尽力依照他的父亲的道德律”。数年后，辽夫·勒伏维奇写了些短篇小说，他在这些中间强烈地反对父亲的观点。特别是《萧班的前奏曲》（*Ghopin's Prelude*）一篇小说，他写来答复《克洛亚采奏鸣曲》的，有一位批评家当下称他为 Tigr Tigrovich（猛虎的猛虎之子）。

几个小儿子，安特留和米开尔，自动加入军队，对父亲的观点颇少同情。特别安特留是颇多微辞的。

长女妲蒂阿娜在出嫁以前帮过父亲的忙不少，誊稿，执笔写信等，父女间感情极好。

“然而，他的次女，”贝尔斯说，“比起其他的所有的孩子来，是最忠于她的父亲，他的每一个信条每一个格言，她都极力奉行的。”

这女儿便是玛丽·勒伏芙娜（玛夏），婚后是奥卜楞斯基郡主，先学医药，一八八六年，“穿着印花布的工人衣，考试合格，当了一名初级小学教员”。她帮父亲的是邮件往来，替他誊编，教育村中儿童，看护村中病人，她的生命是充满了快乐和工作的。

两个大姊姊出嫁后，最小的女儿亚历山德罗女伯爵继任她父亲的助手和打字员，她也忠于她的父亲和他的观念的。

贝尔斯谈到库兹明斯基夫人时说：

我的妹妹，每年她全家要在耶斯那耶过夏天的，也是辽夫·尼古莱维奇最诚实的崇拜者，她虽然深爱他的信仰的纯粹，了解他的教义的精神，她却也知道实行底不可能，只是怕开口说出她的意见来。而辽夫·尼古莱维奇在她有反对时，总是用讽刺的声调回答，这讽刺已代替了他当年谈笑自若的神情了。也许我可以在这里举一个例，说明我妹妹的嘲笑以及托尔斯泰的讽刺，两人之间的争斗，这例子虽然微小却是很典型的。

从前，辽夫·尼古莱维奇爱吃一样甜品，我们叫它“安科夫斯基薄饼”，因为这种饼是安科夫斯基医师教给我们做法的。

我最后一次拜访耶斯那耶时，知道这个字已经有了别的意义，辽夫·尼古莱维奇现在用这一个字时是用来讽刺那些不应该地追求舒服和奢侈的人，表示他反对这些人的。有一次，他正在整理书房，我凑巧在那里就帮了他的忙。我们已经把大房间扫干净了，手还拿着扫把站在洋台上，而我的妹妹凑巧经过，片刻之后，她当着众人面前，笑着向我，并庆贺我的转变，并且说她从没有看见过一个比我更热忱的门徒呢。她接下来就宣扬她看见我和伯爵如何站着，手拿着扫把，如何他用手给我划了一个十字，然后庄严地举起他的眼睛，向了我问：“你否定了‘安科夫斯基薄饼’和它的罪恶的工作吗？”当时我又如何的庄严地回答：“我否定了！”

一八八七年九月二十三日是托尔斯泰的银婚纪念，因为他反对当时已在准备的庆祝，他问：“明天真的是我的银婚纪念吗？恐怕明天是安科夫斯基薄饼的纪念日吧！”

一八八七年的八月中，雷宾（Repin）画了托尔斯泰的第一张肖像画，在这张画里，托尔斯泰像一个旧约中的先知，虽然他穿的衣服不同一些。后来雷宾成了这一个家族的朋友，经常的访客，不止一次地画了托尔斯泰的肖像。

一八八七年托尔斯泰写了《空大鼓》，那是在伏尔加河的区域流行已久的传说底改写。这一个故事投了托尔斯泰的口味，它表达农民的憎恨兵役十分精辟。而他处理这个题材的方法也是一个好例子，他使他自己变成了多少世纪来大多数人类的喉舌。这时候，他也写了一篇论文题名为《在艺术中什么是真的？》以及许多日后发表的东西。

其中之一是早期基督徒的生活，叫《在有光的地方走在光里》（*Walk In the Light Where There Is Light*）。托尔斯泰的朋友 V.G. 契尔特可夫曾供给了这故事若干的意见。后来我问过托尔斯泰，他给这个故事的评价有多少？他回答说，“我一听到人家提这个故事，我就难以为情”。确然它有一个基本的错误。其中的人物分了两组：坏的异教徒和好的基督徒。托尔斯泰说，在现实生活中他们是无疑会混在一起，互相影响的。正是这个故事，或者说，正是这曾经漂浮在托尔斯泰头脑中的一个观念，在这个故事里得到表现了的，后来这观念变成了垦殖区的事实，而后来垦殖区的失败更证实了托尔斯泰主义的脆弱的一方面。

托尔斯泰否定底私有财产，政府，分工制度等等，时常使得一般人误以为只要这些罪恶能够废除，人类就可以协和地，并且道德地生活下去了。而这样地信仰了的那些人常常问：“我们要如何过活呢？”托尔斯泰的一个回答是："去生活在农民中，像农民一样的生活！"然而受过教育的人照了这句话试行后，常常觉得这不是能使他们工作得最好的合适环境。而托尔斯泰的另一个回答，在《在有光的地方走在光里》这故事中写出了的，是去组织一个团体，去共同生活。

各种文学团体，大学，学院这时已开始以名誉会员或这一类的荣誉献给托尔斯泰了。他并不关心这一切，对于他所要教育，他所要帮助的人们，这些荣誉并没有为他增添了荣誉。我想就是在这里列出一张清单来，读者未必爱看。可是有一些是应该提起的，那是另一面的推崇，指的是俄罗斯希腊正教会及其扈从给他的推崇了。

农民作家塞苗诺夫说起过他十九岁的时候，读了"媒介"出版社的短篇小说，非常感动，于是他自己写了一点东西寄给托尔斯泰，受到了鼓励。他们第一次谈话后，他说道："我觉得我是一个人了，生命在我前面摊开，我看到许多问题上升，等我解答。"

他回到他的村中，那时：

教区牧师告诉我的父亲，说我陷落在一个网里了。辽夫·托尔斯泰是个声名狼藉，诡计多端的人。他叫我这样的简单人物写作，付我几个铜板，然后以他自己的名字来出版，赚大钱。我的父亲大为生气，大醉而归，当我迷失的人看待，从此不喜欢了我的作为。

这一类故事后来采取了不同的形式不断地出现；如有人听到托尔斯泰攻击教会的语调，感到惊异时，可以想到为了他要帮助人类，教会是如何地辣手，如何地反对他。

一八八七年尾，我的舅子 P.S. 亚历克舍夫医师访问美国归来，到了莫斯科，他在美国研究禁酒运动，这种运动当时的俄国还不很注意。他访问了托尔斯泰，而后者听了他的话深深地感到兴味了，立刻托尔斯泰在自己家里成立了一个禁酒协会。他签了一张誓书，家里还有一些人也签下了。他十分注意这问题，写过好些文章。

不久后，托尔斯泰在耶斯那耶·朴利阿那村中召开大会，在会上他演讲了酒的危害，劝农民戒绝伏特加和烟草。他们把烟斗，烟草，甚至烟袋都扔了，可是后来很多人又偷偷吸上了烟。

托尔斯泰的力量，在组织或合作上，常常做不到最好的地步。他做得到最好的地步底是写作，他个人的榜样，他能给人的刺激和灵感。为了禁酒的目的而写的作品，主要的（除了《小鬼和面包皮》,《第一个蒸馏器》之外）是一个小册子和两篇论文。第一篇叫《文化的假日》(*Culture's Holiday*)，写作的原因是一月十二日，莫斯科大学校庆日，照例在酒馆饭店，要有大吃大喝，结果是大家大醉，最后还大都是大大的嫖妓女。

在《文化的假日》中，托尔斯泰对这个习惯大加攻击，引起了很多人的反感，当时候成就很小。可是托尔斯泰毅然面对了政府和任何人，不因对方是大学生或教授的二流子而他的非难之辞说得比他非难纵欲的农民二流子，轻一点，也因而他获得了一般的尊敬。

为什么他对教授和农民一样的严呢？他对教授们还严得多！我记得有一天我和他一起散步，偶尔他批评起农民的饮酒来了，他说："啊！可是你得看看他们如何爱凑上酒杯去啊！他们的良善的天性就在这里面表现了。他们是充满了良善的，他们要拥抱你，准备连灵魂都拿出来侍候你。”他的口吻说明他如何同情醉酒的农民。

这问题的另一篇论文《为什么人要把自己弄得昏迷不醒？》（*Why do Men Stupefy Themselves？*）谈到酒也谈到了烟，谈到了烟对于他自己的作品的影响。那是一八九〇年，亚历克舍夫医师的一部著作的序文。

我第一次拜访托尔斯泰是一八八八年，冬天的一个日子，在莫斯科，亚历克舍夫带了我去的，那时我对他的作品，还认识得不深。我们到了一个挤了许多人的大房间里，其中放着一张大桌子，许多椅子，一架大钢琴。这一个小小集合的生动活泼，我深受印象。若干时间之后，凑巧我和托尔斯泰一起坐在桌上，没有旁人，我说：

“我知道，辽夫·尼古莱维奇，你反对赚钱，我很有兴趣，因为我到俄国来是为了赚几个钱来的。”他立刻拿了这个来做题目，把他的意见解释给我听。我记得我为了要说明工厂之必要以及有利，说：“好了，至少你可以承认款子是有用的了？”他回答，“没有面包重要”，继续的主张一个人应该以多生产，少消费为基本义务。我没有被他说服，可是他的热忱，他解释他的观点丝毫不倦，他听取人家的意见如何把细——虽然他时时出奇不意的插进一两句话，这是他的癖性——我深为感动。亚历克舍夫后来说，他从没有听见我说俄文说得像那晚的坏，真的我那时很不安，好像我不应该参加了他们的集会似的。然而托尔斯泰说了，“你把你自己说得很清楚，很好”——自然是指我的意见，不是指我的咬字或动词变化的——在分别时，他还特别约我再去找他。一连几年，我没有照他的话做，直到后来，我读了他的一些晚年的作品，对他的观点才发生了锐利的兴趣，其中有使我茫然的地方，我想请教他了。

那一次以及后来，托尔斯泰给我的印象总是那生动，简洁，幽默的词句底力量，他对一切都有兴趣：人物，书本，消息，游戏，各种工作，特别是有关于精神的事物，此外他对人的态度，使人安心，诱得人家说出他们所知道的题目等等。不论在前面的是谁——农民，作家，艺术家或皇子——只要他说一个字，大家就地位平等了。事实是托尔斯泰态度之好，使人表现出他们的最精华的部分，使人感到他们自己的价值，这一切是显而易见的。

复杂的机器需要滑润油，态度帮助人的交流，以托尔斯泰为例，这态度使讨论的题目毫无拘束了。他是太智慧，对人生又太有兴味了，所以忠诚的人所考虑的问题，他决不排斥的。

这可不是小事情，这世纪的最后二十年内，在莫斯科更少有一个小房间，各样各式的人跑去，受一个人的影响，在这人心里没有一点卑劣，这人心里，便是在最黑暗最反动之中，心里也充满了希望，信心还燃烧不息，知道正义不能忍住这一切，目前的万恶不过是过渡的现象，希望能成为主要的美德之一，决非徒然的啊！

我私人要感谢托尔斯泰的是我的话和我的问题，他都严肃地对待，解释的时候他又富有耐心。我还记得他的莫斯科住宅的大门外，有一天有一个场面，我还记得清清楚楚。似乎能阅读的灵魂的深知的眼睛望着我，他问："你是认真的吗？"我回答："我不知道我是否完全同意你的见解，可是了解你的愿望，寻求你的观点中的良善，我是绝对认真的。"

一八八七年十二月一日，托尔斯泰写信给盖：

我到莫斯科已一星期了。在这里正同在乡下，我还没有动笔工作，你知道这一种克制是满足了我，使我快活的。为了习惯，为了自爱，更为了欺瞒自己，一个人愿意写作，逃避周绕的生命，可是既没有不可抗拒的力量迫我写作，我已经舍弃了我内心的一位纵容我的裁判官，以前他对我们写的每一个字都是赞成的。我克制了写作，感到自己的纯洁，正如一个不再吸烟了的人一样。你还吸烟吗？我戒去了这个习惯之后的快乐不能描写。

一八八八年三月三十一日，托尔斯泰的幼子依凡生下了，那时托尔斯泰是六十岁，伯爵夫人四十四岁。她已生了十三个孩子（九个男，四个女），三次小产。这些中又有三个是婴孩则就死去的。

一八八八年的托尔斯泰并未猛烈工作。他就说盖在热情地画一幅《最后圣餐散席时》，他写了下面的信——他以批评赫尔岑的一句话来结束，这句话也可以评他自己。

你是在猛烈工作中，愿上帝保佑你完成它！这是潮水高的时刻！我却把这句话对我自己说得比对你说还多一点。我知道一个人的创造到了一定深度之后，虽然还要求加深却办不到，那时勉强也没有用。(自然忽然办到了，又是如何的快乐啊！)现在我就在这个情形中。我已经开始了许多东西，全是我的所爱——可是我不能潜水一样的到一个深度，老兄浮了起来……最近我读了，还在读着呢，赫尔岑……神奇的作家啊！要是他的作品并没有(因为被禁)而给他的下一代读到了啊，这二十年来的俄罗斯要变过一个。他是一个重要的喉舌，却不幸被强暴地从俄罗斯身上撕去了。

《科尔斯托玛，马的故事》是一八八八年发表在一个杂志上的。一八八八年托尔斯泰所写的唯一的而为大家知道的作品是一封论文一样的回信，写给罗曼·罗兰的，那时他还是一个学生呢，题目叫做《体力劳动和智力活动》(*Manual Labour And Mental Activity*)。下面的一个医师的话，可以告诉我们托尔斯泰的教义如何引起了一般的兴趣，这医师后来也是参加了塔佛尔的一个托尔斯泰垦殖区的。他说过星期四的晚上，学生和别些人总到托尔斯泰的莫斯科的住宅去，已经养成了一种经常的惯习了：

> 有一个晚上，我们和托尔斯泰有一场大辩论……
>
> 回想起来还像昨天一样，辽夫·尼古莱维奇伸长了身子，两眼发光，坚韧地对我们围剿作他的观念的防御战。在这样的瞬间真是动人，可怜竟没有艺术家为他速写！
>
> 托尔斯泰内心有两个，一个是爱人民的政治思想家，染有无政府主义的色彩，他联结着是一个道德哲学家，正在找寻一条没有迷信的新的宗教道路。托尔斯泰自己更重视他的宗教哲学的观念。他的人民的政治观还是从他的宗教的世界观出发的，但并不占领了前者的领域。对于我们，这时最重要的是他的人民主义

的，无政府主义的观点，而对于他的宗教观，我们却未予重视。我们，由我们的看法，不能容忍那些自称为托尔斯泰的追随者却依然过着旧时舒服生活的人。（这是指的 V.G. 契尔特可夫和他那样的人。）辽夫·尼古莱维奇则说明主要的事是一个人应和他的周绕人物保持一个好关系，如果这一来，这人还得过他的优幽的生活，那么牺牲一个的灵魂的平静比较招惹周绕人物的憎恨，挑拨他们的敌视，来得更有理。

A.B. 对托尔斯泰总是特别不客气的，用了福音中的“一个人的仇敌是他自己家里的人”，“如果家人的平静是必需的，我应该做强盗去了——我也应该这样吗？”他愤怒地问。托尔斯泰回答一切全看这个人所到达的宗教意识有多少高低，可是他的解释也没有用。我们坚持着我们的主张，每一次我们见了面，这一个争论重新激起。

托尔斯泰的两个主流就这样愈来愈明显了。其一，我们称之为“我们底集团”的（指在他家里集会的二群）赞同了所谓“回到民间”的主张。其另一，性质是更近乎宗教运动的。

后者的集团在精神上更接近托尔斯泰，他也认为他们了解他更深，他们对他也更加敬重，有时简直是崇拜。对于这一批人，他表示的每一个意见，差不多他们都赞成。

而“回到民间”的托尔斯泰主义者用了全副精力，不问艰苦，要把托尔斯泰的主张在生活中实践，而另一个倾向的代表人物在外表上并不放弃他们的旧生活，只除了服兵役的人现在退伍是例外。

接近他的宗教哲学观点的托尔斯泰主义者，直到现在还对他的观点忠实得很，而另一个集团却不然了，很少人继续这条二十年之前他们出发的道路上走。他们大都改变了看法，走上了别的路。

对于智识分子组织农民垦殖地的计划，托尔斯泰很赞成，可是人为的事他一向怀疑，早警告我们失败的可能了。

I.I. 杨朱尔教授，托尔斯泰的爱慕者而非信徒，说起有一天晚上，八点钟左右，拜访这伟大人物的时候，看到他在书房隔壁一个小房间里做的一双鞋子。托尔斯泰快乐地招呼他的客人，指着书房说:“请先进去！桌上还有一堆美国报纸，刚刚寄来。你读它，我把这件事结束了，洗手就来。”

在书房的桌子上，杨朱尔发现了一包包还没有打开的各国文字的报纸。他读了一下就发现托尔斯泰的名字在上面几次被提到，这一包报纸中有一份全文刊载了桑多斯基寺院内一篇牧师讲道，谈到托尔斯泰处理福音书的成就。那位牧师和那个报纸的主编热情异常，给托尔斯泰颂神歌一样的赞美，他被宣布为第十三个门徒，而他的教训之重要不下于原先的十二个门徒，至于他的福音书，尤非读不可……

美报纸上大事赞美的这一位门徒，和这位门徒本人的穷贱相貌，袖子卷起，坐在一条板凳上，在隔壁房间里安静地勤恳地做一双鞋子，这一个对比这样强烈，禁不住我爆发了，一个宏大，几乎歇斯底里的哄笑。辽夫·尼古莱维奇似乎窘住了，问我干什么。我告诉他，我读到《桑多斯基时报》把他譬喻为第十三门徒了，于是他也愉快地自然地笑起来了，说：“真是非常的美国式。”于是他庄严地完结了工作，出去洗手，后来我们谈了许多话，接触了不同的题目，那报纸他没有看一眼。

非常典型的是有一天他给杨朱尔的忠告：

> 如果你的出发点和演绎法是准确的，不要对你的逻辑中得出来，适得其反的结论害怕。要不然，不论你说什么，做什么都不能，创造出什么来！

至于托尔斯泰所做的鞋子，我问了一位承他送了一双鞋穿的人，鞋子做得好不好呢？“没有再坏的了”是他的回答；我想过托尔斯泰做鞋子这件事，并不是为了贡献一个解决经济问题的方案，那更有价值的一点，在乎他用这一个办法来求得他精神上的单纯。

盖在从事着底基督生活的绘画，他的兴趣和他的羡艳，本书已经提起过很多次了。他对于波莱诺夫的一张伟大的画，题名《基督和一个犯了奸淫的女人》底态度就不同了。是一八八八年，这位在形式与色彩的技巧上胜过盖的大画家，完成了他多年从事的大画。为这幅画他还到巴力斯坦跑一趟，专诚研究过的。他为了这幅画，还工作着生了病。到处在谈论这幅画，而在他快完成的时候，托尔斯泰虽然不认识波莱诺夫，跑去看了一次。他长久地注视，然后指着画面上的主要人物，说："你不爱这一个人！"

"这是……你指哪一个？"艺术家问。

"这一个，在中间坐着的……"

"可是，这是基督！"

"唔，……你不爱他！"说了这样的话，托尔斯泰走了。

第七章　非暴力原则是什么？

一八八九年初，有点记号能看出托尔斯泰是回到艺术创作的上面去了。除了为农民写了一些短篇，还写了一点戏剧和《依凡·依利奇之死》之外，他简直很久没有写过什么。在一封向画家盖祝贺，贺他找到了一个重要的工作底信里，他说：

> 今年冬天，我也想在我专长的一方面写点东西——可是显然上帝不允许，能写我可高兴，可是不能我也高兴。

在同一封信的后面来了一段话，把他要写的“专长的一方面”的作品性质作了些提示：

禽兽有性欲只为了生育后代。没有解放的人（我们就是）也总是这样干，而且宣布了这是一种必需的，这虚伪的必需破坏了女人。在她受孕及哺乳期间男人还要求她担任不自然的情妇一样的性行为，这使她身心都疲劳了。我们自己，由于要求，把女人的合理的性情破坏了，回过头来我们责备她们的不合理，或者用书本或演讲再来发展她们。是的！在兽性底这一方面，男人是任性的堕落到兽的地位了……关于这一方面我思考得很多，所以我给你和你的太太写着这封信要向你们一述。

三月二十二日，请求返家继续工作，完成福音书的插画底一封信里，托尔斯泰又表示了这一种感觉，凡是真真的艺术家内心真有话诉说，必需用他的才能来说出：

已在你的灵魂里成熟了的，你必须表达出来，因为除了你之外别人是永远说不出的……

是的！你知道的，有什么重要呢，假如你被赞美了，可是觉得自己是在说新的意见，重要的意见，确有人在需要。当人有这感觉，为这个而工作——我希望你现在正是这样——其快乐要算是尘世上最大的一种了吧。觉得自己有这样的权利有时候还有一点怕羞呢。

这一个观点，把一个人灵魂中已经成熟了的感情用艺术形式表现出来，显然不同于《那么我们必须做什么？》的若干节中间底实利主义的看法。他正在写一篇日后就变成《艺术是什么？》的散文，事实是这些意见已经在他的脑海里波动了很久，不必我们惊奇。可是艺术与其余人生部分的关系，还得十年功夫，他才解释明白，即使他自己满意。

这年春天，又从莫斯科步行回耶斯那耶来，四月二十四日，他写信给盖：

我和乌罗梭夫一起住了三个星期……在那里，在孤寂中，我写出了一点小东西来。但是在这里，我却又干涸了。在许多作品中，我想好了一个论艺术的文章，可是不能完成。可是这并非我必须写的东西。我又是必须写。我看到了一些别人没有看到的东西。至少我觉得是这样的。所以在我死前，我要旁人也能够看到。你的情形应该也是如此的了。而且过一个忠实而干净的生命，就是说，不破坏别人的生命是非但不足于阻止这件事，而且还帮助了别人。

托尔斯泰再向自己和别人重复申述这种话是很好的一件事，其实他自己已过了六十岁，他的经历也跟年龄一起增长了，知道他在从事文学作品的时候，他是不能做多少体力劳动的。好在他住在耶斯那耶，地点最理想不过：在书房中是在孤寂中，而在田里是和农民一起，更因为当时农业的原始性，还要求极大的精力和手艺，所以供给他最好的参加的机会，他是强壮，活泼，灵巧而且爱体力劳动的，他在田里做了很多工。

六月二十四日，他又写信给盖：

> 我生活得好，工作了一点，耕地，还准备刈草了，同时我也写了一点，或者说是在预备写吧，就是一面写，一面涂去。我在写的是一个喜剧，一个小说和一篇艺术论文，这些大体上对我的灵魂很好，否则便是罪。几乎是每一天都有一点欢乐的证明的，证明基督在大地上布下的火焰烧得更旺了……

现在托尔斯泰开始了他的《克洛亚采奏鸣曲》了，这个小说将来要使他站立在一个非难的暴风雨底下，引起的争论比他所有其他的作品还多。可也是这一个作品，使那些知道什么是伟大杰作的人说，“最后，火车出了隧道了”。真的，他回到了艺术上面来，而这是社会的，道德的试验底艺术了。

可是在谈这部惊人作品之前，让我看一看托尔斯泰的非暴力原则，在下一章再谈这问题。

什么是托尔斯泰的“非暴力原则”呢?

它首先的来源得自《登山宝训》的研究，特别是得自《马太福音》第五章第三十八——四十一节的：

> 你听说过这话，一个眼睛还报一个眼睛，一个牙齿还报一个牙齿；可是我对你们说不要反抗恶，谁个打了你的右面颊，把另一面颊也给他打。如果有人要拉你上法庭，拿走了你的上衣，把大衣也给他吧。

在托尔斯泰发展了它以后，最后得到的一个非暴力原则，是说“必须不用暴力来强迫别人”做他不愿做的事或不让他做他愿做的事。这里面就包含了一切中央政府和地方政府的否定，凡用警察，民法刑法，一切并非出于自愿的税赋，以及为了保障生命和财产的缘故，援引体力的，一概政府都受否定了。替人代理的行为也受了否定。人不能用体力或叫人用体力来阻止一个作弊的人，即使这种作弊是骚乱了整个社会，使社会大大受难的。事实上，这个原则所假定的是一个我们并不知道的社会制度；我相信这种原则实践起来不会成功，连样子都不会像样的，只除了托尔斯泰本人，在他的情形中，他的生活依然循着故道奔流，他周绕的人则全在犯那暴力的罪。

必须记得托尔斯泰的观点是一个很古老的观点，许多土地上都曾有人这样主张过，所不同的是这原则从没有被说明得这样清楚，其结论也从没有被归纳到如此吓人。

事实上，在任何社会中，向社会的进步作努力而受到暴力的制裁，那时候的改革者是自然而然地反对了暴力，而且跟着要宣布了“非暴力的原则”的。体力的强暴常常是压迫的一种工具，因此人们无心地以为暴力即压迫了。

无论是合理与否，在一个世代之中，道德高名望重的分子在否定的习俗，法令与国法协助的罪恶时，他们是很聪明地说出了不以武器争斗，不以伤害人的生命为手段的话来了，可是他们又把这分作为一种原则，说良善的人是应该依赖理智及良心的，只有坏人才用暴力，判断善人恶人，可是在人所用的手段上。

他们说用暴力错误，用道德力正确，原是很聪明的话。一个典型的例子是威廉·劳合·伽里松，当他反对美国的奴隶制度时就采用了这样的态度。在托尔斯泰，正如在许多类似的情形里一样，他采用这样的态度，他这样本能地坚持这态度，正合乎他的目标，这一点我们决不能忽视了，他向世界宣布，说他的是一宗教的道德的事，而后他才否定了暴力。他反对了已基础稳固的俄罗斯希腊正教以及协助它的政府，特别是政府的兵役制度——这显然地证明了理性与良心已变成了暴力的扈从，是最宏伟的例子。

可是政府和教会不辩一句话。他们的罪恶真是众目彰照，要辩也无从辩起了。假定不答辩了，他们更要制裁他呢——放逐他或幽禁他——那么他倒可以抓住了把柄。用哥萨克和宪兵逮他正好证明了他的理论的准确，激增了他的书籍，那使他受难的书籍的销数。

在细节目上，伽里松的非暴力原则和托尔斯泰的也略有不同，而他们两人的理论又跟阿定·鲍洛牧师的不同：可以注意的是这些能干的诚实的人，在同样的情形之下产生了类似的意见，而在他们的后面又都是基督的教义，显然各时代各地都有人信奉这个基督教义的。

在写着《我信仰什么》(*What I Believe*)——托尔斯泰的非暴力原则在这本书里形成了的——，当时他知道他所信仰的近乎奥利根·台尔托利安和别的教会神父，而且也近乎曼侬派，赫恩赫脱派和捷克教徒，都是反对参加战争的。在这部书出版之后，使他高兴的是他从美国和波希米亚的通讯员中得知别的人在别的土地上也表示了，并且还在表示，这同样的信仰，有一个通讯员写了一部鲍洛牧师的著作，托尔斯泰答复了，热情地说鲍洛是“人类的恩人之一”。关于鲍洛的著作，他说：“在这论文里我找到了一般反对‘非暴力原则’的意见底答辩，答辩得胜利，而且我也在里面找到了这个原则的真谛……”然而鲍洛牧师并没有像托尔斯泰那么样的透彻，而引致了后者的不满。

在本书的初版中，我引录他们的通信很多。这里我只引一八九〇年三月二十六日，托尔斯泰给鲍洛的最后一封信：

> 亲爱的朋友和兄弟——我不再和你的反对意见辩论了。这是不会有结果的。只有一点，我在上一封信中没有说明白，我必须解释，以免误会。这是关于妥协的。我说的是妥协，在实践中不可免，在理论上却不能够允许它的存

在。我的意思如下……

……最大的罪是理论的妥协——把基督的理想，为了完成，而贬低了。我也以为承认暴力（即使为了仁慈的缘故）可以加诸疯人，也是承认了理论的妥协，这问题的困难还有疯人的定义难以解说。因为不承认这个妥协，我冒了我自己的生命的危险，也使可能为疯人杀害的旁人有了危险；可是死得能满足上帝的意志是一种祝福（你也在你的书里说过）；而如果我承认了这个妥协，我所冒的危险是我的行动可能反对上帝的规律——那比死去还坏……深深的敬意，柔情的爱心，我依然是你的朋友，你的兄弟。

辽夫·托尔斯泰

有趣的是鲍洛这人，托尔斯泰称之为“化了五十年的精力要用文字语言宣传非暴力原则的锦标”，也不能跟托尔斯泰一样地理解基督的禁令，而这就把我们带回到这个问题上来，首先我们是否要决定什么是耶稣在这题目上所传授的话，还是首先我们不管耶稣或别人，任何人的话，先决定这题目上的什么是对什么不对？

第一个问题的讨论无法进行得好，因为我们是否必须接受耶稣的教义之前，先有一二个问题要解决：（一）传留给我们的耶稣基督的教义是否可靠是否完全；（二）他所传授的是否可以决定得确确切切；和（三）他的心里是否跟我们一样，有同样的社会的和政治的问题在前面？

我想讨论这个简单的问题，关于体力的使用应该如何？基督说过些什么话的复杂的问题我这里付阙了。只让我做这一个注脚：假定基督的教义有准确记录而且完全无缺，我总认为他所讲的不同于托尔斯泰所讲的；因为他的教义的说明，把另一颊交给人打耳光，并不诉诸法律了（托尔斯泰是以此为根据的），下面还接着这样的话："谁强迫你走一里路的，陪他一起走。"谁懂得应用文字的，而《登山宝训》的作者自然是懂得的，既然是以非暴力的说明作为他的行文目标的，这里就不该用这样一个例子，把人家正注意的非暴力引开，使人家注意到良善，好心的问题上去。以福音书所能告诉我们的来说，我得到了这样的结论。可是这里并未接触的那个更大的问题，也许托尔斯泰是发现了一个福音书中并未陈述的真理了。他发现了吗？

他认为我们绝对不应该用暴力来限制我们同类的人（他有时还说人对于禽兽也应该如此）。鲍洛的书里主张的原则是绝对不应该用“有害的暴力”加诸同类的人。他所谓“有害的暴力”：

> 是任何道德的影响或暴力，从一个人传到了另一个人时，其结果是毁坏了或损害了生命，毁坏了或损害了身体，毁坏了或损害了或败坏了道德的或宗教的情感，或毁坏了，损害了，败坏了绝对的安全，一个人受创另一个人的道德影响或暴力以后的一切都要估计到；而且不问受到的人是有罪无罪，有害无害，伤人不伤人，清醒的或疯狂的，成年人或婴孩。

他在强有力量的一段里又解释：

决定有害或无害却不是人的想像，思想和感情可以决定的，爱底本身就可以“在一个人的头里添上烧红的炭火”。真理也可以使人受苦，最大的恩惠可以使人心里难过……这种人常以“有害”作为有益了……他们的意志，感情和意见不能指示他们自己的良善，尤不能指示别人了。

一个坏人可以在假面具下面，使恶滋长，并不被发觉而不受到责斥吗？事实上他是有害于人类的。所以他们该受一切由智慧决定，由仁慈执行，“无害的”道德力以及暴力底盘问，限制和责斥。

……不讲理的孩儿可以抚养得好吗？疯狂的成人不能限制吗？……虚伪的不能被揭发，罪人也不能责斥，除非加以危害！做善事不能不做一点恶事。一切人类的判断和行为真是都有缺点的；所以……免不了有时要有点错误，也有时要有害。可是人类的理性与常识，只要效忠于行动的真实的原则，总可以完成责任，得到普遍的满足。

托尔斯泰有一点比鲍洛的（以及我自己的）见解更高明，只要他的原则是准确的，那么就有一个完全精确而鲜明的，可以说机械的善恶测验了，你不必追求动机——那总是复杂而且多阻挫折的——而且你不必问谁作了弊，杀了人，犯了罪；只看一个人如何虐待一个人，虐待者是一个犯罪的人，被虐待者是一个反基督教的暴力之下的受难者。

如果到了这样的情形中，无疑问的一切更简单了，我们在发出这样的问题——“我审判某人对不对呢？”的时候，不必迟疑更不会有后悔了。可是，唉！生命和人类的行为太复杂了，把它们缩紧起来，使符合一个永恒的测验是不可能的。

托尔斯泰的说话是最透彻，最简单，应用起来最容易的。它只有两个缺点：它会造成人事的纷纭；再则，它也不是真实的。

阿定·鲍洛考虑这问题时，比较好得多了，他部分地到达了真正的解决，而不禁使我想到了罗斯金的

Munerva Pulveris 中一段光辉的议论。

我们必须了解“有害”两字的真义。

> 我们普通以为这是一个人将任何损害加于另一个人的意思；可是“损害”两字又没有界说；有时我们以为受难者自己知道的是损害，可是最大的损害常常被损害者自己也不知道的；有时我们以这两字作为暴力的损害或被限制的损害解，可是最大的损害常常起因于怠惰，或起因于放纵。
>
> “有害”的意思，那么，很简单的是拒绝或破坏任何人的权利或任何人对他同类的要求了，要求主要的又分为两种，一个人做他应该做的事情时，不受阻挡是一个要求；当他做不应该做的事时，他得受到裁判是另一个要求……
>
> 现在，一个人若要得到这两种权利，很明白的，他这人的人格必须大家都有点知道，或者他缺少的人格也必须为大家知道，不幸缺

少人格倒成了一种法律学上的主要研究专题了……

可是，我们还没有到达问题的核心，非暴力的真实的原则，我是这样理解的，我请读者以此为最重要的一件事。

由规则“以眼还眼”，希望送掉自己两只眼睛做盲子，不仅错误，而且愚笨。伤人的欲望无疑问的，不可避免的，也伤害了自己，我们应该从我们心上抹去一切报复的念头，绝不要想去伤害别人，甚至绝不要想去伤害癫狂的杀人犯。如果我们能够医治他，使他成为一个好公民，那是最好的了，可是事实上也有人（我希望这种人的数量正在减少）虽然这是一件恨事，就是我们必须杀死他了，并不因为他“自作自受”，也不是因为我们希望伤害他，而因为有时他可能是，例如，一个舵手之类的人物，正驾着船舶向一块岩石撞上去，结果不仅他自己受害，连我们这些搭客和其他的水手也要陪他遭殃的呢。我们的工作是尽我们的能力来加强协和，善意和全人类中间的秩序。在这样的工作中，我们需要一切官能：道德的，智力的和体力的官能，除了应用我们的判断力之外，我没有发现过别的外表底行为的规律，可以为我们从困难中找出路来的——便是最复杂艰难的问题，我们茫然不知所措的时候，我们可以依赖的还只是判断力而已。

这一条原则是明白而用起来也通的，应用越充分越迅速，对我们大家的好处也越大。我们要这世界上的事情摆正，我们矛盾的地方其实并非一方面有伤人的企图，另一方面否定暴力的应用，我们矛盾的是一方面的伤人的意向与一方面有帮助人的意向。

托尔斯泰的标准应用于行动，我的标准运用于动机。他的辩词有这么多文章又有这么多书，要一点一点答复他，把这部书的完全的篇幅都借用了也不够用：我想任何有理性的人只要把握住原则，是可以回答托尔斯泰的每一个论点的。在这里我只谈两点，那是他自己特别强调，一再援引的。

如果为防止一个人给你的损害而你打了他，他说，你所能知道的只是你打了他，他是否要损害你，你是不知道的。也许在他快要损害你的最后一刹那，他死了或者他后悔了。同意！可是这只说明我们的判断力不够。这是不用暴力的一个理由吗？如果我们不用暴力，我们有暴力在身上又有何用？一个人播种时不知道他的种子会不会生长。有时不生长，那么浪费了时间，不断地播下那不会生长的种，是近乎做坏事的了。可是人播种，因为人相信种子也许是会生长的，这种想法常常是对的；一个踢着小孩的醉鬼，我打了他，我不能自制，因为醉鬼如果老用他的皮靴子踢着这个孩子，眼看着孩子就要给踢死了。孩子也许不会给踢死；那么我犯的错误只是判断力的而不是道德上的错误。一个人在特定环境之下，做他力之所及的事，用他所能应用的机能，绝不会错误。

托尔斯泰的另一个辩论是我们必须假定暴力万万不能用，甚至在一个人感到他必须用暴力的时候也不；因为我们只要给一个原则以一个例外，整个原则就粉碎了，跟着各种暴力也就在世界上横行了。

像托尔斯泰那样的思想家与道德家会沦为得失主义者，逃避者和懦夫，真是一个悲哀的事件。这里的问题极明显：这是真的吗？如果不是真实的，我们这样承认了有什么结果？极明显的，坚持这样的使一个常人的常识起反感的原则，并不能限制那些有暴力倾向的人，永不能制止他们的。他们只蛮干；否定整个原则连那些合理的部分也否定了。

事实是托尔斯泰并非“非暴力”的字面意义的信仰者。他在一个消极的规律，一个表面的测验上坚持，而追求的却是精神的效果。他要帮助造物主把崎岖的世界化为康庄乐园，用心是真诚的，可是他一股热心，忘记了把工作分配给他的同伴去实行了。

还有，关于法律的施行，至少以立宪的国家来说，他也是错误的，他仿佛以为法律的施行，总是用警吏来逼迫一群不甘心的人民，目的在保护有钱人家和统治阶级。在英国，这是事实，警察的数目跟人民的数目一比实在太少了，不够维持秩序，然而在必要的时候，特殊的志愿警察就会出现，保护法律。

因为人已经习惯了法律的便利，确信它是不会被推翻的，他们能够指出它的错误——有时是好笑或可耻的错误。

我对于这个问题不惮再三的申述，因为在托尔斯泰的晚年，他有大部分精力化在这上头，而许多人在文字上答复了他的大都也写得很不合适，尤其有些人答复的原因是为了要辩护他们自己的暴力企图。

我相信托尔斯泰的“非暴力原则”的错误看法可以蒙蔽世人，以为他并不是一个伟大的思想家的，而许多人特别研究他的这一部分教义，我尤其感觉得遗憾，一个猛烈工作的人在和罪恶作战的时候，可能在某些地方，犯上一些平凡的汤姆，狄克和哈莱所不敢犯的错误而失去均衡。可是托尔斯泰虽然常常以爱的法律来和暴力的法律对立起来，而又全部把后者否定，连带还否定了管理交通，肃清街上醉酒的水手底警察，我们不要让这一个错误分散了我们的注意，因为许多深邃的问题上，他发表的议论是既透彻而且有力的。

一个人的作品，最重要的部分总是他说对的部分，我们看待一个先知得同看待一个矿穴一样，在我采掘的时候，寻找那宝藏，尽量少的在没有价值的事物上化掉时间。

第八章　喜剧《进步的果实》

一八八九年托尔斯泰所写的作品有艾尔萧夫的《塞伐斯多波回忆录》序文一篇。这又不是检查处能通过的东西，所以写作当时是作为序文来写的却没有达到这个目的，而且一直不能发表。可是研究托尔斯泰的人不能不读它，因为从中我们可以看到他的憎恨战争，是从他自己的亲身经历中滋长出来的。它有现实底跳动的脉搏。读者一定能够感到托尔斯泰自己所说的一句话："我们重新又把三十四年前的日子经历了一次。"

一八八二年以来，每年冬天他们一定上莫斯科去过，可是一八八九年及以后的几年，他们却没有循例。

这一年的下半年内，托尔斯泰写着《克洛亚采奏鸣曲》和一个喜剧《进步的果实》。

他们决定在新年里把喜剧在耶斯那耶演出。

有几个演员所写的记录使我们看到这一个新年佳节日耶斯那耶的生命情况。年纪较大的五个托尔斯泰的孩子已经有十八——二十六岁了。

演员之一是A.V.秦格尔，一个十九岁的孩子，第一次访耶斯那耶。他告诉我们：

> 我到了那里，坐在一张巨大的茶桌上，托尔斯泰都围住了坐着，还有亲戚朋友，来过新年的。
>
> 在陌生人和许多成熟了的少女中间，我最怕难为情，亏得妲蒂阿娜·勒伏芙娜的简单而快乐的谈话灵活地解救了我，她是招待年轻朋友的主妇……她也忙着服装，道具，布景等。

托尔斯泰是年轻的时候就结识了秦格尔的父亲，一个莫斯科的数理教授的，他的儿子也研究数理，第一天早晨在早餐时：

> 托尔斯泰进来了，快乐、和善，参加了我

们，先跟一个人说话，后来又跟我们这一伙中的另一个人说话，大都是跟女孩子说的……和我谈话时，他谈起数理来了，说……

“我想我可以做一个很好的数理教师——因为我喜欢这个科学，可是要弄得清清楚楚却很难。为了弄明白，我得这样想了又想那样，可是一弄明白以后我可以解释给别人听，因为什么地方困难的我都知道了……”

“啊，呵，呵！”……他说，因为我拿了一枝香烟在点上火，“不应该啊，为什么你要抽烟呢？”

我脸红了，勉强的说一点理由，如抽烟可以集中思想，使思路清楚起来。

“不，不！恰恰相反！”辽夫·尼古莱维奇说，“我十分清楚！一个人似乎在抽烟时思想得更灵活，其实是一个人的判断的官能被麻醉了……要是你再加一杯伏特加……那是最坏了。”

吃过早餐的咖啡之后，辽夫·尼古莱维奇

就上书房，把剧本的稿子带进去，天天这样去加添些，去修改些，直到上演……筹备上演时读剧本的嗡嗡之声有一个星期之久，从早到晚地响，有一次排演地点择定了图拉的达维多夫家，半个耶斯那耶的剧团驾雪车前去……

另外的日子，为了嬉戏，一大群活泼的青年坐在小小的雪车上滑下山坡，在池冰上溜冰。一回到家里，我看到第二幕的一只火炉装在舞台上了。大房间的另一个角隅里，幕帷正在缝制，另一个角隅，刚修改过的部分在一份份的抄本上修改。不断有哗笑声出现：新版本似乎格外有趣了……

上演的日子近来了，可是还有做不完结的工作。我们熬夜，我们在半夜里烧起暖茶炊来，还预备月光下坐雪车，使我们清醒新鲜一点。

“你们要怎么就怎么，”妲蒂阿娜·勒伏芙娜说，“只是别惊吵了雇人，如果惊吵了，爸爸一定不高兴。……”

离彩排只有一次排练了，V.W.洛巴丁来

到了耶斯那耶，我们是等他来演第三个农夫的。他的姿态，手势和口才真是了不起。他演着戏，念着词儿，“我们的地这样少……我们没得房间，呃！养一只鸡的房间也没有”，大声哄笑阻止了排练，辽夫·尼古莱维奇乐极了。

丹妮亚的角色是妲蒂阿娜·勒伏芙娜演的，演得极好，玛丽·勒伏芙娜演厨娘也演得好。

上演前两天，决定了从原稿朗读新作品《克洛亚采奏鸣曲》。

因为演剧的缘故，全座房子乱糟糟的，连一个安静的角落也没有：伯爵夫人让我们上她的寝室去。

这小屋子里挤了十五个左右的人，辽夫·尼古莱维奇自己也来参加了。

M.A. 斯塔霍维奇坐在一张小桌子前面，点了两根蜡烛，序文式的一章朗诵得有声有色，可是念到结构上来了，他呆住了，文字的现实性面对着一群年轻的姑娘，他停了下去。

“伯爵夫人，我念它不能不略去一些……”他说。

“我猜到了，”她说，“女孩子不必在这里听。”

“读下去，读下去！”辽夫·尼古莱维奇说，他正全神贯注地听着呢，“可是让女孩子们出去也好。”

年轻的姑娘们出去了，朗诵继续。

在他有添有减有修改不容易认的地方，辽夫·尼古莱维奇坐在斯塔霍维奇的位子自己已朗读了几段……

读完了之后，大家在喝茶，非常激动。许多零碎的印象说了出来，辩论也开始了。这时辽夫·尼古莱维奇回进了屋子里。

“如果你们当我不在场一样的谈论《克洛亚采奏鸣曲》，那么我是多么高兴啊。”他说。

可是大家不说话。半天以后，有人鼓起勇气说：“印象太深了，你能不能说出一些正面意见呢？”

“啊，可以的！”辽夫·尼古莱维奇说，“那就得告诉他们，他们生活得很好，他们如何有了儿子和孙子，如何他们躺在曾孙的胳膊里死去。那些德国式的神话似的东西成千成百的写出来可是没有一点点教训在内。”

“在一个艺术作品里面，”辽夫·尼古莱维奇接下来说，“艺术家是不能不说出一些新东西，属于他自己创见的新东西的。如何写作不成问题。人们读着《克洛亚采奏鸣曲》，说的是：‘对的，小说是这样写的，他们在火车里旅行，就谈天了……’万不可缺少的是越过别人已经做到的地方，去采集新的东西，不管它如何的微小……像我的朋友斐特那样写作是不行的，他在十六岁的时候写着‘泉水汩汩，月光皎洁，她爱了我’；写着写着他一直写到六十岁还是‘泉水汩汩，月光皎洁，她爱了我！’”

V.W. 洛巴丁，演第三个农夫的角色的，是一个陪审官，他说起他们在图拉排练归来，大队人马坐了雪车回耶斯那耶。

> 我们在光滑的高高的路上疾驰，经过两旁高耸的科兹洛夫卡—柴赛加的入画的森林，愈夜深，车子坐累了，霜风也犀利，我们愈喜欢耶斯那耶的有光的温暖好客的房子。
>
> 主人们欢迎了我们。晚餐摆好在桌子上等我们。可是没有酒，酒杯里只有Kvas斟着。我们，受冻了的旅客，有了一种近乎失望的感情；可是我们这一伙中间有一位目光远大的人，早在图拉拿了耶斯那耶禁止的东西来，我们就一个又一个小心翼翼地溜到大门房边，楼梯底下的一个角落里（窒息了我们的良心和良心的刺痛），用少量的伏特加来温暖身体。

洛巴丁的职业使他时常会见许多剧本中间的农民典型，所以演出时能够惟妙惟肖。在排练时，他说：

我觉得我成功了，听到辽夫·尼古莱维奇的笑声——一个非常俄罗斯的农民的笑声，充满了良善的诚意的——跟着他说了许多赞成的话……我的演技显然比我自己预料的还给他更深的印象。他是满意了，而他的满意像小孩子一样，使我感到羞涩。

他笑得出眼泪，还把他的意见哇哇的告诉旁边的人，拍打他的肩膀，欣赏得摇摆他的头，农民的翻新。

对于一切真真现实的东西底喜悦，任何真实的感情底传达，是托尔斯泰的一种特点。

他这样的爱好了洛巴丁的演技，他改动了许多地方，使那第三个农民有更多的剧词说。

这天晚上喝茶的时候，谈到戏剧艺术了，辽夫·尼古莱维奇给艺术创造的意义与重要性作了定义：

一个艺术家的观察力的特殊性在于他观察力的独到之处。别人所不能见的他见到了。别人见到的自然他也看到；可是他的看法也跟别人不同；而在他的作品中呈现的，正是这些别人所看不到的特点，艺术家强迫别人依照他的看法来观看并且强迫他们了解这些特点。

所以在每一件艺术作品中我们看到新奇的事物，而且我们从中学到东西，“例如，你，”辽夫·尼古莱维奇说，“呈现一个农夫，我们在实生活中老看见，老看见他们，可是你传达给我们的是我们平时所没有看到的他们的特点，从你的演技中我看到了对于我是新奇的东西了。”

托尔斯泰对任何人说话，都采用平等地位。他争辩起来，热情有力，可是他看到听他说话的人已经同意了他，或已经了解了他说的话，那时立刻他的眼睛里就有了如何地纯粹，如何地真诚的喜悦在里面闪耀了……我得到了一个信念，托尔斯泰的每一个字都从他的灵魂深处说出，而他的理论也并非浩瀚的智力工作底结果，是那最锋利的精神的苦难，从想像力的浩瀚之中他建起了他的理论。

我似乎觉得托尔斯泰的灵魂里正在上演一个悲剧：他无情的自我分析阻止了他的自满，他不能在他的内心里找到他认为人类所必需的一切，也找不到他要求于旁人的一切，他和他自己争斗，这两重性格便是他苦痛的原因。

十二月三十日，最后这个戏上演了，在那大客厅里能容纳多少人就多少人，这个戏博得极大的成功。

托尔斯泰的原意是纯粹的喜剧。其中有两个他所喜欢的观点。他的整个宗教理论是说明宗教的尝试，说明宗教和神迹和奇迹无关，宗教是独立的东西，他攻击的那种精神学说，在剧本中呈现时，与他的精确的立论完全相符。第三幕里教授的演讲，就是因为他把物质和精神混淆了才讲出来的东西。托尔斯泰认为这样讲下去是讲不出什么来的；谈的是精神学说，却不知道什么是精神，又不知道它跟物质有何不同。“我们生在康德之后的人不能抛弃他所指出的不同。”物质是我们的五官可感可觉的，星球与鬼魂都属于这一领域，如果我们的视觉听觉触觉可以知悉它们并可以考察它们。然而精神却属于另一个世界。道德律是属于精神世界的，它与物质不同在于我们的五官不可考察它。所以一切谈精神学说的人都从名词的误用出发。如果谈精神学说的人知道他们口中的物质和精神是什么意思，它们就可以向他解释清楚，叫我们考察的是物质现象，然而又说这物质现象是精神的，这就悖理了。托尔斯泰认为这基本上的混淆也不是“考察”可以清理的——不论所考察的事件是如何的合适。认识是基于一个人自己的心胸的，在神坛上的说话不一定是精神的，精神也不能刻在石碑上，我们既生活在反常的生活中，精神不会向我们降临，一个“被控制的人”也不能把精神诉说出来。

托尔斯泰也不承认人的道德与精神底福祉可以从耳闻目击的证据中得到改进。时间与空间，像一切属于五官领域的事物，与精神世界不相往来，精神世界的鼓舞就在此时此地“君临着我们”，可是依赖五官的考察，想要捉摸住精神是不可能的。这种精神学说的处理方法，说不定又要使这个剧本，对于一切希望考察心灵现象来得到伟大结果的人感到乏味，可是托尔斯泰的艺术本能又在这里搭救了他。他把他的场面放在这样的环境中，恶是无疑问的横行无阻，而他笔下的人物（除了丹妮亚之外，她的法兰西侍女性质似乎不合于这些场合的）又都是真实的人物，他们所做的事，所说的话似乎都应该这样。人人知道跟随着精神学说而来的是各种的取巧和欺诈。主张精神学说的人，若有理性，无不同意这里强调的一点的，后来在一九〇九年，倍本罕大学生上演了这个剧本，连心灵研究学会的会长奥利弗·洛琪爵士也对他们的演出大加赞美。

另一个托尔斯泰深信不疑的观点是对于“文化”阶级底空虚的，无用的，奢侈的娱乐，他憎恨异常，跟农民阶级的庄严的兴趣一比就知道；这一点又是艺术化的处理，把一个相当可爱，相当可尊敬的地主家庭，他们的轻浮和农民对比，农民正在需要土地，而农民的狭隘与粗莽，他也一点不修饰的传达了出来。

这个戏，第一次是在图拉，由一个业余剧团为“救济贫儿院”而募捐公演了。托尔斯泰亲自去参加了一次排练，可是看门人不认得他，当他是一个农民，把他赶走。这一个误会，一经解释清楚就了事了。在排演之中，一个当地的贵族正好演着格里高莱那看门人，客客气气的把农民推出门外去，那时托尔斯泰停止了他，对他说：

“不，这是不自然的！你必须撵他出去，正同刚才那看门人撵我一样！”于是他描写了一番。

远在《黑暗的势力》准许上演之前，《进步的果实》先在彼得堡的亚历山特林斯基大戏院公演了。初演是在一八九一年的九月，就在这一个月内，托尔斯泰全家向灾荒区出发。莫斯科小剧场演出它也在差不多的时候。

演出的时候，恰好在饥荒之年，那时官方也承认了粮食不够，可怕的饥荒已经历历在目前，尤其增加了这个戏的讽刺性，斯凡兹丁采夫家里的活泼享乐，观众虽然哗笑，都知道那背景是成千万的人民在嗷嗷待哺，而以三个农民为代表，他们真烦死了斯凡兹丁采夫太太。伏福和克洛哥斯凡脱莱夫教授的喋喋空言，对农民的惊呼和愤懑，尤其是一针见血的社会控诉。

莫斯科皇家剧院的经理给托尔斯泰写了一封信，问他是否还能够给小剧场再写一点戏，托尔斯泰回答道：

我极愿意，我甚至于感觉到有用这个形式

来表达我自己的必要，目前（一八九二年）又正是时候。可是我确信检查官不能通过我的剧本，你不会相信的，在我的活动的开始时，可怕的审查官的问题已经给我上刑了。我要写我所感觉的，同时我知道我写的是不被允许的，我就不知不觉放弃了我的工作，我放弃了一次，又一次次的放弃，同时岁月也一年年过去了……

横行霸道的戏剧检查对于一个伟大剧作家的创作影响，这一个例子可以说明。

《进步的果实》是一次又一次的上演，不仅在俄国，也在外国，但英美对这戏还不十分熟悉。

第九章　两性问题

这里所述的《克洛亚采奏鸣曲》（*The Kreutzer Sonata*）第一个中译本名为《克列采长曲》，后来改名为《波慈尼雪夫之爱》，最后一个译本甚至于题目变了《爱情，爱情》。

一八九〇年初，农民作家塞苗诺夫遇到在耶斯那耶住了一个时期回来的契尔特可夫和盖。塞苗诺夫说：

> 我问起了托尔斯泰，他们说他很好，精力充沛，在工作中。契尔特可夫是语焉不详，他似乎为什么所激恼了。盖才告诉了我事情很不顺利。“这是他所要求的生活吗？”盖说，“他在为全人类思考着呢，可是谁也不注意他的心灵状态。不断的吵闹，琐碎，小要求，这么多

> 客人……唉！”
>
> 契尔特可夫正拿着《克洛亚采奏鸣曲》上彼得堡去。莫斯科已有胶版印刷品在流通了，可是这一份是定本。那时《进步的果实》刚出版。
>
> 契尔特可夫并不赞同这样的作品。他对于没有宗教倾向的作品毫不关心。在著作一方面，他要求说教，又害怕著作的商业化，说一个作家不应该从他的作品上面拿钱。“拿钱就是罪！”他说，“著作是服务人类的事业，领导人类的灵魂走出黑暗，如果我们拿到钱，这就不是服务而是完全不同的东西了！依照他的意思，这是不道德的——正同一个人从水里救起另一个人来，完全为了要几个钱的原因一样。”

二个阔人，对一个劳苦地喂养了他一家的农夫说出这样的话来，塞苗诺夫写作所获的几个钱不过是仅够家用的，真是出色得很。我记得若干年之后，契尔特可夫的一个同僚说起他的严峻，表示了不同意，他回答："在我们的运动中，我们只考虑原则，不考虑人。"正是他这种不考虑旁人，时时害得托尔斯泰的泉源都没有淙淙的奔流了。假如托尔斯泰使人热情了起来，就有许多人愿意帮他工作，或供给他金钱。这一切事他却全都交给契尔特可夫办，此人真诚，勇敢，全部接受他的原则，托尔斯泰是完全放心的。可是契尔特可夫不讲实际，时常还不讲理，而托尔斯泰请他代理接洽的那些人，就碰到了坏运气了。后来，托尔斯泰的事务，全权都落到契尔特可夫手上，而他的许多拘谨之处——吃苦的不是自己而仅是旁人——惹起了磨擦，所能完成的事业反而很少了。

了解托尔斯泰运动的心理的人可以考虑菲内隆的话："简单底最大敌人是拘谨。拘谨隐藏了若干的贰心和虚伪。我们相信一切我们的焦虑是因为上帝的精美的爱而引起的；可是内心我们焦虑的是我们自己，关心的是我们自己的完美，因为我们天生爱自己……"

《克洛亚采奏鸣曲》的处理的两性问题是托尔斯泰一向认为最重要并且最激动的大问题。

起先这成了禁书，可是胶版印的本子流行得很广。我自己也收藏了一本，只要看到这本版本，我就油然想起了得到一本托尔斯泰新著的禁书之后，一般心理上的紧张和激动。在俄国，当时是没有政治的自由，没有良心的自由，没有著作的自由，也没有公共集会的自由（便是私人性质的集会也随时会遭到宪警的干涉），可是那时的智识分子在缄默之中联合在一起，要维持思想的自由和谈话的自由（要是办得到的话，政府连这一个自由都希望禁止的），而这缄默的同谋使社会活下来了。那些想买什么书就可以买到的人，也许不会懂得这种滋味，那时候的俄国一本讨论当前大问题的禁书，只要出现就立刻造成兴奋激情。在私人的屋子里结聚了人来听这禁书的宣读——也许只有这么一本——，听完了又讨论，这样读这样讨论的书是影响最大的。

《克洛亚采奏鸣曲》所激起的兴味，比较托尔斯泰其他的作品，还更强烈，只是很少有人同意他这里面的观点。

这是在一辆铁路车辆里讲的故事。杀死了他的妻子的波兹尼雪夫说他自己："你知道，我有一点疯的"，以及“却考德一定会说我是变态的”，接下来叙述了他的犯罪经过，而且坚持说基督的话“任何人色迷迷看着一个女人的，心里已经和她犯了奸淫”，这句话适用于一切女人——特别是他自己的妻子，又说绝对的思想的纯洁是唯一安全和正确的办法。人类生活必须尽可能的蠲免性欲。

托尔斯泰的巧妙是成功的秘密，他挑选波兹尼雪夫这主人翁——几乎已经是精神病患者的兴奋而激动——来表现他的思想，他不仅表现得虎虎有力，而且表现得绝对的忠于现实生活。

托尔斯泰夸大其辞。为宣泄他自己的另一个自我，作为思想家的他总有点偏倚，而艺术家的他总把它摆正。

他说，男人应受责备的是男人把女人当做满足性欲的对象。为了这个目标，女人特别要受教育，而且她们学会了瞧不起老处女，瞧不起贞洁的女人。为了这个目标，她们修饰她们自己，穿上衣服在外面陈列：“街头神女跟宫廷里参加大跳舞会上的女人，情况完全一样！……”

托尔斯泰和波兹尼雪夫认为节制生育是可憎的：

> 她身体不好，医生禁止她生孩子，教她如何避孕。我觉得这是可恶极了。我挣扎反对，可是她满心欢喜地坚持她的办法，我只好屈伏。我们这猪猡一样的生命底一个理由——子孙——现在也没有了，生命又更脏了一点。

托尔斯泰解释在顺乎自然的生活中，性欲是有过去的时候的，女人的一方面是因为生育抚育和管家使她疲倦，男人的一方面是因为负担家庭的担子使他疲倦。用了避孕的药名，婚约的负担就没有了，而性欲却还保存；不用多久，丈夫和妻子就给另两人异性所吸引，坏结果就自明了。

在这一段话里，不问它有多少真理，托尔斯泰似乎没有注意到把不需要的孩子生到世界上来，或者使一个母亲过分劳动之后，也会有什么样的坏结果，或者从另外一方面说，假如人们以婚姻关系为可憎的，说不定两夫妻的神经系统和他们的夫妇关系会因为抑制了的缘故而损坏。在真实的生活中问题不在用免孕法呢还是节欲呢，问题在求得节制生育与过度生育的调和。男人在决心实行节欲的时候，就是进了修道院，他们的性欲有时比婚后还强烈呢。

托尔斯泰收到了许多信，要知道他写这个故事的用意，因为趋向极端的一些意见常常可以互相的援引，有的又以为托尔斯泰是主张“自由恋爱”的。看到他的小说被误解到如此地步，托尔斯泰写了一篇《后记》来解释他的意思。愿意了解托尔斯泰的人必须读这一篇论文，这里我引用几段，来指明他并不赞成“自由恋爱”，他要求绝对的，完全的贞洁。

> 在我们的社会中，年轻的男人把他们一生中最好的时间用在盯梢，追求，占有（不管是结婚或自由的结合的）那些最配得上最吸引他们的女人，而女人也从事勾引，俘虏男人结婚或自由结合。
>
> 就在这方式之下，许多人的最好的精力已化费在不仅无益，抑且有害的活动中。我们

> 必须了解，不能一个人的目标是为了要服务人类，或祖国，或科学，或艺术（不必说为了服务上帝了），一个人的真价值目标是决不能用与异性结合（不管有没有结婚仪式）来达到的。相反的，坠入恋爱而结合——虽然在散文和诗歌中，有人想证明它——是不仅没有帮助，而且阻碍了任何高贵的目标底完成的。
>
> 基督教的理想是爱上帝爱同类……而性爱与结婚只是服务自己，其结果不论是什么情形，都是服务上帝的一个阻碍，所以从基督教看来，是一个堕落，又一个罪恶……

在《后记》中，托尔斯泰树立了一个绝对追求不到的理想，让人类向上挣扎追求。

他犯的毛病就在这种地方，他所选择都是例如绝对的贫穷与完全贞洁这种“理想”，当人们对理想的准确性发问，说这种教训违反了人情，违反了人道本身，违反了那使人成为人的基础，那时托尔斯泰却这样回答了：“自然，人做不到它，也不会这样做，可是人应该向它努力，决不降低理想！”

这个回答使人继续问下去了，所选择的理想是真实的吗？——一个人应该有一点财产，是不是对呢？——譬如，这用以著述的笔，他希望完成写作那本簿子应该占有吗？——一个男人应不应该允许他爱慕一个女人的情绪，还是他应该全力以赴，克制他自己呢？

我们知道不多几年之前，他在《我信仰什么？》中这样写过：

> 现在我懂得基督的文字了，他说，在创世的时候，上帝创造了他们——男与女——他们是用同一血肉造成的。所以上帝放在一起的，人们不应该去拆开来。
>
> 我现在已知道一夫一妻制是人类的自然律，不可破坏……我不能同意那到了成熟的年龄还独身的人。要夫妻分开，我没有办法。婚姻的结合与另一种没有这个名称的结合我也不能区别，自然我也不是不明白，一个人只要和一个异性结合了，那便是神圣的和义务的结合了。

一八八三年的“神圣的和义务的结合”，现在在一八九〇年已变成“一个堕落，一个罪恶了。一个人的心智自然是可以改变的，一个忠实的作家告诉我们他不再保持以前的见解还值得我们的感谢；然而我们得问一下自己，一个人昨天的或前天的意见若然是错误的，或不完全的，今天的意见会一定完全而且不错误的吗”？

生命的两大动机是爱和饥饿。饥饿是更重要的，因为我们会饿死，死了也就不能爱了。可是性爱是第二个最大的力量。它的重要性在乎它可以善可以恶，而且许多人似乎不能平静地合理地思考它，任何见解和他们不合的时候，他们仅只是痛恨。

《克洛亚采奏鸣曲》的事情正是如此，教会，出版物，小册子一律攻击。

有人以为这个故事是自传性质的——仿佛托尔斯泰杀死了他自己的妻子。也有人说，这是他攻击悲多芬的“《克洛亚采奏鸣曲》的不道德影响的，大多数人以为波慈尼雪夫说的话就是托尔斯泰本人的话。是的，在这小说中，正如在他的其他的作品中一样，他尽量利用了他自己的所见所闻所感；可是故事的结构并不与他自身的遭遇符合。他的长子舍尔该——作曲家，优秀的钢琴家——在《托尔斯泰族的观察》的一篇文章里告诉我们，在写作《克洛亚采奏鸣曲》的时候，我的父亲很想给他自己解释这个朔拿大的急速乐章所表达的感情："他说第一部分里的序句是预告我们重大的事情跟着就要来到；于是第一主题所表达的不固定的激动之后，第二主题的自制的，平静的感觉表达了，两者构成了结尾处有力的，明白的，甚之粗野的旋律。"托尔斯泰并不同意这一条旋律能表达性感的说法，因为他的意见认为音乐并不能表达这个或那个情绪；它表达"一般的"情绪，要确定一个特殊的情绪是不可能的。

波兹尼雪夫对于两性问题的看法无疑代表了当时托尔斯泰对于两性问题的大部分看法了。《后记》中说明了这一点，而波兹尼雪夫所没有说，在《后记》里却说出了的，我们是可以把它记在托尔斯泰的账上的。

《圣经》中有两个自相矛盾的性道德观摆好在我们前面，今天大多数人也都并不以它们为合理，或理想的了。重要的一点是要求人家照做的任何理想，或要求人家循遵的任何法则，必须把理由说得十分的明题，像勿偷勿杀的理由一样。可是在这可怕地重要的问题上，所有的指示，却缺少了理由。人们怕他们的心智受打击，任何人严肃地对待了这个问题，说出了与他们相左的意见时，人们或本能地转过身子，或者就把那些意见撕破了。

《创世记》里提出的理想适用于人口稀少的，原始时代的小部落底道德。华尔德·倍格霍特早就指出我们是这样的祖先生下来的，他们的部落经常有被敌人，禽兽和别种危险消灭的恐惧。他们的道德是要使种族蔓延，精壮的子息越多越好。犹太人的一夫多妻制的目的，正同摩西的法律，要使已经死去的兄弟传种接代。一个有很多儿子的人受人尊敬，受人羡慕，“箭袋里儿子多的人快乐了，在门口跟仇人答话的时候，他也不必怕羞”。背后跟着二十个儿子——或者像波斯的什么王爷，所有的儿子可以编成一支军队的——，他的确可以“像一个父亲一样的说话”，无所恐惧了。对这样的人民，这观念是准确的，“多果实，繁殖大地，使大地充足”，也是容易理解的，然而对于我们呢，我们正在互相走告，说人口如再不限制便要造成比历史上所有的战祸还坏的大不幸了。墨索里尼似乎认为旧约中的道德观适用于今日的意大利，可是以英格兰和威尔斯的人口来说，五年内的繁殖抵得上从哈斯丁大战到彭诺克本大战二百四十八年的人口总数，那么，很显然的，前摩西期的道德是不适宜于我们的国家了。

倍格霍特指出，使我们受苦的性欲过度，在每一个大城市里都免不了的罪恶，是因为我们的祖先已经养成了一个繁殖的习气。我们是承继了一种“感觉上的需要”，比较“真真的需要”，养育恰够新陈代谢的儿孙，我们多养育出了许多来。

一方面是这样的法典：“上帝说，男人孤独是不好的，我要给他创造一个助手”；而另一方面，完全相反的，圣保罗指出了这样的道德律来：“一个男人不碰一个女人是好的……我愿意所有的人像我一样……我向未结婚的和守寡的人说，如果他们像我一样的忍受是好的。如果他们忍受不了，让他们结婚去，因为结婚比燃烧来得好”。

这一个理想今天也不受人尊重，因为也许是许多世纪的经验中，人们知道独身的僧侣服务上帝还不及并不反对结婚的人们服务的好。

奇怪的是托尔斯泰具有那样的智力，然而谈两性问题时，却并不能超越这两种见解，在《那么我们必须做什么？》中他说的是前摩西期的道德，在《克洛亚采奏鸣曲》和《后记》中，他说的保罗的道德。

他在这题目上的情绪既强烈，又感到了这题目的非常重要，结果反而使他的思考不能清晰得如同他思考宗教和艺术的问题一样。

说他以著作家闻名于世底缘因是他的强烈（Intensity），这是说得很好的。正是这强烈抓紧了我们的注意，使他们所写作的永垂不朽——因此读过《战争与和平》的人，读过以后很久了还能谈比埃尔，纳特莎，安特留，玛丽郡主，尼古拉，鲁斯托夫和松尼亚，仿佛他们是在谈起老朋友一样。他的强烈使我们记住了他所说过的话，可是这同样的强烈在帮助他深入问题的核心之时，有时也使得他采用了一些没有熟虑过的意见，发表了并不坚定的观点，日后轮到他自己来修改。

他对于《圣经》上的两种法典，作出这样强烈的阐述来，自然是很好的，可是他并没有带我们更深入；而更可惊异的是他把这一件事用了近代文字来重述了一遍，以抑制，或尽可能的取消，性欲或性的活动，因此他大受攻击了，仿佛他的理想是前所未闻的一样，也仿佛耶稣在这件事上说过的话也并不足道一样。

他是把《圣经》上的法典这样子重复了一遍的，因为不被感动的人势必考虑到在这件事上还有什么法典可以指引他们，人而没有原则，是十分危险的。

我觉得性道德的主要原则，只看它是否有益于健康，是否赐给快乐，是否有利于这一代和下一代，是这样的就是好的，反之则是坏的。

这样一个原则可以包括耶稣和佛陀的观点，他们避免结婚，或离开妻子儿女，以救种族，他们所做的原是十分自然的，而且他们这样献身于崇高的目标能使旁人更康健，更快乐且更有用。而一对结了婚的配偶，他们的关系若是增进了彼此的康健，快乐，并且有利于他们自己和儿女和周围的人的，也适合于这个原则。这个原则同样也并没有拒绝了另外的许多人，他们是并没有为一个崇高的使命而全身心浸渍在里面，也并没有这种福气和一个伴侣在精神肉体上终身结合的，对于他们，也可以应用这原则。

我们已经不再专诚关心儿女了，虽然他们很重要，也不再关心我们自己，然而两性关系的终身侣伴还是很重要的，所以不能放开不谈，不能以为这问题没有什么价值。

道德若富于人情，那么不会说出不能有的人只好没有这种话来的，一个女人若找不到可以共同生活的丈夫，她还是可以有一个孩子而不受社会的放逐的吧。

我在这里建议的原则并不否定性的本能，只是使性的本能从属于社会和个人的福利了。性欲应该是仆人，不应该做主人。如果性欲妨碍了应该做的工作，它是一个罪恶，可是它刺激着男人女人勇敢地活跃地从事生的活动，性欲自然有它的优点。

为了应用时有价值，大家必须知道这一个原则不仅指示了男人女人应该怎样，而且说明了他们是什么，什么是他们的将来。我们知道芸芸男女如以欢乐作为生命的主要目的，结果是很坏的，然而把欢乐取消，结果一定不坏了吗？要一个一般性的原则应用于特殊的人物特殊的时间空间，自然是非常复杂的事，可是首先要考虑一个人准备采用的指导原则，然后考虑它的应用。

我对于托尔斯泰的意见是不能同意的，然而我知道他得出这样的结果来也是势所必然。首先，他的行进是向一个方向的——向更大的自制。他是一个独身者的时候他和热情挣扎。结婚后，他忠于他的妻，最后，发现他的布道因为婚约的缘故而为他的妻子阻挠了，他宁可牺牲婚姻制度，不能牺牲理想。

除了他现在采用了的态度之外，他还能采用什么别的态度呢？他自己的经验，以及他熟悉以赫尔岑，俄伽辽夫，涅克拉索夫，潘纳叶夫等人的生活使他否定了自由恋爱的胡滥；而且他是一个基督教的无政府主义者，反对了教会和政府，他怎能承认牧师主持的仪式，婚姻登记所里添上一个名字呢？

那么还有什么别的态度，除了在思想及行为上采用完全纯洁的原则。

一下子把肉体的爱完全否定，许多人都给震慑了，他不问这是兽欲的结合还是灵魂肉体和谐的结合，他把这一个区别也取消了。用黑白作画，他没有那个黑白交错的境界中的真理。而生命是程度之中演进着的，用生硬的规律和严酷的理论应用到生命的历程上去不一定合适。人们在问，一个有这样的经历与明察力的人怎么会犯这个错误？而他们就以为这是一个梦想家给幻影所迷住了，甚至于说，这是他以前二十七年的独身生活所造成的反动。可是当我自己只是一个年轻人的时候，英国医药界的名流亨利，汤泼逊爵士，托尔斯泰的同时代人，他可不是一个梦想家，而是一个实事求是的唯物论者，曾经这样对我说，大约在性问题上向他求教的成千百的旁人都听到过他这样的说话，同样是黑白分明的观点，把性问题分出肉体的欲望与思想的纯洁来对立了。

亨利爵士告诉我，那时我是十八岁，说我已发育成人，每星期需要和女人经常性交一次。他还说干这件事可以跑到街上去结识那种女人；可是为防止传染疾病，最好加以预防。

回答我的“可是这是不道德的”，医生回答：

“我想你是问一个医生关于你的康健的意见的！关于你的道德的意见，去找牧师吧。”

他没有说明，如果牧师的忠告和他相反时，我应该如何把我切成两半，好让他们背道而行。可是他承认有些医生的意见不同于他的：

“我已经给了你关于你的健康，认为最好的意见了，还有一个次好的办法，看你愿不愿意采用。那是完全贞洁，把你的一切情欲严加管束。在这样做的时候，你去一些什么地方，你读一些什么书，看一些什么戏，欣赏一些什么画和什么照片，跟一些什么人在一起都得小心谨慎。我不是一个宗教人士，可是拿撒拉人耶稣说过，‘一个人若色迷迷的看一个女人，他已经在心里和她犯了奸淫’这话是极对的，我不知道他如何知道的，肉体的生理的现象正符合这一句话。”

托尔斯泰的观点正是这样，不过是以内里作为表面了。这是波兹尼雪夫答复那气愤的夫人的话的反面，那夫人喊道：

“可是你讲的是肉体的爱！你不承认其基础是理想的同证，灵魂的融洽，这种爱情的存在吗？”

“灵魂的融洽！理想的同证！”他重复着，“既然如此（请原谅我说粗话）为什么他们一同上床呢？”

托尔斯泰所给的忠告和亨利爵士所说的话是对角线一样的不同的，可是两者是同样主张取缔感情，以为感情是不相干的。作为一个道德家的托尔斯泰失败就在这样的地方。特别在道德学，比别的东西重要得多多的是C'est le ton qui fait la musique（是音调作成音乐的）。把虽然属于肉体的自然的感情，作为可憎而可怕的东西处理，是噪音，而噪音是错误的，并且不发生效力的。

我们看实生活中间，完全贞洁的人常常是不愉快，而一个多才的男子或多艺的女伶，也许声名狼藉，却为人所喜。一般的对于这等事的看法我想不一定是不对的，因为人们功罪都有，而判别功罪时必须作为生命中的一部分来判别才称得上公允。可是我已经说过，托尔斯泰的劝告是他所能给的唯一的劝告。在一件非常复杂的事情上，人们要求指引。托尔斯泰的性格是一直线的找出一个明确的答案的。这是他求简单的方式，有时失之过分简单。在这一个性的问题上，如果你要求明确的忠告，你只能说“做”或“不做”。而医生说了做，托尔斯泰说了不做，我对托尔斯泰的尊重是高于医生的。

无疑又是托尔斯泰自己的情形使他得到他那个结论。大家都是这样的。他在结婚了十五年之后开始改变人生观，一连改变了十二年。我们已经看到这一来他和他的妻子冲突了。而结婚的欢乐他是需要的，新的信仰他又是少不得的，他就左右为难了，一方面受了妻子的反对来保持他的观点，一方面他还希望他是她的丈夫。在结婚以后，要保持一个人的主张是很难的，对于他那样性格的人便只好的完全贞洁作为出路了。

一般人说托尔斯泰不忠实，自相矛盾，因为写了《克洛亚采奏鸣曲》以后还是做他的丈夫，这种说法是不公平的。因为假定了他的极端的意见的准确了，他的地位等于一个醉鬼，他在酩酊大醉的日子之后，到达了一半能控制自己的地位了。这样的人来证明饮酒之为害岂不是最好吗？当他说警士不应该让威士忌摆在街头时候，你能说他是一个伪善者？

托尔斯泰的长处就在忠实地写下他的所想所感，不管它们如何反映了他自己的生活。这是少有的可贵的事业，应该为人识得，受人尊敬。宁可说修剪他们的意见使与他们的生活相合的人才是不忠实的，很少有人迟钝得这样，以为身体做不到的脑子里根本不必想。

托尔斯泰观点的奇特还在于这样的一个推论，以为天真和纯洁是美的，世界上许多崇高的事物都由一些专心一致，没有时间谈恋爱结婚的人完成的，从这些中间得出来的推论是一切婚姻结合，有性关系的爱是禽兽行为，这个我已经说过是噪音是不准确的了。

然而使他强调了淫欲的罪恶，这也是可贵的。

《克洛亚采奏鸣曲》的出版激起了一切大风暴。教会自然恨死了托尔斯泰的不定结婚仪式，而一整个世代以来主张“自由恋爱”的“进步分子”也同样的愤怒。从两个阵营里来到了雷震。一个主教说托尔斯泰是“披羊皮的狼”，说他在现在社会制度之下埋了炸药，结果一定自食其果。这位主教还举了一些纯洁的节制的婚姻做例子，其中还有几个大公爵，不幸这些大公爵的婚姻却是如所周知的荒唐不堪。

俄罗斯的一般意见说：“托尔斯泰是老了，他失去了精力，他的葡萄都发酸！”可是说他的作品起因于精力衰颓是不准确的。一八九六年，他快七十了，我和他谈起过这些事。他说凡人应该不断的追求良善，不中止，不失望，接下来他又说：“昨天夜里我又是一个丈夫了，可是这不成为放弃挣扎的理由：愿上帝允许我以后不再这样吧！”他是体格壮健的，他的智力上的伟大成就还在等他动手呢。

托尔斯泰也感觉到这些批评的刺痛，我们可以看他怎样描写他的少年时候：

> 这真使我悲哀，我从前自私自利地，禽兽一样地生活，而现在这一切是没法赎回来的了。主要悲哀的原因是，人们会说的，“你是一个快死去的老人了，你说这些话当然可以，可是你自己并没有这样的生活过。等我们老了，我们也会同样地说话的”！罪恶的刑罚主要就在这种地方；发现自己是一只又破又污秽的杯子，不能装满上帝的意志传递给人。

我们可以举出许多事实来说明托尔斯泰是如何考虑这两性问题的。有一次，他听说一个订了婚的年轻人快要结婚了，托尔斯泰用激动的声音招呼他走到屋子的他这一头来。青年正要向他追的时候，他要他停步，说：“就站在这里，告诉我，如果你肯说——你和女人睡过吗？”

“还没有。”年轻人简单的回答，托尔斯泰流泪了。

必须说关于这两性问题，托尔斯泰对行为失检的人是很温和的，对于清教徒的骄矜他毫不同情。他不是一个责人严于责己的人。我记得高尔基访问纽约之后，我听托尔斯泰愤愤的说过在到达美国的时候，高尔基和同行的女伶安特莱夫夫人不准登岸，因为他们没有结婚。我还记得我和他一个他的朋友一起散步。后者是一位比他年纪还大的文人，说托尔斯泰的议论跟他“说话的人”自己的经验并不一致。他有一个情妇，可是不觉得这件事会破坏他的生活。

“好极了！”托尔斯泰平静地说，“我只是曾经这样说过，在这种情形里，一个男人只是奸诱了一个女佣，或是欺骗了一个丈夫，否则他一定嫖妓去了。”若干年后，他在《基督的教义》（一八九七年的作品）里又提到了两性问题，虽然还否定性欲，口吻就温和了许多，他说：

> 征服这一个罪恶的习惯，一个人首先勿使它发生的次数增加。如果他是贞洁的，让他不

> 要破坏他的贞洁；如果他已结婚，他应该忠于他的同伴，如果他已经跟很多人性交了，让他不再发明什么不自然的罪恶的形式，让他不要增加了性的罪恶。世人如肯这样做，许多苦艰都会停止了……
>
> 虽然完成贞洁是希有的，可是每一个人应该了解并且记得，他可以比以前更贞洁，他可以回到他失去的贞洁，他可以按他的能力实行，愈近于完全贞洁愈使他幸福，使他有更多的尘世幸福，使他对人类的福利贡献得更多。

问题这样地处理：告诉我们的是世界因为纵欲而受苦，愈有自制，个人和种族愈幸福——这就使人容易接受了。正同一个社会吃得太多了，劝它少吃一点一样。忠告到这样的地步才好，若然说根本不吃，大家便疑虑不置了。

在俄国的托尔斯泰垦殖区里，因为苦行的缘故，少年男女是分开了居住的，《克洛亚采奏鸣曲》所引起，所造成的结果很坏，好些年轻的女郎为性欲抑制而变得病态了。并且有一些天性不爱婚媾的妻子们读了这本书之后，憎恨了性交，而在斯文人家这种憎恨的感情使性交不可能，就使她们的丈夫觉得他们的婚后独身非常困难了。

在托尔斯泰主义中，正如许多其他的宗教运动中，有一种心灵的强制现象。有一些良心温和的人，在托尔斯泰的教条之下被迫地采用了托尔斯泰的对两性，对政府或对财产的看法了，他们就生活得简直手足无措了。他想恢复他的以前，便受到诟病要他坚持原则——而这所谓“原则”就是以前迷恋了他的托尔斯泰的意见现在反过来迫害他了。此后心灵上的成长都成为道德的叛离。确有许多托尔斯泰主义者，正同许多宗教徒一样，不仅主张了束缚人的心灵，还主张把人的心灵束缚在一两个特殊的里程碑上。

所以《克洛亚采奏鸣曲》有它的为害的地方，但大体上是有益的。最近有一个著名的俄罗斯学者告诉我，使他放弃淫欲而得到一个理想，最后得到快乐婚姻的是他学生时代读了这一本书。

糊涂虫说，别想这个问题——这是早已经定了的！

轻薄之徒说，别讲理了，去玩吧！对于这两种人，托尔斯泰说过，若然你还有脑子，你总会想它的。

性欲所激起的力量是这样的大，在抗争它的时候，真不容易保持平衡，可是忽视不谈它的危机比正视它，了解它，不知大了多少倍。《克洛亚采奏鸣曲》便这样表现了现象，这个伟大的天才还告诉我们了他自己的忠实而身受的意见。

M.C. 斯托泼斯医师在《耐久的热情》中说，托尔斯泰的两性观点的改变，说不定跟他的“生命的改变”是协调了的，男人女人都有这生命的改变，男人的只是较不容易看出罢了。也许是的，可是我们不要忽视了那孕育这些意见的前一个时期的生命，否则我们就得把一个个未成年期，成年期，成人期，改变生活期，改变生活以后的时期，这些时期的意见络续的给后一个时期所取消，结果完全取消了——因为一个人的思想是不会颠扑不破的，也不会不受外界影响的。

关于人们不能容忍两性问题的意见，特别是率直的意见，斯托泼斯医师的书也证明了我前述的这句话。因为托尔斯泰主张了贞洁，轻藐了医师和医业——仿佛他的态度已表示他的智力是迷失了路途了，他遭到了非难，可是斯托泼斯医师是赞成婚姻的，她还解释了使婚姻幸福，有了解新近发现的人体分泌这事实之必要，她说了母亲的体力如已疲劳，家庭经济如不充裕，多生孩子就没有好处，照样她受到非难，其猛烈正如托尔斯泰受到的一样。她的议论既和托尔斯泰几乎是相反，理应得到盛大的欢迎，可是事实真奇怪，《耐久的热情》销行虽好，几乎所有的出版界完全禁止它，除了医药杂志上一篇评论之外，我只看到一个名作家对它说了两段短短的话，说起对于这一件公私都重要的问题她如何做了多年的专门研究，所以反对托尔斯泰，跟他所表示的意见是不相干的，因为他敢在一个问题上说了话，而大家都是希望这个问题暧昧了事的。

英国报上还说是高尔基报告的，托尔斯泰的谈吐非常庸俗不雅。这一句话是《高尔基的回忆录》被翻错了的不幸结果。高尔基这样写：

> 我第一次结识他的晚上，他请我进他的书房去，把我放在他的对面，开始谈起《伐伦卡》

和《二十六男和一女》了。他的声音征服了我，甚至使我昏迷——他说得这样的易显而又锋利，说怕羞不是一个康健的女人的典型。“如果一个女孩子已经过了十五岁，十分康健，她喜欢人家拥抱，摸到她。她心里害怕她不知道，她现在还不了解的一件事——此之谓贞静和害羞。可是她的身体已经知道这是不可避免，是合法的。心理虽然要制止她，可是她还要求那规定了的满足。你的书里描写这伐伦卡十分康健，可是她似乎有贫血症——那不是忠于现实的。”

于是他开始谈《二十六男和一女》中的女人了，用了一个粗话，用得很单纯，似乎并不为了讽刺，却似乎冒犯了我。后来我知道他用粗话的缘故是因为它们更准确，更有力，但那时候我听他却不大愉快。我并不回答。突然他专心起来，口齿又不同了，开始问我的生活，和我如何学习和我读了些什么书。

托尔斯泰学习了《圣经》的说法，用字是要传达那显易的意义的，在他告诉高尔基，他怎样认为《伐伦卡》不真实时，自然也是如此直说的。可是高尔基的回忆录的英译本，疏忽地把“怕羞不是一个康健的女人的典型”译成了“贞洁不是自然的”，把“此之谓贞静和怕羞”译成了“此之谓纯洁和纯粹”，还有“一连串的不文雅的话”，“不堪上口的字”代替了“一个又一个粗语”。

任何人，只要是亲近过托尔斯泰的，都知道英国报上的话是给了一个错误的印象了。

*　　　　　*　　　　　*

一八九〇年夏天，盖画了年轻的玛夏，她是这些孩子中他最喜欢的，写给皮留可夫时，他说：

> 我以非常的爱画了这幅画，你喜欢它真使我高兴。画这样一个聪明，和善，活泼的小头不难，可是不爱上了这些性格，谁也不能画出它们来。

冬天，托尔斯泰病中，又到了耶斯那耶，给他作了一个胸像，托尔斯泰觉得这是最好的一个像了。

雷宾画他的著名的《室中的托尔斯泰》，锄，锯子和镰刀都靠墙放着的那一幅，也是一八九〇年。

然而在耶斯那耶使大家高兴的并不是托尔斯泰的肖像，而是盖的《什么是真理？》这年初曾在彼得堡展览的画也被禁了。私人展览了之后，盖带了来给托尔斯泰看，后者深为感动。

正月中，盖素描了一个样子给托尔斯泰时，他已经这样答复了：

> 我不断的想着你和你的画。我不知道人家如何接待这幅画。毕莱脱（Pilate）那个像的手臂似乎还不对，我并不确定，我只问你一下。如果鉴赏专家说这个像是画得对的，我就满意了，其余的呢，我知道的，你不必去问别个得了。

托尔斯泰对这个题材的处理和它所表现的感情思想

满意高兴之至。斐纳曼告诉我们：

> 辽夫·尼古莱维奇看到了这幅画后，大受感动，一连几天，几乎什么别的话也没有说。
>
> “我是在狂喜之中，”他说，“这是大作品！”我承认我自己就不了解《圣经》中那短短的一段话的深刻的真意，我像很多《圣经》评论家一样的认为它是不完全的，突兀的。毕莱脱问：“什么是真理？”不等回启就回入群众中间。人人这样的了解。这样的念。可是这幅画给了另外一个解释。毕莱脱并不问什么是真理，也不希望有回答。不！他是用一个问题的形式来傲慢地回答一个问题的。当基督说他到世上来做真理的证人时，毕莱脱就一笑，做了一个傲慢的表情，任意投出一个问题，“那么什么是真理？”真理是相对的东西：人人有自己的看法！“以为他的话万无一失，他走到群众中间去了。画上抓住的就是这一刹间。这是新的，深刻的，而且那幅画表现得多么强烈

啊！肥胖的，剃光了的罗马总督的脖子，侧过一半，养得胖胖的，肉感的身体，伸出的手，轻藐的姿态，都光亮，都是活生生的，也有呼唤，人人的印象里永不会磨灭。而那脸！……虽然一切罗马的尊严，他对自己是一个奴性的屈伏——一个微小的灵魂的狼狈形状。他怕他在罗马受到反对……而盖把那小气的灵魂完全抓住了；虽然宽衣博袖，身体魁梧，气派显赫。这位毕莱脱在那个一整夜来被捕，被审判，被侮辱的受难者之前是如何的藐小……一张奇妙的画！这是绘画所应该的画法！”

辽夫·尼古莱维奇的欢乐感动了盖，拥抱了他，吻了他。盖说：“别赞赏它！你会赞得我骄傲的……我怕这个……只怕这一来就不能再画了！”

十二月二十日，他又写信给盖：

我们一直有客人……我了解你的“人比

画布重要”（指他和人谈话时，他可以等着不
画，不发怨言），我的工作进步虽慢，我也不
怕，这冬天里工作在成长在捕捉我——冬天
是我工作的时令。

夏天里托尔斯泰和女儿访问了奥泼丁寺院。他去那里是看他的妹妹，玛丽女伯爵的，她在寺院附近的萨摩亭修道院，他也访问了他的老朋友，作家，学者莱翁捷夫，问着：

“你受有教育的人如何成了正教徒，能决心在这里住？”

莱翁捷夫答：“住下来，你就会信！”

“自然！把人关在这里，人自然会信！”托尔斯泰答。后来，饮茶时，托尔斯泰给了他一份他的《福音书》。后者也给了托尔斯泰一本反对托尔斯泰的译文的小册子作为交换。托尔斯泰说：

“这是一本好书，它替我的福音做宣传。”

莱翁捷夫大怒，说：

“在这里，圣人一样的安勃洛思神父管理下的寺院

里，你如何说出‘我的福音’来了？……只有在陀姆斯克或比这更远的地方可以让你说这样的话！”

托尔斯泰回答：“好了，你朋友很多，写信到彼得堡去，叫他们把我放逐到陀姆斯克好了！”

不过几个月之后，托尔斯泰逢到一件事，比他被送到陀姆斯克去还要坏。这件事，我要在下章说了，我在这里先说亚历山大第三答允了接见 S.A. 托尔斯泰伯爵夫人。她亲见他的目的是请求沙皇的准许，将《克洛亚采奏鸣曲》收入她在编辑的，她丈夫的全集第十三卷。

沙皇接见了她，谈了有一小时光景。“告诉我，伯爵夫人，”他说，“为什么你这样坚持着要《克洛亚采奏鸣曲》出版呢？我觉得这种反对婚姻和家庭的作品，你应该有点反感才对。作为辽夫 · 尼古莱维奇的妻子，这一定是很不愉快的啊！”

“我请求时，不是他的妻子，而是他的出版家。我所做的，我要做得好，我要把辽夫 · 尼古莱维奇的作品好好的出版，第一，我必须出版得完全。”伯爵夫人回答。

她给沙皇的印象很好，他问了托尔斯泰自己有没有秘密的出版所，她告诉他确实没有，最后沙皇准许了《克洛亚采奏鸣曲》印行在全集之中，条件是这部小说不得印单行本或作为单行本出售。

大约一年后，托尔斯泰放弃了一八八一年以后他的作品的版权，出版家赶忙把《克洛亚采奏鸣曲》印出单行本来了。伯爵夫人本可以制止这些版本，她没有，谁也不能责备她。据说，沙皇知道这事之后，很不高兴，还说道："如果这女人也骗了我，我不知道谁才是可信任的人了。"

一八九〇年，除了《克洛亚采奏鸣曲·后记》之外，他写了一个铁木赛，彭大莱夫的论文。

这所有的时间之内，从《忏悔录》出版之日起，宗教人士发动的反对攻击非难一直没有停止过，只有加强；神圣宗教会议的主脑卜倍陀诺斯采夫在他每年向沙皇递呈的报告内说托尔斯泰现在不能帮助农民了，因为他的孩子非常奢侈。年纪较大的几个孩子曾在报纸上宣布这是诬告。

一年过去，教会要压制托尔斯泰的要求更大了，可是这时候，除了诬蔑之外，还没有更强的对策。

我在这里再要加了一句两句话，这是关于伯爵夫人的《晚年日记》的。

托尔斯泰已经决定了反对财产的私有，并且他希望依照了这样的原则来改善自己的生活，他的妻子反对这一点，常常开他玩笑，把他的意见或努力加以歪曲。这一种争斗使得敏感的两夫妇间底情绪很坏，虽然他们还不到不可能相处的时候。但良好的夫妇关系需要心爱的与肉体的和谐。托尔斯泰要实践他的原则，无疑又和他要做丈夫的意志冲突。圣·保罗的观点——从人的生命中取消性爱——似乎是闯过这个难关的一个办法，所以他写了《克洛亚采奏鸣曲》，他做什么人和写什么都很强烈，所以他表现圣·保罗的道德观也十分强烈。

这一部书使他的妻子反对婚姻关系——当夫妇间的心智上有冲突时；特别显得婚姻关系是该反对的了——于是放弃财产的斗争（一切争吵的原因）又加添了别的困难和敌意来。

但愿托尔斯泰在受批评时，不致因这悲剧的，苦痛的故事，而使他受到非难或误解，除非这些批评家认为把福音书上的话实行起来就是一个不可原谅的罪过，应该受到责备。

（译者注：因为篇幅的限制，这个传记从这里起要跳过托尔斯泰十年［一八九一——一九〇〇］的生命，跳过原作者四大章。）

第十章　濒于死亡之年

托尔斯泰的性格和观点，遗人以非常的误解底原因，是人们惯于给非常复杂的事件一些非常简单的结论。他虽然认真，他又很聪明，却像其余的一些人一样，也是会弄错的——因为他也是太简单化了，想用那个太简单的办法来解决那些太复杂的私有财产，两性关系和政府体制底问题，他竟想干脆排斥了它们。

排斥了私有财产，两性关系和政府，我们固然豁免了许多熟悉的弊病，却会碰到另一些目前并不存在底弊害的。岂不是一个德性上的错误也是一个智力上的错误，来这样假定：我们的祖先是如此如此处理他们的人事，但因为他们都是些坏人，因此他们创造的一些制度，我们该一扫而光，取缔了它们。

对于托尔斯泰要把人生的教训集中，统一，简单化起来底愿望，我们是必需同情的；一切严肃地对待生命的人都应该以这个为目标，可是问题是左右为难的，问题刚刚综合成为教条——不管是“耶稣的血”，不管是“真理的教会”，不管是“弗以暴易暴”，不管是什么——我们就发现，这些教条不能说服一些观察了人生的事实底人们；接受我们的大问题底这样短小而容易的答案反而成为了获得真理的一个阻碍。

安特留 · D. 怀德（Andrew D. White），写到他拜访托尔斯泰一次的时候，说道，由于他碰不到像他那样的气质的别些人，由于他所在的国内还没有公共的团体，而公共问题的讨论也不被允许——一个俄罗斯的思想家，“生下了许多惊人的见解来，抚养它们，宠爱它们，直到它们变成了他的头脑中底娇养了的大孩子。他看不到它们中间的污点和缺陷，自然，在最后，他认为他自己是毫无错误的了”。他用这几句话批评了托尔斯泰，接下来还说，“他的爱人类，这自然是真切的，却同时轻视着每一个别人底见解，理论与建议，自然他对一切思想，只要和他自己的稍有不同，便都不能容忍了”。怀德在说这话的时候是全部了解到托尔斯泰的惊人而认真的人格底影响的，我不能不说，如果托尔斯泰的那些作品非但不被禁，而且托尔斯泰能得到批评的话，那么对他，对他那些意见，都是有益处的了。

在那篇文章里，怀德记录了托尔斯泰对他说了的一些典型的话。例如，在谈到摩尔孟教（Mormons）的时候，他说无疑他们的宗教有三分之二是欺骗，可是大体上说来，“一个宗教，自认为从地下掘出《圣经》来的，比之自认为从天上拿下《圣经》来的”，他更能同情。

怀德注意到托尔斯泰有一个给蜂拥在莫斯科的乞丐铜板用的习惯，有时他明明知道他们拿了铜板是去买伏特加酒的。被提起了这事时，托尔斯泰答道，在这样一些事情上，我们的行为的后果不是主要的，主要的是这可以渐渐地改善赐舍的人底感情。

这一点正同他另一个意见，我们的工作有多少成就倒是次要的，主要的是我们做这些工作时的精神有多少。这种意见里，包含有若干真理，倒也难说。为了改善我们自己的心灵，为了改善我们所遇见的人的心灵，我们甚至于可以，举例来说，危害到别人的安全，甚至于可以牺牲一个托付给我们的事情的成就，但是到怎样的一个限度呢?

无疑，我们心肠更硬的西方人可以向心肠更软的俄罗斯人学习，可是我永远做不到的事，是我要他了解在林肯的讲辞里面的精神，亚伯莱罕 · 林肯（Abraham Lincoln）在战争快完了的时候说这话，他认为他应该执行他的任务，直到对方屈伏，愿意接受条件的时候为止，他说：

> 对谁都没有恶意，对谁都有仁慈，坚信正义，因为上帝使我们看到了正义，让我们把我们在干的事干到底……在我们自己中间，跟世界各国一起，一切可以完成一个正义的永久的和平底事，都要干。

而一次又一次我听到托尔斯泰在劝人放弃，屈伏，让步，那时我觉得这问题还有着另外的一面，而有时候，一个人必须硬干，不为自己，也得为别人。劳威尔（Lowell）的诗也说：

你可以和善，第一要紧却是坚持到底，

因为简单的真理是坚持的和善。

综合这两个真理——我们必须有效地完成这世界的工作，以及我们应该没有磨擦地做工作——我想是我们可怜的人类面对的最困难的问题。我们安格鲁·撒克逊人也许是太注意我们工作时的心灵了，然而这斯拉夫世界里的人们，却对于如何使工作好好的做成的问题，想得太少了些。便是今天的苏维埃联邦，也还是更关心马克思主义原则的建立，而较少顾到人民的衣食住的。

怀德记录的托尔斯泰访问使我们想到了托尔斯泰怎样地批评他。他们在一起有过一次长时间的散步谈话，在怀德走掉，他回家来吃饭时，托尔斯泰问他的家庭，他们知不知道美国是如何地统治的。他们都说他们知道得很少。“那么，我来说吧，”他说了，“每一个州都选出它自己的最聪明，最好的人们来统治，而每州的最最聪明与最最好的两个人被挑选出去，送到华盛顿的议院里去制造法律。这种人物之中，有一个和我今天相逢了。他果真是学会了一切科学，精通了一切语文，而且读过一切书籍的——唯一可怜的是他现在还没有开始思想。”

……

在一九〇一年初的紧张时期过去之后，托尔斯泰的康健，看来已经恢复了的，又坏了，六月中他是非常严重地病了。他出去访问了他的长女，苏霍丁夫人，一回到耶斯那耶病得很凶。六月二十四日，波朗杰（P.A.Boulanger），是托尔斯泰也是我的朋友，从耶斯那耶写信告诉我，说托尔斯泰身体甚坏，常常有病。“如果他早上做了些事，这一整天他就再不能做什么了……”

在这封信上，托尔斯泰加了一个“又及”：

> 我不能让这封信寄出时，并没有写上什么字给你。波君说起的关于我的健康和疲劳的话都很对，可是主要的原因却起于我已经快要写完一篇论文《唯一的办法》。这里面谈的问题是，什么可以使劳动者免去他们的恶况？我想要表

明的是，唯有他们信仰上帝和他的戒条——表示在福音书中的黄金的戒条——才是办法。

我在这上面化了最大的力气，而似乎又写到了我应该把它们撕去的地方了。我全神贯注在这个工作中，所以停止了通讯。我们康健情况是这样的，我想我不应该叫苦，因为我还能工作似昔。然而是否似昔，要读者和你来批评了……

我还希望写一些关于缺少了宗教的结果与关于教育的东西，还有一个东西，现在我不愿意提起名字来的。

六月二十九日，他的精力疲劳殆尽了，心跳非常不规则。

他的妻子给他从图拉请来了一个医生，但托尔斯泰照常反对，他相信他正应该利用肉体的受苦来解放他的受有肉体束缚的灵魂，希望他死后把他的灵魂，没有给肉体生活的激动，欲念，热情玷污底灵魂交在天父的手上。他以为疾病或死亡不是罪恶。“病！”他说，“像火焰一样——虽然烧毁一切，也使一切温暖。”

在大病一场复元了以后，他给他的女儿说：“雪车已经停在门口了，我只要坐进去，它就逝去了，可是突然马回了头，空车子又走掉了。这真是可怜，因为这次的一条雪车的道路似乎很好，下回我真要逝去的时候，怕它泥泞不容易跋涉呢。”

他的康健的进境却并不久长。七月三日，他几乎不能说话，医生宣布了他的情况险恶。

一会儿他觉得他好起来了，甚至于可以继续的写文章了，可是不久跟着又来到了凶恶的病状，最后他家里决定到莫斯科去把熟悉的医生请来，前次在一八九九年的他的一场大病也是这医生诊断治疗的。医生认为他的病痛是咽喉痛和胸病，必须把他送到一个更暖和的地方去住。时候已是残夏，天气很冷，耶斯那耶·朴利阿那和它的浓密的，不事修剪的园林已经太润湿，颇不宜于他的出门了。

七月十一日，十二日，他又可以在房间里散散步了，立刻工作，写完了他的《唯一的办法》（*The Only Means*）。

在病中，他和他的哥哥舍尔该底和睦的感情最使他快乐，他一直对他的哥哥好感非常，舍尔该死于一九〇四年八月二十二日，最后的几年内，两兄弟的情谊分外深密。

在耶尔泰附近的轧斯泼拉有着一座庄园的巴宁伯爵夫人，听医生说更温暖的气候更宜于托尔斯泰，乐意把她的宫殿借给他住，铁道部长基尔库夫亲王也特别下令，在任何列车上都可以挂一节专车，以便托尔斯泰到塞伐斯多波去的旅行可以不受麻烦。

八月底，一个寒冷，黑暗的晚上，裹在一件皮大衣里面，他由他的妻，两个女儿，几个朋友护送，到了图拉。路上十分凛冽，这一队人马在夜间十点钟到了车站，那时他觉得他病得很凶了，可是大家知道与其从原路驰回耶斯那耶，不如在一辆温暖干燥的铁路车厢里继续上路的更加安定。

早上很温暖，阳光照耀着，他觉得好得多了，这一大队人马就也闪闪地欢乐起来。在卡尔库夫车站上有一大堆的群众集合了起来要看他。他觉得很困难，但还是让几个学生进车厢来谈天，又因为外面一再地要求，他在车窗之前和群众相见。

跟着，他的病状又坏得很可怕了，可是在到达塞伐斯多波之前，重新恢复，那儿又有一大堆的群众，这次车站上的警察阻住了他们。在塞港他住了一夜，下午精神完全好了，能够离开旅馆，和波朗杰散步一下。他们参观了收藏战争遗物的博物馆。他们途上遇到的一个军官向托尔斯泰自我介绍了，后者还记得这人的父母，如何在四十五年之前，他跟他的母亲跳舞。托尔斯泰讲了许多的围城故事，描写炮队的炮位，还追忆了几个卫城者，可是在博物馆中他看到了他自己的照片，他的思想突然流入苦涩的河床中。说他感到疲倦，要回旅馆去，就在路上说："多么可怜！……这种化费金钱的大建筑，小心谨慎地收藏一些钮子和弹片，这有什么用呢？人们应该忘记这一切恐怖，野蛮和羞耻的，然而人们却在燃烧这种回忆。……这是可怕极了！可怕极了！"

大队人马从塞伐斯多波走公路上耶尔泰去。在第一个驿站，他们停下来换马的时候，托尔斯泰一个人向前走动，遇到一个少年（显然是一个店铺的助理员或一个小商人）就问他下面的海边一个地方的名字。少年十分藐视这可怜样的，服装奇怪的老人，答复得很傲慢，然后在伯爵夫人的车子赶上来的时候，看他登上车子驰去，感到惊异了。波朗杰正在等下面一辆马车，他就问这老年人是谁个。

回答是“托尔斯泰伯爵”。

“什么？著作家托尔斯泰伯爵？……啊，我的天，我的天！”那少年人失望地喊起来，把他的帽子掷在地上，“我愿意什么不顾，但愿见一见他，可是我说话的态度多么坏！”

到耶尔泰以后，那里的天气温暖多阳光，托尔斯泰的康健很快地变好了。

在新的环境中安定之后，他又开始写作。他的高加索小说《海奇·缪拉德》(*Hadji Murad*)多少是他的一个游戏文章，他非常严肃地工作的是《什么是宗教？》(*What is Religion*？)和《士兵的叙记》(*The Soldier's Note*)。

一九〇一年九月二十三日，他给我的信上说：

我的宗教论文进展得很慢很困难，虽然我

愈思考这个问题愈觉得它重要，我是很希望把我所思考的表达出来的。

（关于我问他的，《复活》中那个福音派的传教师）我所以称传教师为基赛凡特，因为我是从一个德国人那里找到这种典型的，他名叫贝特加，时常用英文传教。

我现在生活在愉快的风景和气候中，生活的享受也应有尽有了，可是我觉得智力缺乏，不知道这是因为疾病的缘故呢，还是物质享受太多了的缘故。

契诃夫和高尔基都在耶尔泰，所以都拜访了他；钢琴名家戈尔登凡塞时常给他弹奏，大体上他的生活是十分的平静，不论何时他要集中精力来工作，总可以办到。

十一月二十日，他的媳妇俄尔伽·K. 托尔斯泰伯爵夫人从轧斯泼拉给我的信上说：

这所有的时期内，辽夫·尼古莱维奇很有一点病，甚至曾躺过一个星期。他又有热病，手脚有风湿痛，好几天来病痛和衰弱使他什么著作都不可能。现在他好得多，也可以出去走动走动了。可是他还很衰弱，照常工作，工作后却累得做不来别的事。因此他很久没有给你写信。他要我给你说，你的信和你译的《塞伐斯多波》他十分感激。

似乎十二月中他又复原了，他却很不在意，很不知道节制他的工作。医生是劝告了他的，但他不愿意生活得像一个老年人。

使我异常不安的是这时我曾经使他悲伤过。关于《复活》的出版，搅得很复杂很麻烦，在印行“收支账目”的时候，我把这事的经过也许写得太详细了一点，我寄了托尔斯泰一份之后，一九〇一年十二月二十三日他写了回信来：

我收到了你的信和文章了。你写的文章使我很难过。这样一来，你刺痛了契尔特可夫（V.G.Chertkov）的灵魂了，非但没有提高了他的爱的感情——这是生命的主要工作——相反的，你在一个这样跟你接近的人的灵魂中激起了一些恼怒来，虽然还没有表现为任何状态，却使他不自觉的感受着恼怒的。

收支账目的重要性跟爱的伤创一比是太不重要了。我了解你遇到了许多不愉快的事，因之你不能够控制你自己了，我们大家都碰到过这种情形，所以我并不责备你，而是因为爱你的缘故，把我认为你犯的过失给你指出。

如果我这样写使你不愉快，请你原谅我。

我记得我已经给你写过信告诉过你，你的全集的第一卷如何使我特别地高兴。什么都好——讲版本，注释，特别是你译笔了，尤其主要的是你如何的认真尽心。我随手一翻，翻到《两个骠骑兵》，从头读到尾，倒好像这是一篇用英文写的新的小说。

我的康健真是变化多端，可是真要感谢上苍，我还能够工作。然而，便是我不能工作，我也不能不感谢上帝的，他给我这样美丽的一个生命，让我尽情生活了过来。

你的夫人和你的弟媳如果和你在一起住或住得相近的话，请代我问好。你的孩子们怎样？时常你还没有注意到他们，他们中间——年纪比较大的孩子——已经宣布他们自己的个性和提出了他们自己的要求了。愿上帝保佑他们是好孩子。

他讲起的那本书，讲得那样客气的，是我打算全译出来的，他的全集底第一本《塞伐斯多波》。

一九〇二年。正月中他又有了凶恶的心跳病和呼吸困难，又病上了咽喉痛和胸病，但他只要能工作还是工作的，他的朋友 M.A. 斯塔霍维奇在奥略尔一个宗教会议上发表一个演说辞，他读到之后写了一篇《论宗教的容忍》（*On Religious Toleration*）。

一月十六日，觉得他自己不久人世了，他写成了一封给沙皇的信，里面说：

亲爱的兄弟，——我认为这样的称呼是

最适合的，因为在这封信里面，我不要把你看做一个沙皇，而要把你看做一个手足同胞，并且也因为我在等待我的最后逝去，我写的这封信，是作为从另一个世界寄写的。假如我没有告诉你，我对你近来的活动的看法，它的将来的后果如何，我是不愿意死的……

在详述了俄罗斯所受的苦难不幸之后，他接下来说正教和专制政体已不再适宜于俄罗斯了：

说到专制政体，对一些依旧相信沙皇是必然的地上的神秘，亲身统治人民的那些人或许还是很合理的政体，可是现在他们不觉得这是合理的政体了，他们全都已经知道——他们稍稍受到一些教育就会知道的——第一点，一个良好的沙皇只是 Un Heureux Hasard（一个偶然的幸运），而沙皇有时候可能简直是一个怪物，或者是一个疯子，像约翰第四和保罗似的，第二点，一个沙皇尽管可能是良好的和聪明的，可是他不能亲身统治一万三千万的人民，他们是由沙皇周围的那些权贵们统治的，而权贵是只顾替自己打算的，不顾人民大众的福利的。

专制政体已是一个古老的政体，中亚细亚的一些闭塞的，与外界不相往来的民族或许还可以采用它，可是俄罗斯的人民在全球的解放潮流之下一天天地开明起来了，他们的要求就不是专制政体所能满足，所以专制政体与它的附属物的正教，只能用许多种的暴力来维持它们自己（现在的情形就是这样）：一种斗争的状态，用训令来充军，杀头，还有宗教的迫害，书报的禁止，教育的反动，总之是用一切的罪恶与残酷的行为，来维持它们自己了。

你的治下情形就是如此；从你答复了托凡尔代表（Tver Deputation）之后开始的——你激恼了全俄罗斯的人民——因为你称呼他们的合理的愿望为“无理的幻想”；一切你的关于芬兰的法律；你侵占中国的土地；你的海牙

> 会议的计划，加上了你的扩充军备；还有你所限制了的地方自治，加强了的行政的专制；你所同意了的一个有关于灵魂的专卖制度——就是由政府专卖那危害人民的毒物啊；最后，你的固执的对于肉形的态度，虽然那么多的代表吁请你废止那最无理最无用的手段，尤其是对俄罗斯人民的一种暴行。
>
> 高压的手段可以压服人民，但不能统治人民。真的，在我们这时代统治人民的唯一的办法乃是领导人民从恶到善，从黑暗到光明，领导人民得到足以获有善和光明的事物。
>
> 为了要做到这点，第一必需让人民表示他们的希望，垂听以后，满足他们——不是一个阶级或一部分而是大多数人民——劳动大众的要求。

接下来就罗列了这些要求：废止使农民变为贱民的特殊法律；移殖的自由；教育的自由；良心的自由；和——

最主要的，上万万的人民整个的同声要求是耕用土地的自由——就是说，废止土地的私有财产。

但是无论如何第一件事摆在政府前面的总是废止言论的钳制，目前它使人民不敢说话了。为了不愿意听一个人的说话，把一个人的手绑起来是不会有好结果的……

宽赦我，如果我在这信上所写的无意之间冒犯了你或使你悲伤了。我所以要写，俄罗斯人民的和你自己的福利感动了我……

这封信的特点是它热忱地希望着弥补大恶；它的自信；他指出沙皇所做的一切事的错误（连同召开一个海牙会议在内）——沙皇既然是人类中的一个，他还是有一个可以听取致辞的灵魂的，也许他可以被人说服，翻过新的一页，重新来做应该做的一些事的。

但在这里却显然有矛盾，一方面坚决地相信政府必然的错误，不可救药，另一方面却还在建议沙皇，说立法之效用甚大。托尔斯泰自己是不能同时接受这两方面的。如果说政府的坏只是坏的程度，那么他惯常引用的许多论点都失去了锋芒，如果说政府的坏是绝对的，不可避免的，那么请沙皇立法又有何用，请他退位才是道理。在这一件事上，使我们注意的还是托尔斯泰的勇敢，诚恳和热忱的愿望，正义必须占优势的愿望以及他自己的毫不自私的为人。

在这所有的时期之内，托尔斯泰的病状的变化使医生都困惑起来了，后来似乎有更复杂的情形出现，他们打电报到莫斯科去请徐洛夫斯基医师，医师来到后，病人才被发现是肺炎。

他那不久人世的消息已传到了神圣教会，卜倍陀诺斯采夫就发出了秘密的训令：说托尔斯泰死后，必须立刻有一个神父到这家的家里去（因为家里有一个寺院，神父是有权进去的），然后在神父回出来的时候，他必须宣布托尔斯泰已经悔衍了，回到了圣公会的怀中，临死之前行过忏悔礼，并且领受了圣餐，然后，这个消息必须广播到全世界去，这样可以帮助检查制度之不足，来摧毁托尔斯泰的教义的成果。

然而在二月底，病人痊愈了许多，不久后他又可以坐在轮椅中出外。家里的人立刻想回耶斯那耶去了，可是在五月中，他又弥留在死亡的门外，而这一次——医生的诊断要是确凿的话——是肠窒扶斯了。他的惊人的复元力量又显示了一次，最后在六月中，归家的旅行是真的开始了。因为走旱路太辛苦，所以托尔斯泰在等待一个温暖的气候，等了一个星期之后，坐上汽船到达塞伐斯多波。他在那里只停了几个小时，因为天气太酷热，请求在安静的铁路花园中休息。坐了不大一会儿，来了一个尊严的老太太严厉地命令他离开，说“这是一个高级铁路官员的私人花园，不是随便什么流浪的人可以进来休息的”。

火车还没有出发，来了一大群人给这位大作家送行了，而刚才的那位老太太也急忙忙的来到，请求进车厢去，因为她方才的失礼，她一定要道歉。因为这地方杂沓非常，她不能进车厢。“我怎么知道他是托尔斯泰呢？”她非常苦痛地说，送上了一个花球，请求人家去转言，希望他原谅了她。

在轧斯泼拉居留的时期里，托尔斯泰所写的主要作品是《什么是宗教？》。

正如这篇文章的情形一样，任何时候，托尔斯泰深邃地熟思一个伟大的题目了——只要他宠爱的偏见没有把他引上歧途——他总是写出精心杰作来的。这一篇令人惊羡的论文为什么没有更多地为人知道，更多地为人援引呢，我只能解释是为了这样的假定——其余的文章遇到同样命运的大约也是这原因——他的《非暴力》(*Non Kesistant*)的论文，川流一样地写出来的，把这些论文都淹没了，因之它们没有得到应有的注意。

为了篇幅关系，我不能在这里给予评价，我希望读者能找这篇文章来念。

托尔斯泰给予宗教的定义如下：

> 真正的宗教是人与他周围的无限生命间的，合乎理性又合乎智慧底一种关系，是这样地使他的生命与无限连系在一起，并且指点了他的行为的。

已经说起过了，他承认在一切伟大的宗教中，本质的重要的宗教的真理都解释了生命并且都指点了做人的行为的。它们的迷信分离了世人，可是中心的真理又团结了他们，为了救宗教，托尔斯泰决心攻击教会。

关于信仰，他说：

> 信仰既不是希望，也不是轻信，而是灵魂中的一个特殊的状态。信仰者，是人的意识，即是依照他这个人给在这个世界上的地位说，他必须做某些某些事底意识。……所以，譬如有一个人认为他站在这世界上的地位是作为上帝的选民之一的，为了能拥有上帝的保护，他必须满足上帝的要求，他生活的方式就要满足这些要求了；另一个人认为他的地位是他不单已经过了并且还要经过各种各样生存方式的，在这样的假设之下，他的将来不论是好是坏，跟他自己的行为多少有关；他也就在让这样一个人生观来指引他的生活了；而第三个人的行为，因为他认为他的地位是偶然地由原子构成，而他的意识也不过是朝生暮死的，那么他的行为也一定与前述两种人不同……

在《什么是宗教？》之后，我想，托尔斯泰所写的，就不再有同样磅礴与同样的重要性了。

一九〇二年的八月中，我无上欣幸地又能拜访他了。耶斯那耶这单纯而实惠的田庄，房间既多而且都有用处，虽然放的是旧式的，很平凡的家具，许多房间里地板上的油漆都也褪掉了，窗子也须要装修或者须要拭新了，可是每一次我去总给我一次新的印象，而印象之来是完全根据了我在那儿遇到的人，当时的情况以及我自己的心情的。这一次去，这大地盘似乎更荒凉了，更芜杂了，仿佛这些已告诉了我，它们的旧主人现在是浸渍在更庄严的问题中，所以不再修剪园子里的树木了。

托尔斯泰已经相当的恢复了康健，能够作两小时长久的散步了，虽然散步归来，他愿意让人扶着他上楼梯。有时，他也得离开大餐厅里的人群，独自去躺下。有过一两次，他躺在椅子里睡着了。

我们都晓得他对于医生和药石是抱怀疑态度的，伯爵夫人说起他衰弱的时候，他们给他注射了一针樟脑化合物，极为灵验，他自己也惊奇不置了，听得我们都莞尔而笑。

他病后非常幽默地对医生们说："好啦，朋友们，过去我老是说医生们的坏话，现在我才更了解你们，知道我对你们不大公平了。你们都是好人，你们把能从科学之中学到的全学到了——只有一点可怜，科学是无知的。"

从克里米亚回来以后，总有一个医生专诚为了他的缘故而住在耶斯那耶；在他同意之前，他先要求了，这个医生必须同时为附近的农民诊病。

这一次拜访他，我特别能够感觉到托尔斯泰周围的人给他的爱和敬底氛围，一切访客亦无不然。他的两个幼女现在在抄写他的大部分原稿，还帮他写信。这两个幼女中的姊姊玛丽·奥卜楞斯基郡主跟她的丈夫一起住在别院，在吃饭的时候，大都是他们跑过这一边来的。她不仅同情她父亲的见解，懂得他的感情，有同样的人生观，她说起话来也很爽直，有友爱的神态，像他一样。

莎菲亚·安特莱芙娜伯爵夫人，对于她丈夫的健康与安宁是最关心的了，告诉我们托尔斯泰的特质和他的极限时，说得很坦白。

托尔斯泰的妹妹玛丽·N.女伯爵自从她丈夫死去，

她的三个女儿也出嫁了之后，已是一个修道女尼，住在萨摩亭修道院里，因为她的哥哥有病，请了她出来，这时也住在他家里。

有一个访客是V.V.史塔索夫，一个老年纪人，直挺挺的高大的白发的，著名的批评家和作家，圣彼得堡皇家学院图书馆长，托尔斯泰家的老朋友了，他对于书本智识的渊博，又有一个大图书馆随时供他应用，对于托尔斯泰也极有帮助，后者要读什么书都可以因此读到。

史塔索夫对于托尔斯泰的观点却并不相同，虽然他异常地重视他。他对我说起过，在俄罗斯的作家中，最主要的智识分子不过三个，赫尔岑和格里波叶陀夫，还有便是托尔斯泰。

另一个访客跟史塔索夫完全相反的——瘦小，灵活，黑发，年轻得多——是雕刻家金斯堡，正在为托尔斯泰造一个胸像，在上次访问耶斯那耶时，我已经遇到过金斯堡和史塔索夫，金斯堡的模仿的天才使我惊异不置。拿了一条手巾和一只椅子模仿奶娘婴孩，简直有出神入化之妙，也能模仿一个裁缝在缝衣服，惟妙惟肖。大家看托尔斯泰的哄笑，心里是无不喜悦的，他异常敏锐地欣赏了金斯堡的戏剧才能，给他说：“啊，但愿我们戏院里的现实主义能够明白，舞台上是不必放一个真实的婴孩，也不必真真实实喂奶的，要做到的是像你那样的用声音用动作来传达必须传达的真实的情感！”

另一个访客是M.A.斯塔霍维奇，托尔斯泰幼年时候的朋友，现在是奥略尔的Marechal de la Noblesse，内政部长正因为他发表了演说，同情诸宗教之间的容忍在声斥他。斯塔霍维奇就责问了内政部长有什么权利可以声斥他，因此接到了沙皇的一封信，对于斯塔霍维奇的某些措辞稍稍表示了不满。后者来访问托尔斯泰是为了商讨如何复信的。

他带了几个年轻的家属同来。这次是他们第一次到耶斯那耶，显然他们觉得这旅行非常重要了。托尔斯泰也不放过这个机会，在他们的脑子里播下种子：如反对战争，素食主义，亨利·乔治的学说等等，看这么大地主的一些家属围坐在这个基督教无政府主义者的脚底下，尊敬地听他说话，他只为了同情人类的弱点才让了一步，认可了单税（Single Tax）的——他自己的原则却是要求大家放弃土地权益，并且不仅此，还要求大家放弃一切私有财产，给予有需求的人们。

这家宅之内的整个氛围气感染给每一个人，似乎这里所进行的一切无不是异常地重要的。快乐是无比的，但是快乐的来源是这里的紧张的生活，仿佛我们被邀来担当人类的复兴的工作，仿佛在我们吹起号角来的时候，耶利哥古城的墙垣便要立刻倒坍一样。

一个星期日的下午，邻居有个犹太人的书记员请求谒见托尔斯泰了。他读到了他的一些宗教论文，请求他解释得更详细一点。对于这种访客，托尔斯泰总是全神贯注的，他被邀来喝茶，同时，一卷《犹太法典》（*Talmud*）的节本，一本《新约》和一本英文的《要语汇引》（*English Concordance*）立刻放在大房间里一张桌子上了，问题提出，解释络续的答复。立刻，托尔斯泰请求大家注意他，说："请听我的话——我忽然有所发现了。"于是他读了《马太福音》第二十二章的一段寓言："天上的皇国，正像某国王，为他的儿子举办一场婚宴，差他的仆奴去邀请他们……他们却不来。"他读了第二节至第十节；如何又差了他的别的仆奴，而被邀请了的人还是不来，如何最后他差他的仆奴到大路上去，邀请他们所能够遇见的任何人，“立刻婚宴上满是宾客了”。一停止朗诵，他就问这里面的意思，这天上的国皇的国际民主化的寓言；其涵意是否明显。我们同意他，涵意是明显的。于是他读下去，读了第十一至第十四节，读到一个没有穿贺婚衣服的人，国皇吩咐他滚到外面的黑暗中去，在那里他应该哭泣，应该咬牙切齿。他问我们，这寓言这样接下来有什么意思，我们都同意他，这毫无意义之可言。

“好啦，”托尔斯泰说，“我刚才找到了它的来源。这原先是《犹太法典》中的一个故事的一部分，在福音书中的故事是全抄自那里的故事的。大约是什么犹太史学家，心里完全记得法典中的故事的一个人，被雇为福音的抄写员，一时糊涂，就默写了法典中一段话放在福音书里，原来在法典中这段话是很有意义的，放在福音里却毫无意义之可言了。”

有一天大公爵尼古拉·米海依洛维奇发了一个电报来，问托尔斯泰的康健如何。这件事，托尔斯泰告诉我，是因为他忘记向大公爵道谢，大公爵来提醒他的，他在轧斯泼拉写给沙皇的信是由他递呈的呢。

同一天，有一个工人来找他，这工人在工厂中受了伤，他要知道他应该得到如何的报偿。在接见了他之后，托尔斯泰说：“这种事情我总反对。你可以同情这个人，但是我总觉得——正如同这一件事一样——他想借他的不幸作借口来提出不应有的要求。他再三表示今后他不能工作了，实际他要工作的话，还是可以有的。”

每天总有一大群的巡礼者，流浪人，或无告的农民只为了求乞而来，他们总不会空手回去。从一个便士到六个先令的金币，总归有一些钱施舍给他们，有些人还得到非常实惠的施舍。托尔斯泰觉得不给人一点不行，数目小倒是不要紧的。

花园里的两座房子，各摆一架大钢琴，名音乐家知道托尔斯泰的爱好音乐，常来耶斯那耶做客。我在那儿的时候，塔奈叶夫奏了他自己的一个新作品。风格太纤丽，托尔斯泰不很喜欢，也没有怎样的赞美了这个乐曲，但一般的说起来，他说，塔奈叶夫的作品是庄严高贵的。

我问托尔斯泰，他是否还保持着他在《艺术论》中对伐格纳的音乐的见解呢？是的；他永远这样坚决。音乐有两种，一种是传达一个艺术家的情感的，这是真真的音乐，关于这一种，伐格纳的音乐中极少。另一种音乐是刺激听众的神经的。这种生理学的音乐作用于官能最强，作用于情感的却几乎极微，托尔斯泰认为，关于这一种，伐格纳的音乐中极多。

他自己常常尽量的抑制自己，以免他对批评家或他的作品的翻译家叫苦连天，只对于斯朵克出版的一个法文翻译本表示了不满意。关于英文翻译，他对于迦纳特女史（Constance Garnet）和我的妻子的翻译都很喜欢，他告诉过史塔索夫，我的妻子在《艺术论》中几段法文诗的翻译，他认为它们是Tour de Force（力作）。

还有在《白色杂志》中发表了一段《略述》，述说了一些关于性爱问题的意见，托称这是他意见，许多法国作家竟信以为真了，这也使他非常不安。他要我给他代笔写一封信，由他签署发表，里面说道："托称是我的一些意见，已实在荒唐极了：这是我的朋友符拉迭密·契尔特可夫的很不谨慎地，转辗地，不准确地收集的我的一些文章，和一些没有日期的札记，再做出来的结论，他竟随意出版了。"

这里所提及的出版物，《白色杂志》那篇文章就引以为根据的，是契尔特可夫编印的三个小册子:《生命的意义》,《关于上帝的思想》和《两性关系》，其中他收集了托尔斯泰的信件，著作和日记中许多不相关联的意见；可是他也警告了读者，说明“读者必须谨记在心，这些材料的整理次程以及接合都是编者的工作，而不是作者的原定”，而且说明了托尔斯泰自己也“没有想到把它们汇聚出版”。托尔斯泰曾批评这些小册子：“纵然很小心，纵然他的存心很良好，我是不能对它们负责的。后来在维纳（Werner）编印的托尔斯泰作品中，竟不晓得小心，又把这些小册子收了进去，而契尔特可夫所声明的‘托尔斯泰并没有想到把它们汇聚出版’的一句话却没有了。”

关于契尔特可夫，托尔斯泰说起过，他知道这人是一个 Tyazhely Chelovek，直译出来应该是“一个沉重的人物”，意思他是一个很难对付的人，可是托尔斯泰还再三在他的信件中说，契尔特可夫为他也为他们共同的目的，做了这么多的工作，牺牲了也这么多，所以他不能不赞助他，显然这是因为契尔特可夫完全接受了他的“非暴力”的原则，他了解托尔斯泰的观点而且跟这些观点全部符合，还有他的热情，在耸动托尔斯泰更趋于极端，等等，都使托尔斯泰十分喜欢他的了。

我对待契尔特可夫的态度，从托尔斯泰的女儿玛丽·奥卜楞斯基郡主那里我得到了最大的同情，她对她父亲是这样忠诚的，她曾经这样说过：“我的父亲这样依赖契尔特可夫，是他的一个弱点。”她熟悉这人，所以在这一点上，她能够同情我，可是她以为她自己是她父亲的秘书，拥有他的信任，是可以对付契尔特可夫给他的影响的。

事情虽发生于八年之后，让我在这里提一提及，我这部《托尔斯泰传》的著作，当时我曾寄稿子给托尔斯泰和他的妻子看，请求他们的意见，他们是一再地给了我许多帮忙的。上面的玛丽的一句话里，在提起契尔特可夫的名字的地方，我却隐去了这个名字，然而我收到了托尔斯泰的一封信，照常的这封信并不出自他自己的手笔。但是这一封跟他惯常的语调全不相同，所以我一直相信，这不是他写的信，特别因为他多病的几年里，他时常在别人写的，他连内容看也不看过的信件上签署他的名字。这封信，如下：

莎菲亚·安特莱芙娜朗诵给我听了你写的传记中，我那个最近已逝世的女儿玛夏（玛丽的昵称）的话，说出了她对于契尔特可夫的看法，颇为不满，而且她似乎很惊奇，因为我偏爱着他。我认为关于她和契特尔可夫的关系，用这样的说法是不准确的，尽管他的意见可以有许多地方不相同，这种事实确实有过——然而她对这位好朋友一直很相爱相敬，一个爱我的女儿，对待我的一个多年朋友，多年的助手实然也只能这样。所以我要求你把这一段话从我的传记中删去。

大体上，我必须对你敌视契尔特可夫这一点表示遗憾，作为一个传记家，这一种敌视既不自然，不正确，而且一定会贻误读者。

如果你能注意这些小地方，我便很感激你了。

辽夫·托尔斯泰

一九一〇年六月廿三日

耶斯那耶·朴利阿那

托尔斯泰自然揣测得出我隐去了名字的那人是谁，他要求我删去这一段以免人家也揣测到这人是谁，这也是很自然的一件事；可是如果这信真是他口授的，他自己会提到契尔特可夫这个名字，实在令人奇怪，而且那口气似乎我没有隐去了那个名字一样，他的语调也很与他一般的风格不同。

在托尔斯泰最后的几个月里他的周围和一些影响，我在下面详述。

跟着这一封信，我又收到了他妻子的一封：

亲爱的莫德先生，——我想你是不必删去你所写的，关于契尔特可夫和我的女儿对他的看法底那一段。真相总会大白的，我的可怜的死去的女儿有一颗真诚的心，她是很了解契尔特可夫先生的狡猾，残忍的脾气的。对于我们，最后了解这个人的恶劣的，她的一句话很有重要性……我那亲爱的衰老的丈夫，他的弱点便是契尔特可夫大占便宜的地方，他失去了意志力，就陷入契尔特可夫的残酷的影响里……

真相愈明白，那些估出了契尔特可夫先生的真价值的人的感觉也愈有人了解。因之我女儿的话，我觉得不该删去。

当时我自然听从了托尔斯泰的要求的，可是我告诉他，写出契尔特可夫这个名字来的并不是我。

这一件小事情可以帮我们来解释，虽然有许多人懂得契尔特可夫的性格和手段，有许多人对他影响托尔斯泰也深深地感到奇怪，可还是很少有人敢当托尔斯泰面指摘他的。

而这枝节事件所说明的，跟一九〇二年围绕着这个家庭的活泼，生动，快乐的氛围是完全不相干的，那时候玛丽尚在人世，契尔特可夫则远处英国。

托尔斯泰已经完成了他的高加索的小说《海奇·缪拉德》，还有一个剧本《活尸》（*The Live-Corpse*），剧本是根据他的一个审判官的朋友 N.V. 达维多夫说给他听的一件事而写成的。

他手上还有一件未发表的作品《舍尔该神父》（*Father Serg'ey*）。

托尔斯泰说，他还活着的时候，它们最好不出版，免得出版后一定会发生不愉快的争吵，但一部分原因还在于出版的话，他势必至于化费好多的时间，修改它们，这一来他希望在他弃世之前从事的较重要的工作就没有顾全了。一篇新的小说引起人家的注意了，可能成为引诱他的虚荣，他说，“我一度曾落在虚荣网中”，也会占去他太多的时间的。

伯爵夫人说起过一个俄国的出版家，最近愿出一百万卢布来购买她的丈夫的著作版权，可是对于一切这样的权益，他的态度是严峻而拒人的。另一个出版家，名叫马克思的，愿出十万卢布购买两年的版权，也没有什么成功。可是，当我给托尔斯泰解释我的译本的版权时，他并不反对的说道：“对于这一件事的实际的效用，我还没有思考过，我只能用疑问写作一个注解罢了。”照他所说的话看来，我相信关于“自由时代出版社”的事，他当时并没有提出要求，他只是默认了契尔特可夫的行为，有文件必签字就是了。

这时，托尔斯泰的体质显而易见的是衰弱，可是智力的衰弱却一点看不出来，顶多是他时时放弃他心爱的棋局。纸牌是不费他什么心思的，他每晚玩一玩Vint（一个纸牌戏），今天赢这么十八个便士，明天赢这么十个便士。他最爱玩的是一个人玩的“忍耐”纸牌戏，特别在他的工作做不下去，或在他不愿意再想到他的工作的时候。他的女儿告诉我，有一天他从下午二时玩到六时，还有一次他宣布了，他要用纸牌来测验他正在著写的一部作品对这世界有用无用。结果，纸牌告诉他没有用。“可是我还要写完它！”这样说了，把纸牌收拾起来了。

他说他自己的复元，好比他已陷入泥沼，很苦痛地爬才爬了出来，可是还没有爬到对岸，不久后他还是要陷下去的。

我不能描写当时候这个和平而又活泼的家庭了，充满了生机，充沛了生命，来往着无数的宾客，大家仰视这伟大的人物，听他的崇高而热情的声音，受他的影响，我觉得我从来没有走进过更兴奋更和平的环境，我在离去的时候，在我的札记本上写着：“除了托尔斯泰的奇才之外，这还是一个卓越而和善的家庭。他对于在场的人，无不是简炼坦白和善和关切的态度，他的影响是在他的态度之中的。”

我曾经表示过一个希望（在上文所引的一封信里已经提起过了）要用我自己的著作来说明他的思想观点，在我到达耶斯那耶·朴利阿那之前，波朗杰到我住的莫斯科一家旅店找我，说起他刚从耶斯那耶来，知道我正在计划一部《托尔斯泰传》。托尔斯泰对我的希望似乎很重视。然写一部传记的念头，还只当时开始想到的，因为计划太大，似乎不是我所能担任的，可是一到耶斯那耶，几乎每一个人——托尔斯泰自己，他的妻子，他的女儿，他的妹妹，甚至史塔索夫和斯塔霍维奇——全来供给我材料了，对日后我果真从事这工作时的用处甚大。那时候，有好几个理由使我不敢轻易从事。对于非暴力的主张我还有些怀疑，因此知道我对他的信条中最重要的一条还有疑惧的时候，而由他本人供给我材料来写一部“权威的”传记，这是很不妥当的。还有的原因是许多材料，现在已经很容易找到了，当时却必须审阅各种字迹模糊的手稿。最后一个原因，我知道我写这样一部传记的时候，我必须单独做去，我必须说我要说的话，然则我说了契尔特可夫所不能同意的话时，冲突又是不免的了。所以当时我并不接受这个工作，而“正式”的传记就交给了皮留可夫去编写，他处理大量的材料时用尽心血，而且在托尔斯泰的许多可以争论的信条上，他维持了严格的正统的观点。

在我离开耶斯那耶去赶夜车的那晚，月色皎洁。延绵的田野是这样美丽，空气甜蜜而又恬静，我向车站驰去，满脑子里充满了托尔斯泰和跟我款款谈话过的别些人，这时我到了一个森林附近，那里是可有最嘹亮的回声的地方。远处似乎有什么人来试验这回声，唱着：“我——爱——你”，回声清脆地答了：“我——爱——你！”在我的回忆中，我一生最美妙兴奋的事件要算这一次旅行了，这便是这一次旅行的尾声。

粗糙的，肮脏的，不守时刻又拥挤不堪的火车，把我带回了莫斯科，这辆大车似乎为了要托尔斯泰憎恨近代文明起见，特别设计制造的。

人们时常谈到托尔斯泰和他的家庭的不和，可是当时我却找到许多证据，足见他的家人无不敬爱他的，例如，这是一九〇二年九月十日他的女儿玛丽的一封信——我曾寄了信给她，很疏忽地称她为“M.J. 托尔斯泰女伯爵”：

> 信封上的收信人名虽然有误，我却完全收到了你寄来的一切。你不是唯一的用我娘家的姓名来称呼我的一个人。可不很奇怪吗，我结婚已经五年了，可是收信总有许多是写着M.J. 托尔斯泰的。邮政里的人也习惯了，所以没有耽搁就能送到，我也很高兴人家这样，因为显然大家不愿我和我的父亲分开……
>
> 我们这里一切都好。虽然是可怕的天气，我的父亲还觉得很好。他工作得很勤，也很有成绩。
>
> 关于这冬天的气候，最近我们跟医生商讨了一下，觉得他情形很好，还是不离开这里；那么，他是在耶斯那耶·朴利阿那过这个冬了，我的丈夫和我，自然，也留在这里了。

十一月一日，托尔斯泰完成了他苛酷的《向教士呼吁》（*Appeal to the Clergy*），他们驱逐他出教的打击虽大，他的还击尤其辣手。自从路德因为赎罪券买卖而攻击天主教以来，恐怕再没有这样充满了道德的尊严来反对虚伪的可耻的宗教买卖，更猛烈攻击一个社团的论文了。

第十一章　接近死亡的日子

一九〇三年一月二十一日，因为他的康健继续的欠佳，他的长子舍尔该伯爵给我写了信来：

> 目前我的父亲又病了。先是流行性感冒，这过去了，但使他衰弱不堪。现在是肝病，偶尔又心脏衰弱……

四月中，托尔斯泰发表了一些信件，对于吉希内夫和哥美尔地方虐杀和迫害犹太人提出了抗议。在这些信件中，他表示了惊骇，看到——

> 在这事中真真的罪人，我们的政府，由那些盗党似的官僚，勾结了它的僧侣制度，把人

民弄得昏迷了，使人民变为疯人。吉希内夫的罪恶的直接来源是俄罗斯政府，是它这样强劲坚持地散布了谰言和暴力后的结果。

为了救济这些暴行中的受难者，他发表了《爱沙哈同》(*Esarhaddor*)和另外的两个短篇小说。

五月六日，他写信给我：

如果你和契尔特可夫的友谊可以恢复，这是多么好啊！我一定要尽我的能力来合作。

我的康健比我所希望的更好了。我已工作了一点儿，却是比我愿意的和希望的都来得少。我现在该写的是一些在我尚在人世时不必发表的东西，可是问题时常来到，且必须回答。关于革命党的活动的问题，在这题目上我已经写了一篇小文章，作为我《写给工人》的信底《后记》。现在我要写的是人们的唯物主义的情操，还要写一点关于尼采的等等。

关于尼采，托尔斯泰说过："他是一个真真的疯子，但是何等的天才啊！我初读他的作品时，绝对的为他的文字所迷了。何等的力，何等的美！我这样地被他牵走，忘记了我自己。然后我恢复过来，开始来消化它的全部。伟大的天！何等的野蛮。把基督教这样扑杀了，这真是可怕！"

"可是，"有一个访客说了，"基督教早已不禁一击了，尼采不过是最后的一击罢了！"

"这个我很知道，"托尔斯泰说，"我最初谈到基督教的时候，认为我是太荒谬了，我的教区牧师都背过身子来不理我，波波里金（小说家）和米海依洛夫斯基（批评家）也不来访问我了……有一次铁米尔耶塞夫对我说，人所需要的宗教正如建筑房屋时的木架；一旦房屋造好，木架就可以拆除……然而我们的房子还没有完成，木架却已经拆去了。"

一八九〇年托尔斯泰因亨倍脱国王（*King Humbert*）的被刺而写的文章《你不应该行弑！》（*Thoushall not Kill*！）在俄国是被禁的，一九〇三年七月在莱比锡，由公共检察官起诉，这篇文章的德国版本因侮辱德国的国皇而被毁了。

起诉所根据的一节内容如下：

> 真的，在德国的什么威廉的脑袋里又有些什么想头呢？——是一个思路狭窄，教育极低，爱好虚荣的脑袋，脑袋里面的是普鲁士贵族党（Sunker）的理想——不论他说什么，是无不愚笨可怕的，可是热烈的喝采，“Hoch！”（万岁）之声大起，博得了全世界报纸的好评，把他当一个非常重要的东西。他是这样说话的，而话一说出来，士兵杀他们亲生父母都可以，人民则大喊“Hoch！”了。当他说福音必须用铁腕来实施时——“Hoch！”，当他说在中国的德军不可俘虏敌人，必须个个杀尽时，非但没有人送他进疯人院，个个人喊着“Hoch！”，士兵航行到中国去执行他的命令了。

七十五岁的生日下一天，托尔斯泰骑马出去，在经过一个峭壁时，为了怜惜马匹，自己下马，牵它过去。在这时，马蹄踏在他的脚上，结果使他好久不能步行，他又坐在他的轮椅中了。

*　　　*　　　*

在他最后的几年内，托尔斯泰的文章大都写“非暴力”的东西，处理了人与人之间用暴力底错误以及残酷，这一个教条是他解决一切政治的，社会的，经济的问题底基础。而我则愈译他的论文，愈不能同意他的看法，认为用暴力的重心点不在用与不用，而在用的动机，残酷当然是坏事，可是有时候我们只能采用暴力。最后，觉得我非告诉托尔斯泰如何我不同意我所翻译的几篇论文了。

一九〇四年正月二十日，他回答我的信说：

> 你最近的来信……使我惊异，而且我承认，使我伤心了。用一个人的全力来挣扎反对罪恶，以及一个人希望服务邻人，跟“非暴力”的原则没有共同之点，我不了解你为什么要用这个来反对那个。然而，关于这事我说的写的

已经很多，所以我不再多说，并请原谅。

几天之前我给契尔特可夫寄了一篇计划中的《迦烈苏传》的小序文。在里面我写到了这个，也把能够说的都说了；我也没有添上什么新的——只重述了我以前写过的话。我想如果你分析你自己的论点，便可以发现你错在哪儿。你如找不出错处来，谁也不能找出来指给你看，我尤其办不到了。

既已供出了我的异议，我觉得我不必再谈它了。最重要的事，我想，还是大家能同意的事吧。

* * *

在俄罗斯发生的事都使托尔斯泰非常忧伤。无用的，害人的，羞耻的日俄战争爆发了，不仅使他违反了他自己的宗教的原则，而且激起了他潜在的爱国心，从没有想到他自己会这样的，可是阿瑟港沦陷之后他哭了。

《自己想一想！》（*Bethink Yourselves*！）是写于一九〇四年的五月的一篇反对这个战争和一般的战争的雄辩的文章。

托尔斯泰是采用了许多的文学形式来发表他的思想观点的，他给我们写过短篇小说，长篇小说，戏剧，速写，教文，讲道，传奇，说明体的文章，翻译，论文，各式各样的长短不一的书简，而现在他集中了注意力来从事大思想家的作品的摘录，编辑起来证明并说明他自己的人生观。这一类工作的第一卷名为《智者的思想》（*Thoughts of Wiseae Men*），完成于一九〇四年。

日俄战争以后，俄罗斯的革命运动激涨起来了，跟来了热情和自我牺牲，但也跟来了阴谋，骚扰和罪恶。我们中间，有人以为当务之急是建立一个宪政的政府，制定一些可以裁制官僚的胡作胡为的法律，甚至可以裁制沙皇，同时候的民意为基础的当局也可以遏制极端派的过分的行动。在艺术和文学上的成就虽大，我们总觉得在政治上，俄罗斯是落后在西欧后面至少一个世纪，我们都相信以讨论及协议的政府代替胡作胡为的政府是必须的，只有这样俄罗斯才能得治。

在多疑虑的混乱的时候，俄罗斯再没有别人能像托尔斯泰的，如果他肯替他们说说话，说起话来更有利于立宪运动者的了。他已经再三地辛辣地判决了沙皇政体和它的手段底不当，同样他一点不妥协的否定了革命运动和社会主义者和一切的用暴力的行为。许多人根据当时情况的逻辑想来是势所必然的，他会把重力投在宪政改革者的一方面——地方自治会的领导者，他们是有节制的，实际的，有经验的工作者，正在争取他们自己的效劳祖国的势力范围。可是不然！托尔斯泰所否决了的也有他们，一家美国杂志向他提出了问题，他用电报答复，说“地方自治会派”的代议制度底活动会延缓真真的社会改革的行程，他认为唯一的办法，只有每一个人改良他的道德。

无疑问的，个人在宗教和道德方面的改过自新是“真真的社会改革”的最基要的或同时并进的条件，还有这也是对的，人因为在政治的事业上太专心了一点，真所谓当局者迷，看不到政治活动的目的了，可是把政治放在一处，宗教和道德方面的改过自新放在又一处，而且使它们对立起来，那时的托尔斯泰就避开了俄罗斯面对的事实——即专制与宪政的斗争了。宗教和道德的改过自新可以是，已经是，并且永远是刺激政治改革的，然而托尔斯泰的对立的看法也并不准确，好比一个建筑工程师不愿意研究一座屋子的草样，仅因为建筑一座屋子所用的砖石的质料是唯一重要的一样。

除了他的哲学的途径之外，托尔斯泰的脾气里有一点反对人家的一切运动和组织的存心，因为这些人动机甚多，常常口是心非。换句话说，组织成分复杂的东西——譬如教会和政党，这是一定不免的——他都存心反对。在他看来，政治活动是表面工作，不值得一个真正的改革社会家底注意的。

一九〇五年，一月二十二日，M.L. 奥卜椤斯基郡主从辟洛哥伏给我写的信里可以看到他那时候的情操：

> 我最近从耶斯那耶回来了，在那儿我过了两个月。我的父亲身体很好，可是人家要求他参加到时事中去，使他苦痛得很。自由主义者要拉他到他们的阵营中，保守党要拉他进保守党，革命党又要拉他去革命，他不属于任何一方面，他所要求的只是安静。人们并不了解，也不接受他的观点，却以为俄罗斯的情形既然如此，那么结果是他必须从他的基督教观点上

走下来，说一番崭新的言论，或他们要他说的
一类言论。

一般的说来，战争和俄罗斯现在所发生的
一切是很忧闷的，重重地压在我们的心头。

一九〇五年他写了许多论文，把“非暴力”的理论应用在当前的问题上面，他还写了新的一套短篇小说，其中有《柯尔奈·伐西尔叶夫》（*Korney Vasilyev*），《一个祈祷》（*A Prayer*）和《杨梅》（*Strawberries*）。他还编纂了《阅读日历》（*A Circle of Reading*）这他认为很重要的工作，前几年他已开始，现在他继续的搜集着世界的著作家的札录和活用的他们的语句。

托尔斯泰不再愿意管理钱财了，有时他弄得事情很古怪。譬如《复活》的畅销当然是他的劳动的果实，可是仅仅因为我的妻翻译了这部书，我又是“《复活》基金委员会”的名誉秘书，管理英美版的《复活》的版税收入的，因此我收到了一些信——有时候还是托尔斯泰家族中人写来的——为了我从这笔基金中拨付捐款，向我致谢，仿佛慷慨解囊的是我们而不是托尔斯泰。例

如一九〇六年六月十五日，他的女儿奥卜楞斯基郡主就写信给我说：

几乎每一天我都有一些理由来记挂你，感谢你，代表你从穷困人们那儿领受谢意，现在我要写信告诉你。今年我们回到乡下来，发现我们四周都是一些在非常急需中的农民，为了去年的歉收和战争和别的这等原因。夏季这里又亢旱，还不断的失火；因之，感谢你的寄款，我们总能够帮助这些在需款甚急的地位里的人。不幸的孩子们没有牛乳吃，因为牛都死了，我们帮他们买了一头母牛；失火的农民得到了你的帮助之后可以盖砖屋而不盖木房子了。（有一个人是特别的情形坏，坏得使人感动的。他两年来一再失火，可是因为他一直很穷，没法盖一座砖屋，今年失火之后，他决心不顾一切的要盖砖屋了。他卖掉了他所有的一切，他的一切家蓄，自己出去当雇工，可是在他打听到保火险的赔偿费的数目之后，他知道钱还是不够。于是他到我们这里来借款了。我的丈夫跟他谈了，这老年的农家主人，一个庄重而勤恳的农夫，说起他还是不能盖一座砖屋的事实来，自己克制不住，哭了起来。他这样一个有胡须的人啜泣不已，只为了他缺少三十个先令。就是你的钱帮助了他了。）此外还有出征军人家属底妻子孩子等，必须维持他们的生活到她们的丈夫回来，等等。所以，不断的代表着领受感谢和给予布施主的祝福，现在我把这一些都转上给你们，我还留着你们很多的钱，所以我知道以后有的是更多的机会，听取人家的谢辞；我自己也要感激你，因为有了这笔钱之后，我才能够对请求的人不表示拒绝，我自己的能力有时候很有限呢。

托尔斯泰觉得自己的日子有限而他希望完成的工作太多了一些，继续辛勤地工作，只要他的康健能够这样允许他。八月二十日我收到了他的一封信，其中一部分表示了他体质的弱与精神的强底冲突：

亲爱的莫德，我是非常，非常应该受责备的。你有两封信早在我面前，我还没有复。请你弗因此生气。理由是我一再的着魔了：首先是失去智力，甚至最简单的信，我都提不起劲来写，其次是我全副精神贯注在工作中的我那特殊的精力——其损失甚大。这两种时期我刚刚通过了。

你的第一信中关于你要给我的六百镑（《复活》的基金），我是这样想的：现在我还找不出毫无问题的好办法来使用它。所以，要是你也找不出毫无问题的好办法来使用，款子还是存放在银行里，直等到你想到好办法吧。如果机会来到，我有了好办法，我会给你写信的。

至于史丹德，来看我我特别欢迎。偶尔发生的误会也许可以消阻，也许是我错了的。

读者也许还记得前面已说过的那一次不测，关于一八八八年 W.T. 史丹德的访问耶斯那耶，可是这次的结果还是不妙。史丹德正打算给一九〇六年的《评论杂志》（*Review of Reviews*）圣诞号出一个托尔斯泰专号，在再访耶斯那耶之前写信请他寄一些稿子来发表在这一期里面。憎恨文学的商业气味的托尔斯泰认为这个请求是借他的名义来赚钱，一篇稿子也不肯寄，并且不再邀请史丹德来访问他了。

给我的信接下写的是：

> 我没有读你的书（指 *A Peculisov People, The Doukhobors*），自然要读的。直到目前为止，"多库宝"的故事是有趣而且重要的，而且，我相信将来一定更有趣而且更有意义。

数天内，耶斯那耶的平静的空气因为伯爵夫人病而扰乱了。托尔斯泰十分苦痛。有一天他对她说："现在你躺下了，不再在这屋子里走来走去了，没有了这个，使我不常正规地阅读或著写了！"于是，九月二日，医师宣布他期待中的手术，割去肠子的手术必须立刻施行，否则病人或许要不救，或许要死得非常苦痛，托尔斯泰为此迟疑了，他说让孩子们和他的妻子自己来决定，手术是施行了的；渡过了危险的三天之后，伯爵夫人开始恢复精力了。一个月后已经极好，好到数星期之后；我到耶斯那耶访问他们时，几乎不相信不久之前，她曾经这样的临近了死亡之门，后来知道她曾经如何的险境，为之惊异不置呢。

一九〇二年作俄罗斯之游的时候，我遇到许多人对托尔斯泰，敢于答复神圣教会，并且声斥了沙皇的作家有极大的兴味，现在是一九〇六年了，如何的改变啊！我趋向耶斯那耶之前，在俄境停留了两个星期之久，却没有一个人对我提起他，全不像四年之前的情形了。在大多数人，政治如是他们鼻孔里的呼吸一样了，因之告诉他们别谈政治底托尔斯泰，自由主义认为他是绊脚石，社会主义认为他是陷阱。可是在教育阶级中这样失去了威信之后，检查制度对他松懈起来，跟着十月宪法公布了，倒使他许多说教的作品能够印行，第一次发售，他的影响达到了以前所没有达到过的领域。

我从没有在这样迟暮的十月之尾到达耶斯那耶，当我驰车经过山林，从柴赛加车站出发经过两哩路程的愉快绵亘的田园中，那时的秋色也许造成了我到达托尔斯泰家园时所深感的印象。

上次我在那里的时候，访客一天又一天的不中断的来到。现在我看到的只是他的家人，氛围寂静得多，生命的脉搏的跃动似乎也不比以前的强健了。这年夏季，托尔斯泰本人的康健很是不坏，可是在我去拜访的时候，他很苦痛，还是消化不良的老毛病。他的女儿玛丽请求我不跟他谈论我们意见上不同的题目，因为任何激动对他都不好。自然我接受了这请求，虽然不无遗憾的是我不能和他讨论“奇异的教民”了，因为他信上说要和我讨论这话并没有实行，而在这书里面，我对他的非暴力的看法，是正同本书中的看法一样的。我认为这是非常重要的事情，如果我的意见错了，我愿意我的错误被指明给我认识。

在吃饭的时候，有人提起了斯多留宾，使托尔斯泰谈到他和这位首相的父亲的友谊来，当年在克里米亚战争时，他和他是志同道合的要办一张阵中日报。他特别有趣味地谈到的是老斯多留宾如何开始著述他的战争回忆录，越写越感觉到战争是一件可怕的罪恶，结果把他已经写好的完全烧掉了。

于是他谈到了《维堡宣言》(*Vyborg Manifesto*)，这是第一“多马”(俄国国会)的议员一百八十人，因为“多马”的解散，呼吁人民停止付税，停止服兵役的文告。他说这似乎是依照了他的劝告的，可是事实上这完全跟他不相同。这个宣言的签名者说，“不要给这个政府服务，不要付税，等到我们的政府成立了给我们服务，给我们付税”，而依照他的意见，是“不要给任何政府服务和付税”。

他接下说他同意宣言的签名人之一，乌斯本斯基所写的一篇文章。关于宗教的容忍的要求，乌斯本斯基发表的意见，认为宗教容忍之不可缺少的一个条件是容忍人们拒绝服兵役，这种以宗教信心为根据的拒绝应予重视。这篇文章，一家家都拒予发表了，最后它在《媒介》报上刊登了，立刻宪兵来搜索了报馆，把这篇文章禁了。“这真是卓越，”托尔斯泰说，“不过是一个拒绝杀害他的同胞，这却是政府最不愿意，也最怕讨论的事。”这时候，托尔斯泰所有的作品，差不多完全在俄国自由发行了，就除了直接反对兵役的是例外，这一部分作品还是被禁了的。

下午，托尔斯泰骑马到图拉。六点钟，晚饭，他和家里的若干人还是素食。黄昏里他和家里的人一起消磨，足证他康健已经恢复了的是他又玩棋了，他们告诉我，只要他找到对手，他是每一个晚上下棋的。

我觉得托尔斯泰下棋时很注意到中庸之道。他下棋很能适应情形，决不为了他喜欢棋道就牺牲了这一家的社交愉悦。他下棋的时候，任何人可以打断他，他一边还谈话，说笑话，所以耶斯那耶能下棋的人都不觉得下棋是一样枯燥的游戏。以前我（对于棋道很有研究的呢）总能赢他，可是这一回他两次很快的把我胜过了。

下棋之后，我们在许多题目上长谈不休。对于俄国革命，他丝毫不表示同情。这“一切”，他说，许多时代以来，别一些人都干过，干不出好结果来。“人们应该记得，我们都是要死的，我们不能在无益的斗争上化费力量，必须干显然有益的事情。革命必须是全新的花样，例如取消任何政府，否则不过是模仿已经发生过的事情，而后者的情形必定是坏结果。凡是不以道德作为基础的，人民的情况决不能改善”，他说，在他看来，决不会有政治行为是以道德为基础的，决不会有暴力的行为是以道德作为基础的，这是一个确定不移的道理了。在这些地方，他跟 D.A. 基尔库夫亲王这样的人物，就意见分歧了，基尔库夫有一次写信给他说："我承认我们都是要死的，而我们在地球上的工作是应该满足上帝的意志的，我们也每一个人都知道这意志。可是为什么不能承认，有些人诚意地相信的，他们应该献身革命，拿一个更好的政府来代替目前的俄罗斯政府，何以这是不可能呢？"

谈到亨利·乔治的单税制极表同情，托尔斯泰主张这样的一种税收（因为在座的人有反对的意见）便是在俄国，也尽够政府的开支了。以前有一次我问过他，何以反对了一切政府，他却又赞同一种制度，假定了这样一种可以收税又可以支付这收入的政府的呢？他回答说这个问题是很对的，事实是人们的想法不同。他自己的想法是"非政府"的，可是既有大多数人相信政府和法理，"至少也让他们得到良好的法律"，而在可能得到的最好的法律之中，要算是单税了。

这个答复当场使我哑口无言了，可是三思之下，又觉得它不够得很，现在我又责问他了，我说的是进步之所趋，或是趋向取消政府，或是趋向更好的政府的组织，可是我们不能在同时趋向两个相反的方向。而采取土地价格的税收结果一定是不能取消政府的，也一定是不能取消赋税制的。他回答我说，一种自愿的纳税，纳给义务的机关，我如何说呢？我不再追问下去了，我想地主们是不会反对这样的一种随他们的便纳付的税款的，可是这种税款是否可以给农民——托尔斯泰最痛切他们的不幸——以福利呢。

谈话转到了文学，托尔斯泰表示他酷爱斯惠夫特和戈尔特史密斯，说着，“我读英国的近代作家越多，我越喜欢戈尔特史密斯，他的作品中，我特别推荐《威克菲牧师》”。

谈到社会情形时，他说如果一个人要划分一条贫穷线，而跟英国作家一样的，在一个人全身都工作了还不够他自己和他家庭吃饱，是在这一点上划分的呢，全俄罗斯的人民必须归入最贫穷的阶级里。

我自己是一八九七年以后不再住在俄国的，后来每次到耶斯那耶去，越过越感觉到我在英国的生活使我在实际问题上和托尔斯泰的观点远离了，虽然这既没有减少我对于他的私人感情，亦没有减少了我对他的深深的敬意。

岁月的驰骋使他的热忱和真诚的天性较以前格外的明澈了。如果有时候我为他的隔离生活感到遗憾，心想他的有一些观点应该修改过，以便他更接近于一般人的经验，我却又想到了他自己说过的话："上帝使我们都有限制！"要是他投身于日常生活的纷扰中，经营粗鲁的事业或弄政治，他恐怕不会写出他的惊人的作品，也不会有这样神奇的圣洁的身心了吧。

一九〇六年十一月二十六日，他受到了一个大打击。玛丽，他的爱女，奥卜楞斯基郡主，多年以来身体就不好的，病重之后不久即因肺炎死于耶斯那耶·朴利阿那了。听到她逝世的消息使许多人深深的感到损失，因为凡是认识她的人都知道她美貌，有才干，诚恳而且和善。我和她只有三四次亲昵的谈话，可是听到这个消息之后，我也深深感到我失去了一个亲爱的朋友了，还觉得我虽可以再作耶斯那耶之游，那地方没有她来欢迎，一定是不同以前的情形了。

一九〇七年五月，他的长女妲蒂阿娜·苏霍丁夫人给我写的信上说：

> 我的父亲非常高兴，非常快乐的读了你的信，要我写信告诉你，向你道谢。最近他一下就感到疲劳，所以是尽少的做智力的工作。最近两个月来，他有两次，记忆力完全没有了，说起来他的记忆力是越过越差了。
>
> 他正在读萧伯纳，你来信中提到的（《巴巴拉少校》中救世军的一场），他刚好在这地方做了记号……

在他的晚年特别值得提起的是这个伟大的人物，心灵愈加和柔了，良知愈加温恂了，而且是不论俄国在发生些什么事也决不动摇的，他更坚持他的原则了。

他继续工作着《阅读日历》，修改它增订它，一年又一年地，小心得如同他对待自己的作品一样。实际上也是他除了别的作家的选摘之外，这一本书里还包含了他自己的一些作品和论文的。

这最后几年里，他又给乡下孩子上课了。他给他们朗诵，讲故事和传说，谈一些人生道理和人生的义务。从这些课程中，一九〇八年他写成了一本书，叫《耶稣的教义》(*The Teaching of Jesus*)。

这一年他最惊人的言论是一篇《我不能缄默》的论文，反对政府在第一次革命之时，甚至之后援用绞刑以抑制革命的行为。托尔斯泰的反对暴行以及抗议的热情，来反对眼前的巨魔在这篇文章中结合起来——他写得这样的强烈，掀起了当时巨大的兴奋。

里面描写到了如何一打一打的人被吊死——绳子浸过胰子水“为了在脖子上扣起来更紧”，——人们能充分地感觉到托尔斯泰的良心上所受的苦痛，因为他自己也是同属于统治阶级的。这篇文章的结尾处说：

> 我坦白地承认：我希望我曝露了这些人之后，或多或少，可以照我的希望，使人们憎恶这种人，现在我自己也生活在他们的中间，我自己也不知不觉的是这周绕的罪行中参与者之一。

……

因此我写这一篇论文，我要尽我的能力使这篇文章得在国外并在国内流通，这种事只有两条路走，若不是这非人道的行为得以停止，否则便是我跟这些人断绝往来，我可以入狱，在狱中我才得相信我自己跟这种罪行无关；或者，情形可是更好呢（我做梦也不会觉得这种快乐的），让他们把我视作我已经提起过的十二个或二十个农民的命运一样，给我穿上一件衣，戴上一顶帽，把我从长凳上推开，也让我自己的体重来使我脖子上浸过胰子水的绳子扣紧吧。

这一个抗议在俄国的智识分子心上敲响了一个和弦。这篇文章使托尔斯泰和俄国的自由主义者有了精神上的结合，而为这一年年终他们给予他的强烈的同情的行为铺起了道路。

许多俄罗斯的报纸冒了险，把托尔斯泰的论文底全部或部分发表了，他们大都受罚，付了罚款，有一个编辑甚至被捕，他的印刷所也为了出版了这篇论文而被封了。

一九〇八年旧历八月二十八日（新历九月十日），托尔斯泰八十岁了。事前就有很多的议论如何庆贺他；可是他强烈地反对任何仪式，这时他听到他的一个朋友为了印行他的几个作品被捕入狱，就有人建议说，庆祝他的八十寿辰的最好办法是托尔斯泰自己步入监狱去，作为许多人因而被捕的作者本人的自首，三月二十七日，他这样写，完全同意了这个建议，写的是：

> 真的再没有别的办法更使我满意，或能给我更大的愉怡，可以跟这个入狱相比的了——住在一个真真的，很好的，又臭而又凉而又饿的监狱里，最近我是这样快乐，我常常想我是否可以有更大的快乐。我想来想去没有别的了。现在我不能不这样祈求了，我整个灵魂这样地想来实行你的建议，却并不把它作为一个笑话。而是作为一种必趋的途径，这可以满足那些因我的作品，因它们的流行而头痛的家伙，

这同时也可以在我逝世之前给我真真的快乐和满足，何况这一来又可以免得我受庆贺的麻烦呢。

在一九〇五——六年的革命运动抑平之后，官方对于托尔斯泰的作品，态度上显然有改变。已经提起过，这些年里，他相当有印行作品的自由，可是后来，当局对于他特别的严，一连串的迫害，没收，罚款和禁闭，施行在收藏了或借阅了，发行了或出版了托尔斯泰的反对政府与反对服兵役底作品的人们。托尔斯泰一再给有关的当局写信，大臣，判官和检察官，请他们注意犯罪的是他，他们应该和他办交涉。可是政府总是这种态度，“时时刻刻的暗算他，却不敢碰他一下”，所以总是迫害他的附从者，可是放过了他，在他八十寿辰的前夜，这种态度是特别明显了。神圣教会警告了信徒，禁止他们为这异教徒举行庆祝，还指示了僧侣印行反对他的小册子。市政当局（各省不同）都采取了适当的步骤，禁止各机关，各学校，文学的或别的团体为他祝寿。他的秘书古塞夫（Gusev）是被捕了，被放逐了。克隆斯达的神父约翰为托尔斯泰的死亡做了祷告，而七月中在莫斯科举行的极端爱国派的“黑党”大会，在马加留斯（Archimandrite Makarius）的主持之下，公开说明它已决定了办法来“防止任何祝寿；命令各教会的僧侣警告教会会众不得参与祝寿；组织街道上的反示威游行，对于任何行动，将以强烈手段抑制”。

有一个时期，庆祝的事似乎不得不用赫尔岑的办法了，他向波兰的爱国诗人密克惠支举杯相祝——在一个宴会上站起来说，“为一个不能说出名字来的伟人”干杯，可是寿辰的一天愈近来了，大臣们让步了，最后对托尔斯泰致敬，对托尔斯泰表示爱慕的行为，大都没有受到抑制，也没有受到迫害，祝寿的人数既多，情况又热烈，十分动人。大多数的报纸把大部分的篇幅——有数家报纸竟是全部篇幅——在这一天里登载了关于托尔斯泰毕生事业的论文，这天耶斯那耶收到了二千个贺电，而这个伟大的作家是正从又一次大病中苏生过来呢。

这一次有一句话是说得真实不过的，不论托尔斯泰和政治改革家之间有什么样的斗争，可是在面临大敌的时候，证明了自由的敌人是他的敌人，而自由的友人也都是他的友人。

这一年年暮，有一个信旧教的老太太，以非常的敌意写了一封信给他，结尾处说，“辽夫·尼古莱维奇，是的，为了你的渎神的作品我该将你枪毙，将你的同党全部斩首的，要是大权在我手中”，托尔斯泰的回答是最足以代表他的。

亲爱的妹妹，——我收到了你的信，我谢谢你，因为这使我惊喜。使我快活的是你是一个虔敬的女人，愿意在上帝的法律下，遵守地生活。这样生活是必需的，我和你在这一点上同意。因此，我们的信心的交流是可能的，因为在主要的地方我们同意彼此。可是再上前去，我们不同意了。我想一个人要满足上帝的法律，只有以良好的生活来做榜样的一个法子，使他自己从罪恶中洗净，使良善加强。不这样做而做别的事，希望上帝高兴，那简直是做梦；简直是做假，使他远离生命的真意义。只要一小步一小步的进步，永远的努力和专心贯注是必需的。所以一个人必须全副精力尝试着改进自己，不把他的力量虚掷在别处。一切人需要的，求道德的进步的本质，上帝都给了人了。他给人良心，良心警告我们反对我们做坏事，再又给了我们理性，使我们能鉴别善恶。

基督说“上帝的王国努力可得”；而这王国不在外，却在内心。

在你的信里，我还喜欢另一样。这是你说到你自己的时候的谦卑。可是在说到你的宗教时，这种谦卑就没有了。你自以为你是这样的一种人，好像自己是知道真理的唯一的人，其余的人都迷失了。我并不觉得我是知道真理的唯一的人，别人都迷在黑暗中。我已经八十岁了，我还在找寻真理，你的教师把你引上了骄纵和责人的罪恶中去了。人人都在他的灵魂深处具有一个只有自己知道的领域，这便是他对上帝的态度。这一个领域是洁深的。我们万不能侵入这一领域，不能以为我们已洞察了这一个深处。

一切你写到你自己生活的地方使我发生兴趣。愿上帝帮忙你独自完成上帝的希望。他是和你同在的，当上帝和我们同在时，世界极乐了。

你说你很抱歉的是没有读够我的作品。如果你真有这兴趣，我可以寄你一些，十分乐意，再会了，并且你要宽赦我。给我写信吧。你的信不仅使我高兴，还对我的灵魂有益。爱你的

辽夫·托尔斯泰

以后他们继续通信，终于这位老太太排除了她狭隘的分教徒的观点，而信服了托尔斯泰之见地。

（译者注：这下面跳出原作中一章。）

第十二章　托尔斯泰文学遗产的争夺

托尔斯泰离家的企图，他写的遗嘱，都和他逝世的故事有密切的联系。

在一个伟人的四周，传说总是茂盛地生长的，许多已经流行的传说我们必须小心提防，如果我们要知道真相。例如，一个传说是托尔斯泰以体力劳动来赚得生活，他生活在农民中间。这是不确的，要不然从这传说接下来，说他到了八十二岁的年龄又离开家庭，为了要过这样的生活，岂不是笑话了。

关于他的妻生活得很奢侈的故事也是不确的。对于农民生活的贫困特别敏感底托尔斯泰，有时讲到他的周围有“不可容忍的奢侈情形”，可是任何一个中层阶级的英国人拜访耶斯那耶时，都感到那里的生活情形的简单，虽然托尔斯泰的家族还有大多数并不奉行他奉行了的清苦生活的。

到了他的晚年使他奔逃的最大理由乃是他不能和他的妻子保持一个良好的关系。她已经失性了，而且这一类事常常如此，性格上的缺点以前还能控制的，现在却越发明显了。她的诉苦话逢人便说，还在书信日记中写下来。托尔斯泰恰恰相反，尽量地不责备她而责备自己，还要替她解释。这种情形引起了许多误解，特别因为托尔斯泰的非暴力原则只有很少人能够接受，其结果是大多数人站在他的妻子的一边了。

一八八二年，看到了莫斯科贫民窟里的生活了，在他写《那么我们必须做什么？》的四年内，他是特别对大户人家的生活感到气愤，他后来还承认过，那时他以为人们是很容易学他那样的生活的。就在这时候——在一八八四年，他在亚历山特拉的诞生前夜离家出走过一次。在伯爵夫人的《晚年日记》(*Later Diary*)发表前，我们并不知道是什么原因迫得他那一次出走的，可是还没有到最近的一个城市，他已经折回家来了。此外还有几次，他几乎要离家了。一八九七年六月，在他出走之前他留下一封信给他的妻子，这封信要等他死后才交到他妻子的手上。正同惯常的口气一样，他为她开脱，并不说明他们之间的不同，只强调了一般的原则而认为原则很重要，其实这不是他出走的主因：

亲爱的松尼亚，——我长久地为我的生命和我的信仰底矛盾苦痛。我不能改变你的生活方式和我曾训练过你的生活习惯……我已经决定实行我蓄愿已久的——离家出走了……年纪已近七十，我整个灵魂都祈求和平，孤独，如果还不能求得完全的和谐，至少我的生活和信心和良心之间，可以不致于不协和得太明显。

如果我公开的宣布，恳求，谴责，争吵和诉苦就要出来了。也许我会失去勇气。不能把我的决心实行——虽然这是必须实行的，所以，松尼亚，如果我的行动伤害了你，请原谅我，愿你的灵魂善意地让我走……

我离开你的意思不是说我不喜欢你。我知道你的看法和你的感觉跟我并不一样，所以你所不承认的，我不能叫你牺牲，我不能叫你改变你的生活。所以我并不责备你，相反的，记起了三十五年共同生活来，我有爱有感谢，特别那上一半的共同生活，献身母性的诚心是你的一部分性格，你热情地无所恐惧地执行了你认为属于你的天职。只在下半个生活中——最近的十五年内我和你分开了。我想也不能责备我，因为我知道我之所以改变并不为我自己，也不一定是为旁人，而是除此一条路，我没有别的路走。我既不责备你，也不责备你不跟我走，我想着，将永远想着你，爱你，而且感谢你所给过我的帮助。

再见了，亲爱的松尼亚，爱你的。

辽夫·托尔斯泰

然则，从大体说来，他似乎已得到了一个结论，这是他曾经对我和别人说明过的。他虽然希望逃开一个可恨的，和他的信心冲突的，使他受到人家的诟嫉的生命，然而随着一个人的意兴行事也是不对的，因为他这样做时，只增加了他的妻子的愤忿。至于他最后不依照这样的结论而离家的理由，还是因为他的文学承继权的争夺，耶斯那耶的生活因而更不可容忍，和他的妻子和解已根本不可能了，他替他的妻子想想也是他走开比不走开更好。

要谈他的最后遗嘱，使我们不能不先看一看他以前的遗嘱。

九十年代之初，托尔斯泰给他妻子出版他的全集的权利，全集的收入是全家收支的主要来源。后来，他否定金钱和谋利的决心更强了，但他不能劝她放弃这个营业，更觉得他不能用强力来让她放弃。直到一八九一年，他才宣布了一八八一年以后的他的作品可以任意让人自由印刷发行。

一八九五年三月二十七日的日记上，他写下了一个非正式的遗嘱，在里面他要他的全部文稿交由他的妻，契尔特可夫和 N.N. 斯特拉霍夫加以审定和编辑，他希望他未婚以前的日记，除了可以保留的保留以外，这些日记加以毁灭，婚后的日记如果有使任何人苦痛的也必须毁灭。

他说这一件事契尔特可夫已经答应他照做了，还说，“以他对我的巨大的真诚的爱，更以他的巨大的德性的敏感而论，我确信这一件事他是可以做到，并且做得很好的”。

解释了何以他要毁灭他未婚时的日记后，他又接下来说：“然而，让这日记留下也好，因为这可以证明，我青年时期纵然那样地空虚而且无耻，我还是没有放弃了上帝，即使我是到了老年才了解‘他’一点点，爱‘他’一点点的。”

“‘其余的文稿，我请求整理的人并不全部印行它们’，只要挑那些有用处的印行就是。

“出版我以前的作品的权利——十卷全集和《阅读日历》——我要求我的承继者把它还给公众——就是说，放弃版权。可是我只这样要求，并无强迫之意……我的作品，最近十年来如此的发卖，使我的生命非常苦痛。”

最后，他要求接近他的人或别些人不要赞美他，“可是如果他们要引用我的作品，他们必须在上帝通过我说话的文句上深深的下功夫……有时我觉得我成了上帝的意志的工具了。我时常是如此不洁，如此充满着私人欲望的，真理的光在我人格的黑暗里隐去了；然而有时真理从我而透露——那是我生命中最快乐的时刻。上帝允诺了我，经过我而出现的真理并没有因我而受污，虽然我琐碎而不洁我能传递给人，人能因而滋养。我的作品只有这里面有这特点。却也因此，我只能受责备而不能受赞赏了”。

他提到 N.N. 斯特拉霍夫这名批评家和密友是很对的，不幸斯特拉霍夫一年后死去了。

一九〇四年五月十三日，托尔斯泰写信给契尔特可夫，告诉他一八九五年时他写过一个“类似遗嘱的东西”，还提到斯特拉霍夫已死去，他自己的死期也不远了，他要求契尔特可夫，“既然在宗教人生的观点上大家是相互同意的”，要求他和 S.A. 托尔斯泰伯爵夫人合作，审查并整理他的遗稿。他接下还说：

“真的，文稿我全不在乎，可是我晚年的日记是重要的。”

因为他的妻坚持了她对他的文学财产的承继权，又因为他的神智越来越不清了，托尔斯泰觉得更有确立一切的必要。于是一九〇九年夏天，他逝世的前一年，当他的亲戚，诺伏契尔喀斯克的巡回裁判院院长I.V.丹尼参科访问他的时候，也请求他起草一张遗嘱，把他的全部作品遗给大众。

把财产遗给每一个人，丹尼参科是知道的，不能发生任何法律实效，但看到托尔斯泰根本否认法律，他就同意下来了。一九〇九年九月十八日，和契尔特可夫同住在莫斯科附近的克寥新诺时，托尔斯泰在遗嘱上签了字，说明一八八一年一月一日以后他写的一切作品以及这以前所写而尚未发表的作品，“予死后不再成为某人之私产，任何人等愿意采用或印行者，均有自由采用或印行再版印行之权”。

这上面还说了，“予死后，一切文件文稿均移交V.G.契尔特可夫加以管理，任何人等愿意印行者，亦可自由印行”。

然而契尔特可夫并不以此为满意，他知道这个遗嘱是没有法律实效的，契尔特可夫却也知道要托尔斯泰签一个合法的遗嘱是不可能的，但他又知道托尔斯泰正在担心他的作品终极的要变成某人的私产，因为他“迂腐地憎恨成规”。可是契尔特可夫也使人奇怪，这位“非暴力原则”的主角，轮到争夺托尔斯泰的作品管理权的时候，却并不“迂腐地憎恨”这事实上有所必须的法律成规了。

契尔特可夫并不在鼓动托尔斯泰签一张法律上生效的遗嘱时，让人注意到他是在剥夺一个家族的权利。他自己就说，“我的确知道托尔斯泰的妻子和孩子是不愿意看到一个不属于他们的家族的人员变做一个合法承权人的”——因此他想出一个间接的妙法来。

一九一〇年七月二十二日，在契尔特可夫起草的最后遗嘱上，托尔斯泰留下了他的已出版的未出版的和已完成的未完成的文学作品，连同任何的修改，日记，私信，草稿，零碎的札记和思想——“简言之，一切绝而无例外，凡是我所写的……不管它们现在在何处，现在由何人保存着……连同一切我的出版物的版权，和原稿自身……全留给我的女儿亚历山特拉·勒伏芙娜·托尔斯泰承继”，如果她先他而死，留给他的女儿妲蒂阿娜·勒伏芙娜·苏霍丁。

这决非托尔斯泰自己做成的文件。对于草稿或旧作品的修改，他不会这样重视的；他更不会要求收回他写给他的妻子的私信，或收回他写给他的朋友，家族及陌生人的信件，这一切是法律上，习惯上都没有这种版权，可以要求收回的。

作为这正式的遗嘱的附件，托尔斯泰又用铅笔签了契尔特可夫所写的备忘录，此外他又加添了这样的话：

“对于这个在我的要求之下起草，完全附合了我的意思底遗嘱，我是全部同意的。”

备忘录之中这样解释：“一切文稿和纸页（包含日记，草稿，书简等等）予死时如有散失，未曾整理，应移交V.G.契尔特可夫，就是说辽夫·尼古莱维奇死后，V.G.契尔特可夫可以整理这些文稿，把他认为可以出版的出版。至于物质条件的方面，辽夫·尼古莱维奇要求这V.G.契尔特可夫于管业时完全遵照他以前出版辽夫·尼古莱维奇的作品的办法。”

这最后的一句话是模糊极了。托尔斯泰死后，亚历山特拉否认契尔特可夫的管理的一个根据就是他经营的出版物的盈利似乎极不公正。备忘录上没有说出他应该拿多少。但托尔斯泰知道契尔特可夫曾公开宣布过，一个人为金钱而写作等于娼妓一样，那么当然想像不到他会用别人的作品来谋利的了。

契尔特可夫告诉我们，这备忘录的目的是“限制亚历山特拉，使我依照了他指示我的方向，来从事托尔斯泰文学遗产的整理底工作不受阻碍”。

而在实行这备忘录时，亚历山特拉却认为契尔特可夫并未依照了她父亲的希望。冲突开始了，问题就又发生在这里，契尔特可夫既然和凯撒（指的是法律）调情过，不用说他可以向凯撒去求情了！——换句话说，亚历山特拉大可以援引她的法律权利，由她自己来管理这一切财产了。托尔斯泰死后的一连串诉讼，要求和反要求，亚历山特拉的一时和契尔特可夫联络，一时又和她母亲联络（她和她母亲和解了），这一切我身处域外，不能清楚。而欧战开始了，于是——在争讼结束之前——革命起来了，于是这一度的文学遗产，立刻像所有的财产一样，归于国家了。

据我所知，托尔斯泰的作品的出版本，价格最廉而编排最好的是 S.A. 托尔斯泰伯爵夫人的十四卢布底十四大本，凡是检查官能通过的，全在里面了。托尔斯泰死后，契尔特可夫大吹大擂了一阵之后出来的一个版本，使俄罗斯的预约定户深深的失望了。把他们所收到的版本和他们所付的价格一比，许多人觉得受骗了。这版本我自己却没有，所以不能判断他们的话。

有人还记叙托尔斯泰被耸动了签遗嘱的当时情形。

F.A. 斯特拉霍夫记叙过，如何他被遣派到耶斯那耶去了，要托尔斯泰批准契尔特可夫起草的遗嘱。他说这一件事“事先由契尔特可夫及顾问律师 N.K. 莫拉维奥夫给我解释”。契尔特可夫已断称丹尼参科起草的遗嘱殊难令人满意，说托尔斯泰应该把他的版权及原稿留给几个确定的人选。

斯特拉霍夫的记叙中，说起他在耶斯那耶时，S.A. 托尔斯泰伯爵夫人也在场，“使我担任的事务异常不便利”，他以为她“还在莫斯科，我在那儿还碰到过她呢”。然而，他失望地在耶斯那耶的站上碰见了她，她是和他坐了同一辆火车从莫斯科回来的。然而他还是走向了托尔斯泰的家，设法避开了她，走进了托尔斯泰的书房。“简简单单地我告诉了他，一个正式的遗嘱把版权给一个特定的人选承继是必要的，于是我把草稿放在他面前请求他了，如果他同意的话就在上面签字。托尔斯泰立刻读起草稿来了……读完之后，在底下写上，他同意所有的条文，然后他考虑了一下说，‘这整个事件使我难过！一个人自己的思想的散布是不需要各种法律来保障的’。

“说了这话，他就走出房间，我独自被剩在里面，不晓得答复他好还是一无成绩离开耶斯那耶的好。”

托尔斯泰又回进来了，斯特拉霍夫——感到他必须再试一次，以完成他的使命——就说：“我了解，并且赞成你批评这一件事时所站的道德高峰上的立场。可是今天的情形是这样的，如果你对于你的作品属诸大众这一点没有行动，你就间接地帮助了你的家族，使他们得到了这一个财产。可是你只要把它遗给一个承继者（虽然形式上还是财产），而承继者对你公开宣布了的希望如果是视为神圣的，你就可以使你的作品为大众所有。”于是他接下来，用了契尔特可夫的一个接触到托尔斯泰良心深处的辩论：“我并不隐瞒了不告诉你，当你把你的产业转移给你的妻子和你的孩子，放弃了你否定土地财产的理论时，你受到了非难，而我们，你的那些朋友，听到了都非常难过。同样的难过是一定的，因为你明知道一八九一年的宣言没有法律根据，而你什么确保你的希望俾得实现的行动也没有做，无形之间你帮助你的家族获得版权。你死后，你的朋友是看得到你的家族享受五十年作品的专利的，那时他们听到了什么话要如何的难过，我是不能形容的了……”

“这是一个有分量的辩论。”托尔斯泰回答，就答允了在他骑一次马回来之后作决定。

后来他们一起吃晚饭，托尔斯泰照常坐在伯爵夫人的右手，伯爵夫人并不晓得这时正进行着最重要的一件事。

> 饭后，伯爵夫人立刻离开了房间，托尔斯泰回入他的书房，带了我和亚历山特拉·勒伏芙娜。
>
> “我的新奇的决定要使你们吃惊了，”他和善地一笑，向我们说，“我打算 Plusroyaliste Gue le roi（比国王还要富于国王气派）。莎夏（亚历山特拉的昵称），我打算把一切遗传给你

一人……”

“我想把一切遗传给你一人是最好的办法，”托尔斯泰接下来说，“这是十分自然的，因为你，我这些孩子中最后一个和我在一起，同情我，在我的事务中帮了许多忙……”

（我们从前引契尔特可夫的一段文字中知道他要求托尔斯泰这样地处置。亚历山特拉女伯爵是被他推选为最适合的承继人的。）

“可是，辽夫·尼古莱维奇，请问直到现在莎菲亚·安特莱芙娜所得的那些作品的收入，她一直是作为你给她的礼物，所以是作为她自己的财产的，你有什么意见呢？”我问，因为他的决心真使我惊异了。

“我会给莎夏关于这一切事底我的指示的，她总可以办到我的希望；可是在遗嘱中，不妨说：一切而绝无例外都给她承继。”托尔斯泰回答，“至于我未发表的作品《海奇·缪拉德》等等，我希望第一笔收入用来替耶斯那耶·朴利阿那的农民赎地。这一件事我希望着很久

> 了……但这一切细节小问题，我会和契尔特可夫商量的。”
>
> 夜晚喝茶时，托尔斯泰走出了房间的片刻里，莎菲亚·安特莱芙娜问我此来何事？除了这主要的任务之外，我还要把契尔特可夫给托尔斯泰最后一篇文章《这是了解的时候了》所作的修改草稿交给他，因此我轻易地回答了她这一件事，自然没有提到那主要的工作。
>
> 一小时之后，我搭上火车返莫斯科，第一件事是用电报告诉契尔特可夫此行不虚。
>
> *　　　*　　　*
>
> 我到耶斯那耶·朴利阿那的第二次旅行的目的是拿了律师莫拉维奥夫已准备好的遗嘱去让他签字，最好还要他自己手抄一份。

接下来，斯特拉霍夫这样解释，他心焦的是要是托尔斯泰不肯手抄一份，还有是他如何可以把证人走私一样的走进这座屋子。同行者是钢琴家 A.B. 戈尔登凡塞。后者，“早先已经加入了同谋者之列，答应了随时帮忙的，拿了我已经准备的遗嘱，从契尔特可夫那里受了一次指点，跟我一起上火车了”。

> 到契尔特可夫的在耶斯那耶附近的住宅时，我找不到契尔特可夫的管事人P.S.安内林，他是经他选定的证人之一，他一清早就出去接另一个证人M.V.倍里金了。（按：倍里金在明白了这是怎样的一回事之后，谢绝了。）

斯特拉霍夫说起他向托尔斯泰家驰车而去的时候，感到“良心上有一点别扭”，因为他必须避开莎菲亚·安特莱芙娜伯爵夫人。他达成了他的目的，因为当他出示了遗嘱，而托尔斯泰誊写的时候，后者已“把书房的两座门，一座又一座的关上了。我供认，在看到他预先布置，要避免他并不欢迎的来者之时，确是很可惊异的。只在这珍贵的文件完成后，戈尔登凡塞把它卷成一卷，我们离开书房时，我才感到了说不出的安心”。

斯特拉霍夫又说离开了这房子几小时之后，他又回来了，“只是一个极单纯的访客了，在那里吃了饭，仿佛什么事也没有发生过一样，旁观托尔斯泰跟戈尔登凡塞和倍里金下棋，于是大约十一点钟，夜晚的茶喝过了，又离开了这屋子”。

> 和莎菲亚·安特莱芙娜告别的时候，我注意地看了看她的脸。完全平静，仪态万分，她对告别的宾客的神情使我知道她是一点没有猜疑。我驰车离去的时候，愉快地想着这部署周全的工作底告成，必然会有英雄性的好果实。心头只有一个小虫在咬我。这是良心的呵责，我们这有似阴谋的行为是给我些微的不安感觉的。

然而这一张遗嘱还不能十全十美，为了亚历山特拉可能比托尔斯泰先行逝世，就又预备了一张遗嘱。这最后一张，契尔特可夫起草后，坐在契尔特可夫家宅附近的一个森林里，一枝树根上面，托尔斯泰誊出了一份。日期是一九一〇年七月二十二日，前面已引过了。

依理阿·托尔斯泰在他的《托尔斯泰回忆录》中，

说起了契尔特可夫和辽夫·托尔斯泰的关系，然而是把契尔特可夫的名字隐去了的，托尔斯泰在他的暮年专心编纂的是一部与他自己的生命观点相符合底圣哲的名言，依理阿曾说起过：

> 当我的父亲决心编纂圣哲名言时，他题上了《阅读日历》（*A Circle of Reading*）的名字，并且告诉了他的一个朋友。数天之后，这位朋友又来看他，立刻告诉他，说他和他的妻子也对于这部新书加以思虑，而且获得结论了，认为他应该把这书的题目改为《每天必读》。我的父亲就回答，他爱好阅读日历这名字中，包含有继读不已的意思。半小时之后，他的“朋友”又从房间的那一头走到他的一头，重复了同样的话。这一次，我的父亲并不回答。晚上了，他的“朋友”要回去了，和我的父亲握手言别时，他又说了一遍，“然而我还得请求你，辽夫·尼古莱维奇，我和我的妻子加以考虑之后，获得结论了……”诸似此类的又重复了一遍。

“不，不成，我想死，死得越早越好，”我的父亲看到他的“朋友”走了之后呻吟地说，“这可不是完全一样吗？《阅读日历》也好，《每天必读》也好。不成了，这是我死的时候了；像这样生活下去，我真受不了。”

而最后，这圣哲名言的某一个版本，与其他的版本名为《阅读日历》者不同，题名为《每天必读》！

我们的老朋友玛丽亚·亚历克山德罗芙娜·徐密德特，这个诚恳的，绝不会有恶意的妇人说：“啊，亲爱的，当这位仁兄——（契尔特可夫）出现之后，我真不晓得辽夫·尼古莱维奇的作品是辽夫·尼古莱维奇写的呢还是（契尔特可夫）写的了！”

这一款底干涉我父亲的作品是作家最头痛的行为，然而用他的“朋友”的文字，这是“承其意旨加以修改”；玛丽亚·亚历克山德罗芙娜的话实在很对；谁也不晓得什么地方是我父亲的原稿，什么地方是他的“朋友的”坚强的

“承其意志”而后“加以修改”的东西。

依理阿 · 托尔斯泰还告诉我们：

> 我父亲的健康晚年来很坏。好几次他突然的，不明不白的晕厥了；第二天他自然又恢复了，可是常常有一个时间失去了他的记忆力。
>
> 我哥哥的孩子也住在耶斯那耶，有一天他在坐憩室里看到他们，似乎很惊奇的说：“你们是谁的孩子？”他看到了我的妻子：“不要生气，亲爱的，我知道我是十分喜欢你的，可是我已经忘掉你是谁了。”有一次晕厥了醒来以后，他走进了坐憩室，似乎惊异了的问：“我的哥哥米青卡在哪里？”——他的哥哥五十年之前就死了的。这种情状到第二天才完全过去。

关于托尔斯泰他早已再三地否定了的离家出奔，最后还是实行这一点，依理阿说：

我父亲死后，我一直搜索枯肠，要知道他为什么最后采取了这样的步骤……

难道我父亲的离家出奔，真是因为他的妻子，在一起生活了四十八年之后，有了精神病，时时发现一点征状的理由吗？爱人类，深深了解人类心肠的他，会这样做的吗？难道又是他到了八十三的高龄，虽然衰老，虽然无告，还想过参圣者的理想生活吗？可是，真有此理想，为什么他又要带了莎夏和马可维茨基医师一同走呢？他自然知道，和他们在一起，他可以得到生活的必需品，正同他住在耶斯那耶一样。

我是很了解我父亲的，他出奔的事不是一般人所想像的那么简单的，而这个问题一直悬而未决，直到他的遗嘱发表了的一天，这个问题就突然的清清楚楚地有了答案。

“这一切使我很不痛快，这是完全不必要的。”我的父亲在遗嘱放在他面前签字的时候说过。这是他对于遗嘱的真心的看法，直到他死去，他这个看法一点没有变过。……

他是处身于没有出路的绝域之中了。他不能告诉他的妻子，这会使他的“朋友”悲哀。把遗嘱撕毁更不可能，因为他的“朋友”曾经为了他的原则而在道德上，物质上都受牺牲，为了他的原则而被放逐到俄罗斯之外，他和他是紧紧捆在一起的。而且在这一切之上有他的晕厥症，记忆力的消失，死亡迫近的感觉，他的妻子日益增涨的神经质，在所有人的心中，她心里最明白她丈夫越发疏远她，而且百思不得其故。

如果她问他，他把什么藏过了她呢？他不是一句话不说，便是告诉她全部真情。而这是不可能的。

他怎么办呢？

期待已久的离开耶斯那耶·朴利阿那的计划便自然地呈现了，唯一的办法……在恶之中选出一个恶来，他出奔了。在他出奔前几天，他告诉过我的大哥舍尔该：“我是太衰弱，太老，不能开始一个新的生活了。”身心两病而又困惑非常，他出发时是不会有目的物，也不会有什么计划的，只要把他自己藏起来，不管藏在什么地方，可以从他再也忍受不住的良心苦痛中，得到一点安息。

遗嘱中放弃版权一点并没有照托尔斯泰的希望实现。本来说是人人都有出版，再版，翻译，一次次翻译的自由的。可是我最近打听过 J.M. 邓脱父子书店的那两位先生，他们出版托尔斯泰的《小说戏剧集》中有他死后发表的作品，而在英文版中间，这些作品的版权是属于邓脱书店的，一九二六年，俄文本的遗著于巴黎出版，而按照国际版权协合的白尔恩协定（Berne Convention），参加协会的都按照国际法而取得版权。邓脱书店是购得英文译本的版权的，关于托尔斯泰自己并不重视的遗著的出版，邓脱书店取得版权，自有一定的理由，可是想到托尔斯泰曾如何努力过，要做到他的作品“人人得而利用之”，这里是值得我们奇异的一个事实。

别一个事实，跟我自己也有关系，那是遗著的第一批发表时，其中有《海奇 · 缪拉德》一篇，英译本交由我翻译，而同时由契尔特可夫的代理人寇的斯 · 白朗书店给了我一张合同签订。我知道这张合同是褫夺了我的版权的，然而我想那“不保留版权”的原则一定可以让我自由地把这篇小说收入“百年诞生纪念版”中间的。又是一个奇异,《海奇·缪拉德》的美国版的出版家 L.C. 满琪书店告诉我，他们已从托尔斯泰的遗产执行人那儿购得了我这个译本底版权。契尔特可夫做生意的办法真是莫明其妙，而“百年诞生纪念版”却不能不因此大受损失了。

遗嘱中还有一点，是不仅版权，而且原稿也要归遗产执行人管理，这一来造成了更大的骚扰。他的妻子拒绝了交出原稿，而契尔特可夫则公开的控告了她在托尔斯泰尚在人世时就“没收了它们”。他用了粗莽的文句解释道“为了哄骗 L.N.（指托尔斯泰）一个恶意的推托到处传布，说他的日记和原稿纸都保存在历史博物馆那里，这一部分日记和稿纸更是托称托尔斯泰赠给他的妻子的，因为亏得这一个推托，托尔斯泰的愿望的仇人才免去了法律的追缉”。亚历山特拉曾约博物馆馆长，民政部长以及沙皇络续的声请，可是都因为她的母亲坚持，他们拒绝了交还原稿。

托尔斯泰的妻子则向元老院声请，决定的也是这些原稿只能由当初的储存者——就是说她自己——可以收回。这里所争吵的自然只是原稿，因为契尔特可夫可以出版托尔斯泰任何作品，这权力是不成问题的了。

托尔斯泰最后几个月的生命，由他的秘书V.F.布尔轧可夫的回忆录的出版而显露了光明。他的日记中，我要摘引若干：

一九一〇年七月十二日，托尔斯泰尚在人世，布尔轧可夫和伯爵夫人一起坐了车子访问契尔特可夫的母亲，契尔特可夫这时已从放逐中归来，可以住在图拉省内了。莎菲亚·安特莱芙娜请求布尔轧可夫向契尔特可夫索回托尔斯泰的日记。她愿意在他归还了她日记本之后，另外抄出一份。

“以前的日记都在我这里……告诉契尔特可夫。如果他把这个日记本还给我，我就安心了，可以继续和他做朋友。”

莎菲亚·安特莱芙娜流泪而且战颤，用请求的眼光看着我；她的眼泪和眼光都是真诚的。……

我承认我是非常感动了，渴望我不惜任何代价——不管是用原稿来偿还或其他的办法——来求现在人人都需要的和平，而且尤其重要的为了辽夫·尼古莱维奇的缘故，必须使和平生活重建于耶斯那耶。

我们到达目的地之后，就在这样的心情中，我找到了契尔特可夫。知道我这一个访问还带来了莎菲亚·安特莱芙娜委托的任务，他似乎很困难，装出热心的神情来，带领我到他的合作者，心腹之友阿辽夏·舍尔戒扬可的房间里。我们都坐在舍尔戒扬可的床上，而他一脸的惊奇地坐在我们对面的椅子上。我开始解释莎菲亚·安特莱芙娜的希望，把原稿还给她，而 V.G. 的神情真是激动得异常狂热了：

“什么？”用两只充满热情的眼睛盯住

我——“那么你已经老老实实告诉她日记放在哪儿了吗？”

“不，我没有法子告诉她这本日记放在哪儿，因为就是我自己也还不晓得它在哪儿啊。”

“啊，好极了，好极了！”契尔特可夫喊着，激动地从椅子里立了起来，“现在，你可以出去了。”（他给我把通走廊的门打开了。）“他们那里喝茶……你，没有问题的，很饿了……我们要在这里谈一谈。”

门关上了，我还听到美国货的锁匙关上了。我在走廊上经过时，很对于我被招待的经过惊异。契尔特可夫和舍尔戒扬可在开会。后来我知道他们决定不交还日记。

七月十四日，在耶斯那耶，空气紧张极了，莎菲亚·安特莱芙娜照常要求近十年来托尔斯泰的日记，现在存放在契尔特可夫那里的，而且恐吓着，如果她得不到手，她就吞毒自杀或跳河寻短见。

辽夫·尼古莱维奇为了她的缘故非常受

苦，但忍耐了这一个试探。他准备以一切的让步来使得她安静。近来，全体的和平协调，对于他，真比字纸珍贵得多……在他的请求之下，亚历山特拉·勒伏芙娜出发去拿日记了，她在那儿耽了很久。后来，我从发尔发拉那儿知道契尔特可夫的一般好朋友突然大团结了一次：O.K. 托尔斯泰，舍尔戒扬可，戈尔登凡塞夫妇，亚历山特拉·勒伏芙娜和契尔特可夫自己，全体动员把托尔斯泰的日记加速的抄出了一份，因为这日记中托尔斯泰是和他的妻子妥协的，说不定将来她要毁去这一部分。于是日记本给包了起来，契尔特可夫在送走亚历山特拉的时候，用一种冷嘲性质的庄严神情祝福了她，一直送到了大门口，用那一个纸包儿在空中画十字架，画了三次之多。契尔特可夫和这文件离开是很苦痛的呢。

托尔斯泰向他的妻子让了步，把日记从契尔特可夫那儿取回来，为了折衷起见，把它放在图拉的一个银行里。

七月二十二日，布尔轧可夫记录了在森林中签字的遗嘱的一个秘密，见证人都是契尔特可夫的知友。

八月一日，托尔斯泰在书房中和P.I.皮留可夫长谈了一次，后者是托尔斯泰正式传记底作者。皮留可夫听到了这个遗嘱之后，表示过意见，这件事有阴谋的成分，非常遗憾，他认为最好的办法是托尔斯泰把全家召集在一起，宣布他的意见。

托尔斯泰同意了，写信给契尔特可夫告诉了他这个意思。

> 八月二日。皮留可夫的调解使亚历山特拉·勒伏芙娜非常的不满意。照他们的看法，皮留可夫不知道其中的事态之复杂重轻，自己要多事，并且非常不适当的进行调解，甚至给辽夫·尼古莱维奇的建议，这建议简直可以使他激动得有坏结果。

皮留可夫进行调解之后，契尔特可夫就给托尔斯泰写了一封长信。（译者注：这个选译本因为篇幅上的限制，使我不能把这近两万字的长信译入，译者对于这一部长大的传记的完成是有计划的，愿不多久后，这些缺憾可以补全。）

九月二十五日，托尔斯泰在日记中写道：

> 我收到了契尔特可夫的一封信，充满了责备的控诉。它把我撕成片片了。有时我想到了离开他们走掉的意思。

第十三章　离家出走和逝世

一九一〇年十月二十八日他采取了决定性的行动。使他出此下策的近因是前一天晚上登床就寝后，他听到他的妻子在书房里搜查他的文稿了。在伯爵夫人给我的一封信里她否认了这件事，可是托尔斯泰似乎不至于错误，因为这一类事早已发生过许多次。托尔斯泰已训练了自己，使他对妻子，在她气愤的时候，十分地有耐性了，可是这些意志的斗争已经紧张到了爆炸点了。

她走开之后，托尔斯泰起来了，拿了一些文件，两套掉换的内衣，就告诉了他的朋友，追随者，马可维茨基医师（Dr. Makovitski），说他已经决定立刻离家了。

他跟他的女儿亚历山特拉告别，允许她以后前来会合他。这时大约是黎明五点，他走出了这幢屋子，向马房走去，喊醒了车夫，让他们套车子——这时把马房的门紧闭了，只怕灯光照到外面去给发觉。他的女儿，发尔发拉·斐奥克立陀夫（Varvara Heokritov），马可维茨基医师拿了他的公事包和别的东西到马房前的天井里，于是托尔斯泰再和女儿们告别，和马可维茨基出发骇走了。

他决定先去萨摩亭修道院找他的妹妹玛丽。

正午时，旅行者得换上只挂一节客车的火车——那是一节拥挤，烟雾腾腾，热烘烘的三等车。虽然天雨而且风很峻峭，托尔斯泰站在车子外面，站了半天，就这样招凉了。

这迟缓的火车到达喀萧尔克，离奥泼丁寺院三里，离萨摩亭修道院十二哩的火车站，时候已差不多夜晚了。因为天色已晚，托尔斯泰决定不到他妹妹的修道院去，他打算在寺院附设的旅店过夜。马车驰到大门时，他对出门来迎他们的僧侣说："我是托尔斯泰……你们可以收容我过一夜吗？"——"我们招待任何人"是回答。

第二天托尔斯泰访问了他的妹妹。他们间的信仰虽然大有不同，他们间的感情却没有变易，她懂得了他的情形，他们一起流泪了。

于是他在萨摩亭旅店开了一个房间，他的女儿亚历山特拉前来会合了他，带来消息说他的妻子于发现他出走后曾企图自杀。

这天他出外散步一次，打听了附近有无农舍可以租给他住。他对妹妹说过，要不是因为了宗教观点之不同，否则他很愿意在寺院的静谧环境中居住，有一个荒谬绝伦的故事，在托尔斯泰死后甚为流行，说他离家出走原因是为了进寺院，其来源或许是这一句话了。

第二天，星期六，和妹妹又一起过了一天，晚上离开她的时候并不表示他有意思立刻离开这里。可是亚历山特拉劝他继续他的旅行，以免她母亲知道了赶来找他。

这晚上他病倒了，可是第二天早晨五点又爬了起来，决定搭火车到顿河上的罗斯托夫去，他打算从那儿找到了丹尼参科之后，也许有一张护照，便可以离开俄罗斯了。

中午，他在火车中病倒了，马可维茨基认为在下一车站他们必须下车，这下一车站是和阿山省的阿斯塔波伏（Astaporo），在耶斯那斯的西南不过五十哩。

由他的女儿和这医生扶着他下车，已经非常艰苦了，他的温度近乎一〇四度。他咳嗽，头里受了凉，脉搏不正常。立刻站长把他的住宅献出。对这失望，托尔斯泰自己还幽默地半开玩笑地说："真是，这是一个失败……不必担心！"

第二天是星期一，他打了一个电报给契尔特可夫。他还请人默写了他的思想，记了他的日记，又念了一遍给他听，而且还试着写他的离家经过。

他在日记中所记的许多话，有这样的几条：

> 神是无限的万有，人仅是"他"的有限的证说。
>
> 或者，说得更明白些——神是无限的万有。从中人知道了他是有限的一部分……神非爱，但人有更多的爱就证说了更多的神，他的存在也更实。

托尔斯泰以为除了契尔特可夫之外，没有别人知道他的所在，其实一个新闻记者早已追踪他到修道院了，而许多侦探也追他到了这里。

亚历山特拉从阿斯塔波伏打电报到莫斯科的长兄那里，让他请尼基丁医师来。她还说她的父亲希望见一见他的长子，但怕见其余的。

他的妻子一读到报馆访员的报告说她的丈夫在阿斯塔波伏，就搭了专车带了几个孩子来了。长子舍尔该比她先到，而契尔特可夫是这个星期二的早晨九点钟到达的。他，亚历山特拉，发尔发拉·菲奥克立陀夫，马可维茨基医师，亚历克舍夫，舍尔该已占有了这屋子和病人了。

托尔斯泰并不知道他的妻子已经来到，所以把她拒在门外的责任并不能由他担负。

尼基丁医师来到后，诊断出来是病人的左肺发炎，但并不重要，可见托尔斯泰的真实死因是精神的衰颓。长时间的斗争，为了他的原则的应用，作为结果的家庭纠纷，完全消耗了他，所以招凉以后的疾病他已不能支住了。

星期一晚上，十一月一日，他觉得心口发烧，呻吟着，睡得不安，可是第二天他又苏生过来了，觉得自己已退了热十分高兴。

他开始用英文默写一封信给我（他惯常是用俄文和我通讯的），可是只写了这几个字，“向着我希望能得到孤独的地方而旅行，只到半途，我给……”他在这里停下了，这封信没有写完。这是他要默写的最后一封信。

大约五点钟，他请契尔特可夫和尼基丁医师进来，谈到他的不安，恐怕他的妻子听到他得病的消息要赶到阿斯塔波伏来。他要发一个电报给他的孩子（他以为他们还在耶斯那耶）说他身体弱，和他的妻子见面恐怕有害。对契尔特可夫他说：“你明白，如果她来到了这里啊，我就没有法子来拒绝她了……”说着，开始哭起来。

这时他确是这样的衰弱，因此他要离床必须有人扶，他要上床，两条腿也得人家给他抬上去。有一次，三个人这样帮了他以后，因为太费劲，呼吸短促，他用软弱而悲伤的声调说：“农夫……农夫，他们死的时候是如何的啊！”不免眼泪盈盈了。

后来他又说：“显然我要死在罪恶中！”——契尔特可夫这样回答他的问题：“这不是罪恶，而是爱现在包围着你。你已经尽了你一切的能力，来从罪恶之中脱身了。”

他要求他们念报纸给他听，契尔特可夫答应了，读了他为了解释托尔斯泰离家而发表的一封信。

星期三，托尔斯泰写了他最后一天日记。结尾的字是：

“我看到我们的计划失败了……Fais ce que dois, abv……（做应该做的事，不管结果是什么）……这全是为了别人的好，主要也为了我自己。”

这晚上他睡得很坏，呻吟，谵语，心跳甚弱，而且甚不正常，脉搏自一二〇跳到一三〇跳了。

星期四他的样子真是病重了。他的嘴唇是白白的，干燥的。照常，病越重，两颊陷入越深，嘴唇更薄，更没有血色，因为忍受病痛而脸更衰老了，然而剧痛的回数还很少。在剧痛时，他宁肯坐着，痉挛地挣扎起来，两腿挂在床外，把身子摇动。然后放弃了一样的倒下去，倒在枕头上。他励行了他最接近他的责任，冷静受苦。有时候，他也说话了：“这是很难的，很重的。”似乎他还在尝试着，想要知道他的主人的意志以便奉行。

他已经这许多年热忱地奉行他的责任的，保持他的斗争至于最后，自然对于他的责任到底是什么有时还不免困惑。

他还希望读，或默写下他的思想，可是不断的发出谵语来，有时还发生了一个病人的常情的不合理要求。关于他的褥单，他不耐烦地要这样摆，这样盖。他的心思也飘浮了，有一个时候显然不知道表是什么东西，有时用字也错误了。他常常抓住了被单，把它们勾在他裸体的胸上。

星期四夜间，他几乎没有睡一下，只是激动非凡，长时间的胡言乱语。他开始迷乱而且在床上转侧不安了，他的呼吸困难，他的脉搏柔弱。

早上两点三十分，亚历山特拉女伯爵叫醒了契尔特可夫，说："爸爸病危了！"跑到病人旁，契尔特可夫看到他又恍恍惚惚，要默写一些什么，还坚持的要求他们把他想像之中已经默写了的一段话念一遍。契尔特可夫念《阅读日历》给他听，使他安静下来。托尔斯泰听得很专注，最后平静下来了。

这最后几天里，医生给他注射了樟脑，指顶花叶，哥加因和玛琲。有时托尔斯泰太柔弱了，连反对都不可能，可是一听到他们要用玛琲注射给他，他疾言厉色禁止。

除了已经提起了的医师们，还有倍尔根海姆医师（Dr. Berkenheim），托尔斯泰也很熟识他的。

托尔斯泰时时有一些话流露出来，表示他知道死亡说不定已经很近了，而他却并不害怕。

“啊，好！……这也是好的。”——“一切是简单而好。”——“这是好的……是的，是的！”是他的流露了。

长子舍尔该，长女妲蒂阿娜（苏霍丁夫人）每天进来侍候他。他和他女儿的一些谈话是感人至深的，因为不仅父女之间有深刻的感情，而且因为她们同样关心他的妻子，可是他以为她还在耶斯那耶呢，还以为说不定不知道他的行踪，她也在害病。苏霍丁发觉她自己是处于困惑之中了。她认为告诉他他的妻已经来了，渴望看见一见他，这一说会把他激动得受不住的。因当她的父亲所问的关于他的妻子的问题太直接不容易闪避时，她说此刻最好不谈这话，等到他强健了一点，就什么话都可以跟他谈了。托尔斯泰不明白这吞吐的原因，回答他，“可是你一定知道我的灵魂是多么需要知道！”，又眼泪盈盈了。这一来，苏霍丁夫人只得匆匆的说一声“再会”，离开了房间。

托尔斯泰的大部分思想都想着他的老婆，特别在星期五那天，而且表示了人家这样非议她，使他遗憾得很。“我想我们的行动太不慎重了。”他说，于是他又昏昏的说起胡话来。

就在这时候，彼得堡的教主来电，劝告托尔斯泰回入教会的胸中。他病得十分凶恶，在场者一致认为这种消息不理为妙。一九〇二年他在克里米亚病危时，这同一位教主给过他同样的电讯，而托尔斯泰这样回答他的孩子：

“舍尔该，告诉那位先生，让我平静，……这些人怎么不晓得面对着死亡时，二加二还是四？”

这天晚上，奥泼丁寺院的伐尔森诺菲僧正受到神圣宗教会议的训令跑来了，请求给托尔斯泰说几个字，或者说，给这病人一番祝福。然而托尔斯泰的心愿是无人不知的，僧正被拒绝了。

这时托尔斯泰的心跳微弱，一致又决定了请两个莫斯科名医舍劳夫斯基医师和乌索夫教授来看看。

星期五的上半夜，托尔斯泰睡得很好，可是下半夜又不安，呻吟，心口烧烫，不断打嗝。

星期六，晨二时，他在床上坐了起来，大声的喊："这是最后了……我只给你们这个忠告……在这世界上，辽夫·托尔斯泰之外还有很多人，而你们只照顾这一个辽夫……！"跟着心房又发作了。脉搏已几乎停止，耳，唇，鼻，指甲上出现了蓝点，手和脚也冷了。人工呼吸把他救醒。樟脑和哥加因注射了。晚上他又好了，喝了一点点牛奶和粥。

在离家以前十天他给契尔特可夫写过一封信，可以说明他对他这疾病的态度。谈到他常有的晕厥时，他说：

> 直到昨天，我对我的病还是不在乎的，可是昨天我生动地幻想了一下，知道有一天我就这样晕厥不醒了，我了解这样的死亡虽然从身体上来说是没有苦痛，是好的，从精神上来说，死亡的宝贵的刹那，也许是最美丽的，却也要

被剥夺了。这使我想到了，如果我不能有这些死亡时的最后的意识，至少在死亡以前的几小时，几天，也许几个月或一年（几年是不成的了），我还有这能力来使用。我把这些日月来生活得严肃而庄严（不是外表，是内心的意识上这样），正同我——假如我知道死亡已在前面——那死亡的刹那时一样就是了。

现在死亡是真的在前面了。他尽量地适应他自己，尽量地从这个新的经验中学习，可是他的智力已经衰了，又加上身体上的苦痛，使他感到困惑，从这一句惊叹语中他表白了自己："我不知道我应该怎么做了！"

明白这死亡已接近他了，有时他还喊："打下来吧，一切都过去了！"——"这是最后了，不在乎……"

他对死亡的态度，正同他在行动中一样的勇敢，还胜过半个世纪之前他在塞伐斯多波疆场上；再看他在猎熊时的大无畏，可以证明有些人说他的宗教观和哲学观是怕死中诞生的话是如何错误。《忏悔录》中有几段或者可以解释那些人的话，可是这样活跃的思想家，用一个单纯的概念去解释他的心智的活动，岂能有满意的结果。

他最后的几天里，脑子还是很清楚的，他对人的态度还是和善的，他对人生问题的兴趣还是没有减低。

星期六的夜半，他更坏了，在迷乱之中不断喊："逃避……逃避……！"注射了大量的玛琲，他的呼吸每分钟只在六十与三十六次之间，脉搏愈来愈微弱了。四点，脉搏几乎已没有了，盐水的溶液也不发生效用了，他的妻——这么久等在他的旁边等待呼唤的——现在可以到他的死亡的床边了。控制了她的激情，她静静地走进去，跪下来吻他的手。他深深地叹了一口气，可是并没有任何表情足证他认得她，知道她到场了。

人工呼吸又开始了。托尔斯泰静静地躺着，呼吸的声响很大。或许有人以为他在睡觉。五点钟，他膝盖动弹了一下，似乎要侧身避开一支靠近的灯光。他继续的呼吸了很久，于是只听到嘘嘘的尖声了。六点钟，呼吸声一点听不到了。"最后的呼吸！"舍劳夫斯基医师，他站在靠近他的头的地方，这样说。六点零几分。在早晨，星期日，十一月七日（新历是二十日），一九一〇年，他平静地，没有苦痛地，长逝人世了。

关于他最后的疾病的详细报道，可以看《托尔斯泰的家族的观察》（*Family Views of Tolstoy*）这本书中，女儿亚历山特拉的文章《托尔斯泰的离家和死亡》。

在他患病的一星期内，阿斯塔波伏这乡村的火车站上拥挤着政府的代表，其中有首相派来的特使，宪兵，高级铁路职员，成群的记者，摄影师，电影摄影师以及其他的人。

一个悲剧的命运注定了托尔斯泰，虽然已离开了他的挚爱的诞生地点，他还是得不到期待已久的一个贫苦而安静的生活，反而造成了更大的扰动，一生以来也没有这样的麻烦过他的同胞。除了他的家族和朋友之外，五个医生诊治他；火车站站长全家搬出那幢房子，许多人住在火车里，停在车站旁的轨道上，当地的电报局几乎在工作底下压得粉碎，而全世界的电报线海底电线还是忙着输送电讯，全跟这个在异乎寻常的情形中垂垂欲灭的伟人有关，那成千栏的印刷品为他而写，为他而排版，印刷，流通。从没有一个遁世的隐士成为这样哄动的新闻。

因他的疾病以及死亡的新闻而显示的群众的温暖同情心，证明了他的一生和他的作品，纵然有误失，还是为他的同胞所爱，还是为全世界的人士所爱的。

神圣宗教会议禁止了教堂中的追悼仪式，在一小部分“多马”（Duma）和报纸上也出现了反动的猛烈的非难，却使群众的情绪，在相形之下，更加热烈了。

沙皇，“多马”和国务院也一致地表示损失了这俄罗斯大作家之后的悲恸。大报纸全印上黑边。彼得堡大学在它的荣誉校友辽夫·托尔斯泰伯爵落葬之日停课一天，而全国家的教育机关，为了追悼他的光荣，把一切所能做到的纪念形式都做到了。

为了追悼他而举行的学生游行（同时反对斩首及鞭笞西伯利亚政治犯的刑罚）却不幸受到了压迫，俄罗斯的学生享受这种自治的权利不过几年。这是一个反动的教育部的勋业。信仰暴力，正如托尔斯泰信仰非暴力一样的坚定。

要了解何以这么多人敬爱托尔斯泰，何以反对派又敌视他的原因，我们应该记得，他的目的是加强那种能使人和睦地生活在一起的动机，他认为除此之外没有别的工作更重要。我们还应该记得，他是在热忱之中制定了他的非暴力原则的，这蒙蔽了他注嘱的真理，以致导引他到政府，法律和财产的否定，实在就在他自己和他的门徒实行它时，这非暴力原则立刻失败了的。看他如何死咬住——满牙齿是全部的失望和全部的经验——死咬住他的教条，也够惨了。一个这样真纯的人物，本来是极愿意认他的错误的，却不愿意重新考虑这一个原则，解释这一点是困难的，要不是他在《什么是艺术？》中给了这个谜一个钥匙，在这里面他说：

> 我知道大多数的人——不仅是这些被认为伶俐的人，便是那些极伶俐的人，能了解极艰深科学、数学或哲学问题的人——常常连最简单，最显明的真理也认不清楚，如果这最显明简单的真理恰恰和他最骄傲的结论相反，那最骄傲的结论是他们用以教人，并且自己依赖了活下去的简单呢。

这就恰好配上了他自己的情形。我们也知道他是不以空言为满足，热情地希望行动有结果，鼓励着我们作生活外表的改变，要我们重视良善胜过物质的占有。所以他找寻一种推动人们前趋的力量。分析到最后，他心底里可并不是一个非暴力者，他对这原则所下的定义说可以说明这事实，他希望用道德的煽动力强迫人家放弃，他认为罪恶的事物，他没有想到道德的强制所激起的反动，其强烈不下于暴力所激起的，而且与暴力相同，会破坏原来的善意的。

区别了他的目标与执行目标时的方法孰高孰下之别，我们就可以了解他的优点和弱点，那么有人爱他又有人恨他，我们也会不觉得奇怪了。

要是他没有那么伟大，他的成就可能已消失在他的基督徒无政府主义的观点所激起的混乱中，并消失在实践这些信仰时所引起的怨恨中了。

在五十岁时，他似乎有过一个时期是沉溺在厌世的冷漠中间的，那是多少人在完成了他们的工作后，看不到再有什么可挣扎追求时同样苦痛过的，而他流尽了血，费了大力，得到了另一个生命观点，虽有错误，却在他的灵魂中注满了一个大目的，直到最后，他的精神还是年轻的。凡是认识的人，即使在他过八十岁以后认识他的，也觉得他比许多年轻力壮的人更活跃。

那些信仰人生有个大目的，深信他能和已逝去的伟人合作的人物，就在使崎岖弯曲的道路平直，化荆棘土地为康庄的工作之中，已包含有劳酬了。

他死后的一天，火车载了他的尸体，慢慢的离开了阿斯塔波伏首途回家了。每一个火车站上都汇集了群众，向他致最后的敬礼。火车只到柴赛加，那是离耶斯那耶最近的一个车站，时为十一月九日星期二夜九时。

交通部虽禁止莫斯科为这丧礼而开专车，车站上挤满了农民，学生和各种代表。站在最前面的是耶斯那耶·朴利阿那的村民，他们执了一面旗子，上书："辽夫·尼古莱维奇，你的良善底记忆永不会从我们孤苦的农民中消失。"

棺材由托尔斯泰的儿子和农民从车站抬到他居住了这许多年的家。行列几乎一哩长，有两个由学生组成的合唱团唱着《永恒的纪念》。尸体抬到了一个林木的馒头山，在那儿九枝橡树围绕中，农民已掘好了一个坟墓。没有演讲，没有宗教仪式，有啜泣声，尸身降落之时，全体群众跪下了。

这里所选定的地点正是一个世纪的四分之三以前，四个孩子嬉戏的场所，正在尼古拉葬下一根青枝的原来地方，青枝上面曾写着托尔斯泰化了整个一生发现的展示的人生底秘密。

诚恳地找寻消息的他，不一定要完全成功，就可以博得人家的爱心。他竟也可以是失败的，然而以他的例子来说，他使生命比最灿烂的物质成就更有意义，更值得生活了。

托尔斯泰并没有把全部消息都得到，因为凡人还没有完全得到过它。可是他追寻过消息的一个事实，就是他的作品的钥匙，从《童年》到《我不能沉默》止，这个“爱在上帝亦在”的作者无疑问的宣扬了大部分的消息了。

跟着他来的爱和感谢，是丰收，因为如果他是教条的——教条能毁灭一切成就——他更是灵感不竭，而精神给了生命。

译者后记

译本书第二部的时候，觉得自己有很多意见要想在第二部的译后记里说，译完了觉得又不必说了；所以第二部并没有后记。

现在第三部交了卷，所答允过的已经完全交出来了；译着第三部的时候，也觉得心中话很多，但译完了想想，还是觉得不说也罢。

终于又写一点译后记的缘故，不过，要借这个机会说些感激的话，感激读者对于本书第一部的热情，还要感激书店——这一部传记的译本，虽然依然残缺，却至少把一个作家的重要时期都涉及了的，居然它能够出版，发行，想想这是什么时候真感叹！

一本书！这小小的三个字，在我的心里有的是最崇高的意义。真的，一碗粥，或者一碗面怎能抵得上一本书？可是现在已经是一碗粥，一碗面比一本书更加贵，更加少不得的时候！然而我深信读者之中，一定有为了一本书而少吃一碗粥或少吃一碗面的，因为我自己就是这样的，再以我自己的经验来说：少吃了一碗粥或一碗面省下钱来买的一本书，应该是怎样的书！告诉我们如何的真理的！

我们的灵魂饥渴，我们的嘴唇皮也干燥，我们的眼睛，四肢，心脏，脉搏都很衰弱，是的，现在我一定要鼓起力量来，借这个译后记告诉读者，一本书应该是我们的力量，我们的生命，我们的复活！

可是，我自己是一个制造书，正如制造商品一样的人，而我又制造了一本书，来换你们的一碗粥或一碗面了。现在每天所吃的一碗碗的东西就是你们的，而我给你们的一本书，却不是精制品。

虽然知道“一本书”是如何的意义——可是这一本书是否值得你们的一碗粥或一碗面呢？

在平常的日子里，我从没有想到过这值得不值得的问题。想想，现在却是什么时候，我愿意读者购这本书的时候审慎，正如购每一本书的时候审慎；正如一个作家在制造一本书的时候一样的审慎；正如一个读者读一本书的时候一样的审慎。

多久我愿望了给读者一本书！我有一个消息，要告诉读者！但是因为我每天要吃一碗碗东西的，而我翻译的手脚快，又因为我的心灵是在梏桎中，所以一年来我大部只能翻译，我只能给你们一本本翻译的书。

这一本书，本来是值得的，但现在正同我所吃的一样——它稗子很多，糠和壳都没有经过机器辗，盐里是掺了砂的，麻油里并桐油——都是我的罪过。知道你们要用这样的粮食喂你们的精神，我没有勇气把这一本书交出去。

但当你读到后记时，或许你已经读了这一本书了。在我们有的自由中，我只有一个告罪的自由！终究这还是一个自由，我不放弃它。

三联经典文库第二辑简目

《游击战教程》　明凡 / 著

《游击战术纲要》　陶剑青 / 编著

《汪精卫卖国的理论与实践》　钱俊瑞 / 著

《抗战以来》　韬奋 / 著

《陕行纪实》　楚云 / 著

《随军散记》　沙汀 / 著

《被日寇囚系半载记》　王研石 / 著

《倭营历险记》　房沧浪 / 著

《活跃的新西北》　田影 / 编著

《保卫华北的游击战》　刘清扬　陈北鸥等 / 著

《徐州突围》　《徐州突围》编委会 / 编

《沦亡的平津》　长江　小方等 / 著

《淞沪火线上》　胡兰畦等 / 著

《瞻回东战场》　长江　罗平 / 著

《东线的撤退》　胡兰畦等 / 著

《抗战中的西北》　徐盈 / 著

《鲁闽风云》　徐盈等 / 著

《西线生活》　西北战地服务团集体创作

《中国解放区见闻》　［美］福尔曼著 / 朱进译

《全面抗战论》　潘汉年 / 著

《日本的间谍》　范士白自述 / 尊闻译

《日本大陆政策的真面目》　国难资料编辑社 / 编

《民众动员论》　李公朴 / 著

《中国外交史》　钱亦石 / 编著

《太平洋军事地理》　蒋震华 / 著

《世界经济地理讲话》　思慕 / 著

《列强军力论》　［德］马克斯·威纳尔著 / 宾符　仲持　梅益等译

《近代国际关系史》　张铁生 / 著

《太平洋现势手册》　沈志远　石啸冲 / 编著

《近代世界政治史》　钱亦石 / 著

《从战争到和平——一九四五年的世界政治》　乔木 / 著

《战后日本问题》　思慕 / 著

《最近一年间的国际动态（1946.7–1947.6)》　《东北日报》社 / 编

《论政党》　翟放 / 著

《法与宪法》　韩幽桐 / 编著

《中华民国宪法刍议》　罗家衡 / 著

《民主·宪法·人权——作之民》　费孝通 / 著

《宪法论初步》　潘念之 / 著

《对反民主的抗争》　韬奋 / 著

《农村改进的理论与实际》　江恒源 / 著

《上海产业与上海职工》（上下）　朱邦兴　胡林阁　徐声 / 合编

《陶行知教育论文选辑》　陶行知著 / 方与严编

《中国通货膨胀论》　杨培新 / 著

《中国及其未完成的革命》　H·普拉特著 / 蒋天佐译

《中国的建设问题与人的训练》　卢作孚 / 著

《论中国特殊性及其他》　艾思奇 / 著

《中国经济问题讲话》　钱俊瑞　徐雪寒　王渔邨　姜君辰　骆耕漠 / 合著

《中国经济的道路》　许涤新 / 著

《中国财政之病态及其批判》　孙怀仁 / 著

《官僚资本论》　许涤新 / 著

《五四运动之史的评价》　陈端志 / 著

《中国通史简编》（上下）　中国历史研究会　范文澜 / 主编

《论文学的工农兵方向——读〈在延安文艺座谈会上的讲话〉》　雪苇 / 著

《中国近代史（上编　第一分册）》　武波 / 编著

《文学百题》　傅东华 / 编

《中国史学之进化》　周谷城 / 著

《论民族形式问题》　胡风 / 著

《论批评》　荃麟等 / 著

《中国史纲》（第一卷上下、第二卷上下）　翦伯赞 / 著

《近代中国思想学说史》（1–4）　侯外庐 / 著

《中国政治思想史》（上下）　吕振羽 / 著

《中国哲学史纲要》　向林冰 / 著

《中国政治史讲话》　钱亦石 / 著

《中国社会经济史纲》　王渔邨 / 著

《新财政学大纲》　千家驹 / 著

《太平天国革命运动论文集——金田起义百周年纪念》

华北大学历史研究室 / 编

《理性与自由——文化思想批评论文集》　胡绳 / 著

《战斗者的诗人》　黄药眠 / 著

《国语文法》　曹朴 / 著

《教育哲学》　张栗原 / 著

《妇女问题讲话》　杜君慧 / 著

《婚姻 · 子女 · 继承》　沙千里 / 著

《性教育新论》　布士克　雅各生合著 / 董秋斯译

《狱中杂感》　杜重远 / 著

《七人之狱》　沙千里 / 著

《爱迪生传》　伍况甫 / 译

《歌德自传》（上下）　歌德著 / 思慕译

《尼赫鲁自传》　［印度］尼赫鲁著 / 毕来译

《列宁传》　［苏］凯尔任采夫著 / 企程　朔望译

《罗斯福总统传》　C. Mackenzie 著 / 张尚之译

《托尔斯泰传》（1–3）　［英］阿尔麦 · 莫德著 / 徐迟译

《革命文豪高尔基》　［美］亚历山大・康恩著 / 韬奋编译

《鲁迅纪念特辑》　新中国文艺社 / 编

《回忆鲁迅先生》　萧红 / 著

《人民文豪鲁迅》　平心 / 著

《亡友鲁迅印象记》　许寿裳 / 著

《鲁迅思想研究》　何干之 / 著

《鲁迅研究》　夏征农 / 编

《过来的时代：鲁迅论及其他》　雪峰 / 著

《电影戏剧表演术》　洪深 / 著

《日常心理漫谈》　［美］约瑟夫・查斯特罗著 / 曾宝葹译

《心理常识漫话》　朱智贤　杨云美 / 著

《读书的方法与经验》　王任叔 / 著

《美国黑人生活纪实》　［美］加德维尔　斯坦倍克著 / 董秋斯译

《初访美国》　费孝通 / 著

《事业与成功》　［美］马尔腾著 / 汪原放译

《萍踪寄语（初集）》　韬奋 / 著

《一生的幸福前途——〈生活周刊〉信箱选集》　生活书店 / 编选

《深刻的印象》　生活周刊社 / 编

《海外的感受》　生活书店编译所 / 编

ISBN 978-7-108-04687-1
9 787108 046871 >
定价：96.00元

三联经典文库

181

托尔斯泰传

（第二部）

[英]阿尔麦·莫德 著　　徐迟 译

生活·讀書·新知 三联书店

图书在版编目(CIP)数据

托尔斯泰传 / (英) 阿尔麦·莫德著；徐迟译. -- 北京：生活·读书·新知三联书店, 2014.1
（三联经典文库第二辑）
ISBN 978-7-108-04687-1

Ⅰ. ①托… Ⅱ. ①阿… ②徐… Ⅲ. ①托尔斯泰, L.N.（1828～1910）－传记 Ⅳ. ①K835.125.6

中国版本图书馆CIP数据核字(2013)第246692号

目 次

为在这工作中，我不会碰到虚伪的面孔，而当我试着用文学来教育人民的时候，便有虚伪的面孔显现在前，两眼盯着我的脸了。在这里，我也用“进步”的名义来活动，可是我已经在批判地对待“进步”两字的本身了。我给我自己说：“在若干发展中，进步走了错路；对这些原始的乡村的儿童，你必须应用完全自由的精神，去让他们挑选他们喜欢走的进步的路线。”事实上，我老是在一个不能解决的问题上兜圈子，那就是：不知道要教育什么时如何教育才好？在更高级的文学活动的领域之内，我已懂得不知道要教育点什么时是不能教育的；因为我看到那些人都用不用的方法教育，自己中间还要吵吵闹闹，尽量的把自己的无知藏起来。可是，在这里，跟乡村的儿童在一起，他们要学习什么，我就让他们学到。想用这方法来避开这个困难。现在想想我当时如何的千方百计，想满足我自己教育的欲望，而同时在我的灵魂深处，我却明白得很，因为并不知道什么是他们需要的，因而我不能把什么必需的来教给他们，回想起来不禁莞尔。

在学校里过了一年之后，我第二次出国，想要发现一个当我自己一无所知却要教育别人底如何教育的方法。

这次出国似乎给我学到了，而在农奴解放的那一年，我满载了这些智慧归国；因为担任了“和平仲裁人”，我开始了教育，一方面在学校里教育失学的农民，一方面在我出版的一个杂志上教育那受过教育的人们。事情似乎很顺利。可是我觉得我的心理上并不够强壮，而事情也不能永远这样的下去，那时候，我也许会陷于失望之境，如同这时期以后第十五年底我的失望一样，幸而当时我没有阅历了我另一面的生命，那允许了我欢乐的——我的婚姻。

我忙着和平仲裁，学校，杂志的事情整整有一年；弄得这样精疲力尽——特别是心理上的神魂颠倒——而且和平仲裁人的工作这样艰难，我在学校工作这样不受人注意，杂志里的千方百计又这样倒胃口（那总是这同一个问题：又想教育一切人，又想把自己的不知道教育什么藏匿起来），于是我病了，说是身体上的病，毋宁是心理上的病，把一切丢掉就跑到了大草原中间的巴墟吉尔，去呼吸新鲜空气，喝喝 Kumys，又过起一个禽兽的生命来了。

因为他的工作使他疲倦，自以为有肺病的征象，是那个疾病送掉了他两个哥哥的性命的，一八六二年五月，由他的用人阿历克赛和两个学生作伴，到了伏尔加河之东，沙玛拉的大草原上，用 Kumys（发酵的酸马奶）来治医自己。

他先到莫斯科。他的朋友拉哀夫斯基说起，托尔斯泰如何到他的那个俱乐部里去看他，非常气愤而难过的说，他的兄弟玩玩纸牌，只几小时之内就输了七千个卢布。托尔斯泰说："人怎么可以这样的闹？"半小时之后，拉哀夫斯基看到辽夫 · 托尔斯泰自己在玩着中国弹子戏（一种 Bagatelle 式的弹子戏，在一个有绳子的木版上玩的），还知道托尔斯泰已输给那跟他一起玩的陌生人一千个卢布了！据作者所知，这是最后一次托尔斯泰赌钱，输掉了他付不出的数目。这一个遭遇使他的《哥萨克人》没有完成就拿出来出版了，他从事这部小说已经几年，存心要加上一个第二部的。可是一千卢布，何从筹措，他就让《莫斯科通报》和《俄罗斯使者》月刊的编辑喀脱可夫预支稿费给他。这小说的来源是托尔斯泰在高加索的经历。可是使它出版的情况使作者痛恨不置，因此他没有把它写完结。

他把这经过告诉了贝尔斯家，这一家的少女们对他已经关心得很，听到这消息，她们哭了一场。这时他已经是这一家最欢迎的熟客。

他从莫斯科坐了火车到塔凡尔，从那里又搭汽船沿伏尔加下去到沙玛拉，他在沙玛拉给姐蒂阿娜姑母写了信：

一八六二年五月廿七日

今天我要从沙玛拉驰车九十哩到喀拉力克去……

我有一个美丽的旅行；这一带乡间使我高

兴；康健好得多了，就是说，我咳嗽得少了一点。阿历克赛和两个孩子活泼可爱，请转告他们的亲友。关于舍尔该，请写信告诉我一点，叫他自己写也好。代致意我那些可爱的同志（学校中的教员们），请他们写信给我，他们有了些什么事，他们如何的办……

另外一信，六月廿八日写的，他写道：

已经有一个月没有你们和家乡的消息了；请写信告诉我一切人：首先是我的家人怎样地；其次是学生们（在学校里他们同时又是教师）等等又如何。阿历克赛和我都肥胖了，他特别胖，可是我们在咳，他也咳得特别利害了一些。我们住在一个鞑靼式的幕帐，气候极美。我遇到了我的朋友斯多留宾——现在是乌拉尔斯克的阿达曼（长官）了——坐了车子去访他，就带回了一个书记来；可是我写得很少，并没有让他怎样的速记。喝了马奶人就懒点。

我打算两个星期就离开这里，希望在圣·以利亚日（旧历七月廿日）可以回到家里。我在这穷乡僻壤，不知道再到哪里去，而且杂志又脱期这样久了，心里很烦。我吻你的手……

正在托尔斯泰离开喀拉力克的时候，他的妹妹玛利亚和妲蒂阿娜姑母同住着的耶斯那耶家中出了事。由于某一个政治密探的告发，他那许多的谎话中间有一个说是他发现了托尔斯泰家里有一道秘密的门，于是警署决定了搜查他的花园；有一天早晨——使邻近的农民大为惊异了——警察，看守人，长官和宪兵，由一位上校带领来到了这幕话剧的地点。学校里发现了一架照相机：当时俄罗斯的村中还难得见到这种东西，一个宪兵官兵疑惑起来，就加以审问，有一个小先生寻开心一样的答道这东西是留着给当时流亡在伦敦的政治犯赫尔岑拍照片的；可是他们找不到秘密的门。

马厩的地板用铁条翻了起来，看里面藏了东西没有。池子汲干了水，可是除了龙虾和鲤鱼，什么也没有，所有的碗橱、抽屉、箱笼、桌子，屋子里的一切都打开搜索，女人们吓得要死。一个警察长还不让托尔斯泰的妹妹走出他的图书馆，要等他在她和两个宪兵之前高声谈完托尔斯泰的信件和日记，那里面是从十六岁起所秘藏了的，他的生命中最深邃的秘密底记录。

在耶斯那耶既找不到什么，这些法治的代表人物又到了和托尔斯泰有关系的学校里去，也在那里翻倒了桌子，倒翻了碗橱，没收了练习簿和初级读本，逮捕了教员，还在农民们中间散布了荒乎其唐的猜疑，因为农民对于学校教育这种花样本来就有点猜疑的。

得到了这个消息之后，托尔斯泰立刻给他的姑母A.A.托尔斯泰女伯爵写了封信，请她很明白他的有势力的人和他可以依赖得到帮助的人谈谈这件事。他说：

> 我不能够让这件事就这样过去了，我不愿意。我感到安慰和愉快的这一切活动现在被破坏了。姑母是怕得病了，也许不会恢复呢。农民们不再把我当做诚实的人——这一点是我多年辛苦得来的好评——他们当我罪人，煽动家，伪币制造者，只因为伶俐乖巧才脱逃了，

没有受刑。

“呃，老哥，你给发觉了啊！再不用跟我们说什么诚实，正义和别的话了，你自己就是个从手铐里逃了出来的！”

我不必说从大地主们中间发出来的狂欢的声调了。斯基（V.A.P. 伯爵）和亚历克赛·托尔斯泰（A.T. 伯爵，戏剧家并诗人）和别的你认为可谈的人跟潘洛甫谈过之后请尽快给我写信，至于我该如何给皇上写信，如何把信递呈上去，请速示知。事已至此，因而受伤害已经不能预防，也没有避免的法子，没有别的办法，只有受辱，让人家满意；这是我的最后决定。我决不参加赫尔岑；他有他的方式，我有我的。我也决不躲起来……可是我要大声的扬言，说我要出卖我的产业，那意思是我要离开俄罗斯，这个国家是谁也不知道谁的命运的……

“在一封八页长的信尾上，他又提到那宪兵上校在离去时留下的恫吓，说他还要来搜查，直到他搜查出

‘如果有什么东西是藏好了的’；托尔斯泰接下来说说，我在我的屋子里放了一柄实弹的手枪，倒要看看这事如何结局。”

他也加了按语：

> 我不断的对我自己说，多么运道，那时我没有在家！如果在家，此刻我一定在等候我的谋杀罪的判决了！

就在这事之后不久，亚历山大二世在莫斯科和近郊过了一些时候，于是托尔斯泰是上了一封请求赔偿的信，由一个侍从副官呈上去；过了几个星期，图拉省长就转了一封沙皇的复信给托尔斯泰，表示抱歉。

像这样的政治的搜查底暴行，在托尔斯泰这样敏感地自尊的心愿所发生的影响和结果是易于想像的了——多么地增强了他对政府的仇视。

从沙玛拉回来后，他看到贝尔斯一家的次数更多了。他把他们介绍给了斐特，后者这样的记录了他对这一家的印象。

> 我觉得这位医学博士是一个和霭的老人，文质彬彬，他的太太是位漂亮而庄严的黑发的妇人，显然是一家主脑。三位小姐，我想不必描写了，最初的一位特别有一副可羡的中音的歌喉。不管她们的妈妈管得多严，不管她们自己如何的娇羞，这三位都有那种法国用 Du Chien（活泼，动人）的字眼来表现的可爱的性格。此外是招呼周到，夜饭出色。

贝尔斯夫人和托尔斯泰的妹妹玛利亚女伯爵非常友好，在他出国之前，托尔斯泰时常到后者的家里去跟两家的孩子们玩。一八六二年，他经常去拜访朴克洛夫斯基那儿的贝尔斯一家，他们每年夏天要住那儿的一个 Dacha（郊野的别墅）的。女孩子们都在家庭里受的教育，只有松尼亚和大姊李莎大学毕业，有了文凭，能当家庭教师。

第三个女孩子丹妮亚是一个活泼动人，十六岁的姑娘，有一副美丽而受过训练的歌喉。

在一八六二年八月初，贝尔斯夫人和她的女儿们有两个星期的时间到离耶斯那耶约三十里的伊维柴，她父亲的产业上去跑一趟，顺便就在耶斯那耶过几天，看看玛利亚女伯爵。她们到达的次日，他们和一些邻居举行了一次野餐。这是晒干草的月份，野餐的人得爬过许多的干草堆。一般的印象是托尔斯泰爱上了李莎——大姊姊的贝尔斯小姐——形成这种观念的是当时俄罗斯的习见，认为在妹妹们恋爱之前，大姐姐总是第一个打发的。

几天之后，托尔斯泰跟了贝尔斯们上伊维柴，而这里的一场戏后来在《安娜·卡列尼娜》里，描写列文向吉蒂求婚的时候，写了出来的——这一场戏是近乎猜心事的谈字母的首字。

和松尼亚·贝尔斯小姐同坐在一般玩纸牌的桌上时，托尔斯泰写了一句句子的每一个字的首字：

“在你家里存在着一种关于我和你姊姊李莎的错误的观念；你和丹妮亚应该取消它。”

松尼亚谈着这些字的首字，把这些字说出来。

因为怕人家拉她去唱歌，丹妮亚正躲在这一间玩纸牌的房间里，恰好是这一场戏的见证，据她说，托尔斯泰帮松尼亚认出了几个字来，可是虽然帮了她，这测验还是高深之至。

于是托尔斯泰写了另外一句话的首字：

“你的青春和今天的这样需要快乐，使我异常强烈地想起了我的年龄和快乐底不可能。”她又猜对了。两人了解彼此，从那时起，两人的命运已经确定，虽然最后的决定还得等几个星期。

九月中，贝尔斯家回到了朴克洛夫斯基去。托尔斯泰在他们的马车里陪他们到了莫斯科，天天去看他们，给窈窕淑女带去乐谱，给他们弹钢琴，给丹妮亚伴奏，还因为当时的名歌伶是“微弱陀夫人”，这样唤她的绰号。

这时候他的心理状态可以看八月二十三日的日记来判断：“我怕我自己。如果这次也只是一个爱的愿望而不是真正的爱呢？我想只注意她的弱点，然而我还是爱她。”

八月廿六日，松尼亚让他这一篇她自己写的小说，日记中所登录的如下：

步行到贝尔斯家；和平地舒服的地方——女孩们的欢笑声。松尼亚俗气，不好，可是我直想她。她把她的小说给我念了。真实，简单得多么有力啊！游移不定，使她受苦了。我一些心伤，羡慕和嫉妒也没有地读了它；可是“超乎寻常的不吸引人的外貌”，以及“信心毫不坚定”重重的打击了我。我已经安静下来了。这一切（爱，婚姻，家庭，生活，等等）不是我的事……工作，仅仅满意个人的需要吧。

不妨顺便提及，青年时期的托尔斯泰常常为他的外貌难过。

他相信他是难看得使人怪恶的（丹妮亚在她的回忆录里写着）。我再三的听见他这样说起。他自然不晓得他的外貌之中，动人的是智慧的两眼所表现的灵性的力量。他不能够看见那使他的脸俊俏的两只眼睛，不能观察这一双眼睛的表情。

松尼亚所写的小说，据丹妮亚告诉我们，描写了她灵魂里的情况，因为托尔斯泰在李莎和她自己中间举棋不定而苦恼。在这小说里，托尔斯泰的名字叫做杜波里茨基。丹妮亚又接着说：

> 可怜我姐姐烧掉了她的小说，因为这篇小说是（最后表现在《战争与和平》中的）鲁斯托夫一家的胚胎：妈妈，梵拉和纳特莎。

这样看来，未来的托尔斯泰伯爵夫人还对她丈夫的伟大的小说有了贡献的。

一八六二年八月廿八日（旧历），他的三十四岁生日时，他在日记上这样记着："丑怪的嘴脸！别想结婚了；你的生命是另外的一种，你已经有了不少的另外的赏赐了。"

九月三日写的是：

> 我的未来的有个妻子底生活，从没有这样清楚，快乐，宁静地显示给我……总之，这看来很简单，时候也差不多了，没有热情，恐惧或片刻的悔恨。

他的日记里表示他当时的激动和动摇。九月七日他又写了：

今天我独自在家，优闲地考虑我自己的地位。杜波里茨基，你闯到青春，诗歌，美，恋爱的地方去！……这种地方，年青人才去得。

第二天他又规谏他自己：

胡闹。一个辛苦的修道院生活是你的职责，在修道的高楼上你可以平静地，快乐地观察别人的恋爱和幸福。我住过这修道院，何不归去来兮。对的。

这个日记不大老实。Arriero-Pe see。她和我在一起。她坐在我的床边朗读……这是她应该有的。

九月十二日：

虽然不信恋爱是可能的，我却在恋爱中。我疯了，要是这样下来，我要开枪打我自己了。一黄昏在他们家里过。她无处不美。可是我却是个可恨的杜波里茨基。我该早点预防。可是现在我不能煞车。我算我是一个杜波里茨基吧，因为恋爱的缘故也漂亮起来了。对的，明天我一清早就要到他们那里去。已经颇有机会了，只是我自己没有利用他们。我怕，其实我该简简单单说出来，我是想回去，在他们全体的前面说，上帝，帮帮我的忙！

九月十三日：

每一天，我想，这样同时受难又同时幸福是不可能了，我每一天变得更加疯狂。

今天我又在灵魂里忧郁着，悔艾着，幸福着，这样离开。明天我一起来去说，否则自杀。

可是要等到十六号他才交给她一封求婚信。在丹妮亚的《回忆录》里，她这样叙述了这段故事：

十六号晚饭之后，辽夫·托尔斯泰来看我们了。我注意到他大非寻常的状态。有什么在激动他，一忽儿他坐在钢琴上开始弹奏，一忽儿已经来回的在房间里踱步，走向松尼亚，请求她和他奏二重曲，可是她坐在钢琴上了，他又说，“还是让我们就坐在这里吧”。

所以他们坐在钢琴上了，松尼亚柔和地弹起 *IL Baccio*（歌剧曲）中间的华尔兹舞曲，她学着这个歌的伴奏。

我看到这一切，觉得这一天要发生大事情了，可是我还不能决定这天的结果是怅然归去还是一次求婚。

我经过房间时，松尼亚喊住我：“丹妮亚，你来唱这个华尔兹舞曲。我想我已经把伴奏练好了。”

由我看来，托尔斯泰的不安已经传染了松尼亚，使她难过了。

我就同意了她，站在这房间的中央那老地方唱。

松尼亚弹的伴奏，手指有点不稳。托尔斯泰坐在她的旁边。由我看来，托尔斯泰对她要求我歌唱的一个举动，很不满意。在从他脸上的愉快的表情可以看得出来。

我声音正特别好，就不理他的情绪，继续的唱，在华尔兹舞的文雅的歌咏之中忘记了一切。

松尼亚弹不下去了。托尔斯泰静静地溜到她的座上，把伴奏继续下去，这时我的声音和那华尔兹的文词都充满了生命。

我再没有注意到什么了，不管是他脸上的表情或者是松尼亚的困惑。我全部迷恋在这些乐音中间直到曲终，这里热情地表现了祈求和宽赦的情绪，在结束的地方我唱那高音符，十分坚定。

“你今天唱得真好！”托尔斯泰用激动的声音说。

他的赞美使我高兴了。我消解了他的忧郁，

虽然我并没有故意要这样做。

音乐的感情不是常常来到的，可是特别在歌唱中，只要能给了它的灵魂的一片，它就来了。

后来我才知道，这晚上托尔斯泰替我弹伴奏的时候，他正在试验他自己的命运："如果她唱那个高音符唱得好，我今天一定把信交给她（他已经不止一次把写给我姊姊的信带在身上了）。如果唱得坏，我不能交给她。"

托尔斯泰也常有一种试探命运的习惯，玩那种"消遣戏"的纸牌或别的花样时，自己问"这事我做不做"或"这事会发生吗"？

我出外冲茶去了。

一忽儿之后，我看见松尼亚手里拿了一封信，奔下楼梯，跑进我们的房间。

托尔斯泰的求婚马上接受了，可是她的父亲，觉得二小姐比大小姐先出门，最初是不答应的，最后却对松尼亚的坚持让步了。

一种新郎的正义感使托尔斯泰把他的日记交给了未婚妻，这里面，混和着希望，祈祷，自我批判，不但自我，还记录了他的独身汉时代的犯罪和放纵。那女孩子认为是美德底象征的人，这一个启示仿佛是晴天霹雳；可是失眠了一夜，为这东西痛哭了一夜，那一夜过去了，她交还了日记本，宽赦了过去一切。

要结婚，必须先忏悔然后领受圣餐。托尔斯泰在这方面的亲身经历，是叙述在《安娜·卡列尼娜》第五卷的第一章里，列文也这样的做了。

求婚之后不到一星期就举行了婚礼，那是一八六二年的九月二十三日，在克列姆林宫廷的教堂里，新郎三十四岁，新娘十八岁。仪式行过了，新婚夫妇就坐上一辆 Dormeuse（睡马车），驰抵耶斯那耶，在那里舍尔该和妲蒂阿娜姑母已在等候了。

斐特留着托尔斯泰报告他结婚消息的信：

斐特奥希卡（斐特的昵称）伯伯，或简单点，亲爱的朋友阿芳那西·阿芳那西耶维奇！——我结婚了两个星期，喜气洋洋，正是一个新的十分新的新人。我要来拜访你却还抽不出时间。什么时候见你呢？已恢复了自我，我更觉得非常，非常的宝贵你。我们一有过许多忘记不了的事：尼古伦卡和别的。坐车来结识我们吗。我吻玛利亚·彼得洛夫娜的手，再见了！亲爱的明友。我全心拥抱你。

在同一时期的另一封信里他写道：

我是在乡下写这封信的，我正写的时候，在楼上她和我哥哥谈话的地方，我听到我妻子的声音了。我爱她胜于尘世一切。我活到三十四岁，还不晓得恋爱和寻快乐是可能的，等我心境更恬静了点，我给你写封长信吧。我不应该说“心境更恬静了点”，因为我是有生以来，心境更恬静，更明晰，胜于以前任何时候的，我应该说“等我习惯了这种心境”才对。目前，我还有一种感觉，好像正是偷来了不应该为我所有，犯法的，不属于我的幸福似的。看，她

> 来了！我听到她了，这是这样完美！……为什么像你这样良善的人，而且最惊人的，像我妻子这样的人，都能爱我呢？

在他们结婚还不到半月的时候，发生了一件可能闹得不愉快的事，却没有闹起来，并未怎样的破坏了他的快乐。十月三日，内政部长邀请教育部长对《耶斯那耶·朴利阿那》杂志的危险性加以注意。他是这样说的：

> 在谨慎的精读之下，托尔斯泰伯爵主编的教育杂志《耶斯那耶·朴利阿那》，可以言……是时常宣传一种不懂思想杂歧而且意验不正确的概念的……我认为必须请部座注意这杂志的倾向与精神，其违反宗教与道德的成规，已数见不鲜……我请求部座采纳如下建议，就是这个杂志非经过特别审查，不能出版，等因奉此。

幸而决定这件事的并非内政部长而是教育部长，后者接到了这份公函，把那个杂志精读了一下，复文上说他并不觉得其中有什么危险或什么反宗教的倾向。没有问题的，其中含有若干教育方面的极端的见解，可是这些见解，他说，可以让其他教育杂志予以批评，却无须检查员的审查。“大体上，”教育部长说：

> 我必须说托尔斯泰伯爵的教育活动值得十分敬重，教育部长还应该尽量的帮助他，和他合作，虽然本人并不同意他的若干意见，而若干意见，他自己要是考虑一下大约也要反对的。

除了内政部长要摧残这个杂志之外还有别的事使他沮丧。他的杂志定户既少，又引不起人家注意。出了一年，他赔了三千卢布——数目很大，他是赔不起的，于是他决定出满十二期就停刊。他结婚一个月以后，也停止了对学校的关心，这事也太浪费了他的时间和精神。

常常有人说，是政府方面的阻碍使他离开了教育工作的道路，可是谈到这个问题的时候，托尔斯泰自己对我说过，主要的原因在他们的婚姻和家庭的专心。

伯爵夫人的双亲常常对人说："我们再不能希望我们的女儿有更大的快乐了。"而伯爵夫人不仅把托尔斯泰当丈夫来深爱，还把他当做一个伟大的作家来景仰了的。在托尔斯泰自己这方面，他也常常说，他觉得他的家庭是纯然幸福的，而他的莎菲亚·阿特莱芙娜，不仅是一位好妻子，极好的母亲，还是他的文学工作底可敬的助手，关于最后一点，由于他的马虎而没有规律的习气，一个有才气的，忠诚的 Amanuehsis（书记）真是无价之宝。伯爵夫人获得一种惊奇的能力，识辨他的常常一塌糊涂的字体，有时还能猜摩他匆匆忙忙摘录下来的札记和断句里面的意思。

他们的几乎是纯然的幸福，有一个缺点，就是托尔斯泰尽管活跃而且体格雄伟，却不能长时期的过他的康健的生活。在他的通讯之中，我们不断发现他提起他的疾病来。从他长成的时候起，似乎胃已经很不好，特别在一八五四——五年间的战时艰苦生涯以后，从此不断的有消化不良症。

此外还有偶尔的谿勃，原来丈夫和妻子都特别的爱吃醋。托尔斯泰自己的行为如何，他给我们写在《安娜·卡列尼娜》第四卷第十一至第十四章中间了（关于那里面伐森卡·维斯洛夫斯基的处理，实在是描写了一个丹妮亚的并不理想的爱慕者的）。在伯爵夫人这方面，她说起她怎样的乔装了出去，希望她的丈夫把她当做乡下的姑娘来调戏她。但是除了他们知道了的，婚前发生的一切事之外，他实在没有理由来怀疑她婚后有什么不确实。

他并不爱城市生活；然而，他结婚这一年的年尾，他和伯爵夫人在莫斯科住了几个星期。

于是立刻回到耶斯那耶了。斐特在一八六三年的三月里去拜访他们，发现这一家充满了生命和快乐。

五月十五日，在一个邻舍的地主家里，不凑巧没有碰到斐特，后来托尔斯泰就给他的朋友写了这样的信：

我们刚好看不着你，我们这样不顺利使我难受！我多么愿意跟你谈谈，没有一天，我没有提起过你来的。我的妻不是在“和洋娃娃游戏"，你别侮辱她。她是我的严肃的助手，虽然她怀孕了，却希望在七月初得到解放自由。之后，她什么事不能做呢？我们正在一点点的"乌梵化"（托尔斯泰最初用字时，只是说：像一个农夫一样的工作。现在这字的意义是"鬼事"的总称呼了）。我有了个重要的发现，我赶快要告诉你。管事人和监督之类对于管理产业反而是麻烦。你试验一下，把他们全撵出去，然后高枕而眠，一天睡十小时，保管一切情形不会变坏。我已经试验过了，非常成功，十分满意。

啊，怎么样，怎么样见一次面呢？如果你带了玛利亚·彼得洛夫娜上莫斯科而不来看我，你们就大大得罪我了。（我的妻正读着这封信，对于这句话已经批准了。）我要写多点，但是时间不允许。我全心拥抱你，我的妻向你深深鞠躬，我也向你太太深深鞠躬。

正经事：你到了奥略尔的时候，给我买二十布特（合七百二十磅重量）的不同样搓线，缰绳和轴材，只要价钱不超出二三〇卢布一布特，运费在内，给我用大车装来。款立即付出。

当下斐特就接受了这个邀请，车子驰过了两排赤杨树——通到那庄屋去的夹道口上的低矮的塔，就看到托尔斯泰了，起劲得在指挥那车干一个小湖的工作，十分谨慎免得鲤鱼逃掉。穿了白衣，伯爵夫人从赤杨夹道上奔下来，胸口挂着一大串农舍门上的钥匙。按照礼仪，她迎接了访客，然后她的情势虽然十分“有趣”了，但还是跃过了夹道和小湖之间的栏杆。然而还是用斐特自己描写这次访问的文句来得好：

“松尼亚，告诉纳斯德卡木棚里，拿出口袋来，我们就回家。”托尔斯泰说。他已经温暖地迎接了我，一面却还在留意捉鲤鱼的事。

伯爵夫人立刻从胸带上解下了一个大钥匙，交给一个孩子，孩子就听命奔去了。

“你看，”伯爵解释，“我们的方法这就是一例。钥匙放在我们自己身上，跑腿用的是小孩。”

在活泼热闹的晚餐中我们看到了被捕的鲤鱼出现了。大家都舒服而且快乐……

这一晚真是“充满了希望”。只看那位妲蒂阿娜·亚历克山德罗芙娜，姑母之中最和善的姑母，又骄傲，又辉煌地看着这青年夫妇，就已经令人快乐，她掉过头来给我说：“你看，Mon Chor Lkon（我的亲爱的辽夫）自然应该这样的幸福。”

至于伯爵夫人，一个怀孕了的女子还能跳过铁栏杆，这种生活当然是闪耀着希望的。伯爵自己，一生过的日子是追寻新鲜，显然这时期里他步入一个新世界，是从前所没有知道的，他相信一个伟大的未来，正如一位青年技术家应有的热情一样。这一晚，那随便而快乐的空气迷恋了我，也不觉得西西发士（Sisyphus）底永恒劳役的巨石压在我肩头了。

一八六三年六月廿八日，长子舍尔该诞生了。结婚后的十一个年头里，伯爵夫人给托尔斯泰生了八个孩子，之后的十五个年头之内，又生了五个；总数，二十六年中生了十三个孩子。

可是我们又得回头几个月，提一提这一年里面，托尔斯泰所发表的作品了。

喀脱可夫在《俄罗斯使者》月刊的一月号里发表了《哥萨克人》，那是托尔斯泰又弄回来修改，直到十二月才又交出去的。

同一杂志的二月号上登出了《朴利库希伽》，一个农奴的故事，讲这个农奴因为丢掉了主人的一笔钱，悬梁自尽了。

在下列托尔斯泰给斐特的信，没有日期，但是他一八六三年寄发的，中间提到了这两篇小说：

> 你给我那两封信极重要，极卓越，极愉快，亲爱的阿芳那西耶维奇。我所住的地方和文艺界，批评家隔得这样遥远，所以，在收到你那样的一封信之后，我第一个感觉是惊异。《哥萨克人》和《朴利库希伽》的作者，管他是谁呢？谈这些东西又有什么用处呢？亏得纸张让

它们印出来，亏那编辑付钱而且发了稿！可是这只是第一个印象；后来，我钻进了你们说的话的意义中去了，在我头脑子里转了，而且在这里发现了，一些古老的，早让人忘掉了的垃圾里又有了一些不明显的标明了“艺术”的一个角落；它把你说的话想了一下，同意了你，你是对的，甚至在这些古老的垃圾里淘了半天，发现了，一些我曾经爱过的香味，这是愉快。甚至使人起了写作的欲望了。自然，你是对的，可是像你这样的读者数量很少呢。

《朴利库希伽》这一个碎嘴子的人拿了一支笔变弄，那题材是拿到手上就动笔的；可是《哥萨克人》虽然很坏，却有一点儿材料。我正在写一匹斑马的故事，希望能发表。(这发表于后来一八八八年。)可是此刻我怎能写作呢？不可见的事，可见的事一桩桩来了；而且农场的事又堆积得我的耳朵那么高。松尼亚也这样。我们不用管事人；下田，造房子，我们用了助手了，可是她单独办公记账。

我有了蜜蜂，羊，一个新的果树园和制酒场。这一切都是点滴儿发展的，自然比不上我们的理想远甚。

波兰的大事你有什么意见？（一八六三年的革命那时发动了。）很不妙！我们——你和我的鲍黎索夫——是否要从锈了的剑匣中拔出我们的宝剑来呢？……

托尔斯泰放在第一个被提起的户外劳役底蜜蜂，化去他的最多时期，他常常一连几小时的研究蜜蜂习惯。

屠格涅夫写信给斐特时，评《哥萨克人》如下：

我读了《哥萨克人》，大喜欲狂，波特金也是如此。只有奥莱宁的性格破坏了一般的辉煌的印象。要文化和新鲜的，原始的大自然作对比，不必再用这沉闷的，不康健，老是想起自己的家伙。为什么托尔斯泰的这一个噩梦还没有过去呢？

几月之后，他又写道：

> 你走了之后，我读了托尔斯泰的《朴利库希伽》，对他的巨大的才能底力量拜服了。可是他化掉了太多的材料，又可怜他淹死了那个儿子。这弄得太可怕了。然而有几个真是精采！你说得我的背脊是又厚又粗的，它却把一道冷气送下了我的背脊。他是一位大师，一位大师！

现在托尔斯泰已差不多走上了他运中注定的十六年生命的起点了：一个安静的田园住家，充满了家庭的喜悦和忧愁的。这些年去而复来，极少变化，十五六年的生命一句句子就可以写尽。孩子们很快的生下来，而那伟大的小说和一本《ABC课本》(*ABC Book*)出版，一个种植了苹果树的果园建立，耶斯那耶·朴利阿那日益兴旺，伏尔加以东购置了新产业。

一八六三年他写了两个并不发表的戏剧。其一是闹剧。名叫《虚无党人》(*Nihilist*)，在家里上演，获得成功。其另一也是一个喜剧，写的是当时流行的题材，名叫《家》（*The Infected Family*）。希望《家》上演，一八六四年初托尔斯泰带了它上莫斯科去了，可是戏剧季正挤得不堪，这一部戏结果既没有上演，也没有出版。

托尔斯泰伯爵夫人的弟弟S.A.贝尔斯（一八六六年，他是十一岁，从那年起到一八七八年止，每年夏天和托尔斯泰们一起过的）在他的《托尔斯泰回忆录》中生动地描写了耶斯那耶·朴利阿那的生活。他提到了一句谚语，关于一个囊无分文的贵族的，使托尔斯泰牛马一样的为儿女的未来准备；除了他的文学事业之外，上面已引用了的一封信里提到了的蜜蜂，羊，果树园和装酒场，可以说明他如何布置一切。

在他的《忏悔录》中，托尔斯泰把这些年加以检讨了：

从外国回来，我结婚了。快乐的婚后生涯，这新的环境使我离开了一切追寻生命的意义底活动。这时我的全部存在的理由，集中于我的家庭，妻子孩子，增加我们的生活的收入上面。我们追求自我的完美之境与进步，现在又丢掉了。只为了经我自己和我的家庭尽量弄得过得去。

一九〇三年，又写到他的生活的中途时，托尔斯泰说：

于是来到了第三个时期，历十八年之久，大约是最乏味的了（从我的结婚起到我的灵魂的再生止）。从一个世俗的观点上来说，这却是最道德的：就是说，这十八年之后我过着正确的，诚实的家庭生活，并没有在任何大众唾弃的罪行中放浪，可是我的兴趣只在对我的家庭的自私的关怀之上，要增加我们的产业，获得我的文学的成功和各种的喜悦。

在农奴解放之后，俄罗斯大部分地方上的地主们多少和农民起了严重的冲突，在农民中盛传着这样的故事，说沙皇的意旨本是把所有的土地都给他们的，但是因为官僚从中欺君蒙上，只给了一部分土地；有一个时期，暴动是不断地发生的。在托尔斯泰的产业上，这一类的事情却从没有发生过，只是他的妹妹（在一九〇二年，她的丈夫已经死了很久了，因为托尔斯泰病重，离开了她的修道院，出来探望她的哥哥，因此我在耶斯那耶看到了她）告诉我说，曾经有过一次，农民们拒绝了割干草，为免受损失起见，托尔斯泰，他的妻，全家和邻近十一个小学校的教师们下了决心，剧烈地劳动起来了，居然在气候变化之前，把干草全部割完。

二　《战争与和平》

在结婚的生涯中既安定了，托尔斯泰计划了一部伟大的小说。他最初决定了下来的是要处理宪政运动者的阴谋底时期，起于尼古拉第一的登极，时为一八二五年的十二月。那异常不成熟的军事阴谋立即被扑灭了。当时候一切都没有成熟，许多呼喊着要一个“宪法”（konftisitsir）底兵士，以为他们呼喊的是他们愿意效忠的康司坦丁（Constantine），尼古拉第一的长兄，他因为跟一个波兰贵妇，天主教信徒结了婚，所以放弃了皇座。在计划这部作品之时，托尔斯泰发现他退后到更早的时期去了，退后到他的人物所生长的场景中——到了拿破仑战争和一八一二年法国人侵略俄罗斯的时代。而这里却是一部小说底光辉灿烂的背景，他把《十二月党人》（*Decembrists*）搁置了，就开始《战争与和平》。

这作品结构宏伟，成就无以伦比。

我们却已经看到了，他的注意力还不能全部给文学所勾摄，得分出一半来管理他的产业。当他在沙玛拉省的吉尔吉斯漫游时，他注意到那一部分区域的土地多么贱价而又多么肥沃。所以他希望在那儿买一份产业，一八六四年秋天就带了这个愿望先旅行了一次。十月中，他回到了耶斯那耶。十一月，他写信给斐特，提起了《战争与和平》的艰苦的准备。

> 我是在垃圾车里，没有写什么，只是苦苦的工作着。在我必须精神的土地上要耕得深深，这预备工作是多么艰难，你不能想像的。在我正作预备的非常庞大的作品中，可能发生的我那些未来的人物的遭遇，想了一遍再想一遍，从一百万可能结合在一起的细节之中，要排出那一百万分之一来，真难得可怕。而这就是我在做的工作……

这一月尾他又写了：

这秋天，我的小说写了颇不少。Ars Longa vita brevis（人生朝露，艺术千状）。天天这样想到。如果一个人能把他所了解的写出个一百分之一个就好了——可是只写了一千分之一！然而，意识到我自己底“能够做”已经对我们这些人们带到了快乐来了，这种感情，你是知道的。但是这种感情的经验我今年特别强烈。

一八六四年，托尔斯泰的第一个全集的版本出现了。末一页上的目录足证托尔斯泰在《战争与和平》之前的“试笔”已经把他安置在俄罗斯作家的第一流中间。这一个版本共计四巨册。

十月中有一天，托尔斯泰骑上他的爱马出去驰骋，这是一匹英国的纯种，名叫玛希卡，在他的马厩中已经很久了。他那两匹猎狼的狗随他出发。骑了一路，跳出一只兔子来，猎犬就盯了上去。托尔斯泰的初意并非打猎，可是一看到猎犬一道追那兔，忍不住就放开步子奔驰上前，喊出了那行猎的啸声，“Atoui”，气候不好，道路很滑，在一个狭窄的溪边马闪跌下地，把骑在马上的人的手臂扭折断却。马跑掉了，而托尔斯泰一个人晕倒在离家几哩的地方。他后来支撑起来。走了半哩多路才到一条公路上，非常楚痛地躺在那里，有几辆农家的大车经过了，可是起初他没有让人注意到他。最后，被发觉了，为了免得他的妻子惊慌，他请求他们搭他到一个著名的接骨专家阿古琳娜，一个老太婆的草屋里。她和她的儿子伊凡用尽了方法——洗，拉，绞，绑那条胳膊——可是接不上去，托尔斯泰继续的呻吟不已。

这时伯爵夫人已经听到了这个不幸，夜半来到了这个草屋。她立刻做主把她的丈夫抬回了家，到图拉去请个大夫，大夫清早三点钟赶到，用了哥芬之后，再加上两个请来帮忙的工人力气，总算把骨头接合了起来。苏醒以后，托尔斯泰对医生的不信任迫得他们再请一个外科医生来。两个医生研究了半天，认为骨头接合得不错了，说托尔斯泰得躺在床过六个星期，让那条手臂慢慢的恢复。六个星期过去了，托尔斯泰叫人拿出枪来试试他的手臂。枪一放，手臂立刻又剧痛不已。于是他写信给他的岳父，贝尔斯医学博士，由他劝告，去莫斯科找专家们看看。专家们意见相左，迟疑了一个星期，才决定了重新施行手术，由两个有本领的外科医生宰割，结果非常圆满，不久病人的手臂又运转自如了。

那时在耶斯那耶的是伯爵夫人（现在正喂她的第二个婴孩，生于一八六四年十月四日，是一位名叫妲蒂阿娜的千金），而长子舍尔该正患着痢疾，出着天花。

在莫斯科的时候，托尔斯泰和喀脱可夫谈妥了在《俄罗斯使者》月刊上发表他的《战争与和平》。

一八六五年一月廿三日，手臂已经恢复了，他又写了一封轻松活泼的信给斐特，这种信有时反而比严肃的词句更能达意：

> 要不要让我告诉你一点关于我自己的惊人消息？马把我从背上掉下来的时候，折断了我的胳膊，晕过去，于是醒回来，那时我给我自己说："我是一个作家。"而我真是一个作家，可是个寂寞，冷静一类的作家……过不了几天，《一八〇五年》（《战争与和平》第一部的原来名称）就要发表。请你仔仔细细的发表意

见。我尊重你的意见和另一个人的意见，这人是我越长成越不喜欢他的——屠格涅夫。他可是能理解。我觉得截至现在为止，我们发表的东西都是试笔，而现在正在印刷中的东西，我比以前的一些东西更喜欢它得多，却还是很单薄，凡是序言性质的不免如此。可是跟着来的就要——吓人了！……请告诉我你所熟悉的地方底人们的意见，特别一般读者觉得它怎样。无疑问的，又是大家不加注意就过去了。我希望着，期待着这种情况，只要他们不谩骂我，谩骂我可受不了……

我很高兴你这样喜欢我的妻子，我爱她比爱我的小说少一点，可是她总是我的妻子，你知道的啰。一定来看看我们，如果你跟玛利亚·彼得洛夫娜从莫斯科回来，不来到我这里耽搁一下，我不是开你玩笑，那你真是傻瓜了！

一八六五年五月，在托尔斯泰给斐特的一封信里，我们看到托尔斯泰一个孩子生了病，几乎在热病中不免。他的妻子的妹妹，女中音家丹妮亚（冉混合了一点他自己的妻），如何成了《战争与和平》中的纳特莎的模型，这时是在耶斯那耶歇夏，她也是每年都如此的。玛利亚女伯爵和她底孩子也在那里了。他说起这些孩子都极康健，整天在户外。接下来，他说：

> 我继续一点儿一点儿的写我的，对我的工作尚满意。山鹬依然引诱我每晚去射“它们”，大都却是向它们射击而子弹只是经过它们的旁边的。农庄情况不坏，就是说，并没有麻烦了我——我也只要求这个……

在答复斐特给他的一个建议时，他接下来说，他并不打算，再谈耶斯那耶·朴利阿那学校了，而且希望有一天能表达这三年热情的工作所得来的结论，于是又谈到农奴解放以后的农事之现状，隐约暗示了饥荒大问题——这一个题目已命定了是托尔斯泰晚年所要致力的问题：

我们底作为农业家的工作现在好像一些股东一样，股票已经没有了价值，在交易所市场上卖不掉的了。这情形顶坏。对我自己说，我只要求这些事不太化费我的时间，不太扰乱我的宁静就行了。我最近私人的事情很可以满意，但一般的倾向——饥荒的不幸已经严重万分——却日甚一日的使我苦痛。这情绪真是奇怪——又可怕又好。我们的食桌上有玫瑰色的萝卜，黄色的牛肉，干净的台布上摆着烤得很好，软软的面包；花园里这样青翠，穿细麻纱的年轻的姑娘觉得天气虽热这里却清荫；同时在那些饥馑的恶魔猖獗的地方，败草已经布满了田地，荡痛了农民和他们女儿的坚硬的足踵，把牛蹄子裂开了。我们的天气，谷子和草地可怕已极，你们那里的如何？

这封信结束的地方劝告斐特不大注意土地，要多注意文学，说托尔斯泰自己也这样在做，颇觉得生活的轻易。

托尔斯泰出去猎兔子和狐狸的时候，带着猎犬，而妲蒂阿娜·贝尔斯小姐（即上文的丹妮亚）总是跟着他的。

在这位小姐和舍尔该·托尔斯泰伯爵（辽夫的哥哥）之间，情谊渐渐的加重了，托尔斯泰结婚后的两年之间，他俩都十分苦痛，因为舍尔该不仅仅年龄上大了小姐二十二岁，而且，舍尔该还跟一位优美的吉泊赛妇人同居了十五年，有了一个家庭了。虽然爱他的孩子和他们的母亲，舍尔该向丹妮亚求婚了，她对这些情形一概不考虑，立刻接受。然后，这个婚事就此耽搁了起来，这一对情侣有一个长时间不见面。他们再会面时，几乎在婚事的前夜，丹妮亚发现了舍尔该的受苦了，可是她不了解苦痛的原因是因为他抛了一个献身于他的忠诚的妇人。辽夫·托尔斯泰发觉了她的困惑，就把情形给她解释了，她立刻决定解约，而且坚持了这个决定，虽然苦心已碎。这一次失望，她不久后就恢复了，一八六七年她嫁给了 A.M. 柯兹明斯基，她从十四岁那年起就已经爱上了他的。同时，舍尔该也跟他的孩子们的母亲结了婚，他们取得法律地位了。

这一件事的全部经过，辽夫·托尔斯泰处理这件事的策略，深谋远虑，耐性的及情意在《托尔斯泰的家庭观》（*Family views of Tolstoy*，由 Allen & Unwin 出版）一书中叙说着，而且也反映在《战争与和平》中，足见纳特莎·鲁斯托夫是怎样反映了一个真人的。

在这一件事中间，也可以看到托尔斯泰的阅深，正与当时俄罗斯的“智识分子”的习气不同，使他坚持了凡和一个女人结合了的，就必须共生共死，不惜任何代价。

在五月底，他去了尼古尔斯屋（那是他长兄尼古拉死后变成了他的产业的）而把屋子修理了一下。六月，全家达到尼古尔斯屋，他们就在里面生活得非常安静，而托尔斯泰则继续写他的伟大小说了。伯爵夫人除了建议若干小说中的人物之外，还一次再次的抄写那部小说，对于修改海伦的放荡行为，她也起了很大的影响。他的朋友 D.A. 狄亚可夫的产业离他们只有十哩，托尔斯泰时常与他过从。在农事方面，在牛，猪，鸡食的蓄养方面，狄亚可夫是他的参谋顾问，唯一的来到尼古尔斯屋的话客是斐特；而这位诗人记录了——他在那里遇到伯爵夫人的“漂亮的妹妹”丹妮亚了，她如何的不喜欢酸的 Kumys，而托尔斯泰却喜欢得要命，一进大门就有一大桶马奶放在那里。

住在尼古尔斯屋的时候，邻近一位地主基莱叶甫斯基邀他去过半个月的大行猎，参加的人都穿上了特制的衣衫，富丽的饭餐在山林间伺候。使托尔斯泰高兴的倒不是这次行猎，而是由于为了这个机会，他可以研究新的和旧的贵族典型。

这一个时期之后，人们就听到他弹奏六弦琴，唱那些火辣辣的恋歌。

一八六五年秋，由他的十一岁的舅子作伴，他参观了鲍洛丁诺的古战场。他们坐在贝尔斯博士的马车里，驾着驿马离开莫斯科。到他们该吃饭的时候，才发现他们午餐篮忘记在后面，现在只有一只小篮子的葡萄，托尔斯泰就说了：“抱歉，抱歉，不是为了忘记那一篮餐肴，岳父一定生了气在咒骂他的用人了。”旅行继续了一天，他们宿在一处用以纪念那些战死在这场大战中的英勇男儿们底医院里。托尔斯泰一连两天，视察这个他正在描写的恶斗的地带，于是做了那场战争的计划，后来写在《战争与和平》里了。那时是一八六五年，但附近一带居民，只有很少人是曾经了一八一二年的这次大会战的。

那时，托尔斯泰时常去莫斯科的留米扬采甫博物院整天整天的过，读着亚历山大一世那时的书籍的原稿，特别注意到当时的致公堂（Freemason）的秘密活动，在俄罗斯兴起的情形，最后如何因政治关系而禁止。

S.A. 贝尔斯告诉我们，托尔斯泰：

> 常常欢喜小孩，欢喜小孩集在他的周围。他很快的就得到了孩子们的信赖，似乎有把锁钥来开启他们的心似的。他似乎毫不为难地和陌生的孩子一搅就熟，只要问一句话，大家和洽非凡了，立刻就开始聊天，自由自在。除此之外，他还可以用他的训练有素，教育家的技能来揣摩一个小孩子的思想。我记得他的孩子时常奔到他的跟前告诉他，说他们有一个秘密；要是他们再也不肯说出那秘密来，他就轻轻的在他们的耳朵上猜出了这个秘密。“啊，

这是什么样的爸爸啊！怎么给他知道了？”他们就这样惊异地大叫了。

他还说了：

天赋予稀有的颖悟和机警，使他对待旁人，关心旁人十分和柔。我从没有听到他辱骂过用人。他们都尊敬他非凡，爱他，似乎又怕他。他虽然爱好运动，我从没有看见他打过一条狗或一匹马。

有一个和他一起，二十年以上的仆人说过：“我从童年的时期起住在伯爵的家中直到现在，我爱辽夫·尼古莱维奇如同我的父亲”；在另外一个地方他写着：

伯爵外表很严，待仆人却好极，对任何陌生的人都帮忙。他有一颗良善之至的心房，他要是为了什么对我生起气来，我是知道他的脾气的，只要立刻离开了他的房间，等到他又喊我的时候，已经是好像刚才没有发生过不愉快的事情一样了。

这同一位仆人谈到托尔斯泰的晚年时说：

辽夫·尼古莱维奇现在变了另一个人。从一八六五到一八七〇年他管理产业十分忙碌，对牛羊的蓄养繁殖大有趣味，照顾他的财产，总之是什么都干。这时候他脾气大，冲动的回数也多。他要出去打猎的时候吩咐了把机栝都拿出来。用人叫阿历克赛的，就拿了他的猎靴交给他。伯爵向他咆哮了：“你为什么不烤干了靴子？你连一粒盐巴也不值！”阿历克赛也懂得他的主人的脾气，拿了靴子出去，几乎是立刻又拿了靴子回来的。“啊，现在就好了，行了。”伯爵这样说，马上又笑容满面。

他爱好田园，鄙弃城市，一部分起因于他对于大自然界的秀美有一个敏锐的鉴赏力。他每天都能发现新的美丽，时常嚷着："上帝如何的富裕啊！每天'他'要给一些新的赏赐，使这天跟以前的日子不同。"

他是运动家，也是农业家，说只有运动家和农业家懂得大自然。再来引用贝尔斯的话吧：

> 不管天气如何坏，他每天的散步决不中断。他时常胃口不好，这个他倒不在乎，可是要有一天不在开旷的空气中散一次步，他就受不了。大体上，他爱好体力的活动，骑马，体操，可是特别爱散步。如果文章写不好，如果他要把他的不愉快的心情去掉，最佳的治疗便是一次散步。他可以走一整天不觉得疲倦，我们时常是一连十小时十二小时地骑在马上的。他在书房里放着哑铃，有时在里面装起了运动的器具。

一切繁华他都不喜欢，而许多一般人认为极平常的享乐，他都不喜欢，说是对人类的灵肉都没有好处。他那耶斯那耶的屋子，布置得不能再简单了，构造得实用而坚固，双重的窗，一些荷兰式的火炉，这是给俄罗斯的屋子温暖所不能缺少的东西。房间大都是光光的地板，不用地毡。只有在孩子们多起来，联着屋子盖起的房间才用了镲镲的细木料的地板。

他吃的更不在乎，却反对软和的床铺或弹簧的垫子，有过一时他总睡在一只皮沙发上。

他穿的简单，在家里总不穿浆过的衬衫或裁缝做的衣服，只罩上一件平常的俄国衬衫，就够了，夏天的是麻纱的料子，冬天的是羊毛料子。冬天外面的衣服也是极平常的料子，照羊皮的 Sh'uba 和农民的 caftan 式样做的；御寒的效能这样大，家里的人和宾客常常借了来穿。在他的晚年他原则上倡导的简单的衣着，事实上他很早的时候起就已经实行的了。

在写《战争与和平》的时候，托尔斯泰精神上十分愉快，在他工作成绩好的时候，他笑眯眯的说，“墨水瓶里面有了我一点血肉”了，他的主要的娱乐是带了猎狗出去捉兔子，常常是一个农舍的地主毕皮可夫作伴的。

在他的婚后，托尔斯泰的日记就时断时继了，而从一八六五年十月起，一气停了好几年。他这时读了些什么书，我们只找到很少资料，可是他提起了杜罗齐伊宁的一部小说，奥斯托洛夫斯基的一本戏剧，《玛尔蒙的回忆录》（对《战争与和平》有帮助的），嚣俄的《〈哀史〉——强有力量》——基佐，约夫·德·梅斯脱和梅里米的《查理第九本纪》（*Prosper Merim'ee's Chronigue de Charles IX*）。关于梅里米，他写道："他很聪明，很敏感，可是没有才分。"

大体上他还是不关心歌德，谈着《浮士德》的时候说，"智力的诗，决非其他的艺术所能表达的目的底诗"。他谈到托洛罗泼（Trollope）的颇多：

> 只要不是冗长的，就好……读托洛罗泼——好。一个小说家的诗：（一）关于处理事件的先后——有布拉顿，我的（未来的）《哥萨克人》（指他要续写的续篇）；（二）关于在一个历史背景上表现的风度——《依利阿德》和《奥德赛》之外，《一八〇五年》（即《战争与和平》第一部发表时之原名）；（三）论到一

件事情况的美妙，欢乐——《匹克维克》，《伸展的田野》（正在写的一篇小说。后来放弃了的）；（四）至于人们的性格描写——《哈姆莱脱》，和我的未来的作品……

读了《倍托莱姆》（*The Betrams*）——著名的——

过了一天又写着：

托洛罗泼的技巧把我瘪了。我安慰我自己，说我有我的，他有他的。知道一个人自己所有的——或者毋宁说知道自己所"没有"的——这是艺术的要点。我必须像人家练钢琴一样的工作。

后来他写道："谈完托洛罗泼了。太多墨守成规"，"谈了愚蠢的《朱利亚·卡文那》（*Julia Kavanagh*）"。

一八六六年。十二号夜间，耶斯那耶举行了一个盛大的化妆跳舞会；一直弄到夜深两点；第二天还有三轮马车的兜风。

就在这个正月里，全家迁到莫斯科，他们化了一百五十五卢布一个月的租金，住了一套六个房间的公寓，等《战争与和平》第二部的印出。

这时和托尔斯泰往来最多的朋友是I.S.亚克萨生可夫和奥勃伦斯基亲王。他又进了莫斯科美术学校，学习一手雕刻——给他的妻子塑雕像。这一行大约他没有干得久。

一八六六年五月，次子依利亚诞生，家里多了一个英国看护。

这年夏天一个步兵团在耶斯那耶附近驻屯下来，一位青年少校名叫阔罗阔尔促夫的也在里面，是托尔斯泰在莫斯科时就结识了的。他访问了托尔斯泰，把他的团长乌诺夏和同队的军官思笙·斯塔苏莱维契介绍了给他，后者先降了级，因为在轮到他看管犯人时，有一个犯人逃跑了，不久前他才再恢复他的军官资格；他是一个中年人。

有一天阔罗阔尔促夫和斯塔苏莱维契来找托尔斯泰，告诉他，有一个兵，担任了军团中书记之职的，把他的上司队长打了一耳光，正受军事审判。他们请托尔斯泰替这人辩护，托尔斯泰对大辟之刑本来就不胜惊惶的，立刻答应了。

这件案子的经过如下。士兵希朋宁，学识平平，职务是写报告。有了钱都化在独酌上面。他的一团的队长是个波兰人，显然不喜欢他，常常在报告里挑剔，叫他重写。希朋宁特别憎恨这情形，有一天他喝醉了酒，上头要他重写报告，他侮辱了队长还打了他一耳光。按照法律，殴打长官的士兵应处死刑。托尔斯泰却希望他能救活这条命，总算得了允许，替他辩护。审判日期定六月六日，审判者是乌诺夏团长，斯塔苏莱维契和阔罗阔尔促夫；后者只是一个轻派的少年人。

托尔斯泰曾经把这件事讲给我听，说起他对公众致辞一共也只有四次，而这一次他最坚定，自己最满意。演词先写好，主要的意见是希朋宁不能负责他自己的行动，因为他这人本不正常，职务上养成了他的急躁脾气和孤独寂寞，日久他成为白痴，就固执地认为队长于报告一道毫无智识，一点没有错误的东西却不采用，实在不公平。法律的规定的条文都指一些能把握住自己的心思的人，因为现在的情形跟殴打长官的士兵应处死刑，没有抵触，所以这次的罪犯应该赦免。

然而希朋宁还是处了死刑。托尔斯泰通过他的姑母A.A. 托尔斯泰女伯爵的关系给亚历山大第二递上呈文请求赦免，可是他对于细节向来不注意，竟忘记了提起发生这件事的部队的番号，陆军部长就把这件事压了起来，到八月九日兵士就给枪决了。

跟团长和陆军部长的态度恰好相反的是这一带的农民，他们成群的赶来探望这个犯人，把牛奶带给他，鸡蛋，土布和一切穷人们能捐出的。行刑的一天到了，希朋宁冷漠地走向他的死亡，大家都看到这人，他似乎什么也不明白。大家围住了把他绑起的行刑柱——女人哭着，还有几个晕厥，他们请了个牧师，到他的坟墓边上说一段“弥撒”，大家捐出钱来，“弥撒”就一直的念下去，念了一天。夜间大家又捐出铜钱，土布和那种在俄罗斯教堂里点的烛火，放在他的坟上。第二天是弥撒，一直不断，等到警察禁止这种宗教的仪式，还把坟墓铲平，免得人民继续着巡礼。

在统治者与被统治者之间存在着这样一种不同，这种认知是可以帮我们了解托尔斯泰后来的信念，就是政府和法治本质上是坏东西底信念。他的晚年时期中，显然他更不愿意根据法律来呼吁请求什么了。

他时时为病痛所烦恼。例如，一八六六年七月中，他说起肠胃病把他关在家里，转身转快了一点都不行。

十一月他表示了著作事业的重要的一点意思。在批评《战争与和平》时，斐特引用了这句话 Irritabilis poetarum Gens。托尔斯泰答复时说："却不是我。"他欢迎他的批评，请求他说得更多一点，又继续的说：

那么，你在干什么？不是"地方自治会"或农事上的什么（"这"一切都是强迫的活动，我们本能地干着，无须我们自己的意志，不过像蚂蚁堆了个蚁山，此中也无所谓好，无所谓坏），而是在思想的领域中你干了什么？你这人的存在底主要的泉源，只有这个，曾经，现在，将来，都有功于世界，这泉源还奔流着吗？它想到了要传达什么没有？它如何表示了它的愿望？还是它忘记了如何表现它自己呢？这是要点。

这一年秋天，莫斯科文库尔斯克的铁路通到了图拉，从耶斯那耶到莫斯科去更加容易了。然而托尔斯泰被诱惑的可能很少，不想离开他非常溺爱的，平静，忙碌的田园生活，他实际也只有在这个环境中可以工作得最有效能。

大约在这时他种植了一个赤杨林，以后就要成长而且价值很大了。

一八六七年的夏天，像卢梭一样地不信任医生的，他一次次在作品中这样表示过，却因为康健的缘故，由他的妻怂动，他在当时莫斯科最著名的医生柴哈林教授那儿就看了次病，一连几星期听了医师的忠告喝着矿泉水。

写给斐特的信上说：

亲爱的朋友，如果我一想到你就给你写信的话，每天你可以收到我两封信。可是谁能把要说的话都说呢，有时人懒，有时人忙，我现在就是这样。我最近刚从莫斯科回来。在柴哈林的指点之下大事治疗我自己，最重要的是我在利斯印刷所印好的小说，得准备稿子送去，读校样，天天在罚款和迟延出版时日的威胁之下。这又愉快，又艰苦，你明白。

一八六七年十一月，我们又看到全家要在莫斯科住一个时间，他们似乎住过了大部分的冬天。

这时，斐特拜访了托尔斯泰并向他宣布，他决定为姆曾斯克的饥馑的农民募捐，要举行一次文学晚会，那灾区正在斐特的产业所在的地方。托尔斯泰却冷冷的接待这个建议，说斐特捏造了灾荒，至于请求他这个晚上朗诵一些什么，以保证这个晚会的成功，托尔斯泰拒绝了，说他从来，更永不能，这种当众朗诵的事。然而，他借了《战争与和平》中的一章给斐特，是描写俄罗斯军队在可怕的亢旱之中从斯摩仑斯克撤退的奇异的一章（第二卷第四册第五章）。这一章那时还没有出版，刚在看校样。朗诵者柯古雪夫亲王，诗人兼戏剧家，结果掌声雷动。

一八六六年四月，屠格涅夫写信给斐特时说：

我们读完了《战争与和平》的第四卷。这中间有不可忍受的地方，而又有奇异的地方；而奇异的地方（他们占了上风）真是好，真是雄浑，我们中间从没有人写得到这样的好，简直可以怀疑到世上会不会有比它再好的作品了。

同时，V.P. 波特金从彼得堡写了信："托尔斯泰的小说真是一个惊人的成功，这里没有人不念它，不仅是念，而且迷了。"

你知道今年夏天我干么着？不断的为叔本华狂喜，一连串心智上的享乐，从前所没有过的呢。我买了他的全部著作，读着，现在还读着（康德的作品也是如此）。敢说在他的功课中还没有一个学生学到这么多，发见这么多，赶得上我这个夏天的。不知道我是否要改变我的意见了，可是目前我确信叔本华是天才的人类中最伟大的一个。你说他写"一些什么"关于哲学的东西。“一些什么”是什么意思？这是一整个世界的异常生动而美丽的反映，我开始在翻译他了。你愿意干这个工作吗？我们一起来出版它。现在读了他，我真不懂为什么他的名字会湮没无闻的？唯一的理由或许是他自己一再提起了的。就是他说的除了白痴，这世界上不再有别人……

托尔斯泰继续说，第二天他要去潘查省府，看一个他想购置的，在“这种无人问津的区域”里的产业。伴他旅行的仆人说出他们如何坐了三等车从莫斯科去到尼济尼，如何托尔斯泰和旅客们聊天，许多人以为他只是一个“平常的人”。在潘查买产业的事后来是放弃了的。

那时，他完成了《战争与和平》的最后一部，到十一月全书出齐了，两册在一八六六年出版。一八六八年出了三册，第六册却到一八六九年才出。后来的版本缩印在一起，册数就没有那么多了。

虽然他完全克服了青年时代的懒惰习气，他可是时常咒骂他自己的，现在已变成一个有规则的，不可屈伏的，最勤劳的劳动者了，可是，完成了这样一部庞大著作之后，他也需要休息了，夏天里他写信给斐特：“现在是我最死洋洋的时期了，我不写也不想，只觉得蠢而快乐。”他又接着说他猎了山鹬，有一次一下子猎得了八只。

也是在这个时期，他开始痛恨了那些在晚年时期他猛加攻击的奢侈和糜费，这表示在他给他的友人，作家V.P. 波特金，死后的评论之上。波特金，富有的茶叶商的家庭的一分子，一生节俭，直到他知道自己寿命是不长了，就在彼得堡租了一幢华丽的住宅，从沙皇的厨房中雇了一个厨子头目来，天天讲究他的菜单，雇了著名的音乐家到他家里弹奏弦乐四重奏。他在每天要邀请的富丽的宴会中（其中，身体不好，他只不过是以一个观众的姿态来参加的），搜罗了一些他爱听他们的谈话的精选的朋友们。他告诉他弟弟，这种垂终时的布置给他最锐敏的快乐，而“乐园鸟在我灵魂中歌唱了”。十月四日，弦乐四重奏和宴会都照常的准备，正希望有大批佳宾上门来——可是V.P. 波特金已经死在床上。

托尔斯泰听说了这情形，给斐特写了封信：

V.P. 波特金死去的模样儿使我震动得可怕。如果这是真的，真是可怕。怎么会在他的朋友中间，没有一个人能够在这生命的更高的时间里显示一点儿品性的？

《战争与和平》完成之前，伯爵夫人已生下了第四个孩子——男孩子，诞生于一八六九年五月二十日，名叫辽夫——自己喂奶，除了后面我们会提起的三个孩子之外，都是她自己喂奶的。她愿意这样做，在她这种阶级的女人中间已经少见，因为在俄罗斯雇奶娘是平常得很。

她都是自己教育孩子们的俄文和音乐的，个个都教到他们十岁，同时，她还裁缝他们的十年的衣服呢。除了管家之外，她的弟弟告诉我们，《战争与和平》著写的时候，她腾出时间来誊写这部小说，足足七遍；这句话却不能从字面的意义上来讲，因为托尔斯泰虽然相信那个谚语“金子是淘出来的”，因而不知休止地修改他的作品，但并不是《战争与和平》中的每一章都改写到七遍的。孩子们跟托尔斯泰学数学，他们还从朱尔·梵恩的插图课本中读法文。

一切关于孩子们的教育的，他的妻子极乐意接受她丈夫的意见，并且自动的负责来照着实践，这意见多半还是根据了卢梭的《爱弥儿》的主张的，她只把自己办不到时或则托尔斯泰忙别的事情忙得不得开交的时候才搁起一下。要到将来，这一对父母之间才比较地不和洽。

他们本不打算给第一个孩子雇奶妈，可是试着不成功，所以俄国的奶妈和外国的 bonnes 是雇用了的。

婴孩室里禁止玩具，但孩子们得享受非常的自由。暴虐和严酷的刑罚从未见过，也只有父母可以责罚他们。夫妻的希望是用宠爱和和善的态度取得孩子们的信任。

孩子们中间要有一个撒了谎，这是严重的事情，责罚的方法常常是父母的冷淡。可是他们发现这种处罚真是严厉，就又废止了它；但有一点，他们从来不让小孩子说这处罚太严或者说以后别再施行它。

家中成年人都希望能记得这一点就是小孩子善于模仿他们所见所闻的一切，除了上课的时间，孩子们并不和成人隔离。所以八点一到，孩子们上了床，托尔斯泰就时常说："现在我们更自由了。"

一部分因为孩子们可以学英文，一部分因为托尔斯泰认为英国的教育比旁的地方更自由，英国籍女家庭教师请来教授三岁至九岁的孩子。他第一次请来的人就是他幸气好，这位年轻的女郎和这一家人一同起居了六年，她结婚以后还跟这家庭时相过从。

他希望小孩子们爱好大自然，要发展他们对大自然，鸟兽昆虫的爱好。他喜欢小孩子能懂得他们的幼小无能，能完全依赖比他们年长的人们，这一点，他是非常仁慈地灌输给他们的。

孩子们不准呼奴使婢，只能"请求"他们替他们做事；为了树立一些好榜样，家里的人个个都得这样做。这是非常重要的，因为就是在农奴解放以后，俄罗斯的仆人还是没有被当做一个人，跟他们的主人们还有高下尊卑之别的；有一个俄国作家毫不夸张的说，"洋台坏了，只有仆人们去，家里的人都不去了"。这里我却作一个保留，以免引起误会。其时还没有两个阶层的观念出现，虽然两者之间，鸿沟深极了，因此他们的服饰都大不相同（农民有自己的衣服的式样），可是主人和仆人，或女主人和仆人之间，常常有极和洽，真诚的好感，和真真的人与人的关心，我们看托尔斯泰在他的《幼年》和别的小说中描写仆人的地方就看到了。俄罗斯的仆人参加家庭的或宾客们的谈话也并非不经常的事，雇主与被雇用者之间的关系跟我们英国的不同，在英国，一到星期日，女仆会被人误认为女主人的，而且女仆的外表总是十分动人的。

耶斯那耶·朴利阿那学校里实行过的计划，就是孩子不愿学的都不教这一点，在家庭教育中却不能引用了。孩子们只能拒绝他们所不能做的功课，但也有一个限度。交不出功课不罚，可是交出功课来成绩好了就有奖。

说明托尔斯泰如何发展孩子们的心智，贝尔斯曾经说过，当他年轻的时候，住在耶斯那耶，那时他自己的情形是这样的：

> 我记得，那时我年纪虽然很小，托尔斯泰却十分严肃地和我讨论科学的和哲学的问题，只要我发问就是。他的答案时总是很简单很明

白，要是他不知道这件或那件事，他毫不迟疑的说出他不懂来。我们的谈论常常采取辩论的方式，我明晓得他比我强得多，却毫不示怯的进攻着他。

孩子们顶喜欢跟他们的父亲出去散步，听到他唤他们去作瑞典式的体操就雀跃了，他教他们什么游戏，他们就更爱他们的父亲这一面。冬天，滑冰忙，但在他的指挥之下把池子上面的积雪扫除，更比滑冰有趣。

早饭前，他和小舅子一起散步一次，有时他们骑马到沿着这庄园盘旋的小河边，洗了浴再回来。全家集合在一起喝咖啡，这顿早饭时常是非常欢乐的，托尔斯泰会说各式各样的笑话，然后站起来说，“可是我们必须上工了”，于是拿了满满一壶茶，他走进了他的书房。在他房间里工作的时候，就是他的妻子也不能打扰他，只有一个时候，大女儿妲蒂阿娜，那时还小得很呢，可以打破这个规矩。很少有的休息日子（时常在夏季里）孩子们最高兴，因为他们的父亲一在场，欢笑和生气就充满了。夜饭之后，起始工作之前，他常常拿一本和他手上的工作毫无关系的书看看。大都是一册英国小说，除了我们已经在前面提起过的工作之外，他对亨利·伍德夫人印象很好。他还强烈地爱读莫利哀。晚上他爱跟他妹妹弹两重奏，凡是长大而没有练熟的曲子，他常常跟不上她，碰到难的地方就说一两句笑话，好让她不能弹得快。要是说笑话还不行，有时他突然的停止，神气活现的脱下了一只鞋子，好像这一来就毫无疑问的可以帮他解决这困难了似的，重新开始的时候，还要吹一句："行了，现在行了！"

结婚后，最初的几年里，耶斯那耶的访客很少。托尔斯泰家里，贝尔斯家里大批的亲人，到夏天却总来避暑。诗人 A.A. 斐特，和从小起就和托尔斯泰十分相熟，在《青年》中被描写为南赫留道夫的 D.A. 狄亚可夫，还有哲学家与批评家的 N.N. 斯特拉霍夫，托尔斯泰很尊重他的意见，在文学事业中听从过他不少的建议，还有 S.S. 乌罗梭夫亲王，那是托尔斯泰在塞伐斯多波之战时结识的，只有这些人拜访过婚后数年内底耶斯那耶。托尔斯泰正希望这样，因为招待的宾客要是太多会打断他全副精力贯注着的工作。

本书中提到斐特的地方真是太多了，所以我们必须用一些篇幅来献给他，他这人因为作品中有许多地方反对了农奴解放而颇受诟病了。像托尔斯泰一样，他长大以后，并不觉得这是受有教育的有能力的人底义务，不觉得他们应该从事于社会组织的工作，虽然他们自己是社会的一分子，也不觉得他们应该从事政治活动以补救这许多不可避免的，正由于许多人并未经常从事社会制度的组织而起的缺憾。自由主义者对于斐特这人的印象可以从一八七四年屠格涅夫写给他的信上的一句话里看出来："二十年之前，正当尼古拉第一底全盛时期，你说过人类的智慧再不能计划出比当时俄罗斯的贵族政治更高级的政体，或更崇高，或更可敬的政体，这话使我呆住了。"从自由主义者看来，斐特是一个政治上反动的人——实际上他正是如此；可能随便什么人，读过他的《回忆录》的也可以看到政治上的冷淡却和他的个人品格结合在一起了——他这一代的俄国人大多以政治的不关心作为一种美德的。在私生活中，他的品德确是极高的，有一次托尔斯泰批评得很好：

> 有的人说起话来比他们的真真的德性高得多，有的人又低得多。而你这人却是时刻担心言行不一致，所以说起话来比自己实践了的德性低了许多。

斐特在他是一个骑兵队里的少年军官时开始写诗，这个才能他真是有的，离开军队以后他继续他的“为艺术而艺术”的文学活动，翻译了一些拉丁诗人，自己也写了一点诗和散文，还听从了前回已经说起的托尔斯泰的建议，从德文原文译了叔本华的《意志与观念底世界》和歌德的《浮士德》。

他和托尔斯泰相同的地方是他也不喜欢，也可以说也根本不理睬政治，商业和西方世界的工业革命（最近一百五十年来最伟大的成功），而也爱好纯粹的艺术，也特别爱好文学。他们可以相互同情地谈关于艺术的一切，关于大自然的爱和农村和农事，他们同样以为生命的大问题是在他们的个人品性的回绕发生而并不是发生于他们所属于底社会的周绕的。爱国心是一种本能，可是在他们的有意识的哲学观点中间，至少他们没有，做梦也没有看到这个更新式的爱国心，这样地来支配一个国家的财富底生产与分配，使得社会中的每一个人都有机会像像样样的生活。因此，他们中间颇有一些共同点，从托尔斯泰的信中间，我们可以看到他们在一起轧淘伴轧得极愉快，可是我们快要看到，他们的友情衰落下来的一个时期已在接近了。

托尔斯泰强烈地憎恶离家出门——便是几天也不甘心。到他非到莫斯科去不可的时候，他就要怨命了，陪他们出门的贝尔斯也注意到城市的生活如何不宜于托尔斯泰，使他暴躁易怒。每次出门或游猎回来，他总这样说“但愿家里平安无事！”足见他的心头焦虑。可是回到了耶斯那耶，托尔斯泰总能给他的家庭源源本本而又妙趣横生地把他这一次的见闻讲一遍的。

托尔斯泰有一个特点，常被人提起，太显而易见了，似乎不必再多说得，不论他做什么事，他全副心肠地把自己都丢在里面了。关于这一点，D.D. 奥勃伦斯基亲王说：

爵的每一方面的创造活动……不论他做什么，他坚决地，自信地做着，相信他的工作是有价值的，而全神贯注在这工作之中。我给他的记忆是给予一个世界公民的记忆，有一次在一个跳舞会上碰到他，他说过这样一句话：“看这女人的舞袖上的诗歌，这样文雅，这样深刻的构思，单看那簪在衣上的一朵花就知道这是这样的优美了！”我记得他是一个热忱的运动家，一个养蜂家，一个园艺家；我记得他给予农事，造林，栽培果实，养马和给予许多别的事情的热心。

和他一起住过九年的管事人说起过他的为人：

伯爵是自己看管一切的，要牛棚，猪圈和羊栏十分干净。他特别爱猪猡，一共有三百头，给他们配对成各种的种……猪圈里决不许有一点儿肮脏。每天我跟我的帮手洗干净猪圈的地板和墙壁：于是伯爵在清早经过这一群猪猡的时候，就非常高兴，还要说："管得多么好！……管得多么好！"可是给他发现了一点肮脏，上帝慈悲，他立刻发了脾气又喊又骂……伯爵的脾气是急躁的，有一个时常到耶斯那耶来的医生在我面前不止一次对他说："你不要这样生气，伯爵，这对你的康健不好……""我自己做不来主，"伯爵说，"我想制止我自己，却办不到，好像我生来就是这样的！"伯爵的田园给他的收入很大。除了猪猡和小猪猪，他还有八十条牛，三百只肥羊，多少的飞禽。我们时常做出顶好的牛油来，在莫斯科卖到六十个戈贝克一磅。

他的管理产业已足见他的为人了。他从来不买股票，他买田地，畜养精良的牛马，种了一个苹果园还种了许多树，大体上都购办他自己能管理的财产，或者，对于沙玛拉地产，他固然用了营业人，却还是自己能控制得到的。他对于商业公司，大机械和工业底危险和恶果特别有警觉性，却不能理解它们的好处，如灌溉干燥的土地，联络远远的地区，让钢铁替人类负重来减轻人类的劳动等等。

这时期的托尔斯泰还给我们一个例子来说明有艺术气质的人时常很随便，他明知有条有理是有利的，可是常常说，倒是浅薄的人们常常有条理呢。他自己却做不到，也就不想整理他自己的东西了。他换衣服的时候，把所有的衣服鞋子一丢开，就不管了，如果凑巧这时他走动了一下，他的衣服就这样的杂乱无章，散在床上，有的还散在地板上。贝尔斯记道：

> 我注意到他出门时整理行李，总弄得他最头痛，不过，我若陪他出门就愿意替他整，他就高兴得不得了。记得有一次，不知为了什么，我不很高兴帮他整理，他注意到了，就因他的特长的机警，不来请求我却自己在他的皮包里装东西了，我可以断定的说世界上没有别人，随便他们怎样的尝试，决没有法子把这皮包装得像他那样的零乱的。

本书的原稿得到托尔斯泰的女儿，妲蒂阿娜·托尔斯泰女伯爵（苏霍丁夫人）的阅读，读后她写信给我：“我却要说，我记忆中的我的父亲是非常精确，有条理而且干干净净的。可能是他年纪大了以后得到这些习惯的。”

还有一个特点，托尔斯泰不仅仅自己不愿给人家从梦中吵醒，也不愿唤起人家的睡眠，在必要时，也请求别人代替他唤醒那睡着的人。

贝尔斯记录了那些晚上，他们夜深还不睡，仆人倒已经睡熟在椅子里，就忘记了问候那一顿冷餐。托尔斯泰遇到这种情形时，绝不肯让人去吵他，自己走到厨房里拿了那一顿饭餐，还偷偷摸摸，蹑手蹑脚的拿回来，后来他也以此为乐了。然而贝尔斯如果一不小心发出了杯盘撞击的声音，托尔斯泰还要生气呢。

许多年后，在我前面谈到这一个特点时，托尔斯泰说：“一个人在睡眠之中，至少没有在犯罪。”

一八七〇年二月四日，托尔斯泰写信给斐特：

我收到了你的信，亲爱的阿芳那西·阿芳那西耶维奇，是二月一日，可是收到得再早我也不会来看你的。你信上写着:“我孤独,孤独!”我读到这里心里就想,这家伙好大福气——“孤独”!我有一个老婆,三个孩子,一个在吃奶的婴孩,两个老姑母,一个奶娘。两个女用人。他们一起都生了病:寒热,高热,衰弱,头痛,咳嗽。大札来到寒舍之时,情形如上。现在他们好了许多,可是十个人中间,吃饭的时候只有我跟一位老姑母两个人对吃。而昨天起,我自己也胸口腰眼都舒适了。可是我有许多,许许多多事要告诉你。我读了许多的莎士比亚,歌德,普希金,果戈里和莫利哀,关于他们这一群,我要告诉你的话多着呢。今年我没有读过一本杂志,看过一张报,觉得这样很有益处。

S.A. 贝尔斯告诉我们托尔斯泰“从不看报,认为报纸没有用处,要是造了谣,更有害处。他有时一时兴起,谈谈家务还用了报章体”。他对于新闻家和批评家(除了他的朋友斯托拉霍夫之外)一概藐视,要是有人说他们是一些第三流的作家，他还是立刻狂怒了的。他认为印刷机要印这许多没有必要，没有趣味，最坏的是没有艺术的报纸，乃是印刷机的误用。他不大念他的作品底批评文字。“他对于报章的一般看法，起因于憎恨它们对艺术品的放肆。听到报纸上说，一个真正的艺术家为金钱而工作，那时他伪善地微笑了。”

关于他的性格和他的特点写了那么多了，让我们再来注意一下，当时他的生活的态度和思想的方式是有多少接近了他晚年的教训的呢，举凡这一切，他对农民的人道的态度，他对许多近代文明的恶果的否定，他的衣服和家庭的素朴，他的足资模范的家庭观念，人道的教育的理想，诚实和勤恳（包含体力劳动）的深深的爱，寻找真理的和改进自己的热忱，他的日复一日的接近旁人，关心旁人，他底无可置疑的对家庭的爱，对“暴行”的恨——举凡这一切都证明他，晚年的理想，即便是在他的《忏悔录》中所称转变之前，在当时已经相去不远。

二月十七日，托尔斯泰写信给斐特：

我希望在十四号晚上来拜访你们，可是办

不到。写信的此刻，全体病倒，我是最后的一个。昨天我第一次出去了一趟。我的毛病是眼睛痛，吹了风又睡得少，格外痛了。现在，我非常抱歉，得把拜访你的日期延长到四句斋节那时。我必须去莫斯科，送姑母到妹妹家，把我的眼睛给眼科医生看一看。

可怜的是到你家里去必须先过一夜整夜不眠的布满了烟雾的肮脏的火车，而谈整夜。你要读给我听一篇骑兵生活的故事吗？……我却不要读给你听我的什么，因为我没写作；我只要跟你谈莎士比亚，哥德和一般的戏剧论。整个冬天，我只忙着戏剧；时常是这样的，人们直到四十岁了还对于某一些题目没有接触过，毫不理解，而突然四十岁一到，那年龄的清醒的头脑注意了没有尝过味道的题目——仿佛他们可以从中看到许多新鲜的东西似的——现在我就是如此。整个冬天我在享福，躺着，打盹，玩牌，滑雪，溜冰，居多是躺在床里（病了），而同时一个戏中的人物却给我表演了。他们才表演得好。这一切

> 我都要告诉你。关于这一个题目正如一切题目，你是个古典派，了解它的本质极深的。我也爱读索福克尔斯和攸立匹德斯。

这样我们又像以前许多次一样的看到托尔斯泰热情地全神注瞩在一个新的伟大的题目上了——这一次恰好是戏剧艺术。虽然难得上一个剧场，可是他如何深刻的把握了这一项艺术，十七年后便知分晓，那时他写出了上演起来最强有力量的戏剧中的一个，跟着又是一个重要的喜剧；两个戏都这样好，全俄国都不断的上演，在许多个外国也获得成功。

直到这里为止，托尔斯泰在耶斯那耶的生活情形毫无中断。他继续在耶斯那耶静静的生活着，主要关心的事是文学和产业管理和家庭的安宁。孩子们很快的生了一个又一个，家庭越大，收入也越多。可是我们已经到了他那十六年平静的生涯的中途了，这里，说起来，那是正当他猛读剧本的时候，却实际上，我们该说他正在休息，正在等待元气恢复，来从事他第二个伟大作品，这里最宜于结束这一章了的。

三　接近危机了！

他年纪大起来了，爱好户外的运动还是为了生产事业的目标；这一点，一八七〇年五月十一日给斐特的如下的信里可以找到暗示：

我收到了你的信，亲爱的朋友，正流着汗，拿了斧头，锄头从工作中回来，那时我离开一般的艺术活动，特别是我们的文学事业正十万八千哩，打开信来我看见了诗，鼻子里就有点酸辛。回家我想读给我的妻听，可是感情的泪水阻止了我读完它。这首诗真是难得的很，不能加一字或减一字或改动一个字；它是有生命的，而且可爱极了……

我做了一个礼拜的陪审员，觉得很有趣，

很有裨益。

第二封信提起了这年冬天托尔斯泰的极良好的文学创作的情绪，他时常整天工作，有时还工作到夜深。这是“树木的液汁流畅”的时期：

一八七〇年十月二日

碰头到现在又很久了，冬天的情形，我正在开始转入佳境，使我特别乐于见你。我打了几次猎；可是像树木的液汁一样底我的元气正开始流出，它在一滴滴的流，我在一滴滴的收。不管这是好的液汁或坏的液汁，在这漫长，神奇的秋夜里让它流总是愉快的……我有了一件不幸，马病了，兽医说她的球睫软肿了，我不信是我把它跑坏的。

这时发生了的法兰西—普鲁士战争使托尔斯泰关心起来了。在克里米亚他碰到过法国人，拿破仑的独裁君主还没有上台，一八五七年和一八六〇年他还到法国玩了一趟，当时这腐败的皇朝还看不出来。而德国的民族的统一，或俾斯麦的，莫尔特克的组织训练的理想，对托尔斯泰不生作用。于是他的同情心全部是在法国人的一面的，他觉得他们一定胜利。他的朋友 S.S. 乌罗梭夫亲王还给喀脱可夫的《俄罗斯使者》几封信，用棋局的譬喻来说明法国人正不断地诱敌深入，深入到更不利于德国人的阵地上去，德国人快完了。后来，刚刚相反，法军大败了，这消息来得出奇不意；这足以证明这一个事实，伟大的智力，在他们的产业上孤独地生活过久，有时候估计那影响世界的力量是可以全部错误的。

一八七一年二月十二日，一个女儿生下，名叫玛利亚。在这许多孩子中，后来要算玛利亚受他父亲的影响顶深。我们已经说过，伯爵夫人是要自己喂奶的，可是这一次，由于某一女佣的粗忽，孩子还不过几个月大，却断奶了，只得雇用奶娘，可是母亲一看到自己的女儿伏在一个陌生人的胸脯上，妒忌得流泪了，当场辞退了奶娘，吩咐喂孩子的奶用手来喂。托尔斯泰听到了这个消息之后说他的妻子所有的，是只有一个真正的母亲才能有的妒忌的感情。

这年冬天，托尔斯泰下了苦功读希腊文了。一听到这个消息，斐特认为托尔斯泰一定做不到，就宣布说，要是托尔斯泰有资格领一张希腊文的毕业文凭，那么他可以拿他自己的皮肤揭下来做文凭的羊皮纸。于是托尔斯泰在十二月中这样的写信给他：

> 一星期之前我收到了你的信，因为我自晨至晚在读希腊文，来不及复信。我什么也没有写，只在学；据波里梭夫转来的情报，你的皮肤（用作我的希腊文毕业文凭的羊皮纸）已经危险了。看起来似乎是不可能而且惊人的事，我却已经在读克塞拿芬了，而且可以看着就读下去。至于荷马，却要用字典，而且得下一些功夫。我急于找几位懂得希腊文的来表现一下。可是，上帝给了我这股傻劲儿，多么使我高兴！第一，我享受，其次，我已经确信了，在一切人类的文字中那真的美，那简单的美，我是以前不知道的（像许多人一样，懂得一种文字却不懂得它的美），第三，因为我停

止写作了，而且从此不再写作什么文字的垃圾堆。我已经这样做，是我犯了罪；可是以上帝作证，我不再犯罪了！你给我解释吧，天晓得为什么伊索寓言或者那愉快的克塞拿芬没有人知道，更不必说柏拉图和荷马，这些我都没有读完呢！照我目前所能判断的，我们的译本，依照了德文的方式的，只不过损害了荷马。用一个凶恶的但自然的譬喻，译本像开水或蒸馏水而原作却像泉流里的新鲜的泉水，日光照耀在上，给你的牙齿一口的清晰，光耀晶亮……你可以成功的！没有希腊文的智识没有教育。可是要什么智识？如何得到它？得到了来做什么用？这些我能答复得如同白昼一样明白。

S.A.贝尔斯告诉我们，“我知道的，这是事实，在三个月内他学会了希腊文，而且读起希洛陀脱斯来了”。这年冬天，他在莫斯科拜访了莱昂托夫，他是那时喀脱可夫学院里的希腊文教授（三年后我在那里读书时他还在），他们讨论了希腊文学。莱昂托夫不相信他能够在这样的短时间之内学会这个文字，就说他们读一些没有读过的东西。读到某一段上，两个人的解释不同了；略事争辩下来，教授同意了托尔斯泰，说他的讲法是对的。

而托尔斯泰，感到了古代世界的文学艺术的美，这样地深深感到，他一读就读到原作者的心里去了，古文学的生活态度和他自己的又这样不同，这一个矛盾使他感到了悲哀和怜悯，这悲哀和怜悯又是这样的深沉，足够损毁他的康健。

造成这样的结局底生活态度的矛盾是什么呢？我们想一想他如何从小就受了基督教义的吸引，那些谦逊，自卑，牺牲自我的观念跟古代的希腊人底生活态度是如何的不相谐和。在《艺术论》[《什么是艺术？》(*What is art*？)]，这四十年之后才写就的作品里，托尔斯泰告诉我们，"如果，像在希腊人中间一样的，宗教是把生命的意义放在人世的快乐，美和力量之上的，那么成功地传达了这种生命的欢乐和精力底艺术品就可以被认为好的艺术了（这个好字指所传达的情感的良好），而传达了反面的一种艺术品就也应该被认为是坏的艺术了"。在这同一个作品中他又说了，他所要扑灭的美学原理正是仿佛说着这样的话的一种理论："在基督教义宣传了一千九百年之后，这些国家的艺术所应该做的最好的事情就是挑选这种希腊人的生活理想，具有这理想的希腊人人数不多，还是半开化的，且蓄养奴婢，生在我们之前二千年，他们模仿裸体女人特别好，所造的房子看起来也愉快可喜。"

免得他迷恋在希腊文学中，他的妻子先鼓动他从事文学的新作品；最后，因为他的康健一天天坏了，吓得她直劝他到东方去受一次 Kumys 的治疗，这时他写信给斐特：

亲爱的朋友，——我好久没有写信给你，好久没有看到你，因为我病了，而且还在病中。我也不知道我是怎么啦，这仿佛是好事情，或是坏事情，这不同就看一个人求到时如何说法了。没有精力，感觉到做人还需要点什么，其实也不需要什么，只需要人所没有的安静。我的妻要把我送到沙玛拉或者萨拉托夫受两个月的 Kumys 的治疗。今天我要动身到莫斯科去，到了那里再决定我上哪儿。

在莫斯科决定了他要去以前去过的沙玛拉的一处地方去。

铁路总是托尔斯泰的一个冤家。不问他同意不同意，文明强迫他接受它，而且，他在教育论文中说过了的，还破坏了农民的人口数：从他个人讲，坐火车所受的苦他是不断诉苦的，只要和骑在马背脊上的愉快一比较就知道铁道上是如何的不舒服。他既反对查票员因为职务关系而做出来的礼貌，也反对乘客和乘客之间互相猜疑。（他所反对的后面的一个理由，我们西方人可不能怪俄罗斯人，因为从我们看来，这些乘客还是非常善于交际的呢。）他总是主张他的妻子坐头等车，而他自己或是坐头等车或是坐三等车却从来不坐二等，而在俄国坐三等车，比在英国严重得多。但是他还时常要去挑一节三等列车乘坐，看看是否农民多一点，碰到他的农民他都要上去攀谈一下的。

这一次出门，他从那里坐了三等车到尼兹尼·诺伏格特，再换轮船，顺伏尔加河到沙玛拉城。在船上他也利用机会研究伏尔加区域的乘客们的态度和习惯，证明他是交友的能手，不论是何等样人他都能搅熟。在船上还不到两天，全船的人都认识他了，包括水手在内，因为他每夜睡在前舱。就是他碰到了冷酷的，敛收的人物，也要不了多久，他就把他们拉出了甲壳来，听他们娓娓的闲谈了。他能够有这副本领，有一个秘密，就是他爱知道旁人的生活和事件，一贯作风不变。

从沙玛拉他骑马沿喀拉力克河岸跑了八十哩，到了喀拉力克城。一八六二年他在那儿经过，所以被巴墟吉尔人当做老相识老朋友一样的招待了，他们唤他“这位伯爵”。读者还可以记得他在大学里读过东方文字。他的鞑靼文无疑增加了巴墟吉尔人对他的好感。和他同行的是一个男仆和斯丹芬·安特莱维奇·贝尔斯，现在是十六岁的少年了，后年在《回忆录》中也描写了这一次出门。他们却没有住在喀拉力克的“冬村”中间，他们住在大草原上，城外一哩半的 Kocherka。这个“鞑靼包”是圆顶的半圆的幕帐，用可以拆卸的木质的柱子装起，四周用大块的绒幕围起。它有一个小小的油漆的门，总是用软和的草席铺地的。

初到喀拉力克，托尔斯泰好几天忧郁而不舒适。他诉苦他精神上物质上都没法感到愉快，看看一切，都“像一具尸体所看见来的一样”——这种情形他从来没有经历过，别人要是如此了，他还常常痛心疾首呢。然而不久后他恢复了精力。

在喀拉力克还有别些也跑来受马奶治疗的客人。他们既不跟巴墟吉尔游牧民族往来也不依照他们的生活方式；托尔斯泰是极爱好巴墟吉尔人的，时常跟他们往来，完全按照他们的菜单，不吃一点青菜，严格限制他自己吃肉和兽类的食料。每天的晚饭是羊肉，从木碗里用手指抓起来吃。

立刻托尔斯泰跟每一个人做了好朋友，不管是游牧民族或俄罗斯人，感谢他的影响，这地方快乐活泼起来了。从一个寺院里来的教牧师们希腊文的教授和他一起比赛跳绳；一个律师的助手和他讨论法律和别的问题，还有一个年轻的沙玛拉农夫，后来变成了他的忠实的随从。

由贝尔斯和两个他们的新结识同伴，拿起了枪和弹药和礼物，托尔斯泰到邻近的村子里作了四天的巡礼。

这一队人马在他们经过的湖边打野鸭，成绩灿烂，巴墟吉尔人在他们的“鞑靼包”里请他们喝“马奶”。一有机会，他们就感谢他们的招待，送他们礼物。有一次，主人们坚决地主张用他自己的手来喂客人们羊肉，不用刀叉，而他们拒绝了，这对于有这好意的，然而却令人难堪的行为底主人无疑是侮辱了。

有一次，有一匹马逸出了马群，托尔斯泰大为称赞，对贝尔斯说，“瞧，多么美丽的有奶的牝马”。一小时之后，他们要动身的时候，主人已把马系在车子上，这样就送给了客人。不用说，托尔斯泰也重重的送了主人一笔礼物。

这次他在沙玛拉居留的时期内还出了一件小事情，他们到彼得洛夫斯基市集上去玩，这地方离喀拉力克约五十哩，这市集也一年只举行一次。俄罗斯人，巴墟吉尔人，乌拉尔区的哥萨克人和吉尔吉斯人都来了，混在一起，立刻托尔斯泰个个都混熟了。他和他们吃，和他们笑，即使他们喝醉了也和他们一起；有一次却有一个醉鬼想和托尔斯泰拥抱，托尔斯泰这样严峻的看了他一眼，这样深刻，这家伙立刻把他的手放开了，挂下手来，说了：“不，没有关系，不要紧！”

下面这封信，写于一八七一年七月十八日，给斐特的，说起托尔斯泰在游牧民族中的经历：

> 谢谢你的来信，亲爱的朋友！当初似乎是我的妻吃了个虚惊，给我整了行李送我到这里来受马奶的治疗，拼命说我是病了。总之，现在，四个星期之后，我已在恢复了。正如喝了马奶的人所应该的，我从早到晚醉了似的流汗，而且从中觉得愉快。这里真是极美好的生活，要不是有点怀乡病，我真快乐死了。要我描写吗，那得把这个土地和我的情形写上一百张稿子，我在读希洛陀脱斯，他描写那些现在我跟他们住在一起过生活的 Qalactophagous（喝马奶的）西西亚人，又详细，又精确。
>
> 这封信是昨天开始的，昨天说我身心两健，今天我的腰眼又痛了。我不知道我到底病到什么程度，我必须想这个——我真是不能不去想我的肺，我的腰——这是坏的。天

> 气热了三天，热得不好受。在这 Kıbitka 中间，热得像一次俄罗斯式的沐浴，可是我很喜欢。这里的土地是美丽的，它的年龄——刚从处女时代长成，它的富丽，它的康健，特别是它的简洁性，和它这儿的朴素的人民，使我要在这里找一点地产了。这才给我一些事情做，而我这样乐意知道这里的地方情形也有了理由。

停留了六个星期之后，托尔斯泰回到了耶斯那耶。

他要在那里购置产业却很成功，说服了他的妻，证明这一笔投资如何可靠之后，他购地两千亩。

漂泊在大草原上的那时，托尔斯泰遇到了许多摩洛干人，一种农村中的《圣经》教徒。他们的信仰全根据《圣经》，反对希腊正教会和它底传统，牧师制，教条，仪式，圣餐礼和圣像。他们具有正教徒所没有的诚实和勤恳；一切酒醉之徒，他们不与往来。

托尔斯泰和他们混在一起，发生了兴趣，极爱讨论他们的信仰，特别和一个老年的领袖名叫阿盖的谈得多。恰好在邻村有一个极优良的俄罗斯的牧师，热心地做工作要让摩洛干教徒改教，偶尔和他们举行宗教的辩论。托尔斯泰有时就参加这些辩论会，但他的兴趣却不在于摩洛干教徒改信正教的问题，而在两教有何不同。他对他的巴墟吉尔的友人所有的回教信仰也发生了兴趣，回到耶斯那耶，他读了一部法文译本的《可兰经》。

若干年之后，他还要和许多教系，许多信仰底代表人物发生关系，因为他深深地对他们的信仰发生了信仰；此刻只是一个开始而已。

一封这时候写的屠格涅夫的信，证明屠格涅夫虽然和托尔斯泰的“人”吵了架，还是对托尔斯泰这“艺术家”再三欣赏的。一八七一年七月二日他给斐特的信里写着：

> 你的信又使我伤心了——我指的是你来信上所说的托尔斯泰的情况。我真替他非常地担心，他两个哥哥都死在肺病里，现在他去受马奶的治疗，我放心得多，因为我很相信它的实效，我们的孤儿似的文学里，辽夫·托尔斯泰是唯一的希望；他不能从这地面上消灭，更

不应该从这地面上消灭得像普希金·莱蒙托夫和果戈里那样早。

十一月中他从巴黎发的信里又说：

我听说托尔斯泰的健康现在十分美妙，而且在工作中，我真是高兴，只要他不杀害他自己的手工艺，他写出来的作品一定是好的，他所憎恨的哲学在一个奇怪的方式里把他报复了：它已经传染了他，理性化的大敌人现在连头带耳朵浸浴在理性化的中间！可是说不定“这”一切现在已经从他身上掉落了，留下的只是这位纯粹而有力的艺术家。

从沙玛拉回到家里，恢复了康健之后，托尔斯泰的思潮又一次回返到教育方面，特别是当时被哭喊地需要的初级课本——给求学者采用的良好的课本。我们已经看到他在一八六二年，如何地强烈，感到了初求学的人和农民的学生缺乏良好的课本，而且他是如何的憎恨了统治阶级用所谓“教学法”的篱笆来包办知识这回事。我们也看到了，如何在荷马的影响之下，他赌咒不再写“文学的垃圾堆”，现在时机成熟，果实快要结出来了。在他的创作精力的高潮，他所专攻的一个工作是出版一部《ABC 课本》（*ABC Book*），给初求学者用，无论形式与内容，他都要写得尽可能的简单，明白，完美。

九月中，他工作得起劲了，伯爵夫人照常是他的助手。

她常常冲动地，善心地给穷人帮助，她帮助的不仅是耶斯那耶·朴利阿那的农民，就是远处的农民也尽量帮助，附近一带的人都说她心肠好。

托尔斯泰家庭的膨胀使这一年他们在原来的屋子上添造了不少房间。在新屋落成时，凑巧是圣诞节，大庆祝的化装跳舞会上，他装了一头山羊出现，使大家乐得不堪。

就在这时，贝尔斯和他的一个学友底灵魂上有一个大苦闷，他们想进修道院去。他后来谈起了托尔斯泰对这件事的意见：

他对我的倾向的看法，用了非常谨慎的态度。我时常把我的怀疑和问题提给他，可是他总避免说出他的意见来，因为他知道他的话对我有很大的影响。他让我找出我自己的决定。然而有一次他却说得非常明显。我们正骑在马上，经过一个寺院，他的父母就葬在里面。地上有两匹马在嚼草。这时我们所谈的问题，正是当时我关切着的。

“一个人如何可以安静地生活呢，”我问，“假如一个人不能解决来世的问题。”

“你看到那边的两匹嚼草的马，”他回答，“他们是否在考虑来世的问题呢？”

“可是我提出来的是灵魂的来世，而不是这世俗的生命的问题啊。”

“真的吗？好了，这个问题我就既不晓得，更不能晓得什么了。”

就在一八七二的新年之后，他立刻又开办了他的学校。大约总是三十个到三十五个孩子，并不在以前的那一幢房子，而是在托尔斯泰新建的大房子底大厅和别的房间里聚会，在早上，伯爵夫人教她自己的孩子，到下午，她和她丈夫，甚至七岁的丹妮亚和八岁的舍尔该都出来教农家的小孩，他们也只在这时候来上学，可是进步神速，由于托尔斯泰对他们的兴趣刺激了他们，更由于这位伯爵有一种教授的天才，也由于他们了解教育是一种难得的，珍贵的奢华，俄罗斯的农民本来是休想领授得到教育的。

在《ABC 课本》里，托尔斯泰写了好几个故事，关于他如何学习了骑马，关于他的两条狗叫密尔顿和波尔加的等等。这些故事就是轻松，却也写得神出鬼没，融化了简练，纯洁和诚实；而这所谓诚实，并非忠于事情的发展与记叙，却是传达给读者底感情的诚实，除了这些和别的故事，还有通俗的历史底素描，一部分伊索寓言的翻译和故事，还有印度，希伯莱和阿拉伯来源的材料，这课本之中，还有一些用诗歌体写成的传记或民间故事。

关于数学的一部分耗了他很多时间，因为他对于一般的解释和算法不满意，想起了他自己的许多妙法出来。

课本中还包含了一些基础的自然科学知识，关于这一点的准备，托尔斯泰不仅研究了大批的课本，还在许多问题和专家讨论，他所描写的实验还自己小心地先实验过。

其中为选录斯拉夫教会的典籍，他精读了僧侣的史料和高僧传说。

为了想包含一些天文学的读物，他自己又研究了天文学，在这一项科学上发生了极大的兴趣，他有时整夜不睡的默察星象。

消息一露布，说托尔斯泰在给他的《ABC 课本》写着短篇，杂志编辑纷纷的来索稿了。这课本中第一篇发表的是《一个高加索的犯人》（*A Prisoner in the Caucasus*），是二月中在一个月刊中发表的，在另一个月刊的三月号中则登出了《上帝知道那真理》（*God Sees the Truth*）底一篇。

因为处理失当，这些短篇的发表费托尔斯泰没有拿到，在《艺术论》中，他认为这些是他的最好的作品。这两篇（外加《猎熊记》一篇，也是选自《ABC 课本》的）

现在包含在他的《二十三篇短篇集》中。

托尔斯泰在一九〇二年对我说过一句话，从此中可以见出“在他一生的作品中，他是如何爱好这一部分。我们谈到《一个高加索的犯人》对农民朗读的如何的成功，他显然是非常满意的说了，现在人们提到《一个高加索的犯人》时，都指的是他那篇小说，而不是指普希金的那一篇同名的辉煌的叙事诗”。

在下面的给斐特的信中，我们可以看到他对于人生最深刻的问题底一些零碎思想——这些问题，不过几年之后，就整个地占领了托尔斯泰的全心肠的。

一八七二年一月三十日

收到你的和善可是悲哀的信已经几天了，直到今天我才安定下来作复。

这是一封悲哀的信，因为你报告我丘特乞夫正在死去，而谣传屠格涅夫却已经死掉，关于你自己，你说你这副机器已经不行，你静静的要思考“涅槃”。请赶快告诉我这不过是虚惊一场才好。我这样希望着，其原因，玛利亚·波得洛芙娜不在你身边，你又有一些小小的征候，似乎又要害得你重病了。

论到“涅槃”，既不可笑，更无从着恼。我们（至少是我）都以为它比生命更有趣；可是我承认不论我如何思考它，我以为涅槃是个乌有之境，除此之外别无所知。我只拥护一件事：对宗教的敬意——对“涅槃”的惊异。

无论如何，比它更重要的问题是没有的了。

我所谓宗教的敬意是什么？意思是这样的，最近我去看我哥哥，他有一个孩子死了，因而下葬了，教师在那儿，一只小小的桃红的棺材，一切仪式，应有尽有。我哥哥跟我相互的招供了，我们对这个仪式的反感。可是事后我一想，“对了，我的哥哥怎么才能把这个孩子的尸体搬出他的家？这一搬怎么样才能像像样样”？没有别的更好的办法（至少我想不出一个办法来）只有一阕安魂曲，只有焚香。我们衰弱了，死了又怎么样呢？大自然走着她的道路，我们只能……没有别的了吗？这不是好事。然而，碰到了这样的事，每个人的一生中只此一遭，我们总希望我们能表示他的重要性，庄严性，这种事的宗教上的惊异感觉的。我也不能给不论时代不论地域的一切人以其他更好的办法了，除了例行宗教仪式。至少，这种斯拉夫文字的咒语，跟我们想到“涅槃”时，能同样感到一种形而上的狂喜。宗教的神奇就在这么多的年代，它给这么多的人物同一个仪式——又是在这一方面人能做的最大的仪式。这种仪式中间，有什么逻辑存在呢？是的——有这样的逻辑。这封信只因为是给你的我才这么写了，可是我要写，而且很感觉到悲哀，特别我收到了你的信之后。

请速来信，示知你的康健，你的

辽夫·托尔斯泰

我精神坏透了。我已经动笔了的工作难得可怕，必须准备的阅读又太艰难。工作的计划不断的高，我的精力，我觉得正在锐减。我的身体好一天就病三天。

这里所提到的“难得可怕”的工作是一篇小说的准备，可是他没有写这部小说。

二月二十日他又写信给斐特：

……到过莫斯科了，要想访问波特金打听你的消息，病了，倒在床上，只能回家，别的不行。现在好点了。家里什么都好了：可是你不能认识我的家了，整个冬天，我们都住在新添的屋里。我另一个花样，开办了一个学校。我的妻子我的孩子和我都在教书。大家都很满意。《ABC课本》已经写完，在排印中……

下一封信却说明他把《ABC课本》，已经写完的话说得早了一点：

一八七二年三月十六日

我多么想见你，可是不能走路，我还病

着，……我的《ABC课本》弄得我没有写到底的可能。排印的速度像乌龟，天晓得它什么时候才完，我还在加，删，改。结果变个什么东西，我也不知道，总之是我放下了全部灵魂。

一八七二年五月，伯爵夫人生下另一个孩子，名叫彼得。

排印这部书的莫斯科一家厂不能满意托尔斯泰。不仅仅教科书所必需的各种字体是麻烦，而且照常托尔斯泰改之不休，上了架子还要改。最后到了五月，他给他可靠的朋友，敬仰他的N.斯托拉霍夫写信时说四个月功夫过去了，这部书“不仅没有完成，而且刚刚开始”，要斯托拉霍夫给他在彼得堡打听印刷厂，他还愿意自己来看校样等等。付大笔款子，若干信返往之后，事情妥当了，可是斯托拉霍夫只愿意帮忙，不愿意拿钱。

托尔斯泰解释给他的朋友听，他想可能的话，从这部书上赚一笔钱。照规矩，一切托尔斯泰晚年的教训是生命经验之中产生的果实，可是谁能像托尔斯泰那样全副心肠的在这部书上这样下苦功夫，而到了晚年却说，盈利的动机对于任何良好的文艺作品都是有害的。这里，我们却必须要说，这一部教课本是上述规律底一个例外了。

斯托拉霍夫的帮助使托尔斯泰大大的修改一回（他还是不断的给斯托拉霍夫最最仔细的，关于这部课本的各个部分的排印底指导）；上年冬天，这年春天，他实是工作到他的力量的顶点；然后有一个短时期的沙玛拉旅行，视察他的产业，接洽了建筑房屋和开垦这一片处女地的事务。一个耶斯那耶村中的农夫被选为那里的管事人，负责监视那儿的建筑工程，因为离家远了，托尔斯泰对他的《ABC 课本》又焦急起来；很快的结束了那次旅行，他就回到了耶斯那耶，时候还在七月底之前。到了家里，他才知道有一条壮健的公牛把他的看守人用角抵死了。这件意外本不愉快，加上了法律对于这死者的检验，更加上一个狂妄而年轻的官僚，检验的县长冤枉托尔斯泰，说他应该对“不善饲畜”负责，而且，不仅仅要提起公诉，还叫托尔斯泰签著一张约法，要他不再离开耶斯那耶。D.D. 奥勃伦斯基亲王说起，有一天托尔斯泰到了离开耶斯那耶三十哩的莫柯夫斯基，这位亲王的产业上来，他们正在一次行猎中。时间已晚，神色沮丧，他把这天早晨如何在检验的县长，兼职的验尸官的手下受了一次盘问，源源本本的讲了一遍。“是一个容易激动的人，”奥勃伦斯基说，“托尔斯泰对检验县长的无理气愤已极，说起这昏官如何冤枉一个耶斯那耶的农夫偷了一条牛，把他监禁了一年半，然后发觉这条牛是别人偷的。‘他大约要我关一年，’托尔斯泰说，‘这是荒唐极了，证明这些老爷是如何不公正。我不能不把俄罗斯的田产全部出卖，跑到英国去，在那里每个人的人格总是受到尊敬的哪。而在这里每一个警察官，只要你不拜倒在他的脚下，他就给你用最无耻的手段对付你。’”

P.F. 沙玛林“图拉省贵族长”也参加了那次行猎的，生动地和托尔斯泰论辩，说明一个人的死，或被杀实际是一种非常严重的事，所以是必须经过法律的究查的。在许多的辩论之后，沙玛林多少说服了托尔斯泰，后者在告别之前，对奥勃伦斯基说了一句话，“沙玛林多么善于使激动的人平静下来啊”。

法律的究查进行了一个多月，直到九月底托尔斯泰才获得自由到莫斯科旅行。起先是控告他，后来控告那管事人的案件撤销了，可是新闻报纸已经听到这件事，大大的起哄了一下。

最后，十一月里《ABC课本》出版。销得很慢，若干报纸上还对它有攻击。然而托尔斯泰并不气沮，坚信他自己已经"建立了一个纪念台"——他这样对斯托拉霍夫说过——正是这种信心使这一个作品最后获得了成功的。他的确完成了一部教科书，比当时适用的教科书不知高出了多少倍，说不定在世界任何语文中都找不出同样的东西来的。后面还要提到，从出版之日起，直到现在，这个课本继续在俄罗斯通用着，只有些地方有点修改罢了。

为了要把他的教育方法广布开来，他想起了许多办法，其中之一是托尔斯泰在一八七二年十月中邀请了邻近的学校中的教员们约一打左右，来耶斯那耶过一个星期。他们住在他的第二座屋子里（这是俄罗斯人用以称呼一座房子的侧翼的）；一大批附近的不识字的乡村孩子来到，要依照托尔斯泰的方法来教育他们。他还做了个计划要设立一个"树皮靴学院"，"因为农民穿的都是树皮的靴子”，换句话说，这是训练农民的师资的学校，毕业后他们可以当教授，同时他们还是农民。这个计划多少年盘踞在他的心上，但是因为了我们后面提到的缘故，始终不能实现。

大约是这时候，斐特给托尔斯泰寄了一首诗写成信，后者的答复如下：

一八七二年十一月十二日

洋葱在玫瑰的芳芬
前面毫无理由的低头，
亲爱的斐特，我将这样感受，
如果我的复信用散文。

然而用尝试的诗作答
弄得我凄惨又张皇。
请你决定，何时在何方——
你来看我们，亲爱的斐特。

尽管让麦子焦枯，

只要有一天享受
你的谈话，我就，
亲爱的斐特不在乎！

我们时常焦头烂额；
还是把未来的忧虑扔开，
目前已受够了艰难，
该这样的想，亲爱的斐特！

不开玩笑，快来信，告诉我什么时候放马到车站上来迎接你。我忧急地要见见你。

四　《安娜·卡列尼娜》

《ABC 课本》最后脱手了，托尔斯泰开始了他的一个长篇巨著的准备工作，这次是和彼得大帝的时代有关的一部小说。一八七二年十一月十九日，伯爵夫人写信给她的弟弟：

> 就在现在，我们的生活非常，非常紧张。整天整天地忙。辽夫坐在一大堆的肖像画，照片和书集的中间，浸在读书中间，做札记，给一大段一大段注上记号。晚上，孩子们睡觉之后，他把他的计划他所要写的都说给我听。有时他十分丧气，失望了，以为干不出什么来了。另一些时候，他热忱地着手工作，可是我不能说他已经写下了什么，他还在准备之中呢。

一个月后，她写道：

> 我们照常的全都忙极了。冬天是地主们工作的时候，正似夏季是农民们劳动的季节。辽夫还在读彼得大帝时代的历史记载，还是发生着很大的兴趣。他记下了许多不同的人们底性格，他们的特征，还有古俄罗斯的贵族们（Boyars）和农民的生活态度，以及彼得的活动。他还不晓得结果是个什么，我却知道这是另外一个形同《战争与和平》的散文诗——这一次是关于彼得大帝的了。

几个月之后，他决定抛弃了这个计划。他对于彼得大帝的意见与一般的不同，而且对这一个时期，他又全部的不能同情。他宣称彼得大帝的性格没有一点儿是好的，他的人格和活动并没有什么伟大。这位大帝的所谓“改革”，根本不关心到人民大众的福利，只是他自己在替自己打算盘。他给一些贵族们建立了一个彼得堡大城，因为贵族们势力既大，对他有许多不利；他的改革，他们是全不赞同的；此外，他建立彼得堡还因为他要自由自在地过他的不道德的生活。他的改革都是抄袭自萨克森尼（Saxony）的，那里的法律却最残酷，道德最败坏，这偏又使彼得大帝中意。托尔斯泰认为这可以说明彼得大帝和萨克森尼选侯——最不道德的一位统治者，两者之间何以有如此的友谊了。他也认为彼得这样地和烧饼师父孟希可夫，瑞士的逃兵勒福尔亲密，可以从贵族们痛恨他的一点之中找到解释，因为贵族中间竟没有一个肯跟了他花天酒地的。特别因为彼得自己的孩子阿历克雪斯太子的被害，尤使托尔斯泰气愤，这一件案子里，托尔斯泰的祖先还曾经担任了极重要的角色的。

在抛弃这一个已经化不少功夫，不少注意的计划之后，差不多同时的毫无准备地就开始了他的第二部伟大的小说《安娜·卡列尼娜》。

上一年，有一位名叫安娜的夫人跟他们的邻居一位绅缙叫皮别可夫的，这人前已提及，住在一起了，而因为皮别可夫看中了他们的女教师，安娜一时醋意大发，就在铁轨上自杀了。这件事情的经过，托尔斯泰很明白，解剖尸体的时候他也在场。这件事供给他一个主题；可是他真真开始写这部书要等到一八七三年的三月，而且仿佛是很偶然的机缘。有一天，一卷普希金的诗摊在桌上，恰巧摊在《片断》的一首诗底一面，这诗开头一句是“客人来到了乡居”。托尔斯泰看到了以后就给当时在场的人们说这几个字一下子把人投入事物的中心，是小说的开头一个好典范。有人就笑着说，他应该用这样的开头来写一部小说；立刻，托尔斯泰把《安娜·卡列尼娜》写起了头，那第二句，亦即是叙事的第一句写的是：“在奥勃隆斯基家里，什么都颠倒了。”

五月中，托尔斯泰和他的全家出门到沙玛拉过了三个月，最近他又在那里添购了一些土地。

这年夏天，他雇用了一个名叫穆哈默德·沙底巴墟吉尔人，他有一大群牝马，也跟他过来了。这位穆哈默德·沙很有礼貌，很认真而且很庄严。他有一个工人给他牧马，有一个太太伺候他（客人来到时，她就躲进了“鞑靼包”的一个幕帐的后面），这位可敬的人士后来时常替托尔斯泰家做工。

这一片土地这年还是第一次开垦下种，对于这一带区域，这年有一位全国人民听着他的声音的人物来到，真是大幸，因为这一带区域的农作物，这一年整个儿的毁了，跟着就来到了荒年。这里的人这样的不与世界往来，这样的和文明相隔离，他们可能受苦，而且死去，整个俄罗斯都没有听到，要不是托尔斯泰赶上了时候，发出了呼吁，伯爵夫人帮助他整理了一切调查，一篇文章在八月十七日《莫斯科通报》上发表了。

在这一篇论沙玛拉灾荒的文章中，托尔斯泰描写了这年的收成如何全部被毁，如何前两年都是歉收，如何十分之九的人口在死亡与饥饿的线上。

为确实明了实际情况起见，托尔斯泰在最接近他的产业的加夫里洛夫卡村中，每十家屋子拜访一次；共拜访了二十三家，没有一家不负债累累，这年冬天如何过去则茫无头绪。大多数的男人出去找寻工作了，可是灾区这样广大，找寻工作的人又这样多，工资比平常时候低落到八分之一。

托尔斯泰又拜访了几个村子，看到到处是同样的情形。连带那篇文章，他自己捐出了一百卢布作为账款开始。这笔款子实是他的全部捐款中极小一部分，后来在一八八一年泼罗加文（这是一位把俄罗斯的宗教派别加以描写的作家，大家全晓得他的）旅行到这个区域，许多居民告诉他，那时托尔斯泰个人对灾民是如何的关切，灾荒时期内他捐出了有多少的谷物和钱。

募捐得到了极大的成功。托尔斯泰的姑母A.A.托尔斯泰女伯爵把这件事报告了皇后，皇后第一个捐了款。于是大家跟上来了，总计一八七三——四年间，钱财捐款达二百万卢布。只有一两年，丰收顿时使这区域改变了面目。

这是托尔斯泰帮了忙的第一次灾荒，可不是最后一次，更不是最凶恶的一次。

一八七三年八月尾之前，他到了耶斯那耶。

一个月后，他写信给斐特，提到了克拉姆斯阔为他画的像，那时候他在家里也总是穿自己家里裁缝的，不穿那裁缝缝制的。画像上穿的正是那种衬衣：

一八七三年九月二十五日

我开始写作了……孩子们在念书；我的妻子忙着，还教书。一连一星期，天天让克拉姆斯阔画我的肖像，是给特莱佳可夫美术馆陈列的，我一边坐着，一边就谈天，想把他从彼得堡的信仰到受洗的教会来。我允许他这样画我，因为克拉姆斯阔亲自找上门来，而且答应用最低廉价格给我画第二张像，但也因为我的妻子劝我这样做。

直到这时候，托尔斯泰总是拒绝给人画他的像的，因为他对他自己的容貌有一种敏感，又本能地不爱好自己给自己做广告这种事，如果他让人家替他照了相，他还要小心谨慎地把底片毁掉了，免得给人拿出去添印，这种偏见到了晚年就没有了；自从克拉姆斯阔把冰冻加以溶解，以后托尔斯泰的照片和肖像就越来越常见。

克拉姆斯阔和托尔斯泰的结交是这样的经过情形。莫斯科的特莱佳可夫美术馆请他给这位伟大的小说家画一张肖像陈列在俄罗斯名人的廊中，可是他在莫斯科找不到一张托尔斯泰的照片，他又太谦逊，不敢请求托尔斯泰给他坐着画（他知道托尔斯泰是在耶斯那耶过一个隐居的生涯）。后来他在离耶斯那耶三哩的地方租了一间乡下的房子，因为托尔斯泰时常骑在马上经过这里，就想借此来速写他。可是他的存心给他们知道了，托尔斯泰家立刻友谊地邀请他。克拉姆斯阔画了两张极相似的画像，一张还在耶斯那耶。

托尔斯泰还没有给斐特第二封信，死神是他婚后之第一次的来敲这家人家的大门了。十一月十一日他写道：

> 我们有恶运了：我们最年幼的一个彼得，患了喉症，两天就死了。十一年来，我们家里第一次死人，我的妻子深深地苦痛了。要安慰我们自己，我们可以说，如果八口中间可以挑一口，那么这次的损失要算挑到较最轻微的损失了，可是，心，特别是母亲的心——大地上显示至高至神奇底神性的心却不懂得理性，所以我的妻子悲恸万分。

这整个一八七四年里，托尔斯泰化了好大力气，要想他的教育体系被普遍地采用。一月十五日，虽然他不喜欢当众演说，却在莫斯科文字学会上谈到教育孩童底最好方法的题目。他的雄辩底内容我们不必细谈，因为本书的读者不会给俄国的儿童以俄文教育的；大体上，俄罗斯的教育家采用的是德国的 Lautiermethode（强迫教育法），而采用的方式，由托尔斯泰看出来，简直是错误而且迂腐的，而他的演说就是反对这种教授法的。

举行这个会议的大厅上挤满了人。学会主席沙蒂洛夫先生请托尔斯泰开一个辩论的头，可是托尔斯泰宁肯他来答复那些其他的演讲者所提起了的问题和所主张了的意见。会议生动地进行了，俄罗斯教育界的名流都说了话，最后讨论的题目已广泛到整个初级教育的方向问题了。于是托尔斯泰，这样地站在作为他的出发点底信仰上，认为给不愿意学，没有预备要学什么的人强迫教育是有害的——尽管我们以为强迫教育尽善尽美，说不定它也像中世纪的炼金术，星相学是一样的东西——就否定初级教育的强迫实施，而且宣布初级教育首先应注意俄文和算术，然后轮到自然科学和历史。为了证明他的教育方法的便利，托尔斯泰建议了在一个附设于莫斯科某工厂的学校里当场试验。接受了，文字学会决定开设两个临时性的七星期的学校来专门试验这两个敌对的教育法。一个由强迫教育的专家来教授，另一个学校用托尔斯泰的方法，由耶斯那耶附近一个学校的教员担任功课。七个星期之后，由一个委员会来考试了这些学生，可是委员会中的委员们意见又相左，而交出了相互矛盾的两份报告书。在学会的会议上又发生了大不相同的意见。这时托尔斯泰认为考试是举行得颇不得当的（学生们年纪太轻了，而且有许多人站在旁边使学生的注意力不能集中在教师的身上），可是，他的方法却还能证明它的优越性，就决定了写一封公开信给沙蒂洛夫，以便引起广大的注意。

从最初的辩论开始起，全部经过，由著称的批评家散文家 N.K. 米哈洛夫斯基执笔，发表在报端，他是涅克拉索夫的同学，而这时涅克拉索夫正在主编《祖国》杂志。托尔斯泰很久没有和涅克拉索夫往来了，现在请求他让《祖国》杂志出来帮他一手，使他有个地盘和教育法的专家们笔战，也使他的教育法能得到广大的注意。作为引诱，他送出了一张后来没有兑现的支票，说他一定给他们这杂志写几篇小说。结果便是托尔斯泰的一篇长文章（他给沙蒂洛夫的公开信）在九月号上发表，题目叫做《论人民教育》。

托尔斯泰在一八六二年写的那些教育论文，发表在他自己那个杂志里的，没有人注意就这样过去了，可是这一篇文章，《战争与和平》的作者所写，彼得堡权威杂志上所发表的，表示的意见虽然和以前的一样，却引起了极大的注意，不管是好评或是坏评，许多别的期刊上都评到它了。他的意见还是只一小部分被接受，可是那些职业的教育家，一向认为学龄儿童“是一群为了牧羊人而存在的羊群”，现在重重的受了打击，这种影响是康健的，它的直接的效果，则是莫斯科师资训练所拒绝一种托尔斯泰猛烈攻击了的小学校的课本。

这篇文章激起了风暴，跟着米哈洛夫斯基在一八七五年正月号的《祖国》杂志里又写了一篇长文章，题目叫《局外人言》，这里面，他和托尔斯泰站在一起，反对强迫教育家，说：“虽然我不是一个深邃的哲学家或教育家，写的也只是一篇雅文，可是我希望读者能仔细考虑这篇杂文，能加以注意，并不是为我，而是为了托尔斯泰，为了他的思想的精义，这些精义，我现在只是在评介而已。”

而在这以前，托尔斯泰还有另外一个改进初级教育的企图，就是开办一个“树皮靴学院”，前面曾经提起的。

他发现耶斯那耶有几个孩子，在读完了他们的学校之后，还想继续的修课。他试验了一次，给他们学习代数，结果非常成功。

在他这最后的一篇教育论文中，他指出这种成绩卓著的教育法不能展开的大困难就在这一个事实，农夫不能给非农民的俄国教师付一笔束脩，他们的境况自然是很穷困的。所以这是很自然的事，他要计划一个能由农民自己担任教授的办法；他计划在耶斯那耶开始办一个训练学校，由他自己来指导，管理。

这年夏天，他有一个到沙玛拉产业上去的短期旅行，看了看那里的管理的情形，他的儿子舍尔该也陪同他去了。

一八七四年十一月二十日，伯爵夫人给他的弟弟写信说：

我们照常的冬天的工作已经极度紧张起来

了。辽夫全神贯注于通俗教育，学校和师范学校——那是训练农村学校的教员之所。这一切把他忙得从早上忙到夜深。我却很有点怀疑。我又很抱歉，他不把他的精力放在小说上，却放在这些上面；我也不晓得这些是有用没有，因为他这一切活动只传达到俄罗斯这样小的一个角落为止。

图拉省政府里的贵族长 P.F. 沙玛林还是托尔斯泰的后台，说“地方自治会”有一笔三万卢布的款子可以移作教育之用，也许就可以用在师范学校上。因此托尔斯泰原来是不愿意从事选举活动的，又答应回“地方自治会”里去，进去后不久便被选为教育委员会中的一分子。

他提出了一个报告书，要求办这样的一所学校，起初还讨论得很好；可是有一个老头子站起来了，说全俄罗斯正在大举募捐要给喀萨琳女王建立一个纪念塔，凑巧这年又是她手创图拉省政府的百年纪念日，所以这笔款子他要求献给这个女恩人的纪念塔上。效忠的情绪博得大众的同意，托尔斯泰虽没有放弃了他的计划，这一来实行的可能又没有了，以后我们就不大听得到关于这事的活动了。

要是不了解当时俄罗斯的统治阶级是如何的蠢愚反动，中央当局与地方当局这样经常的干涉、阻碍托尔斯泰底不为自己谋利的计划就难以理解了：他们禁过他的给兵士阅读的报纸底出版，检查他的小说，派出宪警搜查他的学校，怀疑他的学校杂志，这次还打消了他的师范学校的献议。因此，有什么奇怪呢，他越来越觉得政府是最反对自由解放的东西。我们知道同时候正因同样的理由，年轻一代底男女已开始在工人和农民中间冒着危险宣传起来，多少已明确地在反对这现存的社会秩序了。

他热衷于教育工作并不曾消灭了他的作为小说家的活动，只是使他拖延了时日。一八七四年春，他带了《安娜·卡列尼娜》的开头几章到莫斯科去了，因为了什么一些缘由，这一年他却并没有发表了它。

屠格涅夫这时正和薇阿尔陀夫人合作着把托尔斯泰的一些小说译成法文。一八七四年三月给斐特的信中，他说：

春季快过去了，可是不相干我还要译他（托尔斯泰）的《三个死亡》，交给《双月刊》或《时代》，秋季我一定把《哥萨克人》译出来，我越是读这篇小说，我越觉得这是托尔斯泰的杰作，全俄国的叙事文学中的大作品。

生命和死亡却同时继续着往返，四月中生了个男孩子，名叫尼古拉；立刻，死亡，刚几个月之前劫去了这一家最幼小的，回来劫去了这一家最老的两个。第一个过世的是他热爱着的妲蒂阿娜·亚历克山德罗芙娜姑母，她的影响及于他的一生，她死在六月廿日，第二年另一个姑母跟了她逝去了。

托尔斯泰每提到妲蒂阿娜姑母，从没有不让我们看到他，是如何永远的记得她。这里是一两段有关于她的记载：

已经开始衰弱了，已经在等待她的最后的机会了，有一次，我在她房间里的时候，她背过了身子对我说话（我看她快要哭泣了）。“听我说，Mes Chers Amis（我的爱友们），我的房间是好的，你会用得到的。如果我死在这里，”她的声音打抖了，“这个记忆会使你悲哀的；还是把我搬了出去，搬到别的房间，我不要死在这里。”她就是这样的，从我还不能懂得她的良善的幼年时候起就这样了。

关于她的死和她一生中最重要的一件事，她对他的父亲的钟爱，托尔斯泰这样写着：

她平静地死了；渐渐睡下去睡着；死在正如她所希望的另一间屋子里，因为不然的话，她怕她的一间屋子使我们永远难受。

她死时已不认识任何一个人。可是我，她总认识，微笑了，辉煌了，如同一个人按了电钮，那电灯就亮了似的，有时她试着移动嘴唇轻唤尼古拉这个名字；这样地在死亡中整个地，不可分离地把我和她爱了一生的他结合在一起了。

当她的灵榇通过村子的时候，耶斯那耶·朴利阿那六十家人家中没有一个人不出来把灵榇停住，为她的灵魂高唱安魂曲的。他们说“她是一个和善的太太，谁也不得罪的”。托尔斯泰接下来说：

> 因此他们爱她，非常爱她。老子说“无”是珍贵的准绳。生命就是如此。如果生命中没有一点儿坏，这是珍贵的，而妲蒂阿娜·亚历克山德罗夫娜一生中却没有准一点儿坏。

只除了尼古拉大哥的死是例外，即使是最接近最亲爱的人逝世，托尔斯泰也不会怆恸欲绝的。下面这封给斐特的信说明妲蒂阿娜姑母之死他如何地忍受了。

> 一八七四年六月廿四日
>
> 两天之前我们葬了妲蒂阿娜·亚历克山德罗芙娜。她很慢很慢，很逐渐逐渐地死去，这种过程使我习惯了；然而她的死，正像一个最接近最亲爱的亲人的死一样，是一件极新的、

孤立的、意外地激动的事件。家人全都平安，我的家里住满了人。可喜的热天游泳和水果使我坠入了我正喜欢的精神的慵懒之中，我只剩下一点儿精神来记得我的朋友并想念他们。

第二封信，日期写明十月廿二日的，其内容目的：

亲爱的阿芳那西·阿芳那西耶维奇——我计划要买，一定要买尼古拉村的一点地皮，因此必须借一万卢布，要借一年，有抵押。也许你有钱可以放一下。如果，写信到尼古拉村的伊凡·伊凡诺维支·奥洛夫。他会代表给你处理我们之中的关系的……要不是我给学校，家庭，产业弄得这样，我真是多么愿意看到你，我连打猎的时间也没有了……但愿冬季里自由才好。

托尔斯泰的《ABC课本》，这年出了一套用十二个纸封袋套起的，缩小了开本的第二版；可是他对于这个作品还不十分满意，到年底边又开始增订它，改删它，抽去了算术的一部分，加入了一套；按次序的读本练习题，一个《ABC 新课本》，除了更加高深的读物之外，还有九十二页的初级课本，在一八七五年出版，定价极低。这时已经有一两百万册卖掉了。从他的第一版《ABC 课本》中后来把读物又提出编成四册廉价版的“读本”，每本只售三四个便士，这一部书虽然教育部并没有审定，却从此之后，销路极广，若干年后有一个时期，一版一版的出，每版都印五万部。

大体上伯爵夫人是康健的，能很轻易的担负这大家庭的重任；可是在一八七四——五年间的冬季里，她的身体也使她丈夫忧虑了。到了一月，他写信给斐特时却能够说，“我对我的妻子的康健底忧虑已经过去了”；但是话虽这么说，她病的时候还是相当长久的。

一八七五年最初的四个月的《俄罗斯使者》登出了《安娜 · 卡列尼娜》的开头几章。

二月中，婴孩尼古拉因脑灾而死，一八七五年三月四日托尔斯泰这样的写了信给斐特。

我们是一个悲哀跟一个的；你跟玛利亚·彼得洛芙娜一定会为我们，特别为松尼亚分忧。顶小的一个只有十个月大，三个星期之前得了可怕“水脑”病，受了三星期的苦刑，三天之前死了，我们今天葬了他。因为我的妻子的缘故，我也很难受，而特别她，自己喂大了他的，难受得利害。

在同一封信中，他提到了《安娜·卡列尼娜》，接下来立刻又提到了《忏悔录》的萌芽，虽然这部书还要等到一八七九年才写：

你赞美了《卡列尼娜》使我高兴，我听说她受了赞美，可是真的，还有哪一位作家像我一样的对自己的成功这样地不关心的呢！

另一方面我忙着学校的事，另一方面，奇怪得很，正在这孩子病得最坏的时候，一个新作品的题材来到了我的脑里，关于这病痛和死亡的……

这年夏天，托尔斯泰全家到了沙玛拉的产业上去，自从最近一次又添置产业以来，他已经有了一万六千亩以上的土地了。穆哈默德·沙带了他的成群的牝马和他的“鞑靼包”的幕帐——托尔斯泰称之为“我们的沙笼”的——又出现了。为了托尔斯泰他们自己这些人之用，他们又做了一个“鞑靼包”，大家都喜欢住进去。

大草原上的农事，新鲜而又奇特的，使托尔斯泰发生了兴趣，跟家里的其余的人一样，起劲地收割和簸谷。用沙玛拉人打麦的方法来看看，就知道当地的农业是如何原始的形态。马匹一群围了一个圈，前面一匹的马尾巴缚住了后面一匹的马头。中央站一个马夫挥舞一根长鞭，马匹就团团的转，踏在马蹄下的是同样的一圈麦子，这样把壳踏掉。

五对，甚至六对牛才能开恳这片处女地，牛脖子上都挂着音色深沉的铜铃，发出了短音阶的声调，这些事物加上了牧童的笛声，闷热的天气，光亮得神奇的月夜，使全家人都感到了迷惑，特别因为托尔斯泰对于一切美的，有趣味的事物有敏感，使这种迷惑更增加了不少。

全家都欢乐了，贝尔斯告诉我们，对他们这新的农场全都有兴趣，有几个还跟托尔斯泰远远的跑到奥伦堡去买马买牛。

他买了大约一百匹巴墟吉尔的牝马，用英国马和别的给他们配对，希望能饲养一些新的马种。

有一个晚上，他自己的和穆哈默德·沙的全部牲口几乎给吉尔吉斯的流浪人偷掉。两个骑在马上的巴墟吉尔劳动者追赶了这些闯入者，把他们赶跑了。

托尔斯泰说在沙玛拉从事农业是冒险的。耕地、稻种，然后收获所费的钱三倍于购买这块田地的价格；而且五月六月中要是不下一点雨水，什么都完了；要是下了几次雨，收获也不过三四十个仓。

有一天，是在收割时期内，一个可怜的鞑靼游民在一辆小车子里拖了两个孩子，来到了托尔斯泰正坐着的洋台上，请求他雇用他做工。他允许他在附近一块地上搭起他的小屋子，托尔斯泰的孩子们天天去那儿，给小鞑靼送东西去吃。

邻村有几个生活还过得去的俄罗斯农夫，托尔斯泰和他们很合得来。或许是因为他们经济上独立，而所在的省份又没有奴隶制存在，或许是因为托尔斯泰善于结交人民，使他们安乐，这些农民的行为是尊重旁人更极其自尊的。“你好”，这样问好的时候，他们还握手，如像托尔斯泰的朋友一样。

他还时常的发现，这地域中正教的农民和他们的回教的邻人之间关系良好，彼此还容忍了各自的宗教，而觉得这是可喜的事；他又觉得巴特洛夫加的牧师跟摩洛干人之间，前者虽然要得后者改信宗教，却非常和睦，也使他高兴。

某一个雨夜，就是在这位牧师家里耽久了，托尔斯泰和他的舅子出来就迷了路。黑暗中连马头都看不见。贝尔斯骑的是一匹做苦工的老马，不断的挣扎着向左边走。托尔斯泰听说了这情形，就说让马来带路吧。于是贝尔斯把缰绳打了一个结，自己就把大衣裹起来挡住那风风雨雨，听凭那老马行走。它小心地绕过那些已经耕起的田地，一忽儿跑到了大路上，而且把他们带到一个可以让他们辨识路向之处，那两个骑马者就知道了他们的所在。

这年，在沙玛拉最惊人的一件事是托尔斯泰举办了一次赛马，由穆哈默德·沙去宣布给农民和邻居们知道，说这次赛马在伯爵的产业上举行，谁愿意参加的都欢迎参加。于是巴墟吉尔人，吉尔吉斯人都来了，带来了落帐，轻便的铜制的锅子釜子，大量的马奶，还有带了羊来的。乌拉尔区的哥萨克人和俄罗斯的农民从附近这一带上跑来。贝尔斯说起这赛马的预备：

> 我们自己去挑了一块平地，圈出了一个圆周三哩的大圆圈，用犁耙耕地一周，都用木头围好。羊，甚至一匹马，烧好了款待宾客，到了那一天，来到了成千的人。那广大的草原，绿油油的草茵上，突然升起了一排营帐，立刻各式各样的人活泼地点缀在四周。在圆锥形的土堆上（当地人就称之为“圆锥”的），绒的和别的地毡摊开，巴墟吉尔人就盘脚坐在上面，围成一个圈。在中央坐一个年轻的巴墟吉尔人，从一只巨大的 Tursuk（兽腿上剥下来的皮做成的皮囊）中倾倒出马奶来，轮流的把杯子递给每一围坐的人，要是欧洲人听起来，他们的歌唱，他们的管簧的音乐或许是可怕的。

到处看到巴墟吉尔人在玩他们的摔角戏。三十匹受过训练的马进来了，它们是主要的竞赛节目。骑马的都是些十岁左右的孩子，他们不用马鞍。

这一个赛马的距程是三十三哩，时间恰好是一小时四十分，所以每一哩跑三分钟。三十四马中间跑完全程的十四，其余的中途都退出了。奖品是一匹马，一条牛，一枝枪，一只金表和几件鞑靼人穿的红红绿绿的丝织衣服。庆祝一连两天，非常有秩序而且快乐无比。托尔斯泰觉得没有警察到场，特别愉快。宾客全都客气非凡，谢过主人才退，退走时也万分满足。“便是在人群中，”贝尔斯写道，“我也觉得辽夫·尼古莱维奇是懂得处理快乐和秩序之间底均衡的。”

托尔斯泰的短篇小说底读者自然知道他最后是如何利用了他的材料：他所知道的巴墟吉尔人和他在这一带的邻近遇到的一个隐士的。

八月廿六日，回到耶斯那耶，他写信给斐特：

两天前我们平安地回到家里……

我们的收成还过得去，可是劳动工钱很大，结果收支只是相抵。两个月来，我手指上没有沾墨水，我心里也不让思想占有。现在我又定下来从事于沉闷的，庸俗的《安娜·卡列尼娜》了，只希望赶快把这一件弄完。又有空闲来干别的工作——不仅是我又爱而又想洗手的教育工作。它也太消耗我的时间了。

他在沙玛拉得到的经验是肯定了他的这样的感情，西方世界的文明，进步和政治的争斗，和俄罗斯的欧化了的小部分其实并不重要，真真重要的乃是平凡的人们底巨大而原始性的斗争——求生存，求健康而自然的生存；在同一封信里，他写着：

我不知道是什么命运叫我去（沙玛拉）的；可是，我知道我听过英国国会里的长大的演说辞，大家认为它们非常重要，但我觉得它们真沉闷而且微细不足道；可是苍蝇啊，垃圾啊，巴墟吉尔的农民啊，还有我，非常尊敬而且心焦地注意它们，听得出了神，注意出了神，以为这一切都是顶重要的。

人必须生活得像我们的生活一样才好，住在世外桃源的沙玛拉，亲眼看看游牧生活的大斗争——浩浪无边的区域之上，成百万的人，过着原始的农业生活——只有亲眼看到然后知道这个斗争所有的顶重要的内容。

从沙玛拉省回来之后，小孩子全患上了百日咳。连伯爵夫人也传染了它，又因为她已经怀孕有六个月，病得很利害。结果一个女孩子不足月就生下来，只活了她两个小时的生命。

托尔斯泰的长子舍尔该现在已经十二岁了。除了他们的美国女教师和一个瑞士妇人之外，孩子们已经不时的得到一个瑞士人，一个法国人和一个德国人做他们的近代语文的教师了。教师和担任教师的学生也住在耶斯那耶教授旁的功课。从图拉来到了一个音乐教师。长子具有非常的音乐天才，大体上，这一家子的音乐天才全很不错。他们一学会指法的练习，伯爵认为他们马上该弹奏正式的乐曲了。

对另几个孩子则集中了注意力来唤醒，并发展他们的绘画的才能，特别是长女妲蒂阿娜，可是只有对这方面真有了才能的孩子，才开始给他们上课。

托尔斯泰虽然不喜欢文法学校（俄国人称之为Gymnasiums）的课程，却并不勉强他的儿子，还打算他进大学校去受古典的教育的。舍尔该每年去应考，依照图拉文法学校的功课的标准，却在自己家里念，每年都及格了。

贝尔斯在他的《回忆录》中谈到托尔斯泰在家庭间所起的重大的影响：

> 我恐怕不能圆满地描写出在耶斯那耶·朴利阿那，大家的心灵状态底欢乐来，它的来源总是从辽夫·尼古莱维奇。谈到抽象的问题时，关于孩子们的教育，关于外面世界上的事情，他的意见总是最有趣味的。就在玩木球，或我们散步的时候，他一参加，他一说出他的幽默

话来——他在游戏中或散步中总是主要的角色——大家都活泼起来了。

他喜欢陪我刈草、挑草、运动、赛跑，偶然还陪我玩跳青蛙或者玩 Gorodki（把两个短棒交成叉，把一个打出去的游戏），等等，论气力，我比他差得远，他能够一手举起一百八十磅，但赛跑我就不比他慢，可是我笑得太多，所以赶不上他。一切我们的运动都有这活泼的心情。我们在经过正在刈草的工人们的时候，他常常看那最疲乏了的一个工人，走上去借他的镰刀来帮忙割一下。我自然也看了他的样。于是他要问我了：为什么我们肌肉这样发达，不能够一连刈草刈他六天，而吃黑面包睡在润湿的泥地上的农夫倒能够办得到呢？“你应该这样的试一下。”他这样下结论。在离开草地的时候，他抓了一把干草堆上的干草，嗅一下，对那股香味真是心满意足了。

在耶斯那耶，大人和小孩都玩木球。这游戏总开始于晚饭之后，玩得后来点了洋烛，贝尔斯说，和托尔斯泰玩久了，他认为木球的游戏也是一种碰运气的游戏了。打得好的一下球，托尔斯泰称赞了一声，那打了好球的人就兴高采烈，他的对方就生了一种竞争心。便是打不中的一下球，托尔斯泰的一句慈祥而又冷酷的批评也激动人心。只要他说一个字，在适当的时候说一个适当的字；就造成了一种氛围，使任何事情活泼起来，使任何人都受到影响。

托尔斯泰的单纯的天性表示在他那变化多端的情绪的惊叹语上面。如果驾了一辆马车上车站，赶不上车子，他就喊了："啊，我们赶不上！"他喊得这样的深刻，听到这说话的人一定以为什么悲惨的事情已经发生，可是托尔斯泰狂笑起来，害得那听到的人跟他大笑。打木球的时候，有一下打不中，或者坐在家里的时候，他突然想到他忘记了一个约会，他也这样惊叹。有时他的惊叹甚至把他的妻子吓坏了，那时他就像一个挨骂了的小孩一样，说："下回我再也不了！"

他的笑声，从最高音阶上起始发出的，是特别能感染给别人的笑声。他的头不得不挂在一边，整个身体也就震动了。

他那种好脾气的讽刺话却常常能刺激旁边的人。例如有一次有人在埋怨天气，托尔斯泰就会说："老兄的天气，态度不大好吗？"

有时他觉得不愿抽第二支雪茄，或者不愿意第二次吃那盘好味道的菜肴时，他给在场的人说了，"等我年纪再大点，我就能这样的再吃了"，或"抽两支雪茄"了。

贝尔斯说过："要是他看到小孩子在做鬼脸，他常常喊住他们，别做鬼脸，把你们的面孔弄坏了有什么好呢？"

贝尔斯还告诉过我们：

> 他有一种所谓"北非洲古骑兵"的游戏，我们最赞赏。他突然从椅子里一跳起来，把手臂举在空中，而手腕却松弛地朝下放倒，然后轻快地在满屋子中奔跑。小孩子，甚至有时候是成年人，也同样突然的学他的游戏来玩。

托尔斯泰的朗读非常好，常对家庭里的人或宾客朗读。

他不爱医生这一点，我们在《战争与和平》和《安娜·卡列尼娜》中已经看得很明白了。他像卢梭一样的认为医药应该大家都懂，不能当做一个专门职业看待，这个意见使他赞成农民们的土方。可是家庭里若有人病倒，他还不至于顽固到不请一个医生来看看。

这一年年尾，他的另一个姑母，潘拉该亚·依利尼希那·尤许可夫，曾在托尔斯泰幼年时和他一起住在喀山的，也逝世了。一八六九年，她的丈夫还没有死，他们分居了，两人的友谊虽然还保持着，却从此没有再见过面。她是诚虔的正教教徒，丈夫死后，她进了奥泊蒂那尼姑庵。后来她又搬到图拉的尼姑庵，可是大部分的时间还是在耶斯那耶度过的，她病死的一年正好八十岁。大体上说，这是一位和善的老太太，可是不够伶俐。她一生谨谨慎慎地奉行教会的礼仪，而且坚信着赎罪和复活的学说，可是她自己怕死得利害，在垂终时很不甘心地接受了圣餐，因为这提醒了她底她快死去的事实；为了怕死而受苦，又使得她对许多在场的人生气。

仆人舍尔该·阿巴索夫，这时还是住在他们家里的，说起这位姑母住到耶斯那耶之后，每个月的初一要请一位神父来。神父来到之后，开始了用圣水祝福的典礼，那时托尔斯泰赶快跑开，躲藏起来。等到园丁赛苗，是托尔斯泰派去侦察的，回来说神父已经走掉，托尔斯泰才敢跑回来。

然而，这时候他对教会的仪式已经态度不同了。这位仆人，于正在托尔斯泰内心复杂地斗争的事实只能看到他的外表上的变化的，曾经这样告诉我们：

> 突然一个惊人的变化占有了他。我是一个目击者。一八七五年，图拉修道院里一个神父叫伐西利·依万诺维奇的，常来给托尔斯泰的孩子们讲神学。起先，辽夫·尼古莱维奇难得和他说话，可是有一次，一个暴风雪迫得伐西利·依万诺维奇在家里过一夜了。伯爵开始和他谈天，他们谈到第二天黎明还不上床。他们谈了一整夜。

从这天起，辽夫·尼古莱维奇变得深沉了许多，常常跟伐西利·依万诺维奇谈话，四旬斋节来到了，有一天早上，托尔斯泰清早起来，说："我打算去献出我的诚虔，打算去领我的圣餐。你可以去睡，可是不用唤醒马夫。我自己会驾上喀尔米克（当时托尔斯泰的爱马）。舍尔该，如果我得罪了你，请你原谅！"他去了教堂里。

这天起，一连几年，他时常到教堂里去，难得有一个星期日不去。整个村子都奇怪了，互相的问："神父给他说了什么来啦，怎么他突然喜欢跑跑教堂了呢？"

我给我的孩子教授宗教时，不止一次，托尔斯泰伯爵降临了我的茅屋。

"你在教他们什么？"他问。

"啊，"他说，"这就对了。一个人不向上帝祷告的不是一个真的人。"

一八七六年最初四个月的《俄罗斯使者》杂志又登出了《安娜·卡列尼娜》的续篇来了。三月一日，托尔斯泰写信给斐特：

我们的情况颇不利，最近的一次我的妻子的病还没有好，她咳嗽，而且瘦了，先是热度

> 高，后是头里痛。于是家里安排不妥当，我缺少了心灵上的安静，为了我的工作，现在我是需要它的。冬季的末尾，春季的开始常常是我的工作的主要时期，我必须写完我的小说，现在我开始替它着急了……我常常希望你有一个牙齿摇动了或者你的打麦机器有一个牙齿摇动了，使你不得不跑一趟莫斯科呢。我就可以在柯兹洛夫加（离耶斯那耶最近的一个火车站）织起了一张蜘蛛网来，一下子就可以抓住你。

四月中斐特信上说他病了，还以为他是快要死了呢，“希望请你过来，看我如何离开这人世”。四月二十九日，在托尔斯泰的一封复信里，值得注意的是他已有五年内心的凶恶的交战，从这五年的怀疑挣扎中得到的进步，在这里，《忏悔录》写成之前，先显示了一瞥：

> 我感激你的邀请，你说你觉得自己不久人世了，要我来看你怎样的辞别这人世。如果，在我也要到“那里”去的时候，我还能思想，

我同样地要邀请你的。到了那一个时辰，除了你和我的哥哥之外，我不会需要别人了。因为死亡临近的时候，那些友谊超乎生死之外的朋友们能一起来谈谈，最可贵也最愉快；而你和这样稀有的“真实的”人，我这一生中只见到过几个人是站在生死边境上，看得十分明白的，因为他们有时观察“涅槃”——无限的，未知的——有时观察……对“涅槃”的观察更增加了他们的目力。可是世俗的人，不管他们讲不完的讲着上帝，你我都不会喜欢他们的，临死的时候面对他们都是一个烦恼，因为他们不能有像我们一样的看法，这看法你的文章曾经说起了的，上帝“愈不鲜明，愈辽远，可是愈崇高，愈不容置疑”底看法。

你是病了，想起了死，我还活着，却没有停止对这同一件事的思考和准备……我所想到的那许多，我想写在《俄罗斯使者》四月号的最后一章中（这是《安娜·卡列尼娜》第五部的第二十章）。

这被提及的一节是讲着列文的哥哥之逝世的，显然以托尔斯泰自己的哥哥德米脱里的逝世作为根据的了；《安娜·卡列尼娜》中许多其他的人物也多多少少是从实际的人物中汲取得来的，例如仆人阿伽菲亚·米哈洛芙娜，就是一个真实的人，这还是她的真姓名呢。只在不多几年前，她死于耶斯那耶。便是耶斯那耶·朴利阿那这村子自己，也有许多细节被描写在这部小说中。

五月十二日，托尔斯泰又写信给斐特：

> 自从我收到了那匹马，已经五天，每天准备给你写信，总是找不到时间。春夏的生活已在这里开端，我们的家庭充满着宾客和吵扰。今年的夏季的生活，我觉得像一场梦：里面还保留着我的真实的冬天的生活留下来的一部分，却多么像幻象，有时愉快，有时懊伤，却全是从清醒的感官所不能控制的什么荒唐世界来到的幻象，这些幻象之中来到你这一匹骏马。我十分感激你。要我把钱汇到哪儿吗？……
>
> 目前使我煞费心机的是舍尔该的考试，廿

七日开始应试……何等可怕的夏令！观望那森林，特别是幼年的树木，使人恐惧又悲哀。他们都枯焦了。

五月十八日，他又写：

你的又长又谦逊的来信我又迟迟作复了，因为我病了，而且还是不爽快，可是至少我得给你几行信。家里挤满了人，侄女娜谷尔尼，她还带来了两个孩子，库兹明斯基一家，他们已有四个孩子；松尼亚（指伯爵夫人）还是不大舒服，我忧郁而愚笨。我们只希望天气好，可是就没有好天气。你跟我一模一样，你一定知道这种情形里一个人自己的感觉了，有时像神，无所不见，有时却笨得不如一匹马。我目前就在这状态之中。请不以为意，等我的下封信，你的

辽夫·托尔斯泰

这封信中的库兹明斯基一家，便是丹妮亚，她丈夫和一家人。他们每年夏天到耶斯那耶来，住在新屋中。

进入“夏季的情形”后，托尔斯泰对《安娜·卡列尼娜》的注意就减少了，但在这一年过去之前，他有一次勤奋的工作，把它完成了。这部书所激起的兴趣真是这样大，据说莫斯科的贵妇人常常托人到印刷所去打听将要续登的那几章的内容。

七月二十一日的信中托尔斯泰邀请斐特的哥哥，彼得·阿芳那西耶维奇，一个爱马的人物，陪同他去沙玛拉；在同一封写给斐特的信里，中间还提到了土耳其里面的斯拉夫人的困难，因为土耳其人和海兹哥维那人已经打了十二个月的仗。彼得·阿芳那西耶维奇是志愿地去从军的，但在战事失败之后回来了。

一八七六年七月廿一日

该责备我，亲爱的阿芳那西·阿芳那西耶维奇，复信这样迟。我每天要写，可是总没有时间……一星期之前，斯托拉霍夫来了，谈哲学谈到烦慊……让我紧紧的握一握彼得·阿芳那西耶维奇的手。我想听听他讲海兹哥维那人的故事，我几乎不知道有这种人的存在！

我准备九月里到沙玛拉去。彼得·阿芳那西耶维奇如果还没有九月中的计划，他愿不愿意跟我去看看吉尔吉斯人和他们的马？这该是多么快活的事！

这件事前面已经提起过，托尔斯泰很懂得马，这时想靠饲马来增加他的收入。为了买马，他到奥伦堡去，遇到了克利曾诺夫斯基将军，一位朋友，曾经是塞伐斯多波之役的他的长官，现在是这北方的省府的总督。他们一起过得高兴，谈的是过去的回忆。

九月中，他给他的妻子写了这样的信，因为她实在受不了这一次的分离：

我知道你难过，我知道你害怕，我知道你在控制你自己，不愿意妨害了我，可是这岂是不可能的呢，现在我更能够爱你啊。但愿上帝允许你好好的生活，康健，有精神，有用！……上帝怜悯我，怜悯你！

十一月十三日一封信里，托尔斯泰给斐特写道：

为两件事可怜我吧：（一）一个糊涂的马夫带了些种马到沙玛拉，想抄一条小路，把根内巴淹死在离我们的产业不到十哩地方的泥沼里了，（二）我一直睡觉，不能写东西，我瞧不起我自己这种懒惰，决不允许我自己动笔写另外的东西。

在根内巴淹死了的二十八年之后，伯爵夫人给我谈到了她丈夫经管事业的特点，说他的计划是没有不好的，可是总因为他在小地方不注意出大毛病。“例如，”她说，“他把一匹价值二千卢布的顶好的种马送到我们的沙玛拉产业上去，这主意是蛮好的。那地方没有过这样的马，可是他不应该把它交给一个鞑靼酒鬼，卖掉了它倒说是它淹死的。”

一八七六年十二月七日，托尔斯泰的信上说到他收到了斐特寄给他的一首诗《群星中》：

> 这首诗不仅是你的佳作，而且特别的，特别的好，这正是我希望你的那种哲理诗。以星宿做题材的确是好极了……我的妻子说，在抄写着诗的同一页纸上，你倾泻了你的悲哀，说石油的价钱涨到了十二个戈贝克了，她说这也是好的。这是间接的，但确定的是诗人的明证了。

读者早已晓得托尔斯泰是如何的爱好音乐。有时因为他忙着别的事情，没法弄音乐，可是一有机会，他就热忱地回到音乐的领域去了。据贝尔斯告诉我们，托尔斯泰弹钢琴的时候，总是弹那些严肃的乐曲的。

> 在工作之前，他常常在钢琴前面坐一会……他常常给我的小妹妹（丹妮亚）伴奏，而且非常喜欢他的歌唱。我注意到音乐激起了他的感情时，他脸色微微的苍白，有一些隐约

> 可见的狞笑，仿佛面对了什么可怕的东西。夏天里没有一天里我妹妹会不歌唱，钢琴会不弹的。有时我们大家唱歌，他总弹伴奏。

托尔斯泰的精神上的危机现在越来越深了，似乎音乐对他的诱惑也增加了。一八七六年他结识了作曲家柴阔夫斯基（Chaykovski），二十年之前托尔斯泰布下种子的那个莫斯科音乐院，他就曾经当过院长。

柴阔夫斯基从小时候起，就是一个托尔斯泰的崇拜者，认为他是这样地了解人类的心肠，几乎是超人的才能。因为托尔斯泰自己来找他，要求结识他，柴阔夫斯基就大大的高兴了。结识以后，作曲家似乎是极尊重托尔斯泰的，一八七六年十二月二十三日，柴阔夫斯基写信给朋友：

> L.N. 托尔斯泰伯爵最近在这里。他来看过我几次，有整整两个晚上和我一起度过。我觉得我受到了宠爱，我能激起他给我的兴趣，觉得骄傲，我自己也给他的理想的人格所迷住了。

柴阔夫斯基和那时的莫斯科音乐院院长尼可拉·鲁平斯坦商量，专门为托尔斯泰开一个音乐会；在这个演奏会上，鲁平斯坦·菲曾哈根和阿道尔夫·勃罗斯基（现在是孟契斯脱音乐院院长）都是主要的演奏者。

有一个曲子，柴阔夫斯基的《D长调徐缓乐章》奏得这样的感动了托尔斯泰，使他啜泣了。“我这一生之中，恐怕是从未有过，”柴阔夫斯基说，“这样的宠爱，作曲家的虚荣也从未有过这样的满足的，辽夫·尼古莱维奇坐在我的旁边，听弦乐四重奏弹出我的D长调的徐缓乐章来，听到流泪了。”

托尔斯泰回到耶斯那耶之后，写信给柴阔夫斯基，还附了一束民谣寄去，信上说：

> 我亲爱的彼得·依里奇，随函我奉上了民谣几章。我把它们又研究了一遍。到你手上，这一套东西一定能变得十分精采。为了上帝的缘故，请你把它们采用，并处理在罕顿—莫扎特的格调里，千万不要处理在悲多芬—休曼—斐辽士的格调里，那是既做作，而且是

专门追求出奇不意的，我还有多少话没有跟你说！实际上我真要说的话似乎都没有说。没有时间。我到了你那里，只是享受耳福。最近这次莫斯科之行在我的回忆中是最美妙的一次。我的文学上的辛苦所获得的报酬还不曾有过那奇异的一晚那样珍贵的赏赐呢。

柴阔夫斯基复道：

伯爵，承惠寄民谣曲，不胜感激。

但我得坦白的告诉你，这些谣曲是一个记谱不大熟练的人所记下的，它们所有的只有一些原始性的美感。

主要的缺点是她们被勉强地压榨在一个有规律的节拍的形式里。只有俄国的跳舞音乐是有一种节奏，一种等长的，正规的拍子的；但是民谣自然与舞曲不同。而且这些民谣，只任意地记录在庄严的D长调中间，这又是不适于真真的俄罗斯歌曲的，俄国的歌曲，调性时常是不固定的，比较跟古代的宗教音乐更接近点。总之，惠寄的歌曲不能完整地，有体系地处理，就是说，不能把它们制成一整套的曲子，因为要这样做的话，当初的记录要尽量的接近当时的演唱。这是最难的事，需要记录者有最精微的音乐的情感和丰富的音乐史的修养。只有巴拉基莱甫，或者泼洛柯宁也稍稍的有这本领，此外我还没有见到过别的够资格从事采风的人。但是为交响乐的用场，你寄的材料是有用的，而且材料极好，我将用这或那种格调来创作。

这两个伟大人格的往来，却没有继续下去，虽然他们在各自的领域中都这样伟大，而且相互之间又这样的景仰彼此。

柴阔夫斯基是理想得太高了，等他发现他的“半神”还是一个凡人的时候，他就有一点点失望，他的确也怕遇到这个小说家，只怕后者看透了他的灵魂的最深处；可是，柴阔夫斯基说：

他这人在作品中是一个最深入地看透了人心的作家，和他接触之后，却证明他还是个简单的，坦白的，人性的性格，一点没有那种使我害怕的“神性”……显然他并没有把我当做一个观察的对象，他只想跟我谈谈音乐罢了，他对于音乐倒是非常地有兴趣的。

托尔斯泰——曾夸耀他自己是不读报纸，而又远离政治和近代史的——这时却对外交政策发生了一度兴趣。

在海兹哥维那的革命之后，一八七六年五月中保加利亚也发生了一次，还是让土耳其人很快的制服了——有六十五个村子被烧杀，对无告的村民有了不可言喻的暴行。七月中，塞尔维亚和孟特尼格罗向土耳其宣战了，俄罗斯的志愿兵虽然去赴援，却又给土耳其人很快的征服，几乎又要大受荼毒了，幸而俄国在十月三十一日发出了最后通谍，主张议和，而土耳其允诺了。十一月十日亚历山大第二在莫斯科的克列姆林宫中发表演说，这样地声称：他要是再得不到苏丹的允许改革政治的保证，不管列强如何，他也要单独作战。这些事件终于造成了一八七七年的四月中开始的俄土战争。

然而在一八七六年十一月十三日的一封信里，托尔斯泰已经告诉了斐特：

> 我到莫斯科去听了听战争的消息。这整个事件大大的激动了我。明了了真相，自然是好得多，可是我一想到事情是如何复杂，历史是常常在这复杂的情形中间造成的，再想到如何某一位A夫人她的虚荣竟成这个机构中间不可缺少的一个轮子，我不禁懔然。

一八七七年初，俄土之间的复杂关系引起了托尔斯泰和喀脱可夫的决裂。托尔斯泰在心底里，在行为上都是改革家，喀脱可夫则相反的是非常的反动，本来他们的联络就好比一条牛跟一条骡子套在同一个车轭上一样，这时，喀脱可夫对于斯拉夫人所争取的脱离土耳其的束缚正有极大的热情，志愿投军的人他大声赞美，他还乐于俄国领土的扩大哩。然而托尔斯泰是深深地明白了战争的本质，调查了那种叫人前去送死的动机的，对于志愿兵的英雄与自我牺牲，对于报章杂志的狭隘的爱国主义，感到了怀疑；这种怀疑就极明显的表现在《安娜·卡列尼娜》的最后的结束几章里：例如，他从列文口中说出，“新闻界何以能众口一词”：

> 有人给我解释了：一旦战争爆发，他们的收入就可以加一倍。这样看来，他们怎么会关心人民的命运，斯拉夫的民族……和其他的一切呢？

《安娜·卡列尼娜》的最后几章原定在一八七七年的最初几个月的《俄罗斯使者》上面登出的，但结果却是喀脱可夫把一部分底稿退回了托尔斯泰，上面改得一塌糊涂，还附了信说托尔斯泰如不同意这些修改，他就不予发表。

一个新闻家敢改动他的小说里面的一个字吗，托尔斯泰狂怒了，给喀脱可夫一个辛辣的答复，结果就拆伙了。《安娜·卡列尼娜》的最后的结束部分，所以是，并没有在杂志上发表，却分了几册丛书出版，自然全书也是照常的印行了；喀脱可夫后来不能不在他的杂志上按期替这篇小说做一个简单的本事。

下面这封信，写给斐特的，可以说明这件事：

> 一八七七年三月二十三日
>
> 收到了你的信，总是这样的，何况你说你喜欢我的作品，使我高兴到你不能想像的地步，亲爱的阿芳那西·阿芳那西耶维奇。你说《俄罗斯使者》发表了别人的诗，而你的《诱惑》都给压了起来。这是世上最笨最死洋洋的编辑室。我恨透了他们，不是因为我自己，是因为别人的缘故……
>
> 我的头脑又好了起来，可是它既然好了，我又该这么苦干了。三月和四月初我的成绩总是最好，我还在这种幻想之下工作，认为我所写的东西都非常重要，可是我知道再过一个月，想起我曾经有过这种想法就要面红耳赤。你有没有注意到现在又开始有了一条新道路，人人都在写诗了：写很坏的诗，可是他们都在

写。最近大约有五个新诗人介绍了给我。

对于矫揉造作的战争狂，托尔斯泰是恨透了（但是，自然得在这里给喀脱可夫和他的同道者说句公平话，当时俄罗斯出来保护这些屈辱在土耳其统治之下的斯拉夫诸民族还是很有理由的），这却跟托尔斯泰的宗教热情有一点关系，这热情马上就开始要来改变他的生活了；而且，事实是在俄国正式宣战之后，他也并不反对这个战争。当初他反对的乃是这些制造战争，推动政府去动刀兵底自私的个人们。

那时候，托尔斯泰跟传布福音最著名的神父，拉特斯笃克爵士底门徒颇有点往来，这位神父常常旅行在俄国各地，而特别在彼得堡的某些贵族中影响特大，他们的影响在《安娜·卡列尼娜》的后半部（特别是第七部第二十一章）中间可以见到。门徒之中，A.P. 鲍波林斯基伯爵，曾任交通工具部部长，结交了托尔斯泰之后，和他讨论宗教问题异常的热心。鲍波林斯基和另一个著名的拉特斯笃克派，巴西可夫上校，希望把托尔斯泰争取过来，使他成为一个福音教徒的代言人。正像一切，托尔斯泰在这一个宗教运动中热心得不得了，可是这位伯爵是面对了真实的生命，为面包和牛油劳苦地工作了的，他曾经告诉世人注意一个事实，就是有的人拼性命劳动还不能吃饱，有的人生来就富足有裕，一点工作不做却又饱又暖，他所要求的教义，至少得比这个“耶稣的血替人赎了罪”还要更明晰一些。他对于福音教的教条的攻击要在二十年之后闪耀出来，在《复活》的第二卷第十七章中。

比这还早一些时候，斐特把下面的故事告诉托尔斯泰。在坟场中闲荡，他看到一首墓志铭的小诗，他从没有读到过这样感动他的东西。墓是由灰色沙石砌成的一个方方的塔。有三面各有一行雕刻的句子，一面是：

这里葬着农家女玛丽。

另一面：

也葬着一个女的婴孩。

那写着少女的名字的背面那一面上有这些字，拼得拼法都不大对的：

亲爱的，这是我能给你的最后的装饰

下面具着名：

退休的下士军人某某

托尔斯泰回一封写着：

一八七六年十月十八日

“亲爱的，这是我能给你的最后的装饰”一句美极了。我已经把这句话两次告诉给人听，每一次我的声音都带了眼泪地破碎了。

一八七七年。托尔斯泰正月十一日给斐特的信里，我们看到这个猛烈的工作者何以爱好一个乡村生活：

亲爱的阿芳那西·阿芳那西耶维奇，——

要是脑袋犯了错误，不必打脑袋，更不必割掉它。我承认我的脑袋对不起你。可是真的，在莫斯科我做不来主了；我的神经失了常；一小时化为一分钟。我不愿意看见的人像故意要阻止我去看一些我愿意看见的人一样的撞上门来。

托尔斯泰在他的追求真理的旅途上愿意看见的人包含当时的几个著名的科学家——当时候许多人以为达尔文已打开了智慧之门，生命和死亡，现世和来世的神秘都可以解决了。托尔斯泰拥有伟大的文学上的声誉，使他很容易的结交了这些人。

他认识的科学家之中有一个著名的化学教授，A.M. 勃特勒洛夫，使他惊异的是这位教授爱好扶乩，信仰鬼魂，这一些托尔斯泰却是十分轻视的。

在四月十四日写给斐特的一封信里，托尔斯泰提到这时候他的脑子里正盘旋的一些思想：

你的信每一封我都宝贵，特别是最近这封！你所写的《论神之存在》，你不会相信我是多么的因之而高兴。你说的我都同意，我也有许多话要说，可是太忙了。这是第一次你跟我谈神——上帝。这基要的问题，我一直在想，从没有停过。人不能考虑这问题吗？千万不能这样说的。人不仅能，且必须考虑它！不论是什么时代，最好的，真实的人都考虑它了。如果我们不能考虑，那就该找出这不能的原因。你读过巴斯卡尔的《思想集》吗？——我是说，你有没有在你的脑子成熟以后读过它？上帝能允许你来到我这里才好，你来的话，我们可以谈很多很多，我还可以把这本书给你。要是我的小说的全部工作已经结束——最后几章也排出来了，我正在看校样——你这样的信寄到了，我定会得马上来看你。

这一年仲夏，托尔斯泰和N.斯托拉霍夫突然地拜访了斐特去。后者这时请了一位奥勃莱台尔小姐，一个优美的钢琴家，当家庭女教师；斐特的《回忆录》中记载了这一次的访客。

伯爵，天生的敏感的美学家，大大的赞赏了奥勃莱台尔小姐的钢琴。他和她一起弹二重奏，差不多弹了悲多芬的全部。

斐特，还记录了托尔斯泰对这位女演奏家的评语：

我们年轻的时候，这样的钢琴家总是在全欧洲旅行，开音乐会的。她看每一个乐曲，就像你看诗一样，每一个音乐都能弹出它的合适的表情来。

七月底，由斯托拉霍夫作伴，托尔斯泰第一次去拜访喀鲁加省的奥泊蒂娜修道院，那儿在耶斯那耶之西一百三十五哩的地方的，这时，僧侣中最著称的人物是安倍洛司神父长，托尔斯泰就和他长谈了多次。托尔斯泰还在那里结识了一个以前在近卫骑兵团里当军官的僧侣。托尔斯泰死后，遗稿中有一篇小说叫《舍尔裘斯神父》，写一个世俗的人物皈依了宗教，成了一个著名的僧人，然后受不住诱惑，结束时变了一个亡命之徒。因为他三次拜访了奥泊蒂娜，它供给了他不少材料，后来就写成了这一篇小说。

这时有一个流浪的说故事人来拜访托尔斯泰，使他兴浓了，这是一个民间故事的专家，滔滔不绝地说着美丽而简单的人民语言，这语言本是托尔斯泰的钟爱，早已在他的小说里应用了的。他记下了这流浪人的一些故事来，后来改写成文学作品，这便是《人以什么为生》(*What Men Lives By*),《三隐士》(*Three Hermits*)等等。《人以什么为生》的主题说一个上帝遣入尘世的仙人如何为一件善意的反抗行为赎罪。这要算世上传布得最广的一个传说了。多少年来，多少国家的文学中都能看到这个传说一次又一次的被表现着。

一八七七的下半年，大批土耳其的俘虏收容在图拉与耶斯那耶之间的一个停办了的糖厂里。托尔斯泰去访问了他们，看到他们被优渥地收容的情形。因为他自己关心宗教了，他常常和他们谈论宗教问题，发现他们个个都备有《可兰经》，觉得印象甚深。

十二月六日，又是一个儿子，安特莱，诞生了。

五　和屠格涅夫和解

这整个的一年之内，在各种形态的忙碌和活动之中，灵魂的问题继续苦恼他，他的康健也开始显露了衰老的痕迹。下面是九月二日给斐特的信：

> 便是现在我也经常出去打猎，还忙着给我们的教师准备一个过冬天的安身之所。我去过莫斯科，是请教师去的。今天，我又病了。

一八七八年。尽管时间在过去，情形却还是不好。正月廿七日他又写道：

> 非常不幸的是你的猜想，亲爱的阿芳那西·阿芳那西耶维奇，是错的。不仅是我没

有工作，而且我不能给你复信的理由还是我的病。最近，我躺在床上有好几天。各式各样的招凉、牙齿痛、腰痛，结果时间过去了——而且是我的最好的时间——我没有工作。

下面的一封信证明了在许多的事情上，他妻子的和他的看法还是一样的，她只没有分担了他的灵魂里的斗争，此外对于孩子们的教育，他们也时常的有不相同的见解。

我读了它就给我的妻子说："斐特的诗是美极了，可是有一个字是错的。"她这时正忙着喂奶和别些事；可是喝茶那时她安静下来了，就拿那首诗念了一遍，立刻指出了"正像那天神们"这几个字——就是我认为不好的字眼。

一八七八年三月廿五日他写道：

上星期，离开了已经有十七年了的彼得堡，我重新到了一次，想从B将军那里买一些沙玛拉的土地……

我在那里碰到了两个奥洛夫的将军，使我寒战起来。这真像一个人站在两条双轨的中间，两旁跑着两列火车一样。给这些将军们设身处地的一想，我就想到了我也经历过的酒醉的日子，宝贵的过去和我最早年的一些光阴了。

在《安娜·卡列尼娜》脱稿之后，托尔斯泰又动手写《十二月党人》了，这是十四年前，因为让给《战争与和平》的缘故，搁置一旁的。托尔斯泰的母亲方面的一个表哥S.G.伏尔康斯基亲王是一个著名的十二月党人，因此托尔斯泰得到了这家人的日记和记录，对那次阴谋的内幕颇多揭发。在彼得堡的时候，他还遇到了几个尚在人世的老党人，此外他又请求彼得洛泊芙洛甫炮台的司令官——曾经是克里米亚战争中托尔斯泰的长官——允许他去看看那十二月党人被囚的亚历克雪斯监狱，司令官非常客气的招待了他，允许他去看这个炮台的其他的部分，可是那监狱，他说全俄罗斯帝国只有三个人进去了还可以回出来——那是沙皇，炮台司令和宪兵司令。

最后，在写了三个片断之后，托尔斯泰放弃了这部已耗费他多少时间的小说。这一个题材不写则已，写起来是一定跟检查处要闹麻烦的，而且他请求了的，要看看国务院里的档案，这也被拒绝了。可是依照贝尔斯下面的一段话，还说出了托尔斯泰决定放弃这部小说的，一个奇怪的，他这人的典型底理由：

> 他认为十二月党人的起义是因法兰西贵族的影响起来的，在法国大革命之后，他们大量的移居到俄罗斯境内。他们变成了俄国贵族家庭的教师，全俄国贵族阶级都受到了他们的教育，这也可以说明为什么十二月党人大多数是天主教徒。认为这个运动有外国的影响，并非纯粹的民族起义，这就已经有够足的理由，使托尔斯泰对他们失去了信仰了。

一封写给斐特的信说明他的心灵所趋向的方向：

一八七八年四月六日

我收到了你的快乐的长信，亲爱的阿芳那西·阿芳那西耶维奇。不要赞美我，实在是你看到了我太多的好处，在别人那里看到的却是太多的坏毛病。我有一点是好的——我了解你，所以爱你。可是我虽然这样的爱你，有一点却使我愤慨，正如谚语所云："玛萨想要很多东西；只有一样东西是真真需要的。"你有这一样东西，非常的强，可是你似乎很看轻它，倒更加关心一间弹子房。你以为我指你的诗了吧，我的确希望你寄一点诗来读读，可是我不是指的诗！我讲的不是诗，他们还会在弹子房里写出来呢；我讲的是一个世界观，这种世界观得到了，对人类的愚蠢才不会愤慨。如果我跟你捣碎在一个臼里面，再重新来塑造出两个人，我们才真真是一对。现在你却跟这世界的人事还关系很深，有一天你对它们失望了，你就会难过的，而我对它们却已经淡漠了，所以看这个生命毫无兴味，我是不断的“从乌有到真空”的使别人也陪着我难过！别以为我是疯了；我只是不起劲，却希望你爱我，即使我是一墨黑的灵魂。（按：这是借自一句俄国的谚语的“雪白的时候人人爱我，在我墨黑的时候爱我才好呢”。）

长时期的心灵上的斗争，一八七四年起到七八年之间托尔斯泰是如何的因而受难，至少那些一八七六年起和他有点往来的人是没有不明白的，他不单有规律地上教堂去，晨晚还把自己关在书斋里面祷告，而且他旧日的趾高气扬也没有了，他所希望做到的谦卑和低声下气也日益明显起来。他改变态度的一个原因是他透彻地看到了有任何敌人都是错误。因此他写了信给屠格涅夫，说明了这点道理，向他伸出了手。

屠格涅夫的复信如下：

巴黎，一八七八年五月八日

亲爱的辽夫·尼古莱维奇，——昨天我才收到你的“邮局认领”的来信：使我快乐，使我感动。万分高兴来恢复我们的旧时的友谊，让我紧握着你伸出来的手。你猜想我并没有敌视你，完全猜想得对。如果我曾经有过，现在也早已消失。对于你的记忆，我总像你是一个和我息息相关的人一样，你是这样的一个作家，你开始的时候，我是幸运的，能作为你的第一个拥护者，而且你的每一部新作品都曾经使我激动。我们中间的误解能够消除，我心里真快活。

我希望今年夏天到奥略尔省去，那么我们自然就可以见面了。我希望你身体康健，到我们见面时一切都好，我再紧紧的，在友谊中握你的一次手。

六月十三日，正要带他的年龄较大的一批孩子们，和他们的教师一起动身到沙玛拉去，托尔斯泰这样写信给斐特：

我从未像今夏的享过福，可是上一个星期着了凉，又病倒了。我今天才又回复了生命。

夏末，伯爵夫人带了女儿和较年幼的一群孩子到了沙玛拉，她丈夫那里。

托尔斯泰他们刚回到沙玛拉，屠格涅夫从莫斯科来了信，说他下一个星期一——八月七日到图拉。托尔斯泰由他的妻弟作伴，驾了车子去欢迎他，然后一起回到耶斯那耶，过了好几天日子。两位作家觉得他们十七年的冲突告一结束，都非凡地高兴。伯爵夫人在她还是一个小女孩子的时候是认识屠格涅夫的，也高兴得很，欢迎他来作客。

那时住在一处的一位妇人说起两位作家多半的时间是一起地在托尔斯泰的书房里谈宗教和哲学，可是：

他们一走到会客厅上，谈话就换了题目，只谈日常的话了。

“有一晚我们时常玩 Vint（类似桥牌的纸牌戏），你记得吗？”屠格涅夫这样问托尔斯泰。

“没有，我们没有玩过纸牌。”伯爵说，于是他们又把谈话转移了，转移到别的题目上。

托尔斯泰知道屠格涅夫是喜欢下棋的，请他和他自己的长子下一盘棋，那时这孩子是十五岁，托尔斯泰还这样的加添了一句话：“等他长大了之后，他一定不忘记他和屠格涅夫下过棋。”

屠格涅夫马上同意，一边和我们谈话，一边开始了棋局。

“在巴黎，我时常下棋，还被认为一个好手呢。他们叫我 Le Chvalier du pion（棋盘骑士），我是爱押店的……你知道现在时髦的话吗，现在法国人不断的说有 Vieux Jeu？不管你开口说了什么样的话，一个法国人的回答总是 Vieux Jeu？”

他突然喊起来，“呃，我不能跟你开玩笑了”，向他的年轻的对手，“你几乎把我赢了”。

他开始小心地下棋，虽然赢了，可是很费

力气，因为这年轻的托尔斯泰真是下得好棋子呢。

屠格涅夫很会讲话，讲得不慌不忙，滔滔不绝，可是看来他爱叙述，不爱对话。他讲到了他描写果戈理之死的那篇文章，如何在彼得堡给警察抓了去关起来，讲到里面如何的沉闷乏味……

托尔斯泰也叙述，我更喜欢听他的。这些叙述总是极坚强的速记材料，常常很有趣，多半是独特而杰出的。在这些故事中不知的有多少简单，出其不意，感人至深的材料。

……I.S. 阿克萨可夫时常在讲到托尔斯泰的巨大的力量时，说他有一个“熊一样的才能”，可是我却要加入一句，他的灵魂羞涩得“像一只鸽子”，热情又像一个年轻人；这两个特点的结合能解释他现在开始要走上的一个新方向——这方向使屠格涅夫很难过。

贝尔斯现在是二十三岁的青年了，秋天他要上高加索去就官职，这是他最后一个和托尔斯泰在一起过的夏天，他的话可以证明别人所提起了的托尔斯泰对待小孩，农民和土著的态度：托尔斯泰对他们的态度是力求了解他们，关心他们，同情他们的。

托尔斯泰每一次提了枪，带了狗出门的时候，贝尔斯总是跟着他们；他们曾一气跑出二十四哩到辟洛哥伏去看舍尔该·托尔斯泰伯爵。贝尔斯说："托尔斯泰带了我去拜访他，若不是为了他自己，至少是为了我；因为他知道这可以使得我快乐。"他听说贝尔斯在高加索找到了一个官职之后，批评了一句话，足以代表这个人："你到高加索去可惜太晚了。整个地方都是官僚的臭味。"贝尔斯的《回忆录》用一句话做结尾，"我知道他的一生之中没有什么事是需要隐瞒的"，这也是他的特点，凡是熟识这个人的无不知道他的确是这样的人。

九月初屠格涅夫从他自己的产业上回来，又拜访了耶斯那耶，可是他来得不巧，一家子都患病，他只停留了几天。

九月五日给斐特的一封信上，我们看到托尔斯泰还觉得他自己不能和那一位同道的小说家十分的亲近：

屠格涅夫在归途中来看我们，收了你的信，他很高兴。他还是老样子，你知道我们只能接近到多少地步。

我可怕地想要写作一些什么了，可是我的怀疑也使人苦痛，不知我是真的还是假的要写。

这最后的一句话指的一定是《忏悔录》，这部书有一大部分的写作却要到第二年才动手。

十月中他又写信给斐特：

我不知道该如何，或，在什么精神状态中，来写信给你，亲爱的阿芳那西·阿芳那西耶维奇；总之，没有别的话可说，只好说："是我不好，是我不好，完全是我不好！"请罪的人说理由是多余的，可是我要写下我的理由，因为这样做可以解释我的情形。这都是真的。一个月来，就算不比一个月更长吧，我活在火焰里，却不是外界的火焰（恰恰相反，我们生活得极平静），然而我内心里燃烧着——燃烧着我说不出来的什么，我出去打猎，我读书，我回答人家问我的问题，我又吃又睡觉，可是什么也做不来，一封信也不能写，我已经压了一打以上的信，都没有答复呢。

他写信给屠格涅夫，请求他不要提他（托尔斯泰）的作品，显然也是在这种低气压的情绪之下说的话——因为十月十五日，屠格涅夫给他一封复信，上面说的是，“你身体已经好了，我十分高兴，希望你信上所提到的‘精神上的疾病’也已经过去”，于是他接着写道：

虽然你要求我不要谈你的作品，我是必须告诉你们，我从没有笑过你的作品。“一点儿也没有。”你的作品，有的我喜欢极了，却也有我完全不喜欢的，而有的，例如《哥萨克人》，给我狂热的喜悦，还刺激了我，使我惊讶。如此看来，我怎会讪笑呢？我以为你早已经抛弃了这些“思维”的感情了。为什么只有在作家之间，这些“思维”极其平常，而在音乐家，画家和别的艺术家之间却根本没有？也许是因为文学作品中，灵魂表示得较最明白吧，而把灵魂坦露出来，似乎不大方便。可是我们的年龄，已经成熟了的作家，我们总该养成习惯，不再以此为意了吧。

这使托尔斯泰不高兴了，在下面一封给斐特的信里表明他对屠格涅夫的慊烦，自然屠格涅夫的存心是并不想冒犯他的。

一八七八年十一月廿二日

亲爱的阿芳那西·阿芳那西耶维奇——

我要到莫斯科去，在信纸上印刷上一条字，“全是我不好”。然而你来信答应了来看我们，这封信我迟迟不复，我想不是我不好。我记得我读到你这样的话，我是如何的雀跃，所以现在立刻复信。你不要责备我没有立刻复你，来吧……

昨天我收了屠格涅夫来信，你知道吗，我决定了“和这人离开一点，也和罪孽离开一点”（俄国谚语），这样比较好。他可真的是一位爱好吵架的不愉快的人物。

祝福你的生辰。以后每逢这月的廿三日，我决不忘记。希望以后的十二年内我都记在心上。再有十二年，我们的生命总该够了吧。再见。

斐特的命比托尔斯泰所允许的还要多四年，而托尔斯泰自己的生命可还要活上三十二年——而且是多么坚强的生命啊——这三十二年之内，他跟生命的每一个大问题，一个又一个的斗争了，而在世界之前掷出他的意见（对，不对，或嘲弄），这些意见针对着教条主义的神学，基督的基督教，一般的宗教，经济学和社会问题，饥荒，暴力主义，战争和征兵，政府，爱国主义，两性问题，艺术和科学，食物的改革和刺激物与尼古丁的服用等等，此外他还写了一套给人民读的朴质的短篇小说，一些给社会中其余的人读底较复杂的短篇，还有六个剧本，一部伟大的小说，还有十年又十年地从耶斯那耶川流不息地流出来的有重量而又有趣味的短论和书简！

一八七八年十月一日，屠格涅夫从波夷伐尔写信给斐特，说起他想把《哥萨克人》译成法文，还说了，“让法兰西人认识我们的文字写成的最好一篇作品，我极愿意做这个工作”。

波夷伐尔发出了另一封信，时为十二月，他说：

> 我和托尔斯泰言归于好，我真快活，我和他快快活活的过了三天呢；他全家都和我要好，他的妻子十分可爱。他静得多，完全成熟了。他的名字渐渐在欧洲响了起来——我们俄罗斯人却早已知道他是无敌手的了。

我们的记录已经稍为超过了托尔斯泰的五十岁生日——这一卷我是只打算写到这时为止的。现在除了给他二十五年的作品一个总评之外，只有一件事可以做，就是给他的《忏悔录》做一个摘要，这部书虽然有一些地方运用了艺术的手腕，却是生动地描写了自一八七四年至一八七九年间他的心灵的情况的，一八七九是他著写这书的一年。

在给《忏悔录》做介绍之前，这里正合适我来谈谈那曾经各自地影响了托尔斯泰的两个生活的态度。一方面是人民的，还保持着中世纪传统的宗教生活。托尔斯泰只要从他家里出发走动一下，跑到大路上，就会碰到一些朝山进香的人，赤了脚向圣者的寺院前去顶礼，在这些人常常歇脚的茶店里，托尔斯泰和他们谈过很多话。这些人中间颇不少数认为这世界上的事物自然不足珍贵，照他们看来，服从上帝的意志珍贵得多；我们看托尔斯泰的小说就会知道他观察他们是如何的深刻，如何的贴近了他们的心。另一方面他受到了当时正在俄罗斯崛起的十分近代，十分惊人的运动：这运动就是在使他惶惑的生活情形上生的根，它的格言便是“深入民间”——这种感情和他自己的态度又是不谋而合的。

一八七五年，社会人士都集中注意于杜尔哥欣团（Dolgushin）的宣传家的审判，以后一八七七年的“莫斯科五十人”的审判，这些说明了这个事实，一些富家的女子自动地进了拥挤的工厂做十四小时一天的工，为了要跟工人劳动者接近，教育他们，并且在他们中间从事社会的和政治的宣传。于是到了一八七八年，又来到了那具有历史意义的“一九三人”大审判。

这些和别一些都说明了政府尽管采用着高压的手段，俄罗斯人是越来越多地感觉到——托尔斯泰是更强烈地感觉到了的——眼前的社会制度造成了这样的结果了：大多数人民生活在愚昧无知，贫穷困苦之中，而同时少数寄生虫却生活得富足有余，有时甚至骄侈淫逸，消耗极大，而不事生产。能受到教育的人，要感谢劳苦大众的血汗，应该返而为他们服务，这一句话就足够使当时一些青年男女奋起实行了。他们离开了他们的富有的家庭，去过简单的生活，尤冒生命的危险，为了他们的信仰——还不一定十分明确呢——献出了他们自己，为人民服役。

当这些时正在发生的时候，一个像托尔斯泰这样伟大的人格是不能安静的。

早在一八七五年，米哈洛夫斯基已经发表了几篇连续性的惊人的论文，叫《托尔斯泰伯爵的左右手》，在这里面他指出这个作家的灵魂里有矛盾的理想和矛盾的倾向，特别是他的教育论文中所包含的意见和他的小说中所包含的某些倾向不能调和。惊人的是米哈洛夫斯基精确地预言了托尔斯泰的生命中有一个不可避免的危机，接下来他说：

> 人们要问问自己，这样的一个人再要干什么？他如何才能生活下去呢？……我想，当一个平常人处身于这种境况时，或则自杀，或则纵酒，可是一个有价值的人格却要想别的办法——办法是有好几个的。

其一，他建议，是为人民写作（这时托尔斯泰的《ABC 课本》已经出版）。或则，写这样的东西，告诉这“社会”它的娱乐，它的欢乐，不属于人类中的大多数人，这样地激发一种正义感，使某些忘记了他们的债务的人重新记起他们对他们的同类所负的义务。

实在，“一九三人”的审判，或那种“人民运动”，对托尔斯泰是有着主要的，虽然是间接的影响的，他聘请了一位彼得堡大学的毕业生，V.I. 亚历克塞耶夫，当他的孩子的数学教师。亚历克塞耶夫是属于柴阔夫斯基集团的，他们在七十年代之初，通过教育，来宣传初步的社会主义（我们不能把他和已在前面提及的作家P.I.柴阔夫斯基相混）。这个团体的活动受到了这样的限制，这样的给警察所注意，有几个团员感觉到他们需要活动的自由，就转属在美国的加萨斯州。他们有两年之久，在那里从事农场的建设，因为他们中间自己的意见有分歧了，使他们的试验失败。亚历克塞耶夫回了俄罗斯。柴阔夫斯基迁到英国，在那里住了好些年。到一九〇五年逢到大赦，他回国来，可是又被捕了。在监牢里住了一年多，为的是等待审判，审判后他获得开释了。一九一八年我在北俄罗斯时，他是那里的社会主义临时政府的主席，同盟国的军队是在他的邀请之下进入阿钦琪尔的。

托尔斯泰注意到亚历克塞耶夫的为人，依照信仰而生活，言行一致，就很器重他。由他的介绍，托尔斯泰结识了当时正在发酵的，未成熟的社会主义运动中，几位优良的代表。这里我们可以举出一个很好的例子来了解思想之能够间接地影响世界。奥古斯特·孔德写了一部哲学，滤过了 G.H. 莱威士和 J.S. 穆勒，这个哲学传递给彼得堡文法学校一个十四岁的学生尼古拉·柴阔夫斯基了。“这迷得我如此，”他在《回忆录》中这样写道，“坐在学校里的时候，我只想回到我的住处去继续读我喜欢的东西。我越进步，我越被它吸引住。这一番研究强有力量地影响了我的思想，使我的观念有了系统。”几年之后，读了更多的书，组织了他的集团，开始摘下了未来的大变革底种子。进展十分的慢，他觉得“在这些宗教信仰极深的农民，日夜希望上帝赐福的人群之中，从事一般底政治的和社会主义的宣传是多么苍白无力”。这使他重新考虑一番。“我遇到了一些朋友，”他接下来说，“我们开始想到一种乌托邦的空想，要想建立一种新的宗教，而且为了实行起来效果更好起见，我们立刻强迫我们自己，负起这个重大的任务，一跑跑到加萨斯州。”

要改造社会，使柴阔夫斯基发现了新的生活态度是必须培养的——的确可以说，“一种新的宗教”。托尔斯泰，对自己原有的一种对生活的看法不满足了，也在找寻一种“新的宗教”，假如他找到了它，他也得要求社会必须有一个大变革。这位小说家和这位宣传家并未会面，但精神上颇多感应，虽然影响了柴阔夫斯基的孔德和穆勒，托尔斯泰是不喜欢的（除了穆勒的《自传》他喜欢），每次提起了他们来总有点气愤。柴阔夫斯基和他的随从们被迫采用底“暴力手段”，托尔斯泰也不喜欢，可是他没有怀疑到这些人所具有的信仰的真诚，因为他们参加的这种革命运动，对他们自己非但无益，而且有害。“一九三人”中的一员，荷菲·满洛莫斯基（因为她参与了亚历山大第二的谋弑，最后在彼得堡受了绞刑）是彼得堡总督的女儿，还是教育部长的侄女。地主德米特里·里梭古勃把他的全部财产约四万金镑捐给了这个运动，后来是在敖台萨被处绞刑的。彼得·克鲁泡特金亲王冒了一切危险给工人教育，后来逃亡到国外，丧失了地位，财产，和生活在祖国的权利。托尔斯泰是比较年老的人，性格强，又有他自己的见解，不可能参加这个社会主义的运动，但是他间接地受了它的影响，这是无疑问的。

俄国的生活现实是这样的，使一切敏感，有良心的人决不能安居乐业（真的，这世界上的有良心的人什么时候能安乐，又能在什么地方安乐地住下呢？），而托尔斯泰所已经做了的工作，决定了他的斗争只能在他的灵魂中行动了，但另一些人是在前仆后继的干。然而，没有人能知道，他自己自然也不能知道，这危机会带给他什么效果，或他的后来的日子里他的生命的道路又是什么了。

六　《忏悔录》

现在我们来看托尔斯泰的《忏悔录》，或它的俄文原名底《教条主义的神学底批判和基督教的教义底考察之导言》。在前面的几章里，它的前面几页中，有若干段落我们已经引用过。我尽量地在这里忠于托尔斯泰原来的文字，但是因为要节译它，必须删去很多，有几段还改写了，为了免得重复。因为读者应该另外去读他的《忏悔录》全文，我只在这里写下一个大概的轮廓来讲，关于托尔斯泰讲到他自己的经验的部分，我是援引得比较多一点。

许多人到达了他们的成年，或者说到达了他们的心灵正长成熟之年，那时就逢到一次“转变”的经验。这是说，他们多多少少是突然转了一个身，从新的观点来观察了人生！以前次要的现在变成了主要的，而尘世的欢乐就禅让给心灵了。

托尔斯泰的转变的特征是这转变发生于这样的年纪，时间又这样的久长，智力的活动占了重要的地位。

有人凭一颗心去接近宗教，有人却凭了他的头脑。托尔斯泰可说是属于后者的，却不是他没有心肠，而是他的感性虽强，他的理性尤强。

他的《忏悔录》是在一八七九年写成的，这里面他说：

> 五年之前，非常奇怪的情形给我碰到了！起初，我有一些困惑的时刻，被生命扼住的感觉，仿佛我不知道该怎么样去生活，或该做些什么；那时我觉得迷了路，人也变得忧郁了。可是这又过去了，我继续像以前一样地生活下去。于是这困惑的时刻越来越多，而且来时总是同样的形态。它们总是在这样的问句里表现出来的：这为什么？这样做了有什么？
>
> 起初我仿佛觉得这些是毫无目的，无可理喻的问题。我想它们是大家都在问着的，而我

要是想解答它们，可得耗费很大的力气呢；目下我没有时间，可是我要是愿意解答它们，我准可以得到答案。然而这些问题来到的次数更多了，而且要求答复也愈形坚决了，于是像一滴滴的墨水，老是掉在同一个地方，汇成了一个黑斑。

每一个患上了足致死命的内科病症的人都逢到这种情形。起初只是不大痛快的小小的征状，病人对此还不以为意，于是这种征状越来越多，汇成了一个长时期不中断的痛苦。痛苦增加了，而在病人把他自己的情形看个清楚之前，他原以为只是一些不大爽快的小毛病，再看看却已经比世上任何事情都更重要了——它是死亡！

我遇到的情形就是这样。我懂得了，它不是偶然的病痛，而是非常重要的一件事，如果问题时常发生，答复它们乃是必要的了。我就试着答复它们。问题似乎是这样愚笨的，简单的，孩子气的，可是我一碰到它们，试了一试要解决它们，立刻我肯定了（一）它们不是孩子气的，不是简单的，而是最重要，最深刻的生命的问题；（二）我尽管可以尝试，但我决不能解决它们。在我忙着我的沙玛拉省的产业，我的孩子们的教育，或者一本书的创作之前，我必须知道我“为什么”要忙着它们。多久我不知道这个“为什么”，多久我不能做什么，多久我不能的活，在管理产业的念头里面，那是那时候我念念不忘的，突然这个问题来到了：“好啦，你在沙玛拉省有了一万六千亩的土地，三百匹马了，以后怎么样呢？……”我就沮丧起来，不知道该如何的思想才好。或者，当我在考虑我的孩子们的教育的时候，我对我自己说：“干么要计划呢？”或者，当我在考虑如何可以使农民兴旺发达，我突然对我自己说：“这跟我有什么关系呢？”或者，当我想到我的作品可以给我大名气的时候，我对我自己说了：“好啦，好啦，你可以比果戈理，或者普希金，或者莎士比亚，或者莫利哀，或者比世界上任何一个作家名气更大，——而这样了又有什么呢？”我一句话也答不出来。问题却不能等我，它们要求立刻答复，要是我不能回答他们，我就活不下去。可是，没有答案。

我觉得我所站立的土地塌下去了，我的脚底下再没有什么了。我依赖的生活的不再存在，我没有可以让我活下去的理由。

我的生命停止了。我可以呼吸，饮食，睡觉，我可以做这些事，因为我还是不得不做；可是，没有生命，没有希望，没有我认为合理的希望可以让我去完成它……如果有一个仙人下凡来，问我要什么他可以给什么，我就不知道我要请求什么……如果在陶醉的状态之下，我感到一种我可以名之曰希望的东西，那只是以前的希望，由于习惯而留下来的，在我清醒的时候，我知道它只是一个幻想，实在是没有什么东西可以希望的啊。我甚至已不希望把握真理，因为我猜想了真理的内容。真理是没有意义的。我仿佛是生活着的，我生活了，我仿佛是走着的，我走了，直到我来到一个深渊的前面，前面不是别的，只是毁灭。停止是不可能的，回去也是不可能的，闭起了眼睛不看这前面的别无所有，只是受苦，真实的死亡——全部的毁灭——也是不可能的。

事已至此，我这样一个康健的，幸福的人也再活不下去了：一些不可抗拒的力量逼迫着我用这个或那个方式来取消我自己的生命。我却不能说我“希望”自杀。那把如从生命拖开的力量，比任何的微弱的希望更强，更密，更广。

从前是如何改善我的生活的思想，现在同样地自然的，来到了如何毁灭我自己的思想。这样的诱惑力强，倒使我不得不狡猾一点，免得我匆匆的了结了我这一生，“要是我不能解释这些事了，我倒可以慢一慢了”，于是我这个受有命运的恩宠的人得把一条绳子藏起来，怕的是一到晚上，我在我的房间里脱衣服的时候，悬梁自尽：我也停止了带一枝枪出去打猎，怕的是一时中了计，轻易地把我的生命切断。我不知道我要的是什么：我怕活，想从生命中逃掉，然而还在希望着它的什么。

这一切发生的时候，在我四周围，我所有的是被认为完全的，美好的命运。我还不到五十岁；我有一个好妻子，她爱我我也爱她；我有好孩子，还有一份大产业，不用我费心一天天的在发达，在增值，我的亲友比以前更看得起我。人们称赞我，而且，说我的名气很大也不是什么自欺欺人之辞。我一点也没有发疯，或者有神经病，相反的是在跟我的情形差不多的人们中间，我很难得碰到过我这样的体力和智力，论体力，我割起草来像农民一样，论智力，我一气工作八小时至十小时都不会从这过度的工作中得到坏结果……

我的智力的状态这样地向我表示了：我的生活是愚笨的，是什么人开了我一个龌龊的玩笑。虽然我不承认有一个创造我的“什么人”，可是——有个什么人为非作恶，开了一个愚笨的玩笑，把我放在这个世界上——用这种说法来给我说明是最自然不过的了。

我不禁觉得冥冥之中是有人在寻我开心，他看看我如何的活了三四十年，求学，发育，直到心力和体力成熟，如何现在我有了成熟的智力，爬到了一览无余底生命的峰顶，我站在这峰顶——像一个顶大的傻瓜——清清楚楚看到生命之中没有什么，以前既没有过什么，将来更不会有什么。看得“他”哈哈大笑了……

可是不论这笑话我的“人”真有假有，我并没有更好过一点。对我每一个小动作，对我的全部的生命，我都说不出什么合理的意义来。使我惊异的是我竟然在从前没有注意到它——而这一点却是早已经举世都晓得的。今天或者明天，疾病和死亡要来了（它们已经来过不少次），来访我所爱的人或来访我自己；然后除了恶臭和蛆虫，我们一点也不剩下。不久以后，我的勋业，管我干了什么大事，也给遗忘了，而后我不再存在。那么，为什么要这样努力呢？……为什么人不了解这一点呢？人怎么活得下去呢？这是惊人之事！除非陶醉在生命中，人可以生活下去；但是，只要他头脑清醒，他不会不发现的，原来这一些是欺骗，而且是个愚笨的骗局！生命是这样：里面毫无可笑之处，毫无开心可寻，简单点说，它是残酷而且愚笨的。

许久以前就有过一个东方的寓言，说起一个平原上，一个旅行者给一条猛兽追逐不休。为了逃命，他跃入一口井，可是看到井底有一条张牙舞爪的龙要吞噬他。这不幸的人，他不敢爬出井口去，怕那条猛兽吃了它，又不敢跳到井底去，恐那条龙吃了它，抓住井壁上长出的一根树枝，吊在中央。他的手没有力气了，他知道他立刻要屈伏在等他在上面的灭毁或等他在下面的毁灭；他还吊着，可是看到两只老鼠，一白一黑，盘旋在他吊着的树枝的根上，咬着树根。立刻那树枝要折断了，他就会掉到龙的嘴吧里去。旅行者一看到这情形，知道他必死无疑；可是吊在中空的时候，他四边看看，看到树叶上还有一点蜜汁，就伸出舌头去舐它们。我就是这样的，也抓住了这树枝，知道在我的下面，死亡的龙在等待我，这是不可避免了，它要撕裂了我的；我还不知道我为什么弄到这样的地步。我想舐一舐那些蜜汁，以前它们安慰过我，可是，它们已不能使我快活了，而白昼与黑夜的老鼠咬着我吊住的树枝。那条龙，我清清整整的看见，那些蜜汁，我不觉得甜。这不是一个寓言，这是大家明白的，一个回答不出来的真理。

生命的欢乐底骗局，以前是恐怖的龙蛇的联盟，现在不能欺骗我了。不管人家多少遍的告诉我："你不能了解生命的意义的，别去想它，活下去就是。"我却活不了，我已经这样生活，活得太久了。我不能不看见日夜在轮流，要把我带到死亡之境。这是我所看见的，只有这是真的，其余全部是虚伪。

有两滴蜜汁，比其余的蜜汁使我眼不看恐

怖的真理，为时更长久：那是我的爱家和我的爱创作——我称之为艺术的——现在也不再是甜的了。

家庭……我对我自己说了。可是我的家庭——妻子和孩子们，也是人。他们的地位跟我也一样，他们必须或则生活在欺骗中，或则也面对可怕的真理。为什么他们要活？为什么我要爱他们，保护他们，教养他们，注意他们呢？为了使他们将来跟我一样的失望，或者为了使他们愚笨一点呢？既爱他们，我不能把真理藏过他们：而每一个学问前进一步，就更接近这真理一步。而且这真理是死。

“艺术，诗歌？……”在成功和赞美的影响之下，我一直以为这件事是值得做的，虽然死在接近来——虽然死是破坏一切的，虽然我的作品和我的作品底记忆将来都要消灭；可是我立刻发现这也是一个骗局。显然的，艺术是生命的点缀，是生命的引诱。可是生命对我既失去了引诱，我怎么能引诱别人呢？多久我没有活我自己的生命，多久我漂流在别人的生命的波涛上——多久我相信生命是有意义的——虽然我说不出那意义是什么——就有多久那反映在诗歌和各种艺术中的生命能给我快乐；在艺术的明镜中看生命是快事。可是，一旦我开始要找寻生命的意义，觉得我必需要过我自己的生命，我就又觉得那一面明镜是不需要的，多余的，滑稽可笑的或苦痛的了。我从明镜中所见的再不能安慰我自己，因为我从中所见的是我的地位又愚笨又没救。当我的灵魂的深处，相信生命有它的意义，那时候照镜子是快乐的。生命的幻变，喜剧的，悲剧的，动人的，美丽的，可怕的——都使我开心。可是我知道生命没有意义而且恐怖万分，镜中戏文就不能使我开心。当我看到了龙，看到了老鼠正在咬断那支持我的东西，那时，就没有蜜汁，我会觉得是甜的了。

还不止此。只要我简单地知道活命是没有意义的，这是我的定命，我也安分守己的忍受了。可是我不能以此满足。假如我像一个森林中的居民，他明知道没有出路，这也罢了，可是我像一个在森林中过路的人一样，东奔西窜要找一条出路，而又知道他越走越迷路，东奔西窜是没有用处了。

这确实是可怕的。为了驱逐这种恐怖，我希望自杀。我在等待我的命运之中，经验了这种恐怖，我知道命运的恐怖尤甚于我目前的情况，可是我不能安分，我等待命运的结局。明明还知道，我的心房会破，我的别的什么会坏，无论如何，一切是会过去了的，但虽然这样立论，我却还是不能安分地等待结局。黑暗无知的恐怖太大了，我希望用绳子或子弹来结束它的生命，越快越好。就是这样的情绪，强有力量地拉我去自寻死路。

*　　　　*　　　　*

“但也许我忽略了什么，误解了什么？发生这种失望的情形，说是对于人类很自然的事——总不会的吧！”我这样想，正如快死去的人要找安全一样的，我要找出一条逃命的路来。

我到处找；谢谢我这一生，时间都化在求学中，谢谢这和我有着关系的学问的世界，我请教了各部门智慧的科学家和学者们，他们不慌不忙把智慧告诉我，有的是写在书卷中的，有的他们在口头上说，所以一切关于这个生命问题的智识，我全部搜罗了。

这到了五十岁的年纪使我濒于自杀之境的问题，是每个人的灵魂里都在问的，一个最简单的问题，不论他是个傻里傻气的小孩，还是什么智慧的长老：这是一个问题，照我的看法不回答就活不下去。问题是：我今天做的事，或明天做的事，做了有什么？我的全生命有什么？

换一个表现，问题可以这样说：为什么我要活，为什么我要希望任何事物，做任何事物？还可以这样来表现：一个人在等待着的“死”，谁也逃不了，那么生命有什么意思呢？

一切人类智慧，我发现是分为两大列系的。一列系是如化学，数学，各种应用科学，跟我的问题并没有关系的。它们兴味浓，诱惑力强，奇异地明确，可是没有想到要解决这个问题；另一方面是思维的科学，以形而上学为最高潮，是讨论着这个问题的，可是并没有给我们一些满意的答案。

哲学，只要它并没有忽视了这个基本的问题，它的答案就总是同样的一个：苏格拉底，叔本华，苏罗门和佛陀都给出了这一个答案。

苏格拉底临死的时候说，“我们离真理越近，离生命越远”。我们爱真理的人，在生命中挣扎，为点什么。要我们从肉体中解脱，从肉体所引起的各种罪恶中释放出来。如果是这样，那么死亡降临时，为什么我们要忽忽不乐呢?

“智慧的人一生找寻死亡，故于死亡无所畏惧。”

叔本华也说了生命是恶的；还有苏罗门

（不管这是他自己写的书是谁个写的吧）说：

“空虚中的空虚，一切都是空虚。人在太阳之下劳动，得了什么利益？……过去的事连个记忆也没有，将来的事，将来的人也不会记得的……

“所以我恨生命，因此在太阳之下所做的劳动使我悲伤；因为一切是空虚，一切是灵魂的烦恼。”

而释迦牟尼，当他了解了老年，疾病和死亡是什么什么之后，在生命中找不到安慰了，说生命是最大的一种罪恶；而他把他的灵魂的全部力量放在这种求解脱之中，使他自己和别人都从生命中得到解脱，为了达到这目的，死了之后还不能容许生命重新再生，必须连根把生命铲除。全印度的智慧作如是说。

所以下面这些是人类智慧在它回答生命的问题时所给予的直接的答复：

“肉体的生命是一个恶，是一个谎骗。所以肉体的生命的毁灭是一个福气，我们应该想望的。”苏格拉底说。

“生命是不应该的——是一个恶，生命中唯一的好去处就是通往乌有的道路。”叔本华说。

“一切在这世界上的：愚笨和聪明，贫和富，快乐和悲哀，是虚空是空谎。人死了什么也不留下。这是多么笨。”苏罗门说。

“识得苦难之不可免，识得衰，老和病死，就没法活下去了——我们必须从生命中求解脱，从一切可能的生命中求解脱。”佛陀说。

这些大智所说的话，成百万成百万的人也像他们一样的说了，想了。我也想了它，而且感觉了它。

人不能骗自己。这一切都是——空虚！没有生下来的人幸福了：死亡是比生命好，人必须从生命求得解脱。

于是我开始思考到像我这样的一种人底生命了，我发现他们对付这个问题，不是这样便是那样，总共有四个办法：

第一个办法是无知无觉。有些人——大都是女人，或一些极年轻的或极枯燥无味的人——还没有了解生命的问题；但是我已经了解它，再不能闭上眼睛了。

第二个办法是乐天派的办法，就是当苏罗门这样说的时候所表达了的："于是我寻欢作乐了，因为一个人不能在太阳底下再找出比吃，比喝，比寻欢快乐更好的东西了。"

我们这圈子里的大多数人使他们能够活下去全靠了这个办法。他们的环境是舒服多于艰苦的，他们的道德观的迟钝使他们轻易忘记了他们的地位之所以优异是偶然的优异，不是每一个人能够像苏罗门的有一千个老婆和一千座宫殿，每一座宫殿得有一千个人汗流浃背地替他盖造，而今天使我做一个苏罗门的偶然性，明天也会使我变成苏罗门的奴隶的。这些人的迟钝的幻想能力使他们忘记了弄得佛陀焦躁的——病痛，老年，死亡，都是不可避免的——今天，明天会把这一切都毁掉。我又不能模仿这些人，因为我的想像力并不迟钝，而我又没有法子能故意的把我的想像力弄得迟钝点。

第三个办法是精力充沛的。这办法就是认识生命之为恶，为不合理，然后毁掉它。若干特殊地坚强而言行一致的人采用了这个办法。我觉得这样是最有价值的解脱，我希望我能够照做。

第四个办法是弱者的办法。这是认识了这情况的真相，然而又舍不得离开生命，仿佛生命中还有什么可以期待的，我发现我自己正属于这一个范畴。

像苏罗门和叔本华一样，知道生命是一个愚笨的笑话，可是还活下去，给自己洗澡，穿衣，吃喝，谈话，甚至于写书，由我看来是可恶而且苦痛的，可是我也这样。

现在我发现，如果我没有自杀，这是因为我还隐约的认识到我的思想或有错误的缘故，我开始这样认到，或者开始这样辩驳了：“我，我的理智，已经认为生命无理可喻了。如果没有更高的理性（的确是没有：无从证明此外尚有较理性更高的东西），那么，我知道理性是生命的创造者。如果没有理性，这里也就没有生命给我了。既是生命的创造者底理性如何能否定生命呢？或者我们这样来说，如果没有生命，我就没有理性了；于是理性为生命的儿子。生命是一切，理性是果实，不是理性否定了生命自身！”我觉得在这里，什么地方总有一点错误了。

以自杀来否定生命，本没有什么是能来阻止我们的。好啦，自杀了完事，讨论做什么。如果你不喜欢生命，自杀啊！你活着，却不知道活的意义——结束它就是；别在生命之中说疯话，把你的不知道生命，又说了，还写了。你是在一群良好的伴侣之中，人们都很满足，都喜欢他们所做的事情，如果你觉得活着没有意思，活着受苦——走开好了。

真的，我们算什么呢，深信自杀的必要，

却决不定，不实行，可不是最弱者，最背信的人，说明白些，最笨的东西，像傻瓜玩着一个彩色的洋团团一样，在把自己的愚笨来玩弄吗？

“里面有一点错”，我对自己说；可是什么错了，我却说不出。浓雾散开，化我很长久的时间，很久之后我才能摆稳我的地位。

我一直以为有钱的，有学问的，有闲的小圈子里的人，我自己就属于这个小圈子，是人类的全体，千百万生活过的，正生活着的别人有些像牛——并不是真实的人……很久之后，我的思想才见黎明，而发问了：“这成千百万的生活过的，正生活着的平常人的生命，有什么意义，得到过什么意义呢？”

我生活在这疯狂的情形里时间很久，这是我们自由主义者的有学问人底事实，并非空谈。可是，也许是我所身受的，奇怪的肉体上的病痛，强迫了我去了解那些真实的劳动人民，然后发觉他们是并不像我们的瞎想底愚笨，也许是因为我的信心的忠实，假如我不能从事实中了解什么，我唯一的一条路是自杀，总之，我本能地感觉到了，如果我还要活，还要了解生命的意义，我一定不能在这些已经迷失了的，正在盘算自杀的人们中间寻找这意义，我必须对过去和现在的成千百万的人群中去找寻，他们了解生命的意义，他们是担负了他们的生命，甚至还担负了我们的生命底负荷的。

一研究这件事，我发现成千百万的人类早就有了，现在还有着的，一种生活意义的智慧；可是“这”智慧是他们的信仰，我不可不排斥的。我对我自己说了，“那智慧是上帝啦，三位一体啦，六天的创造世界啦，恶魔和天使啦，还有别的，这些我有一天理性，我就一天不能接受”。

我的情形可怕极了。我知道在合理的智慧的途上，我是找不到什么，只找到了生命的否定；实在说，我是找不到什么，只找到了理性的否定，可是否定理性比否定生命更不可能。

最后，我发现我的错处在我总希望从有限的事物的考察之中找出生活的意义来。离开了无限，有限是没有终极的意义的。在生命的问题底答案能找出来之前，这两样必须先结合在一起。

我先只以为智慧所给的是明确的答案——叔本华的答案：生命没有意义，生命是一个恶。在我更深地研究了这东西之后，我才懂得这个答案并非正面的，是我的感情把它看做正面的答案了。像大梵和苏罗门和叔本华所严谨地表现来的答案，所表现的只是一个不明确的答案，正像数学的答案一样，并没有解决一个方程式，我们只是发现了一个个的等式：×=× 或〇=〇而已。回答说，生命是什么也没有。如此看来，哲学的智慧并不能“解决”问题，所以直到现在，那些解决还是不明确。更进一步我又明白了，以信仰来作答复纵然不合理性而且妖形怪状，可是它有这个便利，就是在它的答案之中，无限跟有限发生了关系，没有这种关系的话，没有一个答案是可能作成的。

不论我发出怎么样的问题，信仰者答案之中总可以有这种关系。我如何生活？——按照上帝的法律！我的生命有什么结果？——永恒的苦痛或永恒的快乐！生命有什么死亡不能摧毁的意义？——和永恒的上帝，天堂相结合！

然而信仰还是像以前一样的不可理喻，然而我又不能不承认只有信仰给人类答复了生命的问题。而使得生命可能，也因为信仰。

在有生命的地方，人类开始有了信仰就使生命可能；而这个信仰的主要的轮廓到处都有，都是同样的一个。信仰并不像一般人所说的，一定要跟人的言论一致；信仰只是人类生命的意义底一种智识，有了这种智识，结果是人不再摧残他自己，可以活下去了。信仰是生命的力量，如果一个人活着，他就信着。如果他看不到，认不清有限事物的虚幻，他就信仰无限；如果他看到了有限事物的虚幻他更要信仰无限了，没有了信仰，他不能活。

我是什么？——无限中的一分子，在这几个字中间包含了全部问题。

我开始隐约的了解了，在信仰所给予的答案中，积着了最深刻的人类智慧。

我了解了这个，事情却没有变好。

现在，只要我能够直接的否定理性——这却又是胡说——我就可以接受任何的信仰了。于是我从书本上研究了《佛经》,《可兰经》,而最多的是从书本上，和从活人那里，我研究了基督教。

自然，最初我求教了我的圈子里的正教徒，有学问的人，寺院中的神学家，神父，新派的神学家，甚至我还求教了《圣经》教徒，他们说信仰赎罪可以得救。我一把抓住这些信徒，盘问他们的信仰和他们对于生命的意义的理解。

可是，虽然我随时随地准备接受他们，我

却发现了他们之所谓信仰，非但解释不了生活的意义，还隐蔽了它。

我记得我当时害怕得苦痛非凡，我和这些人一次次地谈话之后，已有了一点希望，可是只怕一下子又给掷回到最初的失望情绪中。

他们把他们的教义解释得越明白，我越把他们的错误看清楚……并非他们在他们的教义之中把许多不需要的，不合理的事物，混杂在基督教的真理之中，我一向觉得这个真理是跟我接近的，使我痛恨他们的并非这个。我痛恨他们是因为这些人的生活跟我一个模样，所不同的只有这个——这种生命跟他们在教义之中所宣说的几个原则完全不一致。

他们的信仰底真实性却不是辩术可以说服我的。如果他们的品行表明了他们确实明白生命的意义，如果他们的品行表明了那使我如此害怕的——贫穷，疾病，老死——他们并不害怕，这就能说服我了。在我们这圈子里的各种不同的信徒，我一点看不见他们有这种品行。相反的，我看见了我们这圈子里的一些最不信仰上帝的人有这样的品行；我们这圈子里的所谓信徒则毫无。

（莫德原注：这一段是更值得注意的；因为差不多只有这里托尔斯泰提到了当时的“深入民间”运动［虽然还是间接地提到的］，其中青年男女，冒着危险，牺牲了家庭财产和生命自身，而他们的动机却和托尔斯泰的十分相同，认为上层社会是寄生的，是在蚕食残害那些维持他们底人民的生活。）

我却了解这些人的信仰不是我们找寻的一种信仰，而他们的信仰不是真的，却属于乐天派，寻求生命中的安慰的。

于是我开始接近贫穷的，单纯的，文盲的人民中间的信徒：进香者，牧师，分教徒和农民了。在他们中间，我也发现了太多的迷信，混杂在基督教的真理中，可是他们的迷信，似乎是他们的生活中必需的又是自然的一部分……于是我开始好好的观察这些人民的生命和信仰，而我越研究他们，我越发现他们有一个他们必须有的信仰，只此给了他们生命的意义，使他们能够活下去……正和我在我们自己的圈子里所看到的相反，我们的圈子里，整个一生是在懒惰，娱乐和不满足之中过去的，我看到这些人民的整个一生却在艰苦的劳动中过去，而他们对生命却很满足……我们认为受苦而死是可怕的，他们却生而受苦，他们平静地接近死亡，有许多人还死得欢乐。

我学会了爱这些人民。我愈了解他们，我愈爱他们，我的生命也愈轻快而容易。就这样我挨过了两年之后，来到了一个改变，我早就在准备这个改变，这个改变的可能性是早已有了默许的。我们的圈子里，有钱的，有学问的人底生命，使我嫌恶了，对我不再有意义了，而整个劳动的人民，整个创造生命的人类，他们的生命在真光之中显示。我明白了，“这”就是生命自身，这种生命所有的意义是真的，我接受了它。

于是我了解，我那个“为什么是生命？”的问题底答案，当我说生命是一个“恶”的时候，还是相当对的。这个答案里的唯一的错误是这只答复了“我”的生命，而没有答复了一般的生命。我的生命，一个荒淫的纵欲的生命，自然是没有意义的，恶的……后来我在福音书中读到的一句真理：“人爱黑暗比爱光明更甚，因为他们的品行是恶的”，这话我懂了；所以我们若要忠于事物地观察事物，我们必须想到人类的生命，必须谈到人类的生命，而不能所想所谈的只是那些生命的寄生虫底少数人的生命。

所以，真的，因此鸟活着是为了它必须飞翔，觅食和筑巢；当我看到鸟在这样做，我在它的快乐里快乐了。羊，兔子，狼，活着是为了它们必须吃饱，传种，喂它们的家庭，而当它们这样做的时候，我确信它们是快乐的，它们的生命也是合理的。而人做什么呢？他应该像禽兽一样的谋生，可是有这个不同——他要是一个人谋生是要消灭的；他不能单为自己谋生，而必须为全体。当他“这样”做的时候，我确信他是快乐的，他的生命也是合理的。自我懂得人事以来，这三十年之内我干了些什么？我既没有为了全体而谋生啊，而且没有为我自己谋生。我是像一个寄生虫一样活着的啊，所以我问问自己生命可有什么意思，我发现生命是没有意思的了。如果人类生命的意义就是支住这种人类生命，我这个人三十年来是非但没有支住了它，反而我自己在破坏我自己，在破坏别人，在破坏它——我怎么会得到别的答案呢？我只能说我的生命是没有意义的，是一个恶。它的确是又没有意义，又恶啊。

深信生命的智识只能从生活中找到，使我怀疑了我自己的生命底有无……就在这一整年之内，我差不多没有一分钟不问我自己应否用一根绳子和一粒子弹来结束这一切事物——这全部时间之内，除了上面已提到过的我的思想的路线和我的观察之外，我心头还在挨受着一个苦痛的感觉，我只能说这是上帝的找寻了。

我的脑子里，有了康德的论证和叔本华的论证，说明要证实上帝之存在是不可能的，我那时开始要驳斥他们。“因”（Cause），我对我自己说，并不属于像“时”,“空”一样的范畴。如果我存在，一定有因，而众因也必有因。而一切因之第一个因，就是人称的“上帝”。只要我能承认一个大力的存在，而我是在这个权力的底下的，我立刻会感觉到的，我能够活下去了。可是我问我自己了，这“因”，这大力是什么呢？我如何去想它呢？我跟我的所谓上帝有什么关系呢？唯一的滥调一样的答复先来到了：“他是创造主，保育者。”我不能满意这个答复，而我觉得，我又损失了一点点我的生命所必须有的东西了，我怕得要命，我开始向我追寻的神祷告，求他帮我的忙。可是我愈祈祷，我愈明白，我的祈求他连听也不听，根本是没有一个我可以祈求的神啊。心里面失望着的是无神论，嘴上却喊着："上帝，怜悯我，救我！上帝，教我！"可是没有什么上帝来怜悯我，我觉得我的生命停止了。

可是一次又一次我回到了就是那一个大门口，说我来到这个世界，不会没有因，没有理由或没有意义的，我不应该变成像现在这样的，一个从鸟巢里跌下来的雏儿的。就算我是一个雏儿，在丰草长林中躺在背脊上，便这样我也要哭喊，因为我知道有一个母亲曾怀孕了我，生下了我，温暖了我，喂了我，爱过我，她在哪里呢——这位母亲？如果她抛弃了我，这样做的又是谁呢？我瞒不了我自己，说有人是怀孕了我，爱着我的。这"有人"是谁呢？又是"上帝"？

我对我自己说，"他存在"。只要我有片刻这样承认了，立刻生命在我身体里升上来，我觉得生命是可能的，欢乐的。可是又在这一个上帝存在的大门口，我要找寻出我和他的关系来，于是我又想像了"这个"上帝——三位一体的创造主，派出他的儿子，救世界——“这个”上帝又离远了这个世界，这个我，像一块冰一样的融化了，在我的眼前融化，又什么也不剩下，而我内心的生命的泉源又干涸了，我失望了，觉得我没有别的办法，只好自杀。而最糟的是我自杀都不能下手。

不是两次三次，而是几百次，我遇到了这种情形，先是快乐和苏生，然后失望和活不下去的意识。

我记得这是在一个初春，我独立在树木之下听它的声音。我倾听的，想的总是这同一件事，三年来我总是这样。我又在追寻上帝了。

“好啦，没有上帝算了，”我对我自己说，“我并不要我的想像，我要一个像我一样的现实的上帝，但他是没有的。他并不存在，没有奇迹可以证明他的存在，因为就有奇迹也是我的知觉，至于它的荒谬，暂且还可以不管。”

“可是我用以追寻的上帝的知觉，这知觉是从何而来的呢？”我问我自己。于是这样一想，生命的欢乐的波涛又在我心里升上来了。我周围的一切都欣欣向荣，而且有了意义。可是我的欢乐并不久长。我的头脑继续工作呢。

“上帝的知觉不是上帝，”我对我自己说，“知觉发自内心。我能够发动这个上帝的知觉，又能够不要发动它。这并不是我所追寻的，我追寻的是没有了他便没有了生命的东西。”于是我的周围，我的内心又开始死灭，我又要想自杀了。

可是这时我观察了我自己，观察我内心发生过什么变动，于是我想到，在我信仰上帝的存在时我是活底那一个记忆了，从最早起就是这样的，现在还是这样的，我只要意识到上帝就活了，只要忘记了他，不信仰了它，我就死了……

“你还要追寻什么呢？”我的内心一个声音喊了，“这就是他。没有了他没有生命的就是他。认识上帝和活是一而二，二而一。上帝是生命。活人追寻上帝，所以没有上帝，人不能活。”于是我的内心，我的周围光彩远胜于以前的辉耀！这真光从此没有再离开我。

我得免于自杀了……而奇怪的是回来的生命力不是新的，而是旧有的力——和我早年生活中激动我的力量相同。

我相当的返还到：我的最早的幼年和童年时代去了。我返还到：这个生下我，愿望我有所作为的“意志”底信心中。我返还到：把生活得更好，就是说跟这个“意志”取得调和，把它来作为我的生命的主要的唯一的目的底信心中。我返还到这个信心之中，我能够找到这种“意志”的表现，在人类，在我看不到的辽远的过去时代所产生，所献给上帝的成就中：就是说我返还到信仰上帝，信仰德性的修养，信仰传达生命的意义给予我们的传统中……

我避开了我们的圈子里的生命，知道他们过的不是生命，不过是生命的幻象，而我们那样的生活的富裕是剥夺了我们对生命的认识底可能性的……在我周围，那简单的劳动的人民是俄罗斯的人民，我走向他们，走向他们献给生命的意义。这意义，如果可以形之于文字，是这样的。每一个人降生到这世界上来都是上帝的意志。而上帝造人，造得这样，每个人可以或者毁坏他的灵魂，或者拯救他的灵魂。人生中的目的是拯救他的灵魂，要拯救他的灵魂，人必须生活得“神一样地”，而要“神一样地”生活他必须否定一切生命的快乐，必须劳动，卑下他自己，受苦，救人……这意义是明白的，而且近在我的心上了。可是随同着这普普通通的，我们的非分教徒的农民们底一个信仰的意义，来到了许多紧抱在一起不可分离的，想来是要使我起反感，且会使我茫然不解的：圣餐礼，宗教礼拜，禁食和对圣骨和圣像的崇拜等等。人民不能把它们一件件拆开，我也不能。我自己也同样的觉得奇怪，我接受了它们，我进教堂做礼拜，晨祷和晚祷都跪下来做，禁食，准备了圣餐礼的接受，而开始的时候，我的理智没有预期的反感。以前看来根本不可能的现在毫无抵抗地全都可能了……

我告诉了我自己，每一个信仰的本质都包含在给生命一个死亡所不能摧毁的意义中，自然，要同一个信仰，又能回答那在宫中死去的国王底问题，同时又能回答那工作过度的受苦的老奴隶底问题，同时又能答一切老少，愚智的人们底问题的——那答复的方式是必须有许多不同的了……可是这一个辩辞，在我看来，虽然可以和解了我对宗教仪式的荒诞不经的看法，却还是不能允许我在这一件人生的大事——宗教——中做这一些使我起疑的事情的。我整个灵魂希望着我的地位能够是和人民结合在一起的，做他们的宗教的仪式，可是我到底不能做。要是我这样做了，我觉得我是在欺骗我自己，在嘲笑我认为圣洁的事物了。然而，在这一点上，我们的近代的俄罗斯神学家把我搭救了。

依照这些神学家所给的解释，我们的信仰底基本教条乃是教会的一切都是天经地义。承认这教条，就承认了教会做的一切是真理。教会是爱所结合的真实信徒集合之所，是于具有真的智识，而成为我的信仰的基础。我告诉我自己了，神的真理不是单独一个人所能接近的，它只显示给爱所结合的全体的信徒。要得到真理，你不能离开众人，必须爱，必须忍受你所不同意的。

真理向爱献现，如果你不屈伏在教会的仪式底下，你践踏了爱，如果你践踏了爱，你就剥夺了你自己认识真理的可能性。那时我没有发现这一段文辞中的诡辩。我没有看到爱的结合可以给我们最大的爱，但自然不能给我们那表现在尼西亚城的信条，表现得极其明确底真理。我也没有认识到爱在强迫结合的情况里不能表现什么特殊的真理。我看不到这一段话里的错误，幸亏这样，我能够接受并且实行一切正教会的仪式，虽然大部分仪式我是不了解的。

在励行教会的仪式时，我卑下了我的理

性，顺从了传统，把我自己和我的祖先——我所爱的父，母和祖父母和我所敬的成百万的平常人——结合了起来。当我在破晓之前起身做早祷的时候，我知道我做得很对，即使我这样做是只因为我要牺牲肉体的安逸，借以抑低我的心智的骄矜，求得生命的意义。这种牺牲虽然是微细不足道，我是为了要学好照做了的。我禁食了，准备拜受圣餐，而且严守一定的时刻，在家里在教堂里祈祷。在教堂里做礼拜的时候，我细听每一个字，只要我能够，使每一个字都对我有意义。

可是在仪式中找出意义来是有它的限度的……如果我这样的对我自己解释，我们不断的为沙皇和他的亲戚做祷告，由于他们比别的人更容易受到引诱，所以为他们祷告的需要更大，那么把仇人，敌人踏在脚底下的祷告（即使我们说罪恶便是我们的祷告中的仇敌），还有别些不可理喻的祈祷（包括每次礼拜的三分之二）——要不是根本莫名其妙，便是在我给予解释的时候，发觉我是在说谎，于是破坏了我和上帝的关系，更失去了一切信仰的可能性……

在多少年没有领圣餐之后，那天我第一次再领受它，我将永远忘记不了那时所经验的苦痛的感情。仪式，忏悔和祈祷都十分明白，在我的心里激起了一种欢乐来，觉得我已领受了生命的意义。依照我的解释，圣餐礼是为纪念基督而举行的仪式，这表明罪恶的洗涤和基督的宝训底完全接受。这个解释如果说有点做作，我没有注意到它的做作的地方，我是这样的高兴，抑低了我自己，谦卑地站在一个神父——一个简单的羞答答的乡下神父之前，从我的灵魂里把肮脏一扫而空，供述了我的罪恶，我是这样的开心，把我的思想沉入了那些写祈祷词的先知的谦卑之中，我是这样的喜悦地觉得我和以前的和现在的信徒结合起来了，因此我不知道我的解释有一点做作。可是，当我走近了神父之前，而神父要我说相信我正要吃喝的乃是真的血肉，我感到了心头一阵楚痛：这不仅是一个谎，且是一个残酷的要求，显然是那些从来没有懂得什么是信仰底人才能提出的要求。

现在，我已经可以允许我称之为残酷的要求了，那时我却没有这样想：只是心上说不出来的剧痛。那时，我也在灵魂里得到了一种帮助我容忍底感情。这便是自卑，谦卑的感情。我抑低了我自己，毫无渎神感觉地吃了血肉。可是我已经挨了一下，明知前面是什么，我不能再领受第二次圣餐了。

我继续励行宗教的仪式，还相信我崇奉的教义中包含着真理，可是发生了一件事，现在我已经了解了，然而当时却大为惊讶的。

我侧耳听着一个不识字的农民，一个进香者谈着上帝，信仰，生命和救世，而一种信仰的智识自然而然的浮起来了。我接近了一点人民，听听他们对生命和信仰的意见，我了解了真理，同样的事发生于我读着《使徒行传》的时候，这成了我最喜欢的一部书了。除开奇迹，和用以图解一种思想的寓言；这部书告诉了我生命的意义。那些是马加留斯大帝的故帝，佛陀的故事，还有那井里的旅行者，找到一些黄金的僧侣的故事。那些是殉教徒的故事，他们都宣称了死亡不能排斥生命；此外还有无知的，蠢愚的人底故事，他们虽然不懂得教会的宝训，可是他们都得救了的。

而我跟有学问的信徒们一谈，或拿起一本他们的著作来，那时是立刻的，怀疑自我，不满和绞脑汁的异议，都从我的内心里升腾，我就觉得我越是深入这些人的言论的意义中，我越是远离真理，越近深渊。多少次我羡慕这些农民，因为他们目不识丁，无知无识！一些对我是邪说异端的信条，在他们是理之当然。只有我，不快乐的人，明白虚伪是为了要顶替真理起见，用最细的线织制的，我万万不能接受这种伪制的真理。

便这样地活了三年。起初，我并不了解什

么，我说“这是我的错，我是有罪的”；可是我寻找真理愈深，我愈能明确地划出一条界线来：一面是因为我不能知道所以不知道的，一面是因为无人能知道所以唯有说说谎的。

纵然我起了疑心，而且是苦痛着，我依然抓紧了俄罗斯正教不放。可是一些生命的问题跑出来了，不能不有所取决，而我不能取决于信赖这种跟我的信仰基础不同的宗教，最后我不能不说，信仰正教是不可能了。这一些问题是，第一个，东方正教和别的教会——天主教及所谓分教会——底关系。这时候，因为我对宗教问题发生了兴趣，我和许多不同的宗教信徒有了往来：天主教徒，新教徒，旧教徒，摩洛干教徒和别的。而且我遇到了许多道德高尚，真信教的人物。我希望变成他们的兄弟，结果怎么样呢？在一个信仰，一个爱的下面结合全人类的诺言——这一个教义的各种优秀的代表人物都同样地告诉我，说别一些人全是撒谎的话，说这别一些人认为给他们生命力量的全是魔鬼的诱惑，只有我们，我们所有的信仰是唯一的可能的真理，而后，我又发现只要有人和他们的信仰不同，正教徒总是说别人是异教徒，天主教徒又说正教徒是暴教徒。我还看到正教徒对于那些没有用他们同样的象征，没有说他们同样的话底一切教徒都仇视（虽然他们偷偷地仇视他们）；这是非常自然的，第一，因为只要说了你是谎话，我是真理，这已经是人对人说的最残酷的话，第二，因为一个爱他的孩子和兄弟的人不能不恨死那些存心要颠倒是非，使他们的孩子和兄弟去信奉虚伪的信仰底人……而对于我，我是信奉真理存在于爱的大结合之中底一个人，我发现这个信仰自身是在破坏它应该完成的果实的。

因为不同宗教信仰的人彼此之间的态度是同样的伪善，同样的自信，这种态度的错误已显而易见：我考虑了这个问题，读了一切读得到的书，还和一切我碰到的人商讨。谁也不能回答我这个问题，正像梭姆斯基骠骑兵自许为长胜军，而黄色的乌兰兵又自许为长胜军一样，都是无理可喻的……我会见了大僧正，大主教，长老，修道士，一个个问他们，可是谁也不试一试回答我的问题，却有一个人全部给我解释了清楚，因此后来我不再拿这个问题去问别人了。

我问他，在这些我们能够同意的要点上，我们为什么不结合起来呢？其余随各人的便，取舍就是了。我的对话者同意了我的想法，可是他告诉我，这种相互的让步从宗教的当局者看来，一定会以为这是叛离祖先的信仰，而大加非难，这就会形成分裂，而这些宗教当局的职责便是保护这传自祖先的希腊俄罗斯正统教，使得它纯洁不污。

于是我全部恍然了！我追寻的是一个信仰，生命的力量，而他们追寻的是如何尽他们的义务的最好办法……我就注意到在宗教的名义之下所干出来的一些事，惊骇异常，而我几乎誓绝正教。

其次便是教会对一个人生问题——对战争和死刑的关系了。

这时俄罗斯是在战争中。而俄罗斯人是在基督之爱的名义底下开始杀戮了他们的同类的。要不想起这一点来是不可能的，要不明白杀戮是一个恶，要不明白它是根本违反了任何信仰的原则，也是不可能的。然而他们在教堂里祷告，祈求我们的武力的胜利，而信仰的教师们说杀戮的行为是信仰的结果。而且除了战争中的屠杀，我还看到战后大扰动之中，教会的大人物，各种教派的教士和牧师同意了处死一大群无告的，错误的青年。我注意到这一切事都是自称基督教徒的人做出来的，真惊骇万分了。

我不再怀疑，我完全肯定了我们参加的一个宗教并不完全是真的。以前我说过它是完全假的，现在我不能这样说了，因为我已经感到它的真理，靠了它活下来了，可是我不再怀疑它里面的许多错误。虽然在农民中间，较少混合了使我反感的成分，可是他们的信仰中，也有虚伪混入真理中。

可是真理和虚伪都是从哪里来呢？真理和虚伪都包含在所谓神圣的传统和经文中。真理和虚伪都是教会一手传递下来的。

不管我喜欢或否，我不能不研究考察这些经文和传统，一直到那时为止，我是没有胆量考究它们的。

我回去考察我一度藐视并排斥的同一个神学了……宗教的教义就是建基于此的，或者说至少它和我所找寻到的生命的意义是不可分割的……我不要找出“一切事物”的解释来。我知道“一切”的解释，正如“一切”底开始，一定是隐藏在无限之中的。可是我希望我有一个法子来了解那“不可知”。我希望我能认识那个“不可知”是不可知的，并不因为我的理性这样地要求是错的（他们是对的，因为离开了他们，我就什么也不知道了），而是因为我要认识我的知性的限度。我希望我有一个法子来了解，来让我看到“不可知”是这样的一个东西，所以它是必然的“不可知”，而并非不合理的，我有必须信仰的义务底一个东西。我必须找出什么是真的，什么是假的，把真的和假的分别清楚。我就在从事这个工作。我所找到的什么假的教义，什么真理，我们找到的什么结论，便是本书的续篇，如果它是值得著写的，如果有什么人需要它，则在别一天，在别的地方，便会出版的。

*　　　　*　　　　*

这结尾的一句话，托尔斯泰表示了他的希望。他的作品“在别一天，在别的地方，便会出版的”一句话里面的意思是，谁要在俄罗斯向正教会挑战，必定会碰到挫折和危险，这正教会的事务是由一个神圣宗教议会管理的，主持它的代理人在必须行使它的决议案的时候要找几个大亨来强行是很容易的呢。

《忏悔录》这作品值得一读它的全文。它的自传式的价值是巨大的。没有这自传的性质，托尔斯泰的生命在五十岁的时候，这样激起的一个变化便无从理解。它也惊人地例证了托尔斯泰的艺术力量——能使读者和他自己最私人的感情不隔——更证实了这种力量并未局限于他的小说，短篇和戏剧之中，甚至在我们所谓有教育性的作品中，它还超越地表现着。

写《忏悔录》是一个勇敢的品行，只有少数几个人曾获有了这种大勇来实践它。托尔斯泰在他的《忏悔录》里面，向他的同时代人所信奉的两大权威挑战了。这一个时代里，跟着“物种起源论”以及“人种论”底出版来到了风行在智识分子中间的唯物论，他们以为用机械学来解释人，即使今天还不可能，明天一定是可能的了，而他们——实际是附和着已存的教会的——却把任何具有宗教信仰的人当做显然不合理的，迷信的，无知的人来看待。所以托尔斯泰这一部作品，当时受了教育的有学问的一部分俄罗斯既傲然敌视之了，同时他攻击了正教会的理论与实际（还攻击了所有的教会），他险些儿遭受到神圣宗教议会的注意。况且他还不能希望他们朋友来赞助他底这样地离开了小说传奇，而探索生命的大问题——我们底对无限的关系呢。

大家又是这样假定的，用小说体裁来写成的东西是

"艺术"，而用自传体，或论文体来写成的就不是艺术。正须要《忏悔录》或《那么我们必须做什么？》(*What Then Must We do？*)这样的书来明示，传达情感（那是艺术的精髓）并不依赖作品的形式，而是要看这作品写得如何的。

可是，托尔斯泰真是休想当时的科学家，神学家，或他的文学朋友来同意他的了，就在他自己的家庭里面，他也得不到同情。他的妻子坚信着正教会，她反对他的"反正教会"是他们不和睦的第一个原因，这不和睦的现象后来是一天又一天的增大了，他最亲爱的朋友亚历山特娜·托尔斯泰女伯爵也苦痛非凡，她认为他这样的做法，侮谩他生下来就隶属了底教会的教义是他的一种灵魂的傲慢底表现。反对的川流不用说是普遍现象了，只有一个心地亲洁，意志坚强，一个深信他手上的问题是最重要的问题，这样的人才写得出这部作品来，它是一定被禁止印行的，后来果然禁止印行；然而，多少年来，它是偷偷的印行，偷偷的发行着，自有对这本书有最大兴趣的人，深知这样的书是有不知多少人急于一谈的。

这样强有力量地说明一个事实，确是惊人的成就，人是一生下来就又有赞成又有反对的两派的，这不能用人体的物理原理或化学程式来解释。社会分成两派，有的接受某种教条，因为他们觉得宗教是人生不可须臾离去的；有的反对宗教，因为他们觉得这些教条是荒谬的。有一个人出来了，特别是像托尔斯泰那样有名又善辩的，站在两派人的中间，明明白白的说：你是对的！宗教是必须的；你是对的！世俗的宗教是虚伪的；这是惊人的成就。即使托尔斯泰没有写别的书，他的名声还是响亮的，是伟大的作家，是明晰的思想家，是有贡献于人类的一人，因为他指出了两个极端之间的分界线。

七　1852–78作品总评

托尔斯泰文学事业的前二十五年作品可分为六组。

第一组是十七篇故事和速记，从《幼年》起迄《家庭快乐》止。第二组是他发表在《耶斯那耶·朴利阿那》杂志的一套教育论文。第三组是《哥萨克人》（这是他写得最好的一篇故事）和《朴利库希伽》（中译本名《农奴的故事》）。第四组：《战争与和平》。第五组：《ABC课本》和《读本》和另一篇教育论文。第六组：《安娜·卡列尼娜》。

把教育论文除开，这一张表上可以缩为十九篇短篇中篇故事和速记，再加上两部伟大的小说。

十九篇故事和速记，托尔斯泰称之为“试笔”的，范围非常广阔，其中包含了描写幼年底秀丽的现实手法的速记和哥萨克人的生命底雄浑的表现，它们证实了这位作者对于外界的事迹，特质，风度，语调，姿态具有惊人地精确的观察力，而对于各式各样人的心肠和思想，从害臊的小孩到死在疆场的军官，更其有尤可惊异的智识。

在《幼年》，《童年》和《青年》中最特出的，在《昨天的故事》！一个更早的作品，是后来在他的遗稿中发现的——其中最特出的，依照密尔斯基亲王（Prince Mirsky）的观察，是托尔斯泰在出发之初，就已采用了与前人不同的创作态度。他的故事平铺直叙，正和日常生活同样的平淡无奇。使它们秀丽非凡的是感情的游戏——他的人物的心肠和思想表现得这样地贴近。所以，要翻译他的作品，要读他的作品必须比一般的情节离奇的小说用更精致更仔细更到家的功夫；可是有许多急躁的读者，第一次拿到一部托尔斯泰的故事，以为它是另外那一套的小说，不免读了有点失望，可是一些敏感的读者却发现到里面所有的秀丽是通俗的故事所没有的。

《幼年》之后，他写了《袭击》，四篇描写高加索军队生活的第一篇；那另外三篇是《伐木》，《和一个莫斯科熟朋友在分队中的会面》和最后的一篇《海奇·缪拉德》(*Hadji Murad*),死后才发表的,这虽然是一整个更完善的故事,却和他五十年之前所写的这些速记十分相似。这四篇故事也是贴近了,同情了他所描写底人物的心理,显示了这些人物的秘密的情感的。

《袭击》之后便是《童年》,《幼年》的续编和《一个弹子戏记分员的回忆》,记叙了一个记分员所观察的赌徒们的脾气的。

跟着便是三个《塞伐斯多波》的速写,先写的两个写于围城的当时,后写的一个则于弃城之后即刻写成的。这里托尔斯泰又介绍了一个新方法进来,给战争文学树立了一个新的标准。他的速写并不用以赞美战争,即是用以描绘冒了危险,或许要在火线上送掉性命,这些军人的感情的。《塞伐斯多波》的真实描写使流行的,一般的战争小说显得非常孩子气。它的影响极大,只要还有一天战争,战争的合理与否还有一天被人怀疑,这影响就决不会消失。

以后的一篇是《暴风雪》,在前面的某一章里我们已经谈过,和一篇《两个骠骑兵》,一篇嬉笑的故事,风格近乎却尔斯·莱佛尔，在托尔斯泰的作品中，它是独立的风格，它表现了俄罗斯军官的一个勇武的典型，有才气，泼辣，动人而又不受羁束，不顾前后。

《一个地主的早晨》是写一个存心良善的地主和他愿意帮助他们底他的农奴底关系，对这关系底辞句肯定的研究。它否定农奴制，而因为这幅图画是给在地主的一方面观察的，所以这些辞句更能说服人。

就在这几篇故事里，实在我们可以说，在托尔斯泰的全部作品中，我们能看到一种自传的性质，可是他的材料虽然取自他自己的经验，他的人物的感情常常也是他自己的感情，故事却全是想像构成的。我们必须小心，因为有一些作家构成了一条公式，想把托尔斯泰放进公式里去，常常胆大妄为，引用他的辞句而加以如“他自己曾经说过”等等说明，而他的引用的辞句实在却是他的想像中的人物所说的话，须知托尔斯泰是这样复杂的一个性格，方面是这样多，把他放进一条公式里去非但不足于解释他，还会造成一些对于他的真实人格的误会。

在《一个地主的早晨》之后写了《青年》，这是

《幼年》,《童年》的续编，然后写了《琉沁》——一个许梵塞尔霍夫饭店里发生的真实事件，被精确地描写了，那时托尔斯泰的音乐的敏锐的感觉，结合了他对于救济贫病的赤诚——那时俄国并没有任何救济贫病的完善组织，所以一个有良心的人有这种赤诚是非常自然的——猛烈地攻击了缺乏艺术的感觉的，缺乏同情流浪人的心地的一些英国人和他在饭店中遇到的其余的宾客。

接下来的一篇故事，又是受到音乐支配他的影响的，便是《阿尔倍脱》，根据他对于鲁道尔夫的经历，这人是他在彼得堡遇到，然后带回耶斯那耶 · 朴利阿那去的一个有才能却醉酒的小提琴家而写成的。

《三个死亡》是一个富家妇人，一个农民的邮差和一枝古树的死亡，死亡被可爱地研究了，观察得全都有独到的透视，描写得技巧纯熟。

《家庭快乐》跟着出现，这是他第一篇完整的小说，结构跟英国小说最为近似的。前面已经提起过，这是根据了他自己和伐莱利亚的恋爱的，他用女人的立场来写了这篇东西。值得注意的是他常常通过一个农民的眼睛，或一个小孩子的，一个女孩子的，一个老妇人的，一个快死的人的，甚至于一匹马的眼睛来观看事物——这一个方法全靠他的想像力，他的透视的观察力，深刻的思维力。

接着他写了《哥萨克人》，大部分根据他自己在一个哥萨克村中的经验。这一部充沛了热血的故事里再三的被称道，确是一件可羡的作品，但因为前面已经提起过的原因，原定计划中要续写的始终没有续起。

这一组作品中最后一篇便是《朴利库希伽》，一个非常出色的作品，这里面我们找到了他在早期作品中已应用了谈笑自若的风趣，这是晚年作品中他用得最多的，只几个字轻轻一碰，一切伪善的矫柔造作的，不诚实的事物立刻粉碎，化为泥土。这是惊人的，只轻轻落笔的片刻之间，整个一群人物已经栩栩如生的登场，各人带来了各人的特点；而在这使人叹服的农奴的故事之中，悲剧和幽默又是结合得如何紧密。

越来越成熟了，在他的较短的故事中所答应了要完成的，在他的伟大的小说中果真完成了。

密尔斯基亲王曾经在托尔斯泰学会上演讲过一次，

我所有的只是粗忽的速记，但是他把这些论点说得这样妙，我要在这里尽可能的抄下他所说的，关于托尔斯泰早期文学作品的话来：

> 托尔斯泰在小说的创作方法带来了一个改变，他从旧有的，戏剧式的方法（陀思妥夫斯基用的还是这旧方法）跳上了一个新的方法——“有观点的方法”。戏剧式的方法是只表现人物的行动和语言，不予以解释。托尔斯泰在他的早期作品中从没有表现人物的行动和语言时不予以解释的，由他看来，心理上的解释是一件重要的事。重要的并不是他的人物做什么，而是为什么他们要这样做。他的第一时期的作品，自一八五二年至七〇年，可分为两个时期，准备时期和完成时期，在《战争与和平》之前是准备时期，完成时期是《战争与和平》和《安娜·卡列尼娜》。
>
> 在第一时期内，托尔斯泰只是准备他自己将来要从事的伟大作品，他的第一个目的是形

成一种分析的技巧，有了它他可以把人类行动的内心的过程找出规律来。有趣的事是他分门别类地耽于各种不同的人物的罗列，例如一八五五年左右他写的小说，特别是《哥萨克人》和《塞伐斯多波》的速写。他渐渐地磨细了他的分析的工具，他现在能够比以前的别的作家更深一层的潜入人们的意识。这儿很容易潜入却又是很坏的一个毛病。在他的早期作品中，托尔斯泰的分析结果并没有创造了人物。特别是《塞伐斯多波》和这与《战争与和平》之间的说教的小说为然。他的分析是抽象的，它孤立了心里的现象，它失去了一切真实的外表，一切在真生活中显现的形态。可是在另一方面，他深入了事物的根源，这分碎零星的现实得到了一个新的结合之后，便创造了一个新的坚实的现实来了。他的准备时期的作品大体说来是不注意结构的。

来到第二个时期，那伟大小说的时期，这时在《战争与和平》中，分析的工具已到达完美之境了，现在它只是到达一个目的底方法，而不再是其自身了。在托尔斯泰之前最接近于《战争与和平》的作品或许是夏洛特·容琪（Charlotte Yonge）的一些旧式的家庭小说，自然我们所指，只是纯粹地文学形式方面的，把《战争与和平》和《雏菊的锁练》，作一个比较吧。其不同有二，第一，托尔斯泰是在早期作品中经过了一番准备的，而容琪小姐并没有，而且他有了一个结构的工具，尤胜于斯当丹尔的所有。第二，托尔斯泰把他的小说放在一个历史背景之上。尽管人家说托尔斯泰不懂得"历史性"，这一点却是《战争与和平》的生命线。他有另外的一个"历史性"的理解，敏锐地理解了事件的川流不息，理解了时间。在小说的历史里，给《战争与和平》以特殊地位的，乃是他把一篇家庭故事，放在解释清楚的行为的分析底基础上，更放在川流不息的时间里。托尔斯泰所创造的东西也可以说不是小说——这是小说的外铄的形式而不是小说的内敛的形式。在《波华荔夫人》之中，弗洛贝尔把这“内敛的”形式写到了至善至美之境，它有一个开头，有一段中间，有一个尾巴，有一下喷射，小说的结尾完全解决了小说内部的各种矛盾。托尔斯泰在《战争与和平》中超过了小说的限制，做了以前只有史诗做到的事。我们仿佛是只观察了长江大河流的中间一段，从这儿到那儿，我们明白，这长江大河流并不是起于这儿，又终于那儿的。

于是，《战争与和平》不能放在《波华荔夫人》,《浮华世界》或《草原上的磨场》一起，而应该跟《依利阿德》并论，这意思说，小说结束了，但什么也没有结束，生命的川流在继续的流。例如，安特留亲王的孩子生下了，小说结束于所生命的起点等等，没有一个时候，这部小说不向外，不向外世界展开的。在托尔斯泰以前的历史小说家都没有尝试过这一件事。另外一件事使《战争与和平》与众不同的是它的宗教论，跟托尔斯泰晚年的观点大不相同。《战争与和平》的宗教的消息是人的基本义务应该和生命取得和谐。个人和全体的这一个关系是《战争与和平》用以开头的。

托尔斯泰的作品一起始就使俄罗斯发生了兴味，现在更是全球都发生了兴味了的，这是因为他比以前的任何先驱者具有更大量的能力，来强烈地感觉，来准确地记录，来深深地思想。他的观察像科学一样周密（他绝不允许他自己因为同情了某一方面，而随便处理他的人物或事件，使合乎他的愿望），同时，他的为人又非常非常地热心，这两个事实的结合就使他成为这样地兴味浓厚的一个作家。他觉得生命是重要的，而艺术是生命的一个侍女。他要辨明什么是善，什么是恶；要帮助前者，反抗后者。他的作品企图给生命的混沌以规律秩序，因为这件事是人所能做的最重要的一件事，所以他的书也是近代文学中最有趣味，最重要的书了。他也没有装作了高傲，要把他的艺术从他的生命上砍去，或隐瞒了他的希望——仁慈应胜过暴虐的希望。生命使他发生了兴趣，反映生命这件事也使他发生了兴趣，所以艺术的问题就是生命的问题：那些问题便是关于爱和热情和死和求善的愿望的。

在《战争与和平》之前，他所写的故事中，一次又一次地出现的主题，是一个年轻的俄罗斯贵族心理上怎样的斗争，怎样的要求他自己，要从他生下来就隶属的社会底无用和矫揉之中解放出来，以及怎样的要求自己认识什么是善和应该做些什么事。这种追求只有部分的成功。控告社会是振振有辞的，可是小说里的主人公也坦白地承认了失败和困惑。有时连主人公也没有。例如，在《塞伐斯多波》中，他说："这故事中，在哪儿表明了应该避免的恶？应该模做的善？谁是这是故事——的英雄，谁是恶汉呢？都是好的，都是不好的"；在《琉沁》中他说："谁能在他的灵魂里有这样不可动摇的'恶的标准'，他能用来衡量生命中的漂流而过的事实呢？"

探求什么是善，排斥一切虚伪——结果便是强烈的憎恨，敌视了一切的人的劫夺者，主人，统治阶级底典型人物，大体上还对一般所谓英雄性的人物也一样的敌视，而对于卑下的，简单的，忠诚的人则友爱地同情——这是托尔斯泰的早期作品的锁钥，早期作品的是生命的研究。人物仿佛都有他们自己的独立的生命；他们替自己说明，有时像先知巴兰，本来想咒诅结果却祝福了。例如在《琉沁》中的南赫留道夫坚持着要那个流浪的音乐家跟他进大饭店去，我们都觉得这可怜的歌唱家是不知如何的嗫嚅，可是托尔斯泰的原意当然不希望我们得到这一个印象的。

《战争与和平》，不仅比它以前的作品更成熟，而且因为他是在结婚后最初的几年里写成它的，那时对他自己以及对于生命很是满足，所以他容许了，同情了许多既存的事物，到了他晚年就不然了。

他告诉我，他写《战争与和平》以及《安娜·卡列尼娜》的目的是为了娱乐读者。这一句话我们不能不接受，可是只要我们拿这两本作品的随便哪一本来一读就可以发现了托尔斯泰的热忱的性格，在这里面他还是有爱有憎，有挣扎和愿望，希冀和恐惧的。

我问过托尔斯泰为什么在《艺术论》中间，他把这两部小说放在“劣等艺术”中间呢？他的回答正如我的希望一样，他说它们也不是全部都劣等，他反对它们因为它们太长了，而著写时的态度主要是给有闲阶级，阔人家的子弟读的。那些人有时间来读几大卷的小说还不是因为别人正在替他们劳动。关于《战争与和平》，他说，“人们想起来，这部书当然是没有害处的，可是事物的如何影响别人，谁也不能预先知道”，接下来他就说到柴哈林教授的女儿，她曾告诉他，自从读了他的小说，她才懂爱好跳舞会和夜宴——这一类事情，当我们谈话的时候，他是全副心肠地痛恨的。

自一八〇五年起，至一八一二年止这一个拿破仑进攻的伟大戏剧，参与在这部作品中的，却只限于它如何影响了鲁斯托夫家和鲍尔康斯基家的部分。

这部作品的主要的主题，如果我们可以从这部作品的许多潜伏的主题中挑选一个出来，那么，还是托尔斯泰最爱的那一个，他静静的问道：什么是善，什么是恶？什么我们应该同情，什么我们应该排斥？这便是他的答复，凡劫掠者，虚伪的典型，历史的人物如法兰西的侵略者，俄罗斯人物如海伦，阿拿托尔以及陀罗可夫，他都敌视，而谦卑的，柔和的，诚实的如玛丽亚，泼拉东·喀拉泰夫，纳特莎（在她年轻的时候这样激情而俊俏，在管理家庭的时候这样专注）以及比埃尔（时常谦卑，总是诚恳，忠于理性和理想），这些人他都爱戴。

这部书介绍了许多人物；写得都这样鲜明，我们熟识他们还比我们的熟朋友更甚，这部书处理生命的深处的经验，从摇篮起，至坟墓止，谁多读它一遍，就比先读的一遍更多了解一点生命，认识得更清楚，对待生命也可以态度更严肃。

托尔斯泰自称他的历史比史学家的历史真实得多，也许他写的许洪格拉本之战，奥斯特利兹之战和鲍洛丁诺之战，确可以如此的说。一位参与战争不止一次的总司令 N.N. 摩拉夫岳甫宣称，他没有读到过任何战争的记载能比托尔斯泰的许洪格拉本之战写得很好的，还说根据他自己的经验，他也确实相信，在战争中，执行总司令的命令是不可能的。

他写这部书的时候，托尔斯泰还以为战争是不可避免的事。要到晚年，他才认为反对战争，以不参加战争作为人的义务。

可是他的根深蒂固的忠实，私心对战争的理解，也已经使他这样地精确的描写了战争，其结果也相当于否定了战争。克鲁泡特金说得对，《战争与和平》是战争的起诉书，这位伟大的艺术家对于他的一代发生底影响在俄罗斯是在众目彰彰的，一八七七——八年俄土战争时，俄罗斯的通讯员已经不再用这样，“我们用榴霰弹给敌人洒上了胡椒末”，或这样“我们像玩九柱戏一样的击倒他们”的文句，这就是一个明证。

托尔斯泰亲自告诉我，除了这部书太长之外，它的缺点是在小说中掺入了太多的哲学论点。他写这书的时候所主张的，他仍然同意，如“伟”人的影响或“伟”人的无能，还有关于命运和自由意志等等，他仍然主张着，可是在小说中，没有这些抽象名词是好得多。

书中的人物并非全部取材于真人，但大体上，托尔斯泰父亲的一家，和他的妻子的一家写成了鲁斯托夫家，他的母亲的一家则写成了鲍尔康斯基家。N. 鲍尔康斯基老亲王兄有大部分取材于他的外祖父小伏尔库斯基亲王的；女儿，玛丽亚，取材于托尔斯泰的母亲；依利亚·A. 鲁斯托夫老伯爵取材于托尔斯泰的祖父依利亚·A. 托尔斯泰伯爵；他的儿子尼古拉·鲁斯托夫取材于托尔斯泰的父亲尼古拉·托尔斯泰伯爵，纳特莎取材于妻妹妲蒂阿那·贝尔斯；松尼亚取材于他的“姑母”

妲蒂阿娜·埃哥尔斯卡维。陀罗可夫则是由一个著名的怪僻的旅行家西奥陀·托尔斯泰伯爵加上亚历山大第一的时代一个著名的泼皮陀罗可夫两个人结合起来了才写成的。

许多配角如波丽安纳小姐，穿男装的女参圣者依凡奴希伽则是在耶斯那耶·朴利阿那的伏尔库斯基家里的真人。

这部小说几乎把托尔斯泰自己的人生经验完全包罗了，其中有农民贵族；城市生活和乡村生活，司令官，军官，兵卒，在军事行动中的和不在军事行动中的；政治家和朝臣；调情，恋爱，跳舞会，行猎，和一个只是谈谈的改革运动。托尔斯泰所没有写的是他所不知道的——中产阶级：商人，制造业工人，机械师和营业人的世界。自然在一百年之前，这个阶级在俄罗斯毫无地位之可言，他们并没有英国的郡县会议，州省会议和国会等等的政治活动。但托尔斯泰也没有注意了他们，他的人生观只限于贵族，消耗者，这些可以帮忙我们理解日后他要发出的社会的教育。他的舅子告诉我们，辽夫·托尔斯泰：

在我前面供述他自己是又骄傲，又浮华的。他实是代表的贵族，自然他爱乡下人，他还更爱贵族，对于中产阶级他是素不欢喜的。在他早年生活的失败之后，当他终于成了一个大大著名的作家的时候，他承认这是使他高兴，赐他无限的快乐的。用他自己的话来说，觉得他自己又是一个作家又是一个贵族，他十分觉得高兴。

要是听到他旧日的同僚或熟识的人受了委任，他的评语就使人想到苏伏洛夫元帅（喀萨琳女皇时的伟大的军事家）了，元帅常说在朝廷上拍马屁的人必然高升，而工作得好的人却休想。有时他冷冷的说，虽然他没有做到炮兵的将军，无论如何他已做了一个文学上的将军。

一个农民和贵族的简单的世界，很少组织，就是有，也组织得很可怜：这个世界里就是有恶事，也因为人们和和气气，大家心肠都好，罪名总可以减轻的，大体上是政府管事越少情形就越好的一个世界，——在亚历山大第一治下的古老的俄罗斯便是这样的一幅图画，而在托尔斯泰年轻的时候，情形还没有改变呢。他是特别生动地描写了它，使我们能够构想这样一幅跟我们的世界全不相同的图画，这一些是限制了他的观察的，结果对于发展他日后的见地可有什么影响呢？这里我们却可以不谈。这限制并不曾损害了他的小说，因为没有一篇小说可以把人生的全貌写尽的，但这限制对于他形成日后的哲学却影响极大。对于若干重要的人物典型，还是一无所知，例如乔治·斯蒂芬荪（George Stephenson）之类的人，仅仅是为了要工作底效能好，把大自然的暴力控制了，使大自然为人类服务，这种人他是不知道的，他也不知道薛特尼·惠勃（Sydney Webb）之类的人，为了要从近代文明局部的混乱中找出演进的社会秩序来，从事了这样艰难的工作；他不知道的还有我们大工业中的优秀的组织家：这些人一心一意要求工作有效，尽量的减少摩擦，防止浪费，他们对于一个艰难的计划的完成，比无谓的财富的积蓄兴趣不知大了多少。托尔斯泰把人生的大问题过分的单纯化了。他尖锐地让剥削者和穷人对立了起来。这样的对立确实包含了真理。他说生命是穷人所负担支撑的，生命的困苦是剥削者造成的，这些话都对，可是他在他的认识中，忽略了那些组织者：这些人知道他们要的是什么，能够得到他们所要求的（或得到他们所要求的一大部分），他们的动机是高贵的，他们并不是完美的人，所以可能做出许多好事情来，也可能有时候近乎一个剥削者，可是大体上他们是有价值的，还比有价值更重要，是不可缺少的盐，因为若没有他们，这个世界不知要如何的混乱，秩序不知要如何的坏。在托尔斯泰晚年的一篇论文中，他说俄罗斯的饥荒的原因是希腊正教会；他是对的。但他这一切话都抹杀了思想，使人相信了他的话，便要相信了人在农业的活动中无能为力。其实凭了他的理性，他本应该了解在生产，分配，交换之中如果多用点脑子，世上的情形决不会坏得这样的，最近一百五十年来，虽然西方世界还是不堪设想，虽然组织者有时便是剥削者，但这个西方世界就这样地起了极大的变化。

对《战争与和平》的批评我不能说得比我在这部小说的某一个版本之前写过的原文更好的了。在那篇序文里，引用了N.斯特拉霍夫的话之后，我接下来写道：

这部作品是托尔斯泰三十三岁时开始的，当时他的精神算得最好了。

《战争与和平》中大部分的事迹都是没再简单的了。日常事件，家庭生活：哥哥和妹妹或母女之间的谈话，离别，重逢，行猎，节日的宴会，跳舞，打牌，等等，都缩小在艺术化的可爱的钻石中，那鲍洛丁诺之战也是如此。这本书，不管它有什么目的，它的成功却并没有依赖了它的目的，而是依赖了在这个目的底影响之下，托尔斯泰所做出来的一切事，就是说，它依赖的是一个高度的艺术手法。

如果托尔斯泰使我们凝视了盘踞在他的灵魂的事物，那是因为他充分地使用他的工具——这是艺术。大约没有多少读者会关心到那些领导了他，刺激了他的思想的，可是大家都给他的创造所感动了。各种阵营里的人——有的爱，有的不爱他的后期作品——

一致赞美了他在这一部作品中的惊人的成就。这就是艺术的征服一切，不可抗拒的力量的明证。

可是这样的艺术不是凭空落下来的，这样的艺术也不能离了深刻的思维和深刻的感性而独立，是什么使《战争与和平》激荡了每一个读者的呢？是它们形式的明晰和色彩的生动。它们所描写的，人们看得到；它们说的话，人们听得见。作者从不用自己的口吻来说话；他把人物搬到台口上，让他们自己说话，感受，行动；他们所做的是这样的真实，每一个动作真实得惊人，正合乎每一个人物的个性。我们仿佛面对了真人样，我们认识还比我们对一些实生活中的真人史多点认识。我们不仅知道每一人物的表情的形式和感情，他们的神气，他们惯做的姿势甚至他们走路的模样，我们都知道。有一次，在不寻常的困难的情形之中，重要人物伐西利亲王踮起了足尖来走路。作者是知道他的每一个人物如何走路的。“伐西利亲王，”我们读到了，“踮起了足尖来走路却走不好，每一步，他的全身动了一下。”同样的又清楚而又显易，作者还知道他要描写的每一个人物的行动，感情，思想，他们出现在我们前面了，作者决不去打扰他们，只让他们每一个人依照他自己的习惯行动。

同样，托尔斯泰所描写的场面或风景，也都是那些反映在人物的心灵中的场面或风景。路边的橡树或在纳特莎和安特留亲王都睡不着觉的时候的月圆之夜，托尔斯泰并不描写，他描写的是橡树和这一个夜晚给予安特留的印象，战争和历史的事件都被描写了，却不是用作者的观点，而是用每一个在场的人物的印象来写出的。许洪格拉本之战主要是写这个战争之中底安特留的印象的，奥斯特利兹之战，尼古拉·鲁斯托夫的印象；沙皇在莫斯科的露面是通过了斐迦的狂热的；而从纳特莎的情绪中写出了反侵略的祈祷。托尔斯泰从没有在人物的背面出现一次，更没有抽象地描写事件，他把构成事件的人物，有血有肉的人物拿了出来。

在这一点上说，这部小说乃是一个艺术的奇迹。托尔斯泰不是仅仅抓住了一个个孤立的现象，他抓住了一个生命的氛围，里面有各个不同的人物，不同的社会的阶层。他自己也提到了鲁斯托夫家“可爱的家庭氛围”，还有许多别的例子：绕着斯班浪斯基，或鲁斯托夫的“伯伯”的家庭氛围；纳特莎上歌剧院去的莫斯科大戏院的氛围；尼古拉访问的医院的氛围；一座法国人预备纵火烧去的拥挤着人群的桥梁上的氛围等等。人物一跑进一个氛围，或者人物从一个氛围跑进另一个氛围时，都受到的影响，而我们读者亦然。

由这一点看，高度的客观性是得到了；我们不仅看到演员的行动，容貌，动作，听到他们的说话，便是他们的全部内心生活也纤毫毕露了——他们的灵魂，他们的心赤裸裸的摆在我们面前。读了《战争与和平》，我们“思考”了，真是所谓思考——艺术家所叙述的客观。托尔斯泰是一个惊人的现实主义者，他和人物有优点也有缺点。他并没有舍不得纳特莎，叫她不去爱阿拿托尔，更没有硬写她生了孩子之后，还有她的青春的容貌，他既对他钟爱的一些人物这样处理，我们看到陀罗可夫这样的典型也勇敢，坚决，有领袖才能，有可爱的一面。此外，在拿破仑侵略之下的祖国，他的同情心是没有人能怀疑的了，可是在写到俄罗斯从外敌的铁骑下解放出来的时候，他并没有给爱国主义的骄傲所引诱，没有给这种骄傲焚香顶礼，他写到俄罗斯军队生活中的晦隐的事物和它的缺点时，是如何地忠实！

灵魂的生活和灵魂的起伏最细腻的地方也写得明晰忠实。在奥特拉德诺的鲁斯托夫家，假日的沉闷的感觉；鲍洛丁诺之战白热化当时俄军的感情；纳特莎的春情和鲍尔康斯基老亲王在他中风而死之前的记忆的消逝；在托尔斯泰的叙述中全是生动的，闪耀的，精确的。

作者的趣味集中在哪儿，读者的趣味也集中在那儿，不管是因为沙皇要露面，所以克列姆林广场上拥满了人，不管是两个国王的会面，不管是千万人要战死，炮火怒吼的战场——不管事件是多么重要，伟大，对于各人物性格的内心的观察，作者还是游刃有余的，读者决找不出他错处来。仿佛他所注意的只是大事件给人的灵魂的印象，他只把每个人的灵魂所感到的写出来贡献给这个大事件。

托尔斯泰把俄罗斯历史中最最英勇的时期表现出来，这主题虽然艰巨，他非常地成功了。

在我们的前面是一幅长卷，上面描着俄罗斯如何抵抗了拿破仑的侵略，给拿破仑致命一拳，这幅长卷画得毫无夸大，当时的心灵的，道德的，政治的关系，多少暗影和丑恶的痛苦的特点都写到了。可是同时，救俄罗斯的那股力量却给他写得这样，使今天爱俄罗斯的人们读到这本书的时候不免有点苦痛呢。

人的灵魂在《战争与和平》中被写得这

样地无与伦比的真实。所表现的人的灵魂不是抽象的生命，而是在时，空，环境一切限制下的活人的灵魂。例如，我们读到一个个人的长成。第一卷里，纳特莎抱了一个洋娃娃奔入客厅来，第九卷里，纳特莎走进了教堂，还是一个人却年纪不同，可是并不像一般的小说——我们读到的，这里不仅是一个人的年纪不同。作者还把这一个发展在这里步步的写出来了。同样地，尼古拉·鲁斯托夫一天天地在大，年轻的比埃尔变为莫斯科的贵显，鲍尔康斯基老亲王越来越老了，等等。

托尔斯泰的人物中的精神上的特点又这样的显而易见；这样个人化；有血缘关系的人我们都能看到他们的家族的相似点。鲍尔康斯基老亲王和安特留亲王，虽然一个年老，一个年轻，性格实际是相同的。鲁斯托夫一家虽然有这么多的人众，有大家共有的特点。写得这样的出众，使人分不出来，也说不出来，但总能够感觉到。例如，那不讨人喜欢的薇拉总还是一个真真的鲁斯托夫，而可爱得多多的松尼亚却显然是另一个家族里的人。

非俄国人是更不容易写的，若然托尔斯泰用了传统的俄罗斯人的看法来写法国人德国人，我们英国人只要一眼就能看出他写得是真实是不真实。但是，例如波丽安纳小姐，或拿破仑；奥国的和德国的将军如麦克，浮尔，或阿道尔夫·倍尔格（我们对于德国人的军事才能虽然比托尔斯泰在六十年代时更尊敬一点了），我们立刻发现，他写的法兰西人完全是法兰西货，他写的日耳曼人完全是日耳曼货。至于书中的俄国人，不但个人都是非常的俄罗斯货，连他们每一个人的阶级性和特别情形都一眼就能看得出。例如斯班浪斯基，虽然写到他的不多，却彻头底尾是一个神学院的出品，一个“神学院学士”。

而一切经过他们的心灵的，每一个感觉，热情或痛苦都清清楚楚，真真实实，托尔斯泰从没有犯这种错误，叫任何一个人物的灵魂里永远只有一种精神状态。把纳特沙的例子来想一想，她的精神是兴旺，饱满；她的灵魂勇往直前；还有她的虚荣，她爱她的未婚夫，她的欢乐，她的对于生命的饥渴，她对她的亲友深沉的感情等等。或者想一想安特留亲王的例子，当他站在冒烟的炮弹前——“这就是死吗？”安特留亲王这样想，另用一种新颖的眼光，带妒意的看了看青草和苦艾，和从那黑球里飘出来的一卷卷黑烟。“我不能——我不愿意死；我爱生命，爱这青草，这空气”，他想到了这些而同时记起来了，兵士们正在看着他呢。或者我们想一想安特留亲王对柯拉琴的憎恨，心中充满了矛盾的，或者玛丽亚郡主的，宗教的，爱情的，孝心的等等感情的变化。

人的尊严，或者因为给各种缺点掩没了，或者因为我们估计别人的特性太高，因此我们用伶巧，有力，美貌这些来衡量一个人。托尔斯泰教会了我们看人的方法要通过外表看到内心去，尼古拉·鲁斯托夫，或玛丽亚郡主，这样的人是不能再简单，再平常，或者再谦卑的了。他们没有光采，没有才能，在一般人中间是不能够像鹤立鸡群一样的。然而这些简单的人，静静地在最简单的生命的道上走过去了，却显然是最可爱的灵魂。作者对这两个人寄托了使人不能抵抗的同情性，这两人纵然藐小却是灵魂底美比得上任何人的，这也是《战争与和平》的一个伟大的成就。尼古拉·鲁斯托夫的确是一个才能有限的人，可是作者说过，“他有一种平庸的常识告诉他该做什么事的”。

真的，尼古拉的做了许多蠢事，不大了解人和环境，可是他应该做些什么事，他是知道的，而这个可宝贵的智慧保全了他的简单而勇敢的性格底纯粹。

有没有什么需要来谈一谈玛丽亚郡主呢？这一个人（托尔斯泰宝贵地描写她，当她是他两岁时死去的母亲的形象的）虽然懦弱无能，却这样纯洁良善，有时她似乎有神圣的圆光出现在她的头顶上。

托尔斯泰还有一种特长的技能，能表现藏在嬉戏的热情底下，藏在自利，贪婪和兽欲底下的人的灵魂。使纳特莎和比埃尔迷失的是最痛苦，最无理的热情：可是读者能够看到，在这些热情的底下，这两个人都有一颗黄金的心，谁也不愿意怀疑他们的，只要要求他们自我牺牲的时刻来到，只要要求他们对良善可爱的一切给予巨大的同情的机会来到，他们的心立刻会散发温暖，他们会立刻满足这些要求的。这两个人的灵魂美是惊人的。——一个成人模样儿的小孩，有一个巨大的躯体，可怕的感性，像小孩一样的不近人情，不讲道理——结合了这三种特性：孩子气的纯粹而柔弱的灵魂，以及天真的心，就是这天真使他的心灵高贵的，还结合了一种跟一切不光荣的事物不相往来，甚至根本不懂得的性格。他像孩子一样的不知道恐惧，不了解罪恶。纳特莎是这样的一个精神生活饱满的女孩子，用比埃尔的话来说，“她不必更聪明了”，就是说她既然没有时间，也没有愿望来把她的丰满的生命提炼为抽象的思想。无比的充满的生命——时常使他进入一种“陶醉”（俄文原文中就用了这样一个字）的境界——使她把无理由的热情去给柯拉琴——这一个错误是后来用了严厉的受苦来赎清的。（比埃尔和纳特莎那样的人是命中注定了要犯许多错误，碰到许多幻灭的。却仿佛是为了要做一个对比，作者写了薇拉和阿道尔夫·倍尔格这幸福的一对——这些人不犯错误，也不碰到幻灭。我们不能不称奇，托尔斯泰忍耐心这样大，把这些枯燥无味的灵魂一点一滴的摹写，一次也没有忍耐不住，没有嘲笑了他们或对他们生了气。这便是真真的现实主义，真实的真理！他写柯拉琴家的海伦和阿拿托尔又是如何的真实；这些没有心肠的人他毫不怜悯地公开展览了他们，可是他不曾描写得有任何过火。）

这样复杂的人事之中，我们感觉到一些他们的生命依赖的，坚固的，不可损毁的原则在这书里写着。家庭的，社会的和婚姻的义务是最容易看到的，善恶的概念分明，而且永久不变。把上层社会的虚伪的生活，把包围着贵人显达四周的不同人物写给我们看过之后，托尔斯泰把两个坚贞的生命圈子对立了起来——家庭生活和军队生活。两个家庭，鲁斯托夫家和鲍尔康斯基家，都有明显的，不变的，家庭生活的原则在支配着，家庭的成员有他们的义务来满足这些原则，这样做是他们的光荣，尊严和满足。同样军队的生活（在另一地方，托尔斯泰曾把军队生活看做一群蜜蜂），也给我们一个十分明确的义务与人类尊严的概念，所以头脑简单的尼古拉有一次不知道他的行为应该是什么，想留在军队里，免得回家。

托尔斯泰是俄国的民族形式，有时我们读他的作品，发现俄国的思想感情和我们的不同；可是更惊人的，在于他透视人类灵魂的方法，会使我们想到他的俄国人还是和我们一样的人，这种力量，等于创造我们的力量，把世

人用一条血的纽带结合在一起了，尽管我们外
表上有什么不同。

《战争与和平》给我们一幅人类生活的全景，当时的俄罗斯的巨大的画像，一幅各国间的战争的历史画；一整幅画的事物，人在上面布上了快乐的事物，伟大的事物，他们的悲哀和他们的耻辱。托尔斯泰是一个宣布了生与死的秘密的作家。历史的意义，国家的力量，死亡的神秘，爱和家庭生活的现实——这些是他处理的主题。这样的主题，是否一个读者懒洋洋的拿起这部书来翻翻弄弄，可以深入的呢？岂有什么奇怪呢？《战争与和平》这部书是批评家的试金石，也是批评家的一块绊脚石呢。

在批评这部书的时候，步步都要小心，可是我们想到了，一个俄国批评家真批评得好，他说这部书的意义就包含在托尔斯泰自己的一句综结语中间："没有简单，良善和真实，没有伟大。"

拿破仑是一般人都太把他当做伟人的，却更使托尔斯泰怀疑他的特点，而拿破仑真是一个自私的侵犯旁人

的典型，把旁人的生命当做水一样倾倒，托尔斯泰是本能地痛恨他的（他还恨过彼得大帝呢）。只要读者同意这一点，就可以看到托尔斯泰的控诉是写得如何强烈而且包含了多少的真理啊。托尔斯泰对于他要描写的历史的场面是特别把细的，要是没有充分的根据，他决不让这些历史上的人物随便说一句话。

在俄国以外，也许《安娜·卡列尼娜》还比《战争与和平》更加流行。前者是一部长大的小说，几乎跟后者一样长，其中虽然也包含了一点哲理，却在这部小说中放得更加合适，也比《战争与和平》中大谈哲学的几个章回更短，更明白。论处理，《安娜·卡列尼娜》也更像我们惯常的小说体，虽然它不止一个男主人公和一个女主人公，而是两对男女，生活的方式既不同，他们间的关系也不密。

这是写一个美丽动人的女子底热烈爱情的小说；另外一个增加兴趣的事实乃是列文这一个人物代表了托尔斯泰自己，他的作品中要算列文的性格比其他的人物更接近他自己；只是托尔斯泰使列文格外的单纯化了，那是为了他要这一个人物和莫斯科，彼得堡的上流社会底代表人物做一个更强烈的对照起见。

《安娜·卡列尼娜》介绍到英国应归功于马修·阿诺德的一篇论文，关于托尔斯泰的论文，要算这一篇最好了。可是中间有一句话却未免引起误会，我提起一下，或许对于优良的论文言，我的微辞是可以得到谅解的。

他谈到译文的时候，说了一句中伤的话："我读的是法译本；大体说来，这样的作品的法文译本总比较英文译本来得好，而且像《安娜·卡列尼娜》的作品，宜于法国文字尤胜于英文。"

早期的几本英译文的确不好，这是真的。但阿诺德说《安娜·卡列尼娜》宜于用法文，胜似用英文译却大谬了。如果他能懂原文，他就知道这部小说有两套人物！朝廷上的一套，说的是法文，行为也是法国式，另外一套是简单的，家庭风味的，爽爽快快的俄罗斯人（我几乎说出英国人来了），难得用法文，和前面的一套行为也大不相同。在英译文中这种对比可以表达，而在一部全用法文的译本中这就不可能传达了。事情还有比这个更坏的，阿诺德并没有说，其实他本应该说的，就是他所读得到的法译本，只是比英译本错处少一点罢了。他的话使人忘记了托尔斯泰的法译本原有极多数不能令人满意之处，而实际上有些英译本则是很好的。最近我收到了莫斯科艺术剧场的盖尔玛诺伐夫人的来信，她——每次在国外旅行，总在什么文学集会上朗诵一点托尔斯泰的小说——说过她爱读的几段总找不到合适的法文译本，还说她喜欢我们的译本，极愿意采用。谁要说她读的译文的版本十分可靠，因为那是用法文译的（时常还不去注意译者是谁），这是愚笨的。

这是这样重要的一件事，如果我们要对得起托尔斯泰的话，我们必须帮助读者审定译本。

在英国是马修 · 阿诺德，在美国则是 W.D. 霍威尔为托尔斯泰站出来主持一切的，他说得很对："在托尔斯泰的想像作品中，是他的人道主义给他一种超越了艺术的范围的文雅。他的人道主义不仅仅达到了穷人和受苦的人；还达到了骄傲的人和阔人，对于有罪的人它也不回避。在《安娜 · 卡列尼娜》之前，有过多少写奸淫的小说，差不多除了英国小说之外，所有伟大的小说全在这个题目的论点上构成，可是在《安娜·卡列尼娜》中，关于这问题的全部真理已经昭示了。托尔斯泰在说到莫泊桑的短简时认为全部的真理就永不会是不道德的；我也觉得在他的作品中，只有道德，别无其他。”

阿诺德对于安娜这样子快，这样子容易的允承了伏浪斯基的追求感到惊骇。他认为安娜是应该抵抗一下的。可是我们看到在这一点上，许多俄国人却在相反的意见上反对托尔斯泰。克鲁泡特金在他的《俄罗斯文学的理想与现实》说明了他们的意见，这就是他说的话！

> 《安娜·卡列尼娜》在俄国造成了这种印象，反革命的阵营向托尔斯泰致贺了，而当时社会上的进步分子却冷淡地接受了这部小说。婚姻问题和夫妻离异的问题，在俄国的当时已由最优秀的男人和女人，在文学中正如在实生活中，激烈地争论起来了。对婚姻轻率的态度，不绝的在离婚法庭上显露出来的，这是被一致反对了，同样反对了轻率和欺骗之后，他们却严肃的考虑了新的爱的权利——说不定在一个快乐的结婚之后，新的爱情突然来了。车尔尼雪夫斯基的《为何？》(*What To Do*？)

可以作为表示了婚姻问题的意见最好的一部小说，而在年轻的较进步一代中非常风行。据它说，已经结婚，就不能轻易恋爱和调情了。而是每一种热情的迸裂都可以称为新的爱情的；而所谓爱情常常是仅仅短时期的欲望。就算它是真的，在这真以爱情加深的前总还有时间来考虑：如果这爱情成长了，便会有什么结果。可是说尽管说，做尽管做，确有着事实是新的爱情来到了，而且不可避免的来到了，例如，一个她自己并没有情愿却已经结了婚的女孩子碰到了一个坚决求爱情的人，或者两个人并没有真正的了解却结了婚，或者两人中的一个继续的向理想进步而另一个却已经戴破了他的理想的假面具，渐渐耽于软软的拖鞋的享乐了。碰到了这种情形时，不仅仅分离已不可避免，而且离异了对大家都好。因为分离而受到的痛苦（若然忠诚的人，这种痛苦还是有益的）总比不分离而破坏某一方面的——多半的情形还是双方面的——一生的幸福好得多，也比过好强地生活在一起，让坏结果反映到孩子们身上去。这些便是俄罗斯社会中的优秀分子，当时在文学中正如在实生活上，所得的大体的结论。

就是在克鲁泡特金所描写的社会形态底下出现了托尔斯泰的《安娜·卡列尼娜》。这部书的扉语是“报复在我，我必复仇”，而可怜的安娜的命运是自杀，她年纪轻轻就嫁给一个乏味的老头子，在她遇见伏浪斯基之前就不知道什么叫做恋爱。欺骗决不是她的本性。而保持那既成事实的婚姻虽可以使她的丈夫和孩子快乐，但离异并且和真真地爱上她的伏浪斯基结婚又似乎是唯一的出路。克鲁泡特金接下来说，无论如何，《安娜·卡列尼娜》的结局即使是悲剧，却决非最高的审判判出来的结局。托尔斯泰的艺术的天才，在这里跟在别处一样都是忠实的，他早说明了悲剧的原因，那是伏浪斯基和安娜自己的不坚不贞。违反了一切舆论，——托尔斯泰指出女人的嘴吧虽不忠实，但不能在舆论中起什么作用——离开了她丈夫之后，她和伏浪斯基却还没有勇气丢掉他们的社会，这种社会的虚伪是托尔斯泰描写得顶精采的。非但没有这勇气，后来安娜跟了伏浪斯基回到彼得堡去的时候，他们主要关心的还是，假如她回去了，蓓特茜如何款待他们，别些女人们是否还招待她？“使安娜自杀的，既然是蓓特茜的意见了，就一定不是最高的裁判的意见了。”

我们不看马修·阿诺德的意见或克鲁泡特金的议论了，总之，托尔斯泰把安娜的美丽是写尽了：“她的又宽大，又新鲜，又富丽，又慷慨，又欢乐的性格，使我们同情她”，甚至尊敬她；谁也没有胡说，以为她是卑鄙的或坏女人。而且，托尔斯泰的婚姻神圣论是很老古的一套，举世公认的意见；自然，把这种意见用艺术，用这样强的说服力量来表现，表现得像他所做的那样地好，是一件好事情，如果说，不相配的两夫妻因为他们已经行过了婚礼，所以必须白头偕老，这种观念必须取消的话，至少也该让我们听一听赞助这种观念的最好的一位辩护律师的话。

至于托尔斯泰的扉语“报复在我，我必复仇”的用意——陀斯妥夫斯基的了解是胜过克鲁泡特金的。这里是陀思妥夫斯基的文章的摘要。

作为一件艺术作品，《安娜·卡列尼娜》是完美的。在它发表时，欧洲的文学还没有一部作品可以比得上它。而它的观点正是我们俄国人的，属于我们本土，使我们跟欧洲世界区别为两——这是我们的民族的新语言，至少是它的开始，是欧洲所听不到的语言，而且，尽管欧洲有她的许多可骄傲的地方，她也需要着这样的语言呢。在《安娜·卡列尼娜》之中，人的罪恶和犯罪的观点是呈现了。人生下来就生在一个反常的环境中。恶先天地存在了。人们在虚伪的漩涡里打一个转身，已经犯了罪，随即消灭了。我们看，这是欧洲的一个顶古老，顶熟稔的题材啊。可是，最后，欧洲如何解答了这个问题呢？欧洲有两个解答，非此即彼。第一个解答是法律已经制定，形成，实施了几千年。恶和善被权衡了，界说了。谁不按照法律，谁破坏了法律，必须以自由，财产或生命——按照这些字面意义，不人道地——作为偿还。另一个相反的解答是：既然社会失常，个人就不能对他所做的事情负责。嫌疑犯的名目不应存在，这些都不是犯罪。要把罪行和人类的犯罪取消，首先得扶正社会，使社会不失常态。西欧世界对于人的犯罪的问题只有这两个解答，没有别的了。

可是俄罗斯的作家（托尔斯泰）的观点明明白白的指出，取消了贫穷，组织了劳动，还不能把人类从失去的常态中救出来，所以也不能把人类从罪行中救出来。这一点，他下了可怕地深刻，有力的，对人类灵魂的心理的，大举研究，而又用了我们谁也不能比的艺术手法，用了现实主义，给表现了出来。这一点已说得这样明白，易晓，恶是在人类的最深，最深之处，比我们的社会主义者的医师所能想像的不知深了多少——扶正社会，使不失常还不能消灭恶：假如人类的心灵还是这样，反常和罪恶也还是向前走；最后，人类的灵魂的规律还是这样的使科学也无从知道，无从想像，这样的无从界说，这样的神秘，现在还没有，还不能有医生或最后的审判者，有的是“他”，那说过这句话“报复在我，我必复仇”的上帝。只有“他”知道这世界的一切秘密和人类的终极的命运。

尽管人类知道不知道他自己的出路或自己的命运，但为了使人类不在失望之中消灭，有一条给人类避免的道路业已指出。这是用这样神奇的才能指出来的，在这部小说的前面一部分，一个惊人的场面上，女主人公已经在死亡的门口，嫌疑犯和敌人转化为更高级的灵魂，转化为兄弟姐妹，互相宽恕了一切——转化为这样的人，在互相的，完全的宽恕之中使得他们自己脱离了虚伪，罪和恶，而后，使他们充分意识到他们是应该这样做的。可是在这部小说的后半部，在这黑暗而可怕的图画上，一步又一步，写出一个人类的灵魂在降落了，因此任何一个人的裁判官，得到了这么多的指示，使这些手中拿着天秤的人将惊惶失措的藏起来，“不，报复不在我，我不能复仇”！他就不会这样地不人道，把一个不幸的堕落者所犯的罪定谳了。

为证明托尔斯泰在坏翻译家的手里受到的任何不公平的待遇，让我来指出一个德国的译本，这上面把这句扉语译成了：Mien ist die Rache，ich spiel As（“报复在我，唯我独尊”）。

《安娜·卡列尼娜》中有几段——跳舞会，军官的赛马，刈草，列文的哥哥之死和别的——论艺术的美是卓越的——我简直想说，是无人能够超越的。到结尾的地方，有几段非常像他的《忏悔录》的缩影，谈到他对于生命的意义的追寻，他的自杀的企图，以及如何他跟个农民谈话，懂得了一个人应该为他的灵魂和上帝而生活等。

在这部小说中，他处理俄罗斯的志愿兵到塞尔维亚去作战的一段，直接的打击了好战的外交家，这时这些外交家正肆无忌惮，可是我们看到托尔斯泰那时所站立的地位，从列文的嘴里说出来的，也很奇怪。他并没有说俄罗斯不应该为求土耳其国中底基督教徒的自由而作战，他只是说志愿地加入塞尔维亚或保加利亚的军队，或鼓动俄罗斯的政府走向战争，都不是俄罗斯人个人的事。

说到列文时我们读到：“他像米哈里奇和农民们一样，他们的情感是表示在这个传说中的，俄罗斯土地上最早的居民给伐利亚基送了信去说：‘来吧，做我们的国王，统治我们。我们极愿意屈伏。我们担负一切劳动，一切屈辱，一切牺牲，可是审判和决定我们不管。’列文接下来就申斥了，说俄罗斯的人民‘现在忘记了当初化了这样大的代价换来的权制’——就是人民不管政府的权制。”

托尔斯泰的意见的这些根源——就是表现在这前五十年的作品中的——和他后来三十年里表现在严谨的教条形式里的意见，其间关系十分密切；后期的教条极其自然的从他的前期的同情心与经验中生长出来，而在这里的一点上了分界线尤其明显（关于服务和不服从政府的区别）——更是特别值得注意的。在完成《安娜·卡列尼娜》的时候，托尔斯泰还没有得到这个结论：“一切雇用暴力的政府都是不道德的”，然而他的后期的教条却首先由这个观点来提纲挈领。

除了上述的特殊的几点之外，关于托尔斯泰的小说底一般的影响和效果，W.D. 霍威尔综合得极精采，他说：

> 直到他那时候为止，小说还只是高贵人的生命的一部分，只有受到它的娱乐的一个圈子里制定了它的标准，可是托尔斯泰把艺术的良心撤销，换上了人类的良心。我对他的作品中的真固然惊异，我对他的作品中的爱惊异尤大。在这里，我第一次发现在人类良心的光耀之下，这幅生活的最忠实的图画了，我往常错误地以为良心问题跟艺术是没有什么关系的，是不适合彼此的，是不相当的。在这伟大杰作的庄严存在之前，我对我的性格中的世俗识见都曾经感到过羞愧和惊惧，仿佛我是实利主义者，俗物。可是在这里，我站在一个大师前面，他告诉我不必因此羞愧，我正应该把这些识见

来批判他的作品，因为他的作品就是为世俗歌颂的。我发现了我暗中在应用的对于品行的批评标准是可以用作世界正义的规律的，对于动机和行动我们知道赞成或反对，我们的善恶观念不必依照法律家的滥言。在托尔斯泰的伦理学之中，我常常觉得他太生硬，几乎是傲慢的（这个字说得过火了一点），但在他的灵学中我却并不觉得这样。他把一个向来被认为不道德境界的氛围转移为奇异的天空，但是在他的作品中，从没有找到过这处地方有什么卑鄙的残酷的谎话，那些谎话常常骗得我们相信了热情或天才，或英雄主义能够把过失变成正确。在他的作品中，到处我看见真理底庄重而高贵的脸色，它正用锐利的眼睛盯住我，盯住了我的一生，我还知道我死去的时候一定还会面对这个脸色的。可是还不止此，还有不知多少的不止此呢。在真理之前就有爱，没有爱是没有真理的。如果有一天来到了末日审判，爱是一定要挺身而出的……

我已经说了不止一次，他的伦理学和美学是二而一，不可分的；便是这个给他的艺术品以活生生的温暖的。他决不用那些没有心肠的技巧，那些专为了自己，对它自己的光亮的胜利耀眼的技巧。他寻求的总是真理，和只在其中真理才显现的爱。**如果托尔斯泰是空前的富于想像的作家，这是因为他除了其他的缘由，他是仁慈地写作的，更不否认他的艺术就是他自己的为人。**

至于他的作品的范围，衡量是不容易的，因为它包含了一切动机和行动，善恶是非，上层下层，在他的广大的俄罗斯的世界中，似乎是只要有生命的地方，他全都摸遍了的。它的主题总是艺术的几个古老的主题，是爱，热情和死，可是它们被处理得这样诚恳，这样简单，它们似乎是新的艺术主题，其效果也是以前所没有的了。

他是比别的作家更近乎解决了生命之谜的。他告诉我们生命可未必能够给我们以私人的快乐呢，自私的快乐是没有地位的，除非别人的快乐让了地位给你，可是不自私的爱却有无穷的领域，到处是机会。用同样的钥匙，他打开了死的神秘；他想像得这样有力量，死不过是自我屈伏底一种动态，理性从这中间找到了自我屈伏的明证。读者不会忘记他所描写的弥留人世的顷刻，只在死者最后放弃了他自己的时候，天堂之门才开启。他的视力似乎已透视到了另一世界，他描写那些边境上的情景，他的才能尤显得这样的可惊可异。

上述的意见却总比不上浮基尼亚·萨克维亚—魏斯脱女士所说的，在他百年诞生的纪念日，她在《民族》杂志上说：

《安娜·卡列尼娜》的生长是如何的有机体的一样！从一个插话分出另一个插话来，如何的自然！自然性的连续性是如何的表现了，虽然它是有一个作家的，虽然他在同一本书里用了两条平行的线索，这本是极艰难的事；《安娜·卡列尼娜》已经说了这样的话，对惊人的，复杂的力作《战争与和平》我们又如何说方是好呢？我们已经说了这一切，我们还是口痴目呆。而问题还摆在前面——这是怎么会给他写出来的。

托尔斯泰，作为一个艺术家，其卓超的全部秘密只是一个字：强烈（Intensity）。不论什么，他感的，著的，做的，记录的，其强烈之大，决非英国人（或非俄罗斯人）所能赞赏的。这强烈不只用于他的小说；这是整个人的精髓，不管他是用一张火车票来剪一只小雄鸡，或反对正教会的教条，或做靴，或非常别出心裁地办一个农民学校，或刈一片草地，或痛骂莎士比亚，和孩子们玩一个“北非洲古骑兵”的游戏，或离开他的家和家人而出走。大自然给托尔斯泰这个人用了太多的原料，拆开来至少可以做成六个配备俱全的完人的。对于一切，他带来了他的精力，他对于文学的兴趣未见得比他对于别些的兴趣来得大。“我看得很明白了，”他说，“艺术只是生命的装饰和秀丽。”所以我们对于这个人的印象，虽是小说家中最伟大的一个，却觉得他不过用了小说的体裁来作为他的精力的一个出口。……再则，他虽然总是给大题目，严肃的问题占据了的，但他集中注意力于现实就使我们决不像在浓雾中一样的迷路了。在契诃夫中间，我们有时读到一个地方觉得不大调和了，我们是不在乎的；在陀思妥夫斯基中间，一个人的灵魂的骚扰有时使我们困惑，迷乱。尽管他是敏感异常，读起托尔斯泰来却从不会“艰难”的。《战争与和平》是复杂得这样的东西，不难读，没有《喀拉玛案夫兄弟》或《被占有的人》那样的难，他体格健全，在伟大的俄罗斯人中，他是最不神经病的。

然而，他的方法也常常使得他走在一根索子上。要是他的强烈有所忽视，他马上跌倒。只因他说服自己的力量大，所以我们被说服了……别的小说家哪一个敢给他自己的艺术这样大的自由？是托尔斯泰自己的优异而又丰盛的蛮劲使他这样干，他成功了才证明他有这个资格；幸亏他的天赋的特点——他的强烈，他总是毫没有疑问地成功了的。一篇小说吗？胡说。文学！文学算什么！这是生命。而什么时候生命可以干干净净，调和而圆浑呢？……一个才能差的人要用他的方法，结果写出一些呆照片来，在托尔斯泰手上，人物就团团转了；他们的脉搏是真在那里搏动的；都有一副消化机能；能吃苦，开玩笑，还能死。是生命的主题在动。要像托尔斯泰一样的工作，就得变成一个托尔斯泰。是这人的这个特点使托尔斯泰毫无挫折，可也因此他是不可摹拟的。

后期的托尔斯泰，最后的三十年，在本书的下卷，跟他的前五十年可不同了；可是后三十年与前五十年的关系却像树枝跟树干的关系一样。

不同的地方主要是在这里：一八七八年以后，托尔斯泰确定了他自己，开始来建设他的一个世界观了，他开始考察了人类的思想和活动的每一个重要的方向。他的工作有时做得太匆忙，太生涩了一点，他用黑白线条来画出了多色彩的题目，可是别的人还有谁尝试过这样多大问题底考察和描写，把真话坦白地说出来了？

没有人——不管他专门的是什么——若要对世界有贡献，对于托尔斯泰在他的题目上所说过的话是能够不看一看的。

前一个世纪除了他再没有别人把智力和艺术力这样地结合了，再没有别人这样地受人注意的。没有人有这样富于刺激性的思想，没有人攻击那些有基础的观念像他那样成功的。在许多国家，许多人因托尔斯泰而改变了他的世界观，有许多人不仅观念改变而且生活的习惯风俗也改了过来。只有那些既不懂他也不了解他的才怀疑他的诚恳。

那些开出口来有点看轻他的人都是不肯化一点功夫研究他的人，要不然便是被他的话打痛了的人。但是一方面，一小部分人把他的意见全部吞了下去，则是因为他们在他的力量，热情和天才之下给催眠了。分析他的意见，辨明他的意见中什么是对的，什么是错了，这工作还没有好好的做，可是时机已经成熟了。这就是一个勇敢的工作，却是应该尝试的一个义务。

托尔斯泰惊人的艺术力量，他的诚恳，他的作品中这样强烈地散发的爱是时常被人探讨的；给了他最高度的重要的一种文学力量的乃是这三者的总的汇合，还得加上他的卓越的知性的力量。

人生的一切问题不是任何人所能够解决的，可是没有人尝试它像托尔斯泰那样的勇敢而趣味浓，也没有像他那样的挣扎得凶恶，一心要把他所得的解答拿出来交给人类的孩子。

国家出版基金项目
NATIONAL PUBLICATION FOUNDATION

《三联经典文库》

第二辑

2012 年国家出版基金项目

《三联经典文库》编辑委员会名单

三联经典文库

181

托尔斯泰传

（第一部）

[英]阿尔麦·莫德 著　　徐迟 译

生活·讀書·新知 三联书店

图书在版编目(CIP)数据

托尔斯泰传 / (英) 阿尔麦·莫德著 ; 徐迟译. -- 北京 : 生活·读书·新知三联书店, 2014.1
（三联经典文库第二辑）
ISBN 978-7-108-04687-1

Ⅰ. ①托… Ⅱ. ①阿… ②徐… Ⅲ. ①托尔斯泰，L.N.（1828～1910）－传记 Ⅳ. ①K835.125.6

中国版本图书馆CIP数据核字(2013)第246692号

《三联经典文库》出版缘起

适逢生活·读书·新知三联书店八十华诞，为弘扬传统，接续文脉，回报读者，服务社会，我们决定策划出版《三联经典文库》。

1932年7月，生活书店在上海创办，此后，读书出版社和新知书店相继成立。本文库第一辑、第二辑所选图书，来自于这三家出版单位及其分支机构，以及1948年生活·读书·新知三联书店成立后的出版物，始于1932年，截至1951年，两辑各一百种。此为第二辑，涉及政治、经济、社会、军事、思想文化诸领域，涵盖专著、文集、散文、小说、诗歌、传记、报道等体裁，既有直面现实、追求真理、讴歌真善美、抨击假恶丑的原创作品，又有引介世界各国先进文化、传播新知、开启民智的逘译之作，真实记录了那一代知识分子的思考与探索、理想与愿景和对中华民族文化传承与创新所做出的努力与贡献。

本文库所辑入各书，多为名家名作，在版本方面，以初版一印本或经著译编者审定、修订、增订过的版本为首选，因此本文库又具有较为珍贵的版本价值和收藏价值。

本文库还将编选续辑，使之成为恢弘文化工程。诚挚希望读者给予批评和指正，帮助我们完善编选工作，再现三联经典作品之风采。殊为遗憾的是，由于年代久远，一些原著译编者及其后人未能取得联系并奉付稿酬，诚盼版权所有者与我们联系。祈愿三联前辈所创造的精神财富能薪火相传，为中华文化的伟大复兴增光添彩。

《三联经典文库》编辑委员会

2013 年 8 月

凡　例

一、本文库为重排本，由繁体字竖排版改为简体字横排版。

一、以忠实于原作、整旧如旧为编辑原则，对当时使用的专有名词、外文译名，以及民国时期的语言和特色予以保留。

一、原书注释如旧，编者所出的注释，均以“编者注”标明，以示与原书注释的区别。

一、对原书残缺或字迹漫漶之处，以□示代。

一、对繁简文本转换时的“如右”、“见左”一类，对应改为“如上（前）”、“见下（后）”。

一、对原书中各种错讹脱衍之处，直接订正，不再以其他符号标示。

一、对数字、标点符号的用法，在不损害原文语义的情况下，做必要的规范。

一、本文库各书均前插原书书影、原书版权页和文库版“本书出版说明”。

一、本书出版说明的撰写，以客观中立为原则，扼要介绍本书的内容、版本流转、著译编者的情况。

本书出版说明

本书为徐迟根据英国人阿尔麦 · 莫德的《托尔斯泰传》部分翻译而成，分《青年托尔斯泰》、《结婚时期》、《晚年时期》三部曲，呈现了托尔斯泰大致的一生。《青年托尔斯泰》记述了他在《同时代人杂志》作家圈的活动、早期的创作以及两次欧游经历。《结婚时期》记述了他的恋爱和结婚，以及婚后几部伟大著作——《战争与和平》、《安娜·卡列尼娜》和《忏悔录》的创作情况。《晚年时期》记述了托尔斯泰最后三十年的“新生命”。阿尔麦 · 莫德是英国作家，在托尔斯泰的晚年，又是妻党，虽难免不公允，但这部传记总体上是客观的，有助于对托尔斯泰及其思想、作品的研究。

《托尔斯泰传》三部由重庆国讯书店出版于 1944 年 1 月至 10 月。第一部《青年时期》初版于 1944 年 1 月，

1945年7月再版，再版时改名为《青年托尔斯泰》。第二部《结婚时期》初版于1944年6月。第三部《晚年时期》初版于1944年10月。1947年3月，国讯书店将三部合为一本出版。此次出版，即以1947年国讯书店版为底本，为方便阅读，此次出版拆分为三部。

阿尔麦·莫德（Aylmer Maude，1858 - 1938），英国人，和妻子Louise Maude一起将《复活》、《战争与和平》等十来部托尔斯泰的著作翻译成英文并出版。与托尔斯泰及其家人都有频繁的往来和密切的关系，著有《托尔斯泰传》。

徐迟（1914-1996），浙江湖州人。1930年代从事文学创作与翻译工作，一生出版了大量诗集、散文集、评论集和小说。新中国成立后曾任《诗刊》副主编、湖北省文联副主席。1960年代起所创作的《祁连山下》、《地质之光》、《哥德巴赫猜想》等报告文学有较大影响。翻译作品有《瓦尔登湖》、雪莱诗歌《明天》、司汤达小说《巴马修道院》、《巴黎的陷落》等。1996年逝世于武汉。

生活·读书·新知三联书店

2013年8月

国讯书店 1947 年 3 月初版书影

托爾斯泰傳

著作者　阿爾麥・莫德
翻譯者　徐　遲
主編者　茅　盾
發行者　國訊書店
銷售處　全國各書局
民國三十六年三月滬版

原书版权页

目次

一　在彼得堡

许多著名的作家，都记录了他们对于这个有才气的少年军官的意见，那时克里米亚（Crimea）战争还没有十分的过去，他来到了彼得堡（Petersburg），立刻跨进了当时支柱《同时代人杂志》（*Contemporary*）的作家的圈子里。从他们的回忆录中间可以看到，在这一生中要算最多风波，最少满足的时期内，托尔斯泰（Leo Tolst'oy）是何等样底人。

《同时代人杂志》是普希金（Pushkin）和普莱脱纳夫（Pletnev）在一八三六年创始的月刊。在一八四七年里，它由潘纳叶夫（Panaev）和诗人涅克拉索夫（Nekr'asov）编辑，等到托尔斯泰开始著作之时，它已是俄国文学期刊中居领导地位的和最进步的一种刊物了。它的主要的撰述人以密切的私人关系为基础，组成了一个集团，当时的解放运动已渐渐地显明了，对于这种解放运动的同情使他们结合在一起，更由于共同的协定（并不严格的），大家也都只为这个杂志撰稿。值得注意的一点是托尔斯泰所参加了的这个圈子里，包含着一些和善而好交朋友的，自以为是热忱的改良家底一群人；虽然他的才能，他的要出版他的作品的愿望，使他和他们合在一起了，然而他绝没有一点儿诚心合作的意向，绝没有站在社会生活中不可缺少的相互容忍的基础上。自然，他就跟许多更前进的人没有建立了友谊，如车尔尼雪夫斯基（Chernysh'evski），又如激进的民主党人杜勃洛留波夫（Dobroly'ubov），他们是以宣扬民主和社会主义理想为事业的。

据说，这是因为了托尔斯泰的贵族身世，而他们是民主党人；但是要找寻解释，却还得更深入一点，原来一个相当主要的原因在于俄国的那些前进的激进分子，以为既存的政府当局大可以完成改良的事业，而托尔斯泰却从最早的时候起，就似乎是一个"非"政府的人，一个无政府主义者，且是一个不愿意自己和任何团体结合在一起的性格了，因为任何结合多少含有妥协之意，多少是要把一个人的自己的意见从属于别人的。

他热忱地同情了进步运动的第一个目标，解放农奴，但毫不同情当时底非难的，告发式的文学的主要倾向。一八五六年七月二日在一封给涅克拉索夫的信里，他说：

在我们之间，不仅在批评，还在一般的文学作品，还甚至在社会上，全都同意，说作家能愤怒啊，忧郁啊，狂暴啊是十分要得的……我却要说这是恶劣的；因为一个愤怒的，忧郁的人并非常态的人，相反的，一个爱着的人是常态的，而只有在常态之下，一个人才能好好儿的做事，清清楚楚地看事情。

他在日记里所录的也表示了他和他的周绕环境的失调，却自己知道错误还在他自己。例如：

一八五六年五月八日；到屠格涅夫（Turg'enev）处晚餐（为涅克拉索夫一首诗而

生气起来，真笨得很），我说了些使人人都难堪的话。屠格涅夫走了。我十分难过，特别因为我没有写东西。

在十一月十三日：

三点钟之后到杜罗齐伊宁（Druz'inin）处。冈却洛夫（Gonchnr'v），阿奈恩可夫（Annenkov）——我都讨厌，特别是杜罗齐伊宁，他们使我讨厌，因为我要的是爱情和友谊——而这些，在他们是不可能的。

诗人斐特（Fet）那时也是一个少年军官，那时候和托尔斯泰结识了。若干年后，他在离耶斯那耶·朴利阿那（Y'asnaya Polyana）不远的地方买了一所田庄，变了托尔斯泰的一个朋友——除了托尔斯泰自己家里的人之外，实在，只有他，是托尔斯泰在成熟期以后，还相知甚深的少数朋友中的一个。

斐特和他第一次会见也没有什么好现象，有一个早上，十点钟，他拜访了在彼得堡的屠格涅夫，他看到厅上摆着一把军官的剑，就问男用人这是谁的。“这是托尔斯泰伯爵的，”这人回答，“他睡在客厅里。依凡·赛尔该维奇（屠格涅夫）在书房里用早点。”斐特的拜访，时间长约一小时，宾主谈话的声音十分轻微，免得吵醒了托尔斯泰。“他全部的时间都像这样子过去，”屠格涅夫说，“他从他的塞伐斯多波炮队里回来，住在这里，就放荡了。宴会，吉泊赛少女，纸牌，玩一整夜——然后睡得像死人一样的直到下午两点钟。起先我想给他煞车，现在放弃了，随他喜欢了。”

斐特告诉我们，他遇到托尔斯泰那时，立刻发觉了他是本能地敌视一切既成的见解的，在涅克拉索夫家，他第一次看到托尔斯泰和屠格涅夫在一起，他看到托尔斯泰说那些苦涩的拌嘴的话，使屠格涅夫毫无办法。

“我不能承认，”托尔斯泰说，“你那种说法的所谓‘坚信’。如果我站在门口，拿了一把刀子，说‘只要我还活着，没有人可以进来’，这就表明了坚信。而你在这里却想把你的真实底内在的思想，瞒起别人，你还要说这是坚信！”

“你为什么要到这里来？”屠格涅夫嘶喊，喘着气，声音提到假音（他和人争辩的时候总是这样的）。“你的旗子不在这里，走啊！走到贝莱芙斯基—贝洛采莱娃（Belevski-Belozereva）公主的客厅去吧！”

“我到哪儿，为什么要问你？而且，我在这里，或者不在这里，不相干的啊，空言是不能成为坚信的。”托尔斯泰回答。

这一次斐特在彼得堡的停留时期并不久，所以他不大看到托尔斯泰。小说家D.V.格里哥罗维奇（Grigorovich）告诉过他另外一场口角，也是发生在涅克拉索夫家里的。

你不能想像那副模样的！天哪！（格里哥罗维奇说。）屠格涅夫尖叫了又尖叫，把他的手扠住了他喉咙，像一只垂死的羚羊那样的微语：“我可受不住了！我有气管炎！”开始在三间房间内走来走去。“气管炎是假冒的病，”托尔斯泰在他背后吼，“气管炎只值一个铜板！”

自然涅克拉索夫的心沉下去了；他不愿意两个人中间有一个人不给《同时代人杂志》写稿，我们都很为难，而且智穷力竭，不晓得说什么才好。托尔斯泰在中间的一个房间里，闷声勿响地躺在摩洛哥皮的沙发上；而屠格涅夫，飘扬他的短上衣的衣尾，两手伸在袋子里，在三间房间内走来走去。我走到沙发旁边去，要挽救这个局面，说："托尔斯泰，老朋友，别这样兴奋！你不晓得他多么看重你，爱你啊！"

"我不让他做什么瞧不起我的事！"托尔斯泰喊，张大了鼻子。"你看，他这样走来走去，走过我，这是故意的，故意摆他的民主的屁股！"

其他的文献也都差不多，——跟人家意见相同的念头，在托尔斯泰身上是找不出来的，他从不怀疑他自己的诚实，却从不相信别人，他难得才相信别人也是诚实的。

格里哥罗维奇在他的《文艺回忆录》中告诉我们，托尔斯泰是如何的不同情彼得堡，如何的显然一切都挑拨了他的怒气，然而他从不搬家，这是很惊奇的一件事。格里哥罗维奇自己就是一个"同时代人"，是在莫斯科遇到托尔斯泰的，一到彼得堡又碰到了他，听说他正要去赴《同时代人杂志》编缉部的邀请吃饭去而又跟这些人一个也不熟，就答应他一块儿去。

> 一路上我警告他，有些题目还得他小心谨慎，特别小心不要攻击了乔治·桑（George Sand），他非常地不喜欢她，可是这个圈子里的许多人却诚虔地崇拜她。这顿夜饭经过良好，起先托尔斯泰十分安静，可是到了最后他又放大炮了。有人赞美了乔治·桑一篇新的小说，他突然宣布他恨她，还加添的说，她那时所写的那些小说里的女主角，如果真有这样的女人，应该缚在刽子手的车子后面，拖着在彼得堡的街道上游行。

托尔斯泰的性格里虽然有着某一些奇怪的纠缠不清之处，却有一个坚信，是这人一生之中韧性地主张着，不松不懈的。有一段话，写在《复活》中，这部小说已是在半个世纪之后写成的，却还可以让我们窥见他当时，一方面放荡，一方面憎恨乔治·桑底自由女性底原因。《复活》中的主人翁，起先，是给将军的太太玛丽特（Mariette）弄得又爱她又憎恶她的，然后当他经过街头时，同样地给她所邂逅的“另一世界”底漂亮的花姑娘弄得又爱她又憎恨她。于是这主人翁如是的思维了：

人类的野蛮的天性中，兽欲主义真使人作呕啊！他想着；可是，只要这兽欲是赤裸裸的，我们还能够站在精神生活的高处观察它瞧不起它；只要一个人陷入兽欲生活中还能挣扎，那么，人终归还是人。可是，当这同一种兽欲主义躲藏在一件诗歌的，审美感觉的外套底下，要求我们向它膜拜——于是我们全部为兽欲所吞噬，转而膜拜兽欲，就再也不能够分辨善恶了。这是多么糟啊。

格里哥罗维奇在另一个地方说起过，托尔斯泰是随时随地准备了跟人意见相背的。他不管那发表了的是什么意见，说话的人愈有权威，托尔斯泰的反对愈有热忱，这就开始了一个口头的决斗。“注意他如何地倾听着说话的那个人啊，用一双眼睛穿透他，这使人猜想到了，他正在准备着：并非直接的抗辩，而是正准备着这样的一种意见，出其不意，能使说话的人茫然不知所答的。”

小说家丹尼莱夫斯基（Danilevski）证实了托尔斯泰的专喜欢反对别人底印象。他们在一个著名的雕刻家底房子里会见了，托尔斯泰走进客厅来的时候，正有人朗诵着赫尔岑（Herzen）的新作，就静静地在朗诵者的椅子背后找到了他的阵地，朗诵既毕，他开始了，起先温和而有约束，然后热狂而勇猛，攻击了赫尔岑和当时正流行的，对于赫尔岑的革命底与解放底作品的热爱，他讲得这样使人信服，而且这样地诚恳，照丹尼莱夫斯基说，后来这座房子里就再没有看到过一本赫尔岑的著作了。

屠格涅夫有一次说：“在托尔斯泰，他的基本底性格，后来形成了他对于生命的整个看法的，在少年时期就已显现。他从不相信别人的诚恳。每一个精神生活的运动，在他看起来，认为都是假的。而且用他的特别地能穿过一切的一双眼睛，他老是看着那些使他起了疑的人物。”屠格涅夫接下来说，譬如就拿他自己来讲，他从没有遇到过别的，比他那双多疑的眼睛，紧接着三言两语底恶毒的话，更使人扫兴，更令人沮丧的了，对于任何缺少强烈的自制力的人，真是火上加油一样，使人立即就狂怒。

人们的性格，方面甚多，不是同时地或和谐地扩张的；这是常有的事，有些人们已经感觉了对公共所负的责任，却依然纵欲于醇酒妇人，而另有一些人不醉酒，或是变做了可敬的丈夫了的却于他们应该献给社会的政治的责任一无所知。在改良家的集团中就有许多好吃好喝，好赌而且淫欲的分子，而托尔斯泰，虽然他常常后悔他自己的过分的饮酒，嫖妓与豪赌——内心里癖性却是如此地要求“要有就全有，要无就全无”，最最憎恨别人的自相矛盾，如果他自己在能够控制他自己的脾胃之前以改良家的姿态出现，无疑他是会自认这是伪善的，虚伪的，难怪他批判别人的时候用了同样严格的标准了。

克里米亚战争的失利给贵族政治的威信一个重大的打击，这时便有了一连串的广泛的改革运动——时机已成熟了——其中包含了市政的和罪犯的法规的改革，陪审制及口供底法院的程序之新添，所谓“地方自治会”（Zemstvos）——地方政府的体制，有如英国的County councils——的建立，还有严格的检查制度的改轻，等。可是，托尔斯泰到彼得堡的时候，虽然正合上了俄罗斯这一个有希望的，有结果的内部大改革的时期，他那时出版的作品，不用说那显明的反农奴制的《一个地主的早晨》（*A Landlord's Morning*）和《朴利库希伽》（*Polikushka*）那两篇了，却对于进步的运动，他并没有表示了多少同情，也并没有表示了若人民关心政治，单这一事实便有利于国家底那种见识，他绝对没有了解到，即使人民给自己制定的，还是很坏的法律，可是人民被邀请了去参加大多数实际问题的讨论，进而又允许他们试行讨论的结果，这种事实便已造成了智识的自由，便已鼓励了知行的合一；而使心脑实用于实际的工作上，要不能养成这种习惯再又把它推广到商业，工业，农业上去，是这样终于造成了西方国家的物质优势的，而许多东方的土地上便时时要为饥荒所威胁了。

可是公众事业的复杂的问题——总是很困难的，需要一点耐心，需要人们互相的容忍地合作，不能圆满完成时便尽可能的让步——这些是不配托尔斯泰的胃口的，他追求简简单单，清清楚楚的解决，可是做到这样的，只仅是他脑中的主观而已。

数年之后，他开始写一部小说，《十二月党人》（*Decembrists*），一开头就描写了当时这改革的几个年头，这里面表示了他对于这解放人民，使各种组织民主化底运动是如何地轻视，他这样地写：

> 这发生得并不久，还在亚历山大二世治下，在我们的文化和进步底多事之秋，俄罗斯再生的时代里，等等，等等；这时胜利的俄罗斯从送给敌人的塞伐斯多波班师回来；这时全俄罗斯在庆祝黑海舰队的毁灭，那白粉墙垣的莫斯科也向这件吉庆大事致意，并且他们欢呼了那些舰队上幸存的人员，献给他们满贮了伏特加酒的一只古老的俄罗斯的好酒杯，还用了良善的俄罗斯的方式给他们面包和盐（按：这是俄国传统中欢迎的表示），还向他们鞠了深深的躬。正在这时候，俄罗斯，她底处女似的远见的政治家，为她的梦想的破裂而哭泣

了，为两个伟大的人物在战争中战死，祖国的重大损失而号啕了，伴随着的是圣莎菲亚大寺院里，赞美颂诗（Te Deum）的歌声——两个伟人，其一战死于华拉奇阿战地，不免留下了两团骠骑兵，被急急忙忙地移到上述的寺院去听赞美颂诗去了；而其另一，一个高贵的人啊，他分发了茶叶，军饷和被单了，却毫不揩油；正是这时候，从各个方向，从俄罗斯各部门的人道底活动中间，伟大的人物像雨后春笋的茁生；司令官，行政官，经济学家，著作家，演说家，还有许多并不专门而简单地伟大的人物；正是这时候，在一个莫斯科演员的寿宴上，舆论在干杯声中出现了，开始责罚一切做错了事情的人们；这时严峻的特使大臣从彼得堡放马奔腾，到了南方去，捕获了，扬发了，刑罚了兵站部的恶棍；在这时，任何一个城市中，塞伐斯多波的众英雄享受了举杯相祝的晚餐，那些掉了手，瞎了眼的战士，在桥梁上公路上遇到了他们的人都施舍了铜子儿；这时候，许多人中间，演说大家进步得最为惊人，有一个酒商不论到哪儿，不论在何时，写演讲稿，出版演讲稿，到晚饭的时候又背诵了这样地强烈的演讲辞，使得维持秩序的天使们不能不采用适宜的步骤来制止他发言；这时候，便是莫斯科的英国俱乐部也另辟了一个房间来让人谈国事；这时候，各种期刊打起各式各样的旗帜来出版，有的刊物在一个欧洲的基础上，发扬欧洲的主张，却保持一个俄罗斯的世界观，有的刊物在一个俄罗斯的基础上，发扬俄罗斯的主张，却保持了一个欧罗巴的世界观；这时候这样多的杂志出现，仿佛名目都给它们用光了，《消息杂志》，《世界杂志》，《言论杂志》，《鹰杂志》等等；这时候却还是有新的名目不断地出现，这时候有了新的哲学家兼著作家的昴星团出来证明：科学是国家的，不是国家的，又是国际的；而作家——艺术家的昴星团描写了森林，日出，雷电，一个俄罗斯少女的爱情和一个官僚的懒惰，和许多官僚的错失；这时候从四面八方出现了“问题”（因为在一八五六年，每一件发生的事情都弄得人不清楚）；问题有陆军学校的，大学校的，审查制的，法院的口讯的，财政的，银行的，警察的，解放的，别的别的；每一个人要发现一点新问题，每一个却都要去解决它们；他们写，读，谈，做计划，都希望弥补，破毁，改变，而整个俄罗斯像一个人一样的生存于不可形容的热忱的形态底下。在十九世纪里，这种情况俄罗斯已经历过两次了，第一次是在我们打垮了拿破仑的一八一二年，而第二次是拿破仑第三打垮了我们的一八五六年。伟大底，长毋相忘底，俄罗斯人民再生的时代啊！正像法兰西人说，谁没有经过了法兰西大革命的，谁就等于没有生活过一样，我也可以大胆的说，谁没有经过了俄罗斯的一八五六年的，谁就不知道生命的意义，这篇文章的作者不仅在当时生活过，而且是这个时期中底一个工作者呢。他不仅亲自的在塞伐斯多波一个炮垒中坐过几个礼拜，而且写了一部关于克里米亚之战的作品，使他享有盛誉，在这作品中他仔仔细细地描写了营中的兵士如何放射了他们的火枪，医院中的伤兵如何绑上绷带，而且还描写了战死者是如何地被埋葬在墓地的黄土中的。

在完成了这些战绩后，这篇文章的作者像火星一样的爬到这个帝国的中心，他收获了桂冠。他目击了两个首都和全国人民的热情，身受了俄罗斯人民如何用以酬谢良好的工作底报答。这个地球上的大人物都要结识他，来握紧他的手，来请他吃饭，再三请他去拜访他们，而且为了要听他叙述战争中的琐末细节，把他们自己的感觉也都告诉了他。是以，本文作者知道了如何欣赏这伟大而永垂记忆的时代。可是这却不是我在这里所要告诉诸位的呢。

从塞伐斯多波，他来到彼得堡的那一天，是在一八五五年的十一月中，托尔斯泰当天就去拜访了屠格涅夫，后者请他搬来同住，还把他介绍给彼得堡的文学界艺术家的圈子里最有兴味的几个人，关心着他“正像一个年老的保姆”，屠格涅夫有一次自己曾这样说，他多么的欣赏托尔斯泰的艺术天分，可是对这位宾客的复杂天性底托尔斯泰式的一面，他却盲目得很。如所周知，两人之间起了磨擦，而虽然他们是一度又一度的重新做朋友，他们的友谊到底靠不住的。

一八五六年初，托尔斯泰的三哥德米脱里死在奥略尔。托尔斯泰说：“这时我是特别的害怕。我从奥略尔到了彼得堡，参加了那里的社交界，使我充满了厌倦。我为米青卡（按：德米脱里的昵称）悲伤，也不悲伤。我匆匆看了他一次，并不在奥略尔耽下去，我离开了几天，我的哥哥就死了，我记得很清楚，当时使我不快的只是我被邀请到宫闱中去了，因此我不能参加一个小小的私人性质的戏剧底排演。”

元月十日日记中这样写道：

我在奥略尔。我的三哥德米脱里快死了。我常常对他发生的坏的想头现已化为尘土。玛夏（德米脱里从一个妓院中娶了来的妇人）和妲蒂阿娜·亚历克山德罗芙娜（Tatiana Alexandrovna，托尔斯泰的姑母）在看护他。

二月二日：到了彼得堡了。德米脱里已死，我是今天听到的。明天起我必须好好的玩，以便将来回忆分外隽永……我的弱点是懒惰的习惯，不整洁，好色，爱赌；意志可以和它们挣扎的吧。

两个星期以后又有这样的记录：

和屠格涅夫吃饭。黄昏，在戈尔台耶夫那儿吃花酒。我的那个女的贝阿克尔十分有才能，可是她笑得虽好，总是做假……明天我必须工作六小时，不做完不准睡觉。

一个月后，托尔斯泰是第一次向人挑战决斗。三月二十一日的日记上载明如下：

前天我偶然读了朗琴诺夫（Longinov）的

> 一封信，向他送书去挑战了。天晓得结果如何，可是我必须坚持，镇定。我已经决定了到乡下去，赶快结婚，不再用我的真名字写文章。顶重要的，以后时时刻刻注意，不论跟谁一起，少说话，说话时特别要小心。

事情的经过是这样的：有一天晚上在涅克拉索夫家玩纸牌时，M.N. 朗琴诺夫送了一封信来，他也是《同时代人杂志》的撰稿人。涅克拉索夫忙于斗牌，把信交给托尔斯泰，请他读出来，不幸偏偏的是这封信内含有怨恨托尔斯泰缺少自由思想的辞句。托尔斯泰读了这信，并不说话，只离开了这幢屋子，立刻给朗琴诺夫送了一封措辞强硬的挑战信。

次日，朗琴诺夫的同意挑战的复信不来，来到了非常忧悒的涅克拉索夫，说："如果你不收回你给朗琴诺夫的挑战书，只得请你和我也交换一次射击。这整个糟糕的事情全是我的错误，我必须负责任。"托尔斯泰并不收回他的挑战，但朗琴诺夫也不答复。这事也就过去了。

三个月之后，托尔斯泰从耶斯那耶·朴利阿那写信给涅克拉索夫：“你能想像吗？直到此刻，我在乡下住，记起了我跟朗琴诺夫的吵闹，才知道了我的举动是如何的失当。我现在全心肠请求你的原谅，在遇见朗琴诺夫的时候，我也打算这样向他道歉。”

五月二十四日日记：

> 有人想去草庵饭店（莫斯科著名的餐馆），我意志薄弱得同意了，那儿遇到了朗琴诺夫，真笨，走过他还过意的看看他，半小时之后十分沮丧地离开了那里。

直到五月十八日——这是说半年了，托尔斯泰就是这么在彼得堡住着的。在那里，他最好的一个熟人是他的“姑母”，亚历山特娜·托尔斯泰女伯爵，他们有很多年保持相当的友谊。

在彼得堡的时候，他已经关心到解放农奴的问题了；他有三百零九个男的农奴，此外还有些女的。

在一八五六年三月中，亚历山大第二向莫斯科贵族致辞，说起农奴的解放总有一天是要实行的，所以“与其将来自下而上，不如现在自上而下”。在内政部，逐渐地解放个别的地主所有的农奴底计划，拟定并且批准了。托尔斯泰算是第一批想尽办法要实行它的一个人；可是他的事情更复杂，因为他的产业已以二万卢布的价格抵押给一个国家银行了。

值得时时注意的是卢布的价格，在克里米亚战争以前，约三十八便士，可购白银。战争以后，它跌价了，而且不能换白银了，以后也从没有回复到以前的价格，兔起鹘落，托尔斯泰一生中，它总是在二十四至三十二便士之间，在一八七八年的土耳其战争的时候，还曾经跌到过十八便士，到十九世纪末叶，才订定在二十五便士的金价上。

一八五六年的四月二十二日，托尔斯泰在他的日记里记道：“我和我的农奴的关系开始使我烦恼了。感到我必须学习，学习，学习。”

第二天晚上，他去拜访了《同时代人杂志》的撰稿人，一个解放农奴的赞助者：K.D. 喀凡林（Kav’elin）。托尔泰这样的记着这个人：

心智和性格很愉快的人。农奴问题清楚得多了。从他那里回来我光辉，有希望，快乐了。不久该携一份写得很好的计划书下乡去。

第二天他拟定了一个解放他的农奴的计划的草稿，又听了“喀凡林的可爱的建议”。在二十五号，他拜访了 N.A. 米留亭（Milutin），一个有名的解放农奴赞助人，他说，这人“给我解释了许多，而且给我看了一个计划，在晚饭时间之内我把它看了”。一回家，托尔斯泰写出了一个预备呈请内政部的，解放他的耶斯那耶的农奴的计划书。

米留亭带他去看内政部次长辽夫新（Levshin），后者——“冷淡地”接见了他，显然并没有鼓励了他，因为托尔斯泰这样写道：“在今天，俄罗斯，不管你打算做什么，什么事情都一次又一次地在播弄，那播弄的人都是这种老头子，毫不足怪的都不中用。”

第二天，他拜访了“姑母”，亚历山特娜和她的姐姐，都是宫中命妇，给她们和她们的宾客念他的新作品《两个骠骑兵》（*Two Hussars*）。这天他在日记里记道：

是的，在生命中获得真正的快乐底方法，没有什么法律的，只是使自己像蜘蛛一样的向各方面布出一只爱的网，在网中捉住一切闯入的：不管是一个老太太，一个小孩子，一个女人或者一个警察。

“法律”这个俄文字也许可以译成“规律”，但这事件这样紧接着他对内政部的不满，也许他的意思还是指生命的快乐在人间的情感，不在法律的制定。

第二天他又记着：“辽夫新说他已经报告了部长，可是他的答复一样是闪闪躲躲的。然而我还是写着我的计划书。”

五月十六日他获得了休假，第二天他去了莫斯科。二十七日他从那里驰车到耶斯那耶·朴利阿那村去，于次日到达。

五月二十八日：……在耶斯那耶是悲哀和快乐，可是总和你的心不和谐，然而把我自己和旧日的耶斯那耶一比较，我感到我变得多么

> 的更趋向了自由的方向……今天我打算召集一个会，说出上帝所允许的……已经去过那个集会了，顺利得很。农夫们欢快地了解到我，以为我是一个思想者，所以相信我了。

在这个集会上他朗读了在彼得堡写的意见书，把自由贡献给农夫们。

计划是这样的，他们所耕土地的主权，应从托尔斯泰转移到为村庄的公社（Commune）所有。每一家各得十二亩［合四又二分之一俄亩（Desyatins）］，其中半俄亩不收费，其余则每一俄亩每一年应付五个卢布，大约得付三十年才付清。这笔款子中，一个卢布是付些土地的抵押的，其余的四个卢布付地价。签好合同，农奴对地主就毫不受任何约束而是立刻自由了。村社是负责收钱的，如果有欠资，地主可能收回若干土地以便补偿损失，或者由农民做工抵偿。

农奴们迟疑了，考虑了很久。谣言当时很流行，说沙皇最近要加冕了，到那时不仅可以恢复他们的自由，还要不取代价把土地权转移给他们。使托尔斯泰震惊的是他们拒绝了他的建议。在《一个地主的早晨》及《复活》（*Resurrection*）中他都描写了这一次的景像。

六月三日，他这样记着：

> ……晚上没有集会，可是我从伐西利那儿听到，他们怀疑这是一个骗局，说是加冕典礼的时候人人都会得到自由，而说我却想用合同来束缚他们。照他告诉我的话，他们说这是“买卖”。
>
> 六月四日……找这些农奴，他们不要自由。
>
> 六月七日：晚上和几个农奴谈谈。他们的固执使我生气，我徒然要抑制而无效。

他写了一封信给勃鲁道夫伯爵（Count Bludov），法律部长，但并没有寄发，里面说农奴解放的正式公告实是迫不及待的了，即使在最初公告时不谈到土地也行，因为土地权的转移所要化费的时间太长久。他接着说：

> 一个解决的方案必须找出来。如果六个月

之内农奴还没有自由，就将有大火升腾了。一切都准备好了：决不会缺少叛徒的手来点亮这纷扰的大火的，而这火将到处蔓延。

这个预言却要在六十年之后才实现。当时所发生的乃是农奴终于一八六一年解放了，跟着来到的几年内，土地也谨慎地分配好，地主的损失由政府发行了公债来补偿——而国家则从农民的赋税上经过一个较长的时间再来收回这笔基金。而这事的完成却并没有如像托尔斯泰所预期那样的严重的骚扰。

他又指出了农奴和地主之间的荒谬的关系，说的是：

这仿佛两个强壮的人用一把坚强的锁锁住了彼此，这使得两人同样苦痛，一个动了一下，一定伤害了另一个，而且这两人是同样的不自由了啊。

六月十日……晚上有一个集会。他们坚决的不肯签字。不付赋税的事秋天再讨论，那时我得住在乡下了。

我第一次写的托尔斯泰小传，里面曾有一个错误，已经几次给别的作家引用了，我恐怕它再给人误解，让我在这里引一段那时托尔斯泰写给我的信吧，他说：

> 我收到了你的书了，读了感到愉快。这短短的传记非常好，只除了一处地方——你引用了莎菲亚·安特莱芙娜（Sophia Andreevna，他的妻子）的话说，“他在解放公告之前先已解放了农奴”。这是错了；我要他们做 Obrok（每年一定的付款），不让他们做 Barchina（定期的徭役），解放他们这时还不可能呢……

我们要从这些事再回过三个月去，注意战争是三个月中结束的。三月二十五日，托尔斯泰写信给他的二哥舍尔该（Serg'ey）：

> 我想到外国去住八个月，如果他们准许我

请假。我就要走了。我给尼古伦卡写了信谈过了，还要他一起来。如果我们三个可以结伴同行，那真是一等一了，我们每人带一千个卢布，尽够旅行得阔绰。

请你写信来告诉我，你爱不爱这篇《暴风雪》(*The Snow Storm*)。我自己并不满意——严格地说。可是现在我要写很多东西，而在这个见鬼的彼得堡，我却连一点点时间都没有。无论他们让不让我出国，四月中我一定要请假，到乡下去。

五月十四日，他记着：

在杜南那儿看到X和Y吃了一半饭。我们到了帕芙洛芙斯克。作呕！女人，笨音乐，女人，一个做作的夜莺，女人，热，香烟的烟雾，女人，伏特加酒，乳酪，狂暴的锐叫，女人，女人，女人！

人人假装他们底快乐样子，假装他们欢喜

他们的女人，可是，也都假装得不好。

第二天：

> 不使你自己失掉什么享乐的机会，但也不要使得你自己去找寻享乐吧。我答允了我自己永远——永远不再进一个跳舞厅，……在姑母家过了很快乐的一个黄昏，于是又去拜访杜素那儿的人，发现我自己又跟S和别人和一个女人一起吃饭了。我的脚要永远不，永远不踏进任何公共场所，除非是一个音乐会或一个剧院。

在他当时所结识的文艺界朋友中（除了上面已提到的一些之外）托尔斯泰仿佛是相当的尊敬了杜罗齐伊宁的，这是一位批评家，小说家，莎士比亚的译者，杜罗齐伊宁领导了一个对《同时代人杂志》的叛变，把它的若干撰稿人拉到了和它对立的杂志《阅读书库》（*Reading Library*）去，托尔斯泰也在一八五六年十二月里在这杂志上发表了他的《和一个莫斯科熟朋友在分队中的会面》（摘自南赫留道甫王子的《高加索回忆录》；*Meeting a Moscow Acquaintance in The Detachment* From Prince Nekhludov's *Caucasian Memoirs*），这小说的题目如此之长是因为检查员不准许那托尔斯泰原来的题目 *Razhalovanny*（《降为兵卒的人》）。

二　一次恋爱

直到五月中旬他才离开了彼得堡，在归家的旅途上，他停了一停莫斯科，去拜访了贝尔斯博士（Dr. Behrs）的家庭，他是一个来自德国家系的俄国人，和托尔斯泰的童年的女友依丝拉文小姐结了婚。第一次他把他未来的妻子记入了日记；这是关于他拜访莫斯科近郊贝尔斯博士的郊外别墅的："孩子们等着我们，何等可爱的，快乐的小女孩！"不过六年，稍少一点之后，这"快乐的小女孩"中的第二个变成了托尔斯泰伯爵夫人！

三天后，他写给他的哥哥舍尔该：

> 我在莫斯科耽了十天……非常愉快，没有香槟，没有吉泊赛人，只有一点滴儿的爱

情——下回再告诉你我爱了谁吧。

这时他的爱情的对象还不是贝尔斯博士十二岁的女儿，而是奥卜楞斯基公主（Princess A. Obolenski），他那大学的老同学狄亚可夫（Dyakov）的妹妹。五月二十二日的日记上他这样写：

在狄亚可夫家吃夜饭。不认识奥卜楞斯基公主，她改变得很大，我并没有想到会遇到她的，因此她激起了我的情感，真是可怕地剧烈。从那儿到了亚克萨可夫家，就朗读了他的著作的“第四部”，这篇东西是好的，可是这老人被捧得过分了。回到狄亚可夫家，稍稍跳了一会舞，就跟亚历山大·苏霍丁一起离去，已热狂地在恋爱之中了。是的，现在一想起来就苦痛，想起我也许可以得到的那个快乐，却和这好人A.奥卜楞斯基发生了联系。

五月二十四日：听说了奥卜楞斯基将在苏霍丁家。即去。S.在弹弄萧班（Chopin）而A.（奥卜楞斯基夫人)照常跑来跑去。我们谈得不多。有一两次我说话了，她似乎全神贯注着。不，当我说出她是最甜蜜的一个女子的时候，我并没有灵魂出窍。这最优美的，艺术化的，同时又非常之道德的性格。

在五月二十五日：

在狄亚可夫家，去时夜饭已迟。A.的女儿病了。她当着我面告诉舍尔盖·苏可丁(Sregey Sukotin)，当她订婚的时候，她还没有恋人。她丈夫并不在场。她的意思是不是要告诉我她并不爱他呢？后来，在说再会的时候，她突然把手伸给了我，她眼睛里有了泪珠，因为她的女儿在病，可是我却快活得古怪。之后，她突然送我到门口去。自然，自从松尼契加的那时[指他幼年的朋友松尼亚·卡洛兴那(Sonya Kaloshina)，在《青春》(*Youth*)书内化名为松尼契加·伐拉兴娜(Sonichka Vala Khina)]以来，我久已没有尝到这样的一种纯洁，强壮而良好的感情了。我要说“良好”这两字，因为事情是没有希望的，但是它给我快乐，使我良好。我可怕地工作着《青春》；因为我觉得此中有着这样感觉。

五月二十六日：去了，和A.谈了三小时，有时闲谈，有时谈到她的丈夫。我确信她了解得到我的感情，她很愉悦，我是古怪地快乐……

第二天，他去耶斯那耶·朴利阿那了，离开的时候记着：

奥卜楞斯基来了，我也许会再和A.过一个晚上的，谁知道这样是不是会弄糟的呢。

从耶斯那耶出发，他绕了一个圈子，拜访他那个已婚的妹妹和别一些邻舍，其中有屠格涅夫在内，托尔斯泰底一家还在那儿聚会了一次。辽夫（托尔斯泰）接受了特殊的荣耀，他也姿态十足，喜剧地演了一次胜利英雄。他们给他加冕，正在花啊，草啊，叶子啊，一切到得手上来的都披覆在他身上的时候，有一个不速之客——是屠格涅夫家的一位邻居的太太——报名进来了。主人失望地抱住了头；胜利英雄吼了一声，开始在房间里翻起跟斗来；他的妹夫很快的绑上绷带装做病人，这样来借口，弄走了这不速之客。

前面已引用了的，给舍尔该的信，暗示了托尔斯泰对自己的婚姻问题底第一次的严肃的考虑，这里我们可以详细的来写这个了。

有过一次——大约是他从克里米亚回来之后，但一定在他结婚之前——托尔斯泰爱上了一个乡下女人，结果有一个私生子下地。后来，这个儿子，名叫铁木赛（Timothy），做了托尔斯泰的小儿子中间的一个底马车夫。那位母亲，亚克参妮亚（Aksenya）在托尔斯泰遗著中，一篇《恶魔》（*Devil*）的小说里化名为斯丹潘尼达（Stepanida）。托尔斯泰家的家庭教师，后来成为他的朋友的 V.G. 亚历克塞耶夫（Alexeev），在他的日后也许可以出版的回忆录中，提到了《恶魔》，说它是在一八八〇年，由一个名叫陀姆娜（Domna）的厨娘所遭遇的事所引出来的创作。无疑，这话是对的，可是陀姆娜的事只是一件意外；托尔斯泰并没有全部依照了她的经过，很显然的，亚克参妮亚的回忆占了这个作品中的主要部分。

大约这件事是恰恰在他几乎和一个少女订婚的一件事之前不久，他是那少女的保护人，她住在离耶斯那耶不远。有一个时期，亲戚和朋友之间已经把这个订婚消息互相地报道了，说托尔斯泰已经和她订了婚。

从《快乐家庭》（*Family Happiness*）和《恶魔》这两篇小说中，这件事也可以找出一点痕迹来。

我们前面已能看到，托尔斯泰这时是真打算结婚的了，他觉得独身的生涯过不下去，特别因为他不满于自己的性生活。在《恶魔》的第五章中，他写到了他的主人翁：

为什么攸金挑选了利莎·阿兰斯喀亚，要解释是不可能的，一个男人为什么挑中这个，而不是那个女人，解释总是不可能的。理由可以有许多，正面的，反面的。一个原因是她并非一个富有的承继女子……另一个原因她十分天真。而且她和她母亲的关系值得怜惜；此外还有一个事实，她并不是一个招来了许多注意的美貌的女子，但是她也并不难看。主要的原因是当他认识她的时候，攸金已在婚姻的成熟时期里。他爱了她，因为他知道他是要结婚了。

不多几年之前，托尔斯泰给伐莱利亚（Valerya）的信出了一个英文的集子，题名 *Tolstois Love Letters*（《托尔斯泰的恋爱书简》）。这似乎是一件命定的事，凡关于托尔斯泰的书，连他的名字都拼错了的（按：指 Tolstoi 的 i）一定包含着许多荒唐的错误，而这一本书里，就有着“Tolstoi 给他的未婚妻的信”，可是那些信本身，以及依照他的日记所载，事实上，都证明了他并未和她订婚。

一八五六年六月十五日，日记里这样写：

和狄亚可夫漫步。他给了我许多实际的忠

告……主要的，他劝我和伐莱利亚结婚。听他谈过之后，似乎我也觉得这是于我顶有益的事了。是否因为金钱的关系约束了我呢？不，是时机使然。于是他用车子搭上了我，把我送到苏达可伏（伐莱利亚的家）去。也许是因为了我的信，伐莱利亚做出一副庄严的面貌来见我。我精神极好，使他们都平静了下来。可怜的孩子！她的姑母似乎吃惊了。自然，她所熟识的最好的人是凡尔该尼（一个法国女伴），可是这是多么的坏啊！可怜她没有脊髓，没有火焰——像面条一样。

六月十八日：狄亚可夫来了，我要求他伴同我到亚尔森纳夫家去。伐莱利亚大谈其衣服和加冕礼。她未免太轻佻了。仿佛不是热情在逝去，而是在持久下去了。我和狄亚可夫的来到，很不妙，似乎去答应什么似的。

六月二十六日……驰车去亚尔森纳夫家……伐莱利亚穿了一件白衣服。很美。过了我一生中最最快乐的一天。我是严肃地爱她的吗？她的爱能长久吗？我愿意解决这两个问题，但不能。

六月二十八日：牙痛很凶。夜饭之后到了亚尔森纳夫家。伐莱利亚受的是最坏的教育，若不是无知，至少是笨的。她说出 Prostituer 一个字来，天晓得她为什么，使我异常的悲哀，再加上我的牙痛，使我沮丧万分。

六月三十日……亚尔森纳夫的人来了。伐莱利亚是一个辉煌的女人，可是自然她并不使我喜欢。可是我们要时常这样碰头的话，我会突然和她结婚的。结果也不会不幸的吧，但我并不需要这样，我并不想这样。

七月一日……整天和伐莱利亚一起，她穿了一袭白衣，露出两臂，那两臂却并不好看，这使我难过。

七月五日：醒得早，洗了澡。有一个女孩子来了，可是我心绪不宁，把她遣开了。和小孩们玩。吃饭，听音乐。屠格涅夫来了。他确确实实是一个自相矛盾的，冷酷的，难以相处的人，我可恨他。我跟他永远搅不好。在充满了色情的欲念中走来走去，直到两点钟。

七月十二日：起床已迟，喉头作疼。什么也没有做，苏达可伏的一家（亚尔森纳夫田庄上的人）来了。伐莱利亚比平时更美，可是她的轻佻和对于严肃的事物的不加留意是可怕的事。我怕她的性格是甚至小孩子都不喜欢的。然而我非常愉快地过了一天。

七月十三日……为了加冕的事，他们嘲弄得伐莱利亚哭了。不能完全责备她，我觉得不安，以后再不在那儿耽太久吧，或许这是她给了我太多的友谊。我怕结婚，正同我怕下流：怕我把她玩弄。可是，如果结婚了，情形一定会大变的，而我，要求自己做到的工作还有很多呢。返家已夜深。

“情形一定会大变”这句话使人联想到《恶魔》第六章中间的一段，主人翁的母亲，她和他的关系正如妲蒂阿娜姑母和托尔斯泰的关系一样的，这样说：

“珍妮亚，我要告诉你——自然我不晓得，可是大体上说来，我可要向你提议一下，在你结婚之前，把你这单身汉所有的一切事件都做一个结束，那么，就没有什么事会来烦恼你和你的新娘了。上帝知道，这是必需的。你了解我吗？……”

“姆妈，”攸金突然说，“我知道你为什么这样说了。你别担心好了。我未来的婚姻对我这样的神圣，我绝不愿意它受害的，至于我这些单身汉的日子内遭遇了什么样的事，这些事都快结束。我从没有跟人订立了什么结合，谁也不会来吵闹我的。”

七月二十八日：亚尔森纳夫家邀请了我，我应召而去。奇怪，我开始喜欢这作为一个妇人的伐莱利亚了，以前，正是这妇人的气质使我不喜欢她的。但也不是尽然，要看我自己怎样的心绪。昨天我第一次看了看她的玉臂，以前这膀子总是使我肉麻的。

在《恶魔》中，托尔斯泰把他如果和伐莱利亚结了婚，然后他又给亚克参妮亚迷住了，等等假想的情形描写了出来；这里显示了他对于外界物体的特性底观察之深，他底记忆力之强。例如，在这小说的主人翁结婚之前，读到的是他的意中人“身长，瘦削，她的一切都是长型的；她的脸，她的鼻子——并不高，却向下伸延——还有她的手指，她的脚，都是长长的”。在他们结婚之后，他又注意到斯丹潘尼达的长长的，灵活的身段，腿，手臂和肩膀，而利莎，他的妻子“容光焕发地前来迎接他了。可见今天她似乎是特别苍白的，黄黄的，瘦削而弱”，后来当斯丹潘尼达——“阔宽，有力，红光满脸而欢快地”——和别的农家女跳舞的时候，利莎伴同了老太太们到舞场上来，“穿着淡蓝的衣服，头发上系着淡淡的缎带，阔大的袖子底下伸出了她的又白又长的手臂和看得清清楚楚的肘子上的棱角”。

八月十二日：十点钟到亚尔森纳夫家辞行。她出奇地简单而优美。我很愿意知道，我是爱她的呢？还是不？……

他去离别辞行的时候，亚尔森纳夫家正打算去莫斯科参与亚历山大第二的加冕大典。

八月二十三日，读了一封伐莱利亚写给妲蒂阿娜姑母的信，大为肉麻，他就给这个在莫斯科的“苏达可伏家的年轻的妇人”如下的一封信：

这是可能的吗？一袭小葡萄干花纹的衣服 de tout'e beaute，haute Vole'e（无处不美丽，衣领飞飘），而朝廷上的副官竟会成为你底快乐的顶点。这真是残酷呵——为什么你要这样写？你知道这会把我弄得难过的……穿了你的小葡萄干的 de tout'e beaute，你一定是顶顶可怕的，你穿着旅行服装时，不知要好上百万倍呢。

不能爱一个人而爱上上流社会既不是光荣的，更是危险的，因为在这样的社会中，比较其他的社会中可以遇到更多的恶劣东西，而且你使你自己处于这样不利的地位，你明明不是上流社会中的人物，你和它的关系于是乎不得不依赖了你一张俏脸袋和一袭小葡萄干的衣服，这绝不会愉快，也不会庄重——dignes 的。至于副官们，大约是四十个左右吧，我确确实实的知道其中只有两个不是流氓，不是傻子，从他们那儿又有什么快乐可得？我知道你的小葡萄干的衣服在大检阅的时候撕破了，使我多么快乐，而这个不相识的男爵来搭救了你，这是多么愚蠢的事呵。我这样说的原因是你当时又不曾遇险，在一次大检阅中几乎送命的乃是辟克维克（Pickwick），关于这部书你是没有读到过的；可是一个年轻的女人到加冕典礼中去研究音乐的，若然在这样天真而愉快，像一个大检阅之类的娱乐，游戏之中送掉了命，这样的事我却从没有听见过，所以事实上也决不会发生的。在这里，乡村中的天气是奇异已极，今天从早上六点起，我在森林中行猎直到下午八点，我所享受的，决非 Ober-Fourrierde la Chambre（一个宫廷的官职）或穿了缎子衣衫的年轻妇女所能得到。所以我并非不乐意到莫斯科来看看你，替自己找麻烦，可是我不能这样做，只能希望你那些可能得到的花花绿绿好欢快都照例由苦痛的结局追随了来到。

你最卑劣，最不愉快的奴仆

L. 托尔斯泰伯爵

又及：Avee des sentiments distingu'es（敬致崇高的情感）——请原谅我忘记了加上这样精美的一句成语，如何丰富的涵意。

不，把笑话放开一边，如果你能原谅我写出这样的信来，你便是一个仁慈的动物了。凡尔该尼小姐，听听我的申请。

在亚尔森纳夫家回到乡下的时候，托尔斯泰的日记内，九月二十五日记着：

去看亚尔森纳夫家了。伐莱利亚是甜蜜的，可是，唉，实头愚蠢——正像那皮鞋挤痛了你一样啊。

九月二十九日……他们把话题带到莫尔

蒂尔（莫斯科一位音乐教师），而竟然她爱上了他。奇怪，这触犯了我。为我自己也为她羞起来了，我还是第一次经验了有关于她而生的情绪。

十月一日：如果我至今还不懂得爱，那么，拿我现在所能感到了的这小小的起点来看，爱的经历是可怕的，上帝禁止我为伐莱利亚而经历它们。她是可怕地肤浅的，毫无原则，冷得冰冰，所以总是身不由主的随波逐流……

十月十三日的日记中："关于K，心中安定了。"这话也许是他和亚克参妮亚底完全断绝关系而言的。

十月二十四日……赴舞会。伐莱利亚真美，我几乎爱上她了。

十月二十八日：早上给D.亚尔森纳夫去了信，去找伐莱利亚。她把那头发装成了最可怕的时髦式样，还"为了我"穿了一件紫色的外衣。我感到苦痛，羞耻，过了很悲惨的一天，谈话也谈不好。然而又非常被动地处于一个未婚夫的地位了。这使我生气。

在他给伐莱利亚的信中，托尔斯泰描写他自己是一个“傻瓜”造成的东西，不仅爱她，而且想要她，他若是一个“聪明人”，一定知道他们并没有了解彼此，而凭一时冲动订婚，一定没有好结果。

十一月二日，他从莫斯科写信给她，说：

对于你，我常常只爱你的美丽而已，我刚刚在开始爱你底不朽的部分，最足珍贵的部分——你的心和你的灵魂。美丽是可以一小时之内被发现，被爱上而同样的时间里又可以不爱上的，而爱一个灵魂却需要长时间。相信我，世上是没有不通过劳役而能得到底东西的，爱何尚不然——爱，这最美，最自然的感情。请原谅我做一个愚蠢的譬喻，像傻瓜一样的恋爱正像不按照拍子，不按照轻重音，来奏一个奏鸣曲（Sonata）。永远把脚瓣踏住了，虽然充满了感情——却不能给人家，甚至给自己以快感。为了要得到音乐的感情，你必须首先控制你自己，劳力，工作——请相信我生命中是没有偶然得到的快乐的。一切都是用工作，用艰苦获得的。而工作极严酷，报酬也越大，而我们的前面正有一个巨大的工作——了解彼此。并要保持我们的相敬相爱，别以为我们只要让那“傻瓜”的感情来指导我们，我们便可以了解彼此，你是这样想的吗？如果这样，则开始的时候，我们或许会以为我们已经了解，可是我们立即会发现我们中间的大鸿沟，那时我们傻瓜的爱情的感情消费殆尽，再不会有什么感情来填满这道鸿沟了。

他另外还写道：

请你每天“散步”，不论是什么样的天气。这是顶好的，医生会这样告诉你。还有穿衣着袜子，你自己该知道，这一类的事情你要尽量的改进你自己。不要为了你已经完美无缺而自满。但这些还是小事。主要的是——要这样的生活，使你晚上就寝的时候你能够给自己说：今天（一）我对别人做了几件好事情；（二）我自己的生活又更加好了一点点。“请求你”这样的试一试看，“请求你”，在前一天把这天要做的事都计划好，晚上一件件的审查，这样做的时候，你就会发现如何的宁静，多大的快乐，能够每天对自己说：今天我比昨天更好。今天，在音乐的练习中，我做到了非常流畅的弹奏右三左四的节拍；或者，今天我了解或欣赏了一首诗或一件好艺术品，或者，最胜利的，我今天对谁做了一件好事情，使得他为了我爱上帝而且感谢上帝……

他和她的关系的转捩点见于十一月四日的日记中：

科斯丁咖（Kostinka）使我为伐莱利亚而不安。我想她得比较少了，可是不论到哪儿我都感到了不可言喻的忧悒。

十一月八日他从彼得堡写信给她：

我亲爱的伐莱利亚·芙拉迭密洛芙娜：

普希金说“已发生的事情不再发生”。相信我，世事是不会被忘记了的，是不会逝去了的，却也是不会再回来的。在你去参与加冕大典之前，我对你的情爱有恬静的感觉，尊敬的感觉与信任心，如今我再也不能感到了。那时候我听从我的热情，现在我怕我的热情。此刻我给你写了一封长信，但是不能寄给你，日后我再给你看吧。因为这封信是我在憎恨你的中间写成的。在莫斯科，一个并不认识你的人告诉我，说你爱了莫尔蒂尔，说你天天去看他，还和他通讯……

我感到悲哀，沉闷，忧悒；一切都是一个失败，一切都是不愉快的，可是不论怎样，我不要见你，除非这种“傻瓜”的情感过去了，除非在我像以往那样的又信任了你之后。

第二天，在另一种不同的情绪之下，他又后悔他发出了那样的信，他说：

你好吗？照常工作吗？为了天的缘故，写信给我吧。不要对“工作”这个字失笑吧。聪明地，有效地“工作”；为了要好，是精采的；甚至于工作那顶顶微小的事，削光一根手杖，做任何的事情，都是一个自然的，良好的，因而快乐的生命的第一个条件。譬如，今天我“工作”了，我的良心也安静了，我感到了一个小小的但是骄傲的自满，而且感觉到我是良好的。今天我再也不该像昨天那样的给你写生气的信件了。今天，我对全世界都有和好的感情，今天我对于你的感情我愿意我永远都有，啊，如果你能感觉到——能够像我这样的吃了苦忍受了过来而后得到了的这种感觉——这种信心，认为唯一可能的，唯一的真实的，永恒的，最高级的快乐只能从三样东西中可以取得：那三者是工作，舍弃自我（Self abnegation）和爱。我是知道它的，在我的灵魂中我有这信心，可是这一年中我只有两个小时和它全部协调；依你那样的忠诚的性格，一定也能获得并信服这种信心，正如你信服过很多人，信服过凡尔该尼小姐，信服过别的人一样。可是两个人能够在这种信心底下结合是至高无上的快乐啊……

你看，我这样的愿意爱你，告诉了你怎样使我爱的道理了。而且真的，我对于你并不是爱，我给予你的是全副精力地来爱你的一种热情的欲望……

托尔斯泰给自己编了一个故事，他自称为赫拉波维茨基（Khrapovitski），而称伐莱利亚为邓毕茨卡亚（Dembitskaya），十一月十二日，他还在彼得堡，给她这样的写：

……我要描写你赫拉波维茨基的未来的生活方式——如果他们这一对儿是命定了的，要在这地球上过生活的话。

男人和女人相依为命的是（一）他们的气质，（二）他们的方法。一个一个的来谈吧。赫拉波维茨基在德性上已是老头子，年龄轻的时候，他做了许多傻事，因此他得偿付，他损失的是生命中最好的几年里底快乐，而现在他在文学一门中找了他的道路和职业了。在他的灵魂里，他看不起"社会"，而崇敬一个平静的，有道德的家庭生活，这世界上再没有比纷纷扰扰的社交生活更使他害怕了，因为在社交生活之中，一切善良可敬的和纯洁的思想感情都是迷失了的，此种人都变成了社会习惯的奴隶和债主的奴隶。

他已经用他生命中最好的几年来偿付了这些过失，所以对于他，这种信念不再是文字的，字面的，而是苦痛使它生上根的信念了。亲爱的邓毕茨卡亚小姐还没有经历过这一切的任何一部分；对于她，快乐含蓄在跳舞会，袒胸露肩，一辆马车，金刚钻戒，和朝廷大臣结识，和高级副官结识等等之中，事情却发生了，赫和邓似乎彼此恋爱起来了呢（也许我是在欺骗我自己，可是此刻我可怕地爱着你），那么这两个气质相互矛盾的人似乎彼此恋爱着了。他们怎样的安排，以便共同生活在一起呢？第一，他们必须彼此让步。第二，谁的气质比较地更少德性的让步得应该多点。我很愿意都在乡下住。我有三件工作，爱我的邓，关心她的快乐是一件，文学是一件，还有一件是管理田产，尽我的能力——这是说对那些信托我的人民尽我的职责喽。关于这个，有一件事最糟。我不自觉地延迟时日，这是不对的。而邓却梦想着彼得堡的生活。冬天里参加三十个跳舞会，招待她的朋友，还要坐自己的马车在奈夫斯基大街（Nevski）一带兜风。这两个要求底折衷办法是五个月住在彼得堡，但没得跳舞会，没得马车，没得奇奇怪怪的梳妆品，没得

Guipure(丝带)，没得 Point d'Alencon(手织的)花边，而且相当的没有“社交生活”，然后在乡下住七个月。赫拉波维茨基从他的田产上收入约二千个卢布（这是说，他并不像所有的人从他的不幸的农奴身上连最后一个小铜钱都收刮下来）；从他的创作上，他一年收入约一千卢布（可是不一定可靠；他也许会变得很笨或感到不快乐，因而一个字不写）。邓，她有一张有点问题的二万卢布的期票，如果问题解决了，她可以得到八百卢布的利息。你知道三千八百个卢布在彼得堡的意义吗？用这笔钱来过五个月彼得堡的生活，只能在五层楼上租四个房间，没有西式厨子，只有一个厨娘，马车是想也不敢想了。也不必想府绸的衣衫，Point d'Alencon 的花边或者浅蓝色的帽子了——因为这样一顶帽子 Jurera（将取消了）你的生活费用的，有着这样一笔收入，原也可以去图拉（Tula）或者莫斯科，甚至于时时的向赖柴莱维契家显显阔绰——可是谢谢天吧！自然要住在彼得堡的三层楼上也可以，要有马车和Point d'Alencon花边也行，可是就得躲避债主，裁缝和店东们了，还得写信到田庄上去，说明我过去所主张的减轻农奴的负担，一切都是胡说，吩咐他们尽量的榨取农民，然后，等回到乡下的时候来到了，回去坐那里好几年都害臊，大家相互地生彼此的气——可是这也谢谢天了！我都经验过。住在五层楼上还有一个生活的方法（很穷困，可是很光荣的），所化的钱都化在家用上，化在五层楼这小小楼房的布置上，一个男厨子，一个好厨房间，还有酒，以便你的朋友们来拜访这个五层楼，还有书、音乐、画片、音乐会，家里开开弦乐四重奏的演奏会，可是自然不能够出外向赖柴莱维契家和农奴和笨东西们表示阔绰了……

十一月十七日，他还在彼得堡，这样写：

你自然知道我怀疑一切的习惯，却并非天

性使然，而是某一种智力的发展底结果。一定记得乌有之中，产生乌有。如果我的理解比较金伯脱（乡下的一个邻居）来得多，我却不再有他那样新鲜的感觉了。我在一切之中都不自觉的有“正面”和“反面”的看法。我怀疑这世界上的一切，只知道好的就是好的，我像爬一根绳子一样的，只从这里攀爬上去……德性的良善，就是爱同类的人，诗和美——那是一体的——只有这个我不怀疑，我时常崇拜它，我只是不以此为宗教仪式而已。我之被你吸引，是因为我觉得你似乎是“良善”的，这所谓良善是我依照字面来了解的。可是，对于你，这种哲学是多么沉闷啊……

顺便在这里提起，托尔斯泰在这封信内所接受了的“德性的良善，就是爱同类的人，诗和美”那是一体的说法——他后来自己否定了。

这封信继续说：

你曾经随便地提到你读了什么而甚感兴味。使你读了而甚感兴味的是什么呢？这使我也非常地发生了兴趣。这也不一定是坏的，如果你去了……跳舞会。你自己这样试验一下不是很有趣吗？这样试一下……老老实实地告诉我你的印象。我没有这样试验过我自己，这是说，我没有见过女人也没有去过什么地方，而且 La main Sur la Conscience（手放在我的良心上）我可以说三个星期来，没有女人引起过我的注意。可是你的最利害的情敌——文学——整个地占领了这些时间里的我的心肠。我已经给《阅读书库》杂志寄了一个短篇小说去，还打算给《祖国》杂志写另一篇……我有一个很精致的小小的层楼，还有架钢琴，我的 NN 的笔一天到晚的写着。

十一月二十二日，他记着：

十一时起床。想写，但不成功。体操。在

潘纳叶夫家吃饭，在克拉耶夫斯基（Kraevski）家耽到了黄昏。文艺空气从没有这样使我作呕过。给伐莱利亚写信。想她得利害。也许因为这么久没有和任何女人接触的缘故。

十一月廿三日……伐莱利亚寄来了一封妙信。复了她：想念着安娜·尼古拉耶夫娜，同时也很想念着伐莱利亚……

在这封信中她写着：

在你给赫拉波维茨基的生活计划底出色的补充中，你希望住在乡下，到图拉去，这是不好的。上帝禁止！……赫拉波维茨基一家子宁可不接见任何人，若要接见便得是全俄罗斯顶好的社会，而这顶好，却不是指蒙沙皇的皇恩，或有财富的人们而言，指的是顶好的智力和文化的社会。他们的房间固然在四层楼上，可是俄罗斯的最卓越的异才都会来到。上帝自然不允许他们为了这个缘故而对不起图拉的熟人和亲戚，可是得避免他们——他们是不被需要的。而且我说过，跟不被需要的人往来是一种损害，唉！你以为你有欣赏的能力是错了；或许你有，可是不恰当。例如，某种衣服的式样，例如淡蓝的帽子，簪上白花是美的，可是这更合适于一个年轻的妇人坐一辆英国马车，骏马疾驰，也合适于她登上一个装有镜子和茶花的楼梯，至于四层楼上的素朴的环境，一辆出差车子等等，这样的帽子岂不可笑——至于在乡下坐了一辆骡车，那是更可笑了。

此外还有一种 élégance（优秀），素朴的，怕奇装，怕异服，不炫耀招摇，可是对于每一个细节十分注意，如鞋子、领子、手套、清洁的指甲、清洁的头发等，这一种我就像一块大岩石一样的坚持——只要这样做并不妨害了对于严肃的工作的时间——这一种，凡是关心优秀的人物无不注意也喜欢的。一个平凡的女人追求辉亮的色彩虽可笑还是可原谅的，可是你有这样容貌底美丽的，犯这个错误就不能宽恕。我如果是你，一定以素朴做我的梳妆的原则，自然素朴之中底微细之处我也严密地要顾到的。

十二月廿七日：收到伐莱利亚一封笨信。她欺瞒她自己，而我一眼看穿了，这真是不好受。人们是否相互了解，不在接受对方的直接的意见；在对方如何反应这意见之上，这就可以看出来了……

十二月廿八日，他写信给她：

昨天我到了俄尔加·屠格涅夫家，在那儿听了悲多芬的三重奏，余音至今犹缭绕在耳。这真是迷人！……自从我离开了你，什么事也没有发生，我不能告诉你什么，可是我在告诉你，还将要告诉你一切有趣的事。我和你的关系之中，我最爱这样做。你问起我关于牧师僧侣的看法，使我想起了，我久有此意和你一谈这个。不论我们将来的关系是什么，让我们绝不要谈到宗教和一切与宗教有关的事。你知道我是信奉宗教的，可是我的信奉很可能和你的不同，而这个问题顶好是绝对不去碰，特别是在愿意相爱的两人中间……宗教是一件伟大的事物，特别对于女人为然，而你是获有了的。保守着它，永远不要谈起它，不要夸张言辞，却要切实奉行。使你自己有更多更多工作，使你习惯于工作。这是生命的快乐底第一个条件。

这一个关于不谈宗教问题的意见跟托尔斯泰晚年的态度大不相同，可是我们找到这个秘密底一个钥匙了，在前八月十四日的日记中："和姑母谈到宗教。没有用。必须记得别和我未来的妻子谈。"

十二月六日他写信给妲蒂阿娜姑母：

莫斯科，十二月六日，一八五六

……在我走后，又一个星期，我开始觉得我有点恋爱，一般人所谓的"恋爱"了，可是以我这样的多想像的人，这也不是为怪。可是，从那时到现在，特别因为我勤勤恳恳的工作着，我很喜欢，真是很乐意的说，我在恋爱了，我只是简简单单的爱着她，难道不是？我对她的唯一的感觉是感谢她的爱，我唯一的思想则是我过去所认识，现在所结识的女人中间，她适宜于做妻子，因为我已经想结婚了。

十二月十二日他记着："伐莱利亚给了我一封苦痛的信，可耻的是我十分高兴。"两天之后，他记着"我非常悲哀"，及"给伐莱利亚写了最后的一封信"。然而这并不是最后一封，因为一月一日他还记着："给伐莱利亚写了一封又短又冷的信。"实际上，这是一封朋友的信，不再是情书了，发自彼得堡，信上写道：

我怎么能告诉你我如何度过这些沉默的日子呢？很疲倦，大部分时间很悲哀——我自己也不知道是为什么，我觉得寂寞是难以忍受的，可是跟人们轧淘我又不可能似的，是我自己不好，可是我养成了这种脾气，而且我这些时候什么也没有做，这使人忧烦。我听了很多音乐，昨天我眼看着新年来到，一边听着悲多芬的三重奏，这世界上最愉快的一样东西，于是我想到你和这音乐可能给予你的刺激。我寄上乐谱给你就是——是好音乐——等明天音乐铺子开门就买来寄。

她的复信拒绝他再写信给她；他还是写了，说他觉得他应该受责备，可是对她是诚恳的，他永不会停止了爱她，这是说，友谊之爱；又说他要上巴黎去，如果她给他几行的短信，他便能平静下来，快乐起来。

一月三日，在他和伐莱利亚分裂了后，日记上这样写道：

　　在波特金（Botkin）家吃饭。快午夜时到假面跳舞会上去。起先是沉闷的，于是和斯多留宾和斯塔可维契吃饭的时候，一个“甜嘴唇”走向了我，我和她谈了很久，她跟我走了，到家起先不肯褪下假面来，像A.D.，像得如同两粒蚕豆，可是老得多，样子也粗……

二月十九日在巴黎他记着：“收到伐莱利亚一封信。”第二天他如下的作复：

你的信，我今天收到的，亲爱的伐莱利亚·芙拉迭密洛芙娜，使得我非常快乐。这表明了你不曾把我当做什么流氓或什么怪物，只是把我看成一个平平常常的人，而你和这人是有了较为亲昵的关系的，这人你还感得是个朋友，是可尊敬的……我常常的告诉过你我不晓得我给你的是什么感情，我常常觉得我们之间有什么错着。有一次，在我出国之前，我寂寞，和你时常见面，而更重要的，你可爱的外表，特别是你可爱的性格，几乎使我相信我已爱上了你，可是时常有什么东西在告诉我，这不是爱，我从没有对你隐瞒了这看法，我甚至为了这原因跑了一趟彼得堡，在那儿我过一个寂寞的生活，仅仅我不看到你这一事实告诉我了，我从没有爱过你，也不应该爱你。这件事上犯了一个错误的话，对你对我，都是不幸。这就是全部内容了。是的，这种坦白率直并没有处理得好。不必吸引了你参与，我自己就可以完成对自己的测验的；这件事上，我未免缺少了经验，我因此非常后悔，要请求你原谅，可是不能责备我的行为不光明或鬼鬼祟祟。

……使我惊异，法国人奏悲多芬有神来之妙，你可以想像的，我如何地欣赏，听着那 Musique d'ensemble（音乐的联合演奏），由世界上最好的艺术家担任的……

一八五九年出版的《家庭快乐》一书，大体上是根据了托尔斯泰和伐莱利亚的关系的，里面甚至于说起了他给她解释的几个办法，他使书中的主人公名叫 A，"一个女人我们可以叫她 B"，把他们所讨论的问题都交给他们去讨论了。可是在这个小说中，这两个主角后来是结了婚的，因为他们对于生命底不同看法，受苦很利害——可是最后他们平静而满意地生活在一起了，从他们所感受的热情的恋爱中终于获得了解放。

把他和伐莱利亚的故事来做个结束吧，我打算在这里引用一封，后来，在一八五七年四月十七日他写给妲蒂阿娜姑母的信：

> 我从未用真的爱情爱过她，只是非常热情地想把爱情贯注给她，从中获得我的该受谴责的快乐，而这快乐确是我从来没有经历过的。可是和她一起经过了那些时候，终于给我证明了，我决没有看到她的愿望，更不愿和她结婚了。一想到我并不爱她却要对她负起责任这事来的时候，我就惊骇了；所以我决定了比我所预期的还更早地走掉，我行为很坏。我请求上帝来宽赦我，我要上帝宽恕我这使她悲哀了的人，可是补救这事是没有可能的，而这世界上也再没有力量能够使死灰复燃。

三　创作·批评

在耶斯那耶，托尔斯泰病了，九月初给他的二哥舍尔该写了封信：

只有在现在，星期一早晨的九时，我才能给你一封满意的复信，现在事情是愈来愈糟了。请了两个医生来，又拿了四十条水蛭来吸血，可是只有现在我好好儿的睡了一觉，醒来也觉得好了不少。可还是不能出门去，至少还有五六天。所以 au revoir（再会了）；请告诉我，你什么时候出去打猎，你的田产荒芜得可怕的一说是否真的；记得别趁我不在把所有的飞禽都猎尽了。明天我也许把猎狗送上来。

在彼得堡，托尔斯泰又碰到了别的麻烦，十一月十日给二哥舍尔该的信上：

> 恕我，我亲爱的朋友塞辽夏（按：舍尔该的昵称），只写这个字——因为我没有时间来写得更多。离家以后，我是最不幸的；这儿我没有一个我爱好的人。似乎在《祖国》杂志上，我的战争小说被骂了——我还没有读到那篇攻击的文字——可是更糟的是康司丹丁诺夫（托尔斯泰所属的炮队的司令官）告诉了我，就在我来到的时候，说密开尔大公爵听说了那一只“军歌”是我做的，非常不高兴，特殊还因为谣传了的，说是我把这个歌教给了士兵。这是可怕极了。我已和参谋本部的负责人解释了。唯一可以满意的事是我的康健极佳，而许波林斯基（医师）说我的肺部特别强壮呢。

一八五六年十一月二十日他退伍了。在多瑙河进攻之后，他已经是少校，在乔尔那亚（黑河）战役之后，他擢升中校，可是他虽然有一些关系，可以在当时帮他的忙，免得因此受他服役的炮队的司令官底军事法庭的审判，他在军队中的晋级还是非常之迟缓的。

这时候我们有两封屠格涅夫写给他的信。第一次是一八五六年十一月十六日从巴黎寄给他的，如下：

亲爱的托尔斯泰：

十月十五日你的来信，化了一个月的时候，才爬到了我这里——我昨天才收到它。你写给我的话，我小心地考虑过了——我想，你是错的。这是确实的，我没有十分的老实，因为我不能十分坦白地对待你。我想我们的了解彼此是要煞费一番心机的，而且得在天时不利的情形之下进行，等我们再会面的时候总可以更顺利，更容易一点了吧。我觉得我是把你当做一个人来爱你的（把你当做一个作家，那是不用说的了）；可是你有许多脾气我实受不了，最后我觉得还是离开你远一点比较好。等我们再会面的时候，我们该再来试一试携手偕行吧——也许我们可以成功得很；因为说起来也许很奇怪，离远了你，我的心却像一个弟兄一样的向着你，我觉得我温柔地向着你呢。用这一个字说，我爱你——这是一定的；也许从这一个字出发，将来好事情都会跟着来。我听说你病了，很悲哀，可是现在我求你把那样的思想从你的脑袋里抹去了吧。因为你，也一定有你的幻想的，也许自以为你有了肺病了，可是上帝知道，你决不会有这个病……

你已经完成了《青年》的第一部——全部要得。我不能听到它的朗诵，何等抱歉！如果你并不迷了路（我想我们也没有理由这样希望的），你可以走得很远。我祝福你康健，生命力强——而且自由——灵魂底自由。

至于我的《浮士德》，我想它并不见得会讨你的喜欢。我的作品可以讨你的欢喜，甚至于影响你——但只有在你独立了起来的时候。现在你不用研读我；你只曾发现我们之间态度上的不同，我的错误和缺欠；你应该做的是研读“人”，你自己的心和真正伟大的作家。我是一个转变时期的作家——只能对转变时期的人有用处。所以，再谈吧。好好儿的，给我写信。

一八五六年十二月八日，他又写了：

亲爱的托尔斯泰：

昨天，我那精美的天才使我走过了邮政局，凑巧我也进去问问在Poste–restente（认领邮件）中间有没有我的信（虽然我想我的朋友们早就应该知道我的巴黎地址了），我收到了你那封谈到我的《浮士德》的信了。你可以想像我读了多么的快活。你的同情真真地，深深地给我快乐了。是的，而且从这全封信上，有着和柔的，明显的，友谊的静谧底呼吸。现在应该让我把手伸过这“楚河汉界”，很久以来这是一道几乎看不清楚的裂痕，从此我们不再去谈起它吧——这是不值得的。

有一件事你提起了的我不敢谈：这又是脆薄的事——在他们成熟之前说了话便要损害他们，在他们成熟了之后却又用锤子也打不开他们。上帝允许这一切可以顺利而美好的成功。这也许可以带给你：你在我认识你的时候还没有的“灵魂的平静”。

我看你现在跟杜罗齐伊宁很亲密——而且在他的影响之下了。这是对的，可是小心别把他的意见吞下太多。我在你的年龄的时候，只有性格热情的人能影响我；但是你的构造不同于我，也许是时势已变……请你告诉我《青年》是登在哪一期的《同时代人杂志》上的，还有请你告诉我《黎琊王》（*King Lear*）给你的最后的印象是什么吧，也许已经为了杜罗齐伊宁的缘故，你念了它了。

同时，屠格涅夫写信给杜罗齐伊宁：

我听说你和托尔斯泰十分接近了——他

变得非常愉快而且严肃。我很高兴。当他这新酒酿熟了以后，是一定宜于献给上帝喝一杯的。他的《青年》已经送给你等你的判决词了，你怎么说呢？

在引用杜罗齐伊宁给《青年》的评语之前，这里颇可以提一提托尔斯泰发表于这个时期的一些其他的作品。一八五五年正月，他还在塞伐斯多波的时候，发表了《一个弹子戏记分员的回忆录》（*Reminiscences of A Billiard-Marker*），闪闪地描写了托尔斯泰自己经验过了的某种诱惑，相当闪烁而又明显。一八五六年正月发表了《塞伐斯多波底八月》（*Sevastopol in August*）。一八五六年三月，《暴风雪》（*The Snow Storm*）。在一八五六年五月，一个嬉笑的短篇，有闪闪的幽默的笔调，似像却尔斯·莱佛尔（Charles Lever）的，名叫《两个骠骑兵》，用这种气息来著述的，托尔斯泰只有这一篇，在这里面，我们看到了这样的吉泊赛的歌者，在他的通讯，在他的书籍中他是时常提起的。十一月的日记中他记着：

我多么希望跟杂志决绝了，然后我可以写我正开始在构思的体裁——那是可怕地崇而纯洁的。

十二月，他出国之前，又出版了两个短篇:《和一个莫斯科熟朋友在分队中的会面》，这个前面已提起过，还有便是从他自己想改善农奴的情况的企图中得出来的经验，所写成的《一个地主的早晨》。农奴的鲁钝，他们的不信任，他想改变的计划底非常的难以实现，他都描写出来了。

在给杜罗齐伊宁的一封信中，屠格涅夫写道：

我读了他的《一个地主的早晨》，十分高兴它的诚恳和几乎全部自由的观点。我说“几乎”，因为他做这样的一桩工作的时候，依旧隐藏着（也许他自己也不晓得）若干的私心。这篇小说所产生的主要的道德印象（放开艺术印象不谈）仿佛是只要有一天奴隶制度还存在，农奴地主的两方决不能拉在一起，即使那最不

> 为自己利益打算的，最可敬的愿望也是徒然；自然这个印象是好的，对的。可是好像一匹马要跟一匹骏马并驾前驱一样，这里另有一个道德印象了：便是说一般的努力要解放农奴，要改善农奴的处境都是白费的，这个印象就不愉快了。可是那文字的把握，措辞的得当，还有他的性格刻划，异常伟大。

一八五七年正月,《青年》第一部出版——是《幼年》(*childhood*)、《童年》(*Boyhood*)的续编。

杜罗齐伊宁这时候给托尔斯泰的影响，可以用他为批评他的《青年》而写的一封信的语气上看出来：

> 关于《青年》，写个二十张信纸也不会多。我又生气，又嘶喊，又赌咒地把它读了——并不因为它的文学价值，而是因为写这个东西的练习本的纸料和它的笔迹的关系。两种笔迹，一种是认识的，一种却不认识，分了我的注意力，使我不能全神贯注在上面。这像两个声音

在跟我讲话，故意扰乱我的注意，因此我知道这是来阻止我获得正确印象了，还是把我所能说的话说出来。你的工作是极艰难的，然而你执行得好。我们目前还没有一个作家能够像你一样的捉住了，而且素描了激动的，混乱的青春时期。已经发育了的人，你的《青年》会给他无穷的愉快，如果有人告诉你，它不如《幼年》、《童年》，你可以当面唾他。这里面有一个诗歌的世界，最初几章是可羡慕的作品，开场白也许沉闷了一点，到春天的描写开始就好了……在好几章里面，就有古老的莫科斯底诗一样的俊俏，至今还没有人曾把它适如其分地表达过。有几章冗长而干燥；例如狄米脱里·南赫留道夫订约的全部……还有塞门诺夫登兵籍的一段，审查是不会通过的。

你毋须怕你的思维能力，那都很伶巧而且独创。可是你似乎天性爱好了分析到超细腻的程度，这可能变成一个大毛病的。你有时几乎曾说出某某人的大腿证明了他想到印度去旅行，诸如此类的话。这种倾向你必须约束，可是千万不要消灭了它。你一切关于分析的工作都该如此去做。自然，你的毛病也都有它的力量和它的美丽，可是差不多你每一个特质之中存在着毛病的种子。

你的风格跟这样的结论可是很和谐的呢：你是最不按照文字，有时你像一个改革家或强有力的诗人地不按照文法，另创一种他自己的文字，以便永久的被应用，或者有时候你像一个军官，坐在他的炮台里，给同窗密友写信，这样地不按照文字。我可以确定的说，你用爱来写的每一面稿纸都是可羡慕的——可是你一冰冷，你的文字立刻纠缠在一起而恶魔似的语言的形态便显现了。于是，冰冷的写出来的部分顶好要重写过，修改过。我本想把几个地方弄得伏贴一点，可是搅了一下放弃了，这工作是只有你能做，也是你应该做的。最要紧，句子弗写得太长。把它们切做三句两句，那句点不必你节俭……不要跟介系词，连结

> 词过分的讲道理，你可以一打一打的把这些Which，Who，that涂掉的。有困难的时候，把句子弄出来，想像一下你怎样在日常谈话中说这一句话的。

我，作为一个托尔斯泰的翻译者来说，可以证明托尔斯泰绝未接受了杜罗齐伊宁这信里给他的训导。最后，他还是在非常简单有力量的段落中间去掺杂了不能图解，累赘冗长的句子。

约五十年之后，托尔斯泰批评了他自己的《幼年》、《童年》和《青年》的题材，如下：

> 我又把它们念了一遍，后悔我写过它们，写得这样坏，做作，不诚恳，的确是写得这样。也没有办法不这样，第一，因为我当时并不想写我自己的历史，而是写我青年期的一些朋友的，这一来就造成他们的和我的童年底事迹的纠缠；第二，我那时写它，在表达我自己这一方面我根本不是独立着的，那时强烈的影响了

我的是两个作家：斯退恩，他的《一个感伤的旅行》（Sterne: *A Sentimtal Journey*）和妥泼费尔，他的《我的伯伯的行状》（Topffer: *Biblioth'eque de Mon oncle*）。

现在我特别不满意后面的两部《童年》和《青年》，里面是除了真实与杜撰的纠缠之外，还有不诚实；是这个不诚实，我想把我认为良好的，重要的所谓“民主的倾向”表现出来，其实我当时也并不理解它的良好和重要性。

在结束这一章之前，这里是很合适的，来插入一张表，列举托尔斯泰自己提起过的，他离开大学之后，在他结婚之前，那些影响了他的作品。它们是歌德的《赫尔曼与窦绿苔》（Goethe：*Hermann und Dorothea*）；嚣俄的《钟楼驼怪》（Hugo：*Notre-Dame de Paris*）；柏拉图的《裴都篇》（Plato：*Phaedo*）和《宴话篇》（*Symposium*）底科仁（Consin）的法文译本；以及俄文翻译的《依利阿德》（*Iliad*）和《奥德赛》（*Odessey*）。这几部书，他说，都影响他“非常之大”。而他的同国的诗人的作品，丘特乞夫（Tyutehev）、科尔促夫（Koltsov）和他的朋友斐特的诗也有“极大”的影响。

前面也提起过，他从最小的时候起就爱了几首普希金的诗，默诵了，而且能富有感情的朗诵它们；可是奇怪得很，一直到后来，他长大了以后，读了梅里米（Merimee）用法文而且是用散文翻译的普希金的《茨冈》（*Gipsies*）的那时，托尔斯泰才真正的了解了，羡慕了普希金应用简单，明白，直接的文字底熟练。在托尔斯泰的晚年里，他常常说起，普希金用散文写的小说，如《甲必丹之女》（*The Captain's Daughter*）是他代表的作品，可是托尔斯泰对普希金的诗歌的天才从没有不欣赏过。

一八五六年六月三日，托尔斯泰在日记记下：

> 再读普希金的《唐璜》（*Don Juan*）。迷人。我从没有意想到的真实与力量。
>
> 六月四日：五时即起，出外散步，我承认，有点色情。读普希金初期的诗……
>
> 六月七日：读普希金的第二，第三部。《茨冈》正同我初读时一样的使欣喜，而其余的诗，

《奥尼金》（*Onegin*）除外，都芜杂。

> 一八五七年正月初四：下午一点才起来。普希金论（拜林斯基的）好极。现在我才懂了普希金。这两天我实在是快活的。道德运动迅疾的前进，前进使我迷醉了。

这“道德运动”显然跟他自己没有关系，因为在前面的几天里他也记录了他自己的行为，在一个假面跳舞会上证明他确实没有进步。他所指的是当时正在前进的解放运动和别些改革。

非俄罗斯的作家中，他提到狄更斯（Charles Dickens）特别佩服。他读了《小陶立德》（*Little Dorrit*）和《辟克维克》。“读完了《辟克维克俱乐部》。好，好！”他在札记簿中写道：

> （一）一个作家的受人爱戴，使人喜欢他的最初的条件，第一个情形是他处理人物时所具有的爱。所以狄更斯的人物是全人类的朋友：在美国的人和在彼得堡的人之间有着结合的纽

带。

（二）一个作家总是站在他的题材的恰恰旁边，于是读者继续的怀疑这写的是主观的呢，还是客观的。

他也念莫利哀（Moliere），评价极高，说过："听人朗诵了光辉灿烂的喜剧《多才多貌》（*Les Femmes Savantes*）。"

他这时读了萨克莱的《新来者》（Thackeray：*Newcomes*），并未批评了这作家和这作品。

关于梅里米（Prosper Merimee）他说了："读完了《卡门》（*Carmen*）。弱得很，法国人！"关于奥尔巴哈（Auerbach），以后他们要在德国会见的，他说了："早上两点读奥尔巴哈的轻快的《命令》（*Befehle*）直到八点。"

这一年文艺界的一件大事是杜罗齐伊宁翻译的《黎琊王》底出版。托尔斯泰觉得译笔极好，可是大体上他总不喜欢这部悲剧和莎士比亚（Shakespeare）。他还记着："读《亨利第四》（*Henry VI*），对《同时代人杂志》生气了。"（显然这杂志赞美了它。）"读《黎琊王》，感动我的很少。”一星期之后：“在波特金家吃饭……于是到俄尔加·屠格涅夫家。《黎琊王》令人喜悦！并不，我跟俄尔加一起总不舒服！”他底不同意一般对于莎士比亚的崇扬，若干年后，有一篇论文叫《莎士比亚和戏剧》（*Shakespeare And The Drama*）中有解释，他并未退缩了不向他的文艺朋友申述他这个意见，这一点也说明他的性格的特别之处，这性格是从小就有，直到老年还不改变过来的，即是，否定流行的意见，准备反对权威的论调，依赖他自己判断，这正是涅克拉索夫提到托尔斯泰时所说的话一个样子的，“他有个强壮而真实的个性，不藏秘密，不怕羞涩”。

关于歌德，托尔斯泰写道：“读《维特》（*Werther*）。迷人。”可是大体上他不大关心到歌德。

在俄罗斯的作家中他读了冈却洛夫和奥斯托洛夫斯基这俄国最流行的戏剧家，关于后者，若干年后他对古塞夫说过：

> 奥斯托洛夫斯基使我喜欢的是他的简单的俄罗斯的生活方式和他的严肃和他的伟大的才

能。他是个独创的，依赖自己的人物，这样的人便是在文艺圈里也是不讨人欢喜的。

托尔斯泰对于斯拉夫派（Slavophil）的作家没有多大的同情。五月五日他写：

> 在奥勃伦斯基家和亚克萨可夫以及吉莱夫斯基以及其他的斯拉夫派吃饭。显然他们是在找寻一个并不存在的敌人。他的展望太狭隘，站得也太远，决不会有人挑拨他们好让他们抵抗的。这毫无用处。
>
> 五月廿一日：在亚克萨可夫家吃饭。认识了浩密亚可夫。一个明敏的人。和康司坦丁·亚克萨可夫关于乡村读物的问题吵了一场，他认为这是不可能的。晚上在高却可夫和舍尔该·德米脱里奇又吵了一场，同一问题的反面：舍尔该·德米脱里奇确信农民是最腐化的阶级。自然从西方人的观点看来我变了一个硬壳的斯拉夫派了。

托尔斯泰告诉我们，文学作品中的艺术的才气比任何政治的或社会的倾向更足以影响他，这句话和他的高度的艺术的性格，以及他对于公共事业底时常冷淡是可以一致的了。有一句斯拉夫派的理论（这理论是为了承认既然的事物而构成的）说对于一个斯拉夫的人民，政治让统治者去处理是顶适合了，只要保留知识的自由就行，以便有所失常的时候可以批评；托尔斯泰从没有参加斯拉夫派，但是谈到这方面，他的态度是非常斯拉夫派的，二十年之后，他清清楚楚地在《安娜·卡列尼娜》（*Anna Karenina*）中表白了这个。

当时陀思妥也夫斯基（Dostoevski）正被流放到了西伯利亚，所以托尔斯泰没有见过他。

他跟车尔尼雪夫斯基的关系却不好，而很多年之后他写的《克洛亚采奏鸣曲》（*Kreutzer Sonata*）实在是反扑车尔尼雪夫斯基的小说《为何？》（*What to do*？）的。

一八五六年五月三十一日，从耶斯那耶·朴利阿那出发坐了一天的车子之后，他拜访了她姐姐的田庄，那时记着：

今天早上五点钟骑马到屠格涅夫家，七点到达。他不在家。他的家告诉了我这一个人是从什么根上生长出来的，这给我许多的解释，使我对他释然了。他回来了。我吃喝，散步，和他快快活活的谈天，就睡了……像要写一篇关于马的小说。

无疑的指的是那一次，他和屠格涅夫一起散步，看到了一匹正在草原上吃草的老马。托尔斯泰开始描写这匹马的情绪一定是如何如何的，描写得这样入情入理，屠格涅夫说了：“李奥 · 尼古莱维奇，我可以确信你曾经是一匹马。”

三月十二日，结识屠格涅夫之后四个月了，托尔斯泰在日记里写：“我想为了大家的好处跟屠格涅夫分了手吧。”但在五月十日他写信给妲蒂阿娜姑母时说：“屠格涅夫走了，现在我觉得我慢慢地喜欢了他，尽管我们老在吵架。”

他和许多重要的作家吵嘴却依旧使他热心地为杜罗齐伊宁发起的“文学基金”活动，基金是用来援助有需要的作家和科学家的。基金会的章程还是托尔斯泰帮忙起草的，他另外还帮了许多忙。

我们将发现托尔斯泰在溜冰，骑马，跳舞，玩棋，特别在体育班上起劲。他有过一个时期想做全世界最强壮的人，他的各种柔软体操都非常惊人，直到老年，他还保持。

一个娱乐而又是一个工作，他常提到的，那是音乐，他大部分时间化在钢琴上。日记中关于这题目的，例如：

> 十二月廿一日：七点半起床，忙着校样和音乐直到下午两点。
>
> 十二月廿三日：到大学校的柯伐莱夫斯基处听罕顿（Haydn）一个神奇的交响乐。
>
> 十二月廿四日：正要去杉姆曲兹尼可夫家，斯多留宾来了，请我去听音乐，波特金和我大大地享受了一下。

一八五七年一月中他遇到了基司梵脱尔（Kiesewetter），一个有才艺的小提琴家和作曲家，嗜酒如命。托尔斯泰把他带到了耶斯那耶·朴利阿那去，后来热忱地跟他学音乐，要想他重新振作，可是基司梵脱尔忍受不下有规律的生活，从耶斯那耶溜走了，后来音讯全无。

这件事激发了的小说《阿尔倍脱》（*Albert*）发表于一八五八年八月。

尽管他底不顾一切的狂暴以及他的优柔寡断，然而，托尔斯泰几乎在任何社会中都是受人欢迎的宾客，只要他愿意去，而且批评他的人都没有他批评自己时，在《回忆录》（*Recollections*）中描写他这几年的生活，批评得更辛辣，那时他已是老头子了，说到他：

> 可怕的二十年俗不可耐的浪掷青春，侍奉野心，虚荣，尤其是好色……自然，我的一生中，不全是像这十四岁到三十四岁的二十年中间底荒唐的；自然，便是在这二十年中间，我也不是坏事从头做到尾，不像最近这一次我在病中所想的那么坏。便是在这二十年中间，向良善挣扎追求的心灵也是时常觉醒了的，虽

然觉醒的时期并不长，一下子又给吞没一切的情欲所征服。

在一八八〇年他写的《忏悔录》中间，谈到他的宗教信仰时，托尔斯泰告诉我们：

我整个灵魂希望要做一个好人，可是我很年轻，我很热情，而且很孤独，而且在我学好，向善的时候尤其是全部地孤独的。每一次我想表示我是诚实的希望，就是说，希望在德性上变得好点，我就受到轻视和嘲弄了；可是只要我放浪于可憎的热情中，那时候，立刻我受到了赞美和鼓励。

野心，势利，贪婪，淫欲，骄纵，愤怒，报仇——都受到尊敬……这几年间的事，我不能想起来了不寒战。不憎恨不心痛。我在战争中杀人，我和人挑战，想在决斗之中杀死他们；我赌输了钱，消费了农人们的劳动，还给他们刑罚，自己放荡地生活，欺骗人民。撒谎，抢劫，各种方式的奸淫，酗酒，行凶，杀人，没有我不曾干过的罪恶，而人类同情我的行为，而我的同时代人熟虑之后，还认为我是一个比较有道德的人。

这样我就过了十年。

这时候我开始为虚荣，贪财和骄傲而著作了。我在作品中所做的，正如我在生活中做的相同。为要得到名誉和利益，这是我写作的理由，所以我必须在作品中隐善扬恶。我就这样实行起来。多少次，在我的作品中，我企图了在冷淡，甚至在拒绝不谈的矫揉造作之下，隐藏了使我的生命更有意义底追求。隐藏了我的向“善”的挣扎。这一点我又做到了，于是大受赞美。

二十六岁的时候，战争以后（这里托尔斯泰有一个小错误：那时他已经不止二十七岁了），我回到彼得堡，见到许多作家。他们招待我，当我一个同等人物，赞美我。在我得到充分的时间四面看看清楚之前，我已经承继了我所参加的一群著作家所有的对于生命分出阶级来的观点，这些观点整个地取消了我以前的挣扎求进步。这些观点构成一套理论，使我的放荡生活有了根据，这些人，我的著述的同人，对生命的观点可说是如下的：生命是永远在发展的，而在这发展之中，我们——思想的人们演着主要的角色；而在思想的人们之中，我们——艺术家和诗人——演着主要的角色。我们的职业是教育人类。只怕有这样的问题：我知道什么，我又能教育什么？被提起来，答案早在理论之中解释了的，不知道什么没有关系，艺术家和诗人是无意之中可以教育了人的。我被认为一个可羡慕的诗人与艺术家，于是我也采取这个观点，这原是人情之常。我，艺术家与诗人可以自己一无所知而著述而教育人们了。因此有钱支付给我；我有精美的食品，房子，女人和社交界；而且我有了名望，这可以证明我教育别人的东西都是极好的了。

四　西欧旅行

一八五四年多瑙河之役以后，托尔斯泰只有两次离开过俄罗斯。第一次是一八五七年二月十日（新历），他坐了一辆邮车趋向华沙（从那里起已有铁道可乘），二月二十一日就到了巴黎。在那里他遇到了屠格涅夫和涅克拉索夫，那时他还跟屠格涅夫合不来。屠格涅夫写道："我还不能和托尔斯泰混熟，我们看事情太不相同了。"有一次狂怒之中，托尔斯泰还要跟这位文学同人决斗，幸而涅克拉索夫把这件事和解了。最初在巴黎的五个星期，托尔斯泰玩得兴高采烈，十分活跃，参加了社交生活。他去听了拉波赖依（Laboulaye）和其他名人底演讲，逛了枫丹白露宫和其他胜地，结识了有名的歌唱家和女伶，念英文和意大利文，还在一个咖啡馆里跟人下棋。托鲁白茨可依公主相当使他迷恋，而勒伏夫公主迷恋他更甚，可是他那时结婚之念虽萌，他依旧去那些卖唱的咖啡座，歌剧院与跳舞会，“寻欢作乐的夜宴”，并干别种缺德的行为。

三月中，他伴了屠格涅夫到狄雄去住了几天。这次旅行中，托尔斯泰开始了他的小说《阿尔倍脱》，就是以他结识的小提琴家基司梵脱尔作为题材的东西，我们已在前一章里讲到了他了。

四月五日他写信给他的朋友 V.P. 波特金：

> 我现在住在巴黎差不多已经两个月了，至今还没有知道这城市会不会有一天不再对我发生兴趣，或这样的生活会不会有一天失去它的美妙。我是严重地蠢愚的，从没有一个地方使我更认清我自己的这一点。只是这一个理由，便足以让我快快乐乐的在这里住，我又觉得我的蠢愚无知并非是不可救药，因此，使我在这城里住得更起劲。何况这里的美术品供给了我这样的快乐；卢佛尔宫，凡尔赛宫，音乐院，音乐会，戏剧院，法兰西学院和莎蓬大学的讲

座，总之一句话，这种社会的自由，我们在俄罗斯想也没有想到过——而这一切的结果则是两个月之内，我不会离开巴黎的了，也不会离开这个我打算搬过去住底郊外的小村。

但是就在第二天，他看到有人上断头台，在日记里这样的记录：

我七点钟起身，出外看死刑。只见一个强壮而白白的粗头颈和胸膛。他吻了一下福音书——于是死亡。多么没有道理！我不是一个弄政治的人。但道德和艺术我却是知道的，爱好的，而且弄得清楚的……断头台弄得我很久不能睡，逼得我不能不思考。

托尔斯泰是有一个天赋的，常常能用很少几个字来写出真实的精髓来，但是，他从没有一次，写出过像这样的句子——“我不是一个弄政治的人。但道德和艺术我却是知道的，爱好的，而且弄得清楚的”，来把他自己的意思综合得更好的了。他那第二句话是毫无疑问的，第一句，依照他整个生命看来，也确是实话。

许多年之后，他把这一件事写进了《忏悔录》：

> 当我看见那颗头颅离开了身体，它们如何地分开装钉在匣子里的时候，我了解了，不是用我的思想而是用我的全身来了解了，没有一种能说明我们目前的进步为合理性的理论能够说明这件事是合乎理性的，虽然从世界的创始那一天起，每一个人，不管他们用什么理论，都在说这一件事是必须的，我却知道这并不是必须的，这是一件坏事；善和坏的判断并不根据着人们所说的与人们所做的，并不是进步不进步，现在是由我的心，由我来判断的。

这一件意外使托尔斯泰憎恶了巴黎。第二天他记着：

> 晚起，不舒服。正读书，突然一个简单而清晰的想头来了——离开巴黎。

同一天他写信给波特金，告诉他们行刑的事，又说：

> 前几天这里提去了许多人，有一个阴谋被发觉了，他们打算在剧场里行刺拿破仑；这几天之内还要杀死好些人，可是，自然的，从今天起，不仅我永远不再去看行刑，而且我永远不再在任何地方的任何政府中工作了。

四月九日他在日内瓦了，匆匆地拜访了他的“姑母们”丽莎和亚历山特娜·托尔斯泰。关于她们前面已提起过。他们的祖父有二十三个孩子，同一个母亲所生。他的长子是依利亚·托尔斯泰伯爵，他就是我们的托尔斯泰底祖父，那二十三个中的幼子是安得莱，是丽莎和亚历山特娜的父亲。所以我们的托尔斯泰是他们远房阿侄。在俄罗斯，一般的都叫“伯母”。可是他叫她们“娘娘”，并且说她们年纪太轻不能做他的伯母——这是Paradoxe a la L.Tolstoy（辽夫·托尔斯泰式的譬喻）——亚历山特娜曾经这样说。她只比他大了十一岁，友谊甚深，用他自己的话，是一种Amitie Amoureuse（友爱）

把他们结合了许多年。

这实是托尔斯泰在自己的家庭圈子之外，所结交的最好，最纯洁，最亲密，而且最可爱的友谊。

他和她的姐姐丽莎都是尼古拉一世的女儿，李奇登贝格的玛丽大公爵夫人的宫嫔。丽莎·托尔斯泰伯爵夫人是负责大公爵夫人的女儿底教育的，这位女儿后来成为俄尔登堡公主。后来，一八六六年起始，亚历山特娜得负责亚历山大二世的独生女儿玛丽·亚历山大洛芙娜大郡主的教育。一八七六年她的学生嫁了阿尔弗莱特·爱丁堡公爵，就是后来的撒克塞·柯波尔格公爵。

亚历山特娜发表了她和托尔斯泰的通讯集，在序文中她说：

> 一八五五年，当他是一个年轻的炮队的军官而从塞伐斯多波回来的时候，我看得他很清楚，还记得他给我们的印象都非常之愉快……他自己很素朴，十分谦逊，而且这样的爱玩，只要他一来到就使我们顿时活泼起来了。他很少讲到他自己，可是观察了每一个新来的

客人，很注意，集中了他的注意力，以后他就把他的印象告诉我们，这些印象常常是极妙的。他的绰号“薄皮”——他的太太后来给他取的——正好适合他，因为他所观察得来的，不管是好或是坏，同样地强烈的刺激他，而最微小的感触也在他脸上反映出来。他用艺术家的透视力来测度人们的性格，他所说的印象常常是惊人地精确的。他并不漂亮，可是他的灵巧，和气，富于表情的眼睛补足了他缺少的风度，不妨可以说，这眼睛尤胜于美貌。……

她提到了托尔斯泰突如其来，到了她和她姊姊伺奉着大公爵夫人底日内瓦，她说：

“这时我们并没有和他通讯，也不晓得他在哪儿，总以为他还在俄罗斯。”

“我是从巴黎一直跑到你们这儿的，”他如此宣布，“我恨透了这个巴黎，几乎头脑都昏了。在那儿我什么没有看到呢……起先在 Maison Garnie（接客的寓所）——我住在那儿的，那儿有三十六个 Menages（家庭），其中十九个是不规矩的。这已经惹得我火冒了。后来我要试验试验我自己，出去看一个犯人上断头台，弄得我后来不能睡也不晓得该怎么做才好。幸亏我听到了音讯，说你们在日内瓦，就向你们直冲，相信你们一定可以救活我。”

的确，等他把一切说明了，他立刻平静了下来，我们一起过得极美，天天相见，爬爬山，觉得生活不坏。天气是神奇的，不必说风景了。我们以平原上的居民的热忱来享受快乐，可是辽夫却告诉我们，这里和高加索比起来差得远，他想让我们冷静一点。

虽然我们的教育和地位不同，我们之间还有一个共同之点。我们都是可怕地热忱，爱分析的人物，都爱“善”，而又是都不懂得“爱善”之道的。

他们结识了附近的许多俄罗斯人，她的故事接下来还说：

> 有一天早上，我们一群人步行到格里盎去，这是梵凡之上的最高峰。一路上小花缀成文字和图纹。春天的光辉在我们的眼睛前面迷

醉了我们。照我所记得的，我们不论年龄高下，全像小学生出来大闹……汗流浃背地爬到了山上，我们发现唯一的一家旅馆的大房间里已经挤满了英国人，美国人和各式各样的人。

茶后，虽然挤满了外人，辽夫随随便便的坐在钢琴之前，喊我们来唱歌。

我不妨毫不虚心地说当年的我嗓子还不坏，而且为音乐而下的功夫也不少，凑巧普欣娜夫人也能唱。在我的歌曲中，她那纯洁的声音回宕，两位密开尔唱了低音，辽夫担任了指挥。

我不晓得我们这个即兴的音乐会，从音乐的严格的意义上说来是否使人满意，可是这里窗户洞开，风景入室，一切效果极好，甚至于可以说极有诗意呢。

我们唱了《上帝保佑沙皇》，俄罗斯的和吉泊赛的歌，凡是辽夫想得起来的都唱——我们成功极了。外国人的感谢和赞赏泛滥着——他们各自用各国的语言，要求我们继续。我们是显然凑上了他们的要求的：其一，我们是不收钱的流浪的音乐家，其二，大约我们赶走了他们的惯常的阴郁。

第二天，同样的事发生在Pension（寄宿舍），她们那时和托尔斯泰同住在梵凡。Orphee Attandrissant les Betes（奥菲斯感化了走兽）。这些严峻的英国女人是这样地软化了，她们不知道如何才能表示友谊——给我们端凳子，请我们吃糖等等……

后来我的假期已满，我就回到了日内瓦……辽夫还住在梵凡，责备我不能离开“烟囱”（这是他用来称呼“宫廷”的）。

托尔斯泰用Truba（特鲁巴——俄文意为“烟囱”）这个字来代替音韵相近的Dvora（德瓦拉——俄文意为“宫廷”）这个字，乘便在这里提起一下，是因为在彼得堡最贵族化的女子学校是由一个特鲁巴小姐（Mlle Terouba）主持的，是以特鲁巴的女学生充斥于朝廷。

在记录了许多他和他的朋友们底任性行为之后，她接下来写：

> 七月中我们带了大公爵夫人的孩子们旅行到奥勃兰特去。第一夜宿在梵凡的蒙奈旅店。
>
> 我们刚坐下来，在桌子之旁，已经来了一个侍者，用神秘的声调告诉我楼下有人要找我……揣出是怎么一回事了，我立刻到楼下那大房间去，在那里我又遇见他们一次——穿着长袍，幻奇的帽子上插着鸟毛。音乐是像游唱的音乐家一样散开在四面地板上，可是棒头代替了乐器。我一出现，便开了一阵不可描写的嗓音，一个真真的 Tapage Infernal（地狱的嗓音）或者说猫音乐会。声浪和棒击相互交哄。我几乎笑死，而大公爵夫人的孩子们没有听到这次演奏宛直可惜。

不久托尔斯泰在日内瓦湖的东头儿底克劳伦斯（Clarence）住下，五月十八日，从那儿写信给姑母妲蒂阿娜：

亲爱的姑母，我刚才收到了你的信，信到了日内瓦之邻，克劳伦斯的一个小村中，卢梭的朱叶爱曾经住过的村子，到了我手上，我前次信中一定告诉了你这个地址了……我不打算来描写这乡间的美丽，特别在现在花花叶叶到处皆是的季节；我只能说要我离开这个湖和这些堤岸是不可能的——依照这不可能的字面的意义；大部分的时间或者我散步，或者只靠着我那个房间的窗子坐着，我观望而且艳羡不置。

我不断的庆贺我自己能起意离开巴黎，而在这里度过春天，虽然这么一来，你可以责备我的没有恒心。真的，我很快乐，渐渐觉得一个人生下来而有大网膜，实在便利不少。

这里的俄罗斯社会很可忧，有普希金家，有克拉姆津家和梅谢尔斯基家，天晓得什么道理，他们都爱我；我也感到这个，在这里过的一个月我是这样美妙，良善，而且舒服，想到我要离开它就使我伤心了。

在他的漫游之中，有一个星期他旅行的路线是孟德洛（Montreaux），莱沙望（Les Avants），耶曼关（Col De Jaman），英脱莱根（Interlaken），格林台伐德（Grindelwald）和杜恩（Thun），同行者：一个他认识的俄罗斯夫人的孩子沙夏（Sasha）。

在他的日记和信件中，托尔斯泰对大自然底生动的爱好使他一次又一次地描写了这些风景：

这是神奇的，我只在克劳伦斯住过两个月，但每一天的早晨，特别是快黑暗了的，晚饭以后的黄昏中，我推开了已经黯淡了的窗帘来凝望湖水和反映在湖中的远山的蓝色，美丽得使我目盲，惊人得使我失恇。

可是跟这明敏的观察一起的，有时却出现了抗议，这儿那儿说起这宏丽的瑞士风景到底不是能最和他通款心典的——他渴慕看的是祖国的大草原和森林。在攀登了耶曼关而描写了那里的宏丽的风景以及爬山的乐趣之后，他接下来写道：

这是美丽的景色，甚至是不寻常的美丽，我却不能爱好这一般所谓的宏伟惊人的风景，一言以蔽之，它们太冷了……我爱的大自然，虽然它包围在我四周，虽然它伸延到无穷尽去，却要我成为其中之一的才好，我爱它，当我的四周是热的空气在包围我，当这样的空气滚滚地伸延到无穷尽去，当这样的润湿的叶子，我坐在它们上面就揉碎了它们的，形成了无边的大草原的青色；当这样的叶子，飘荡在空中把影子照在我脸上的，形成了远处的森林的深蓝色；当这样的我吸入的空气形成了那深不可测的天空淡蓝色；当我并不是孤独地和大自然相对，并不孤独地欣喜，而是四周有亿万个虫子在打旋，在嗡嗡的叫，有亿万个甲虫在爬来爬去，我爱的大自然是当我的头顶上有飞鸟在歌唱的时候。

可是，这风景是一个寒冷，荒凉，灰色的高原，不毛之地，而远处，有着美丽风景的却笼罩在雾里面了。一切这么遥远，使我并不觉得大自然的主要的欢乐——无边无际，我并不觉得我是美丽的远景的一部分——到底是外国风景啊。

六月中他到了吐灵和杜罗齐伊宁、波特金碰了头。归途上，他们是取道圣·倍那尔，而且是步行的。

七月一日他趋向白尔思（Berne）到琉沁（Lucerne）去，七月六日到达，那里就发生了他记录在《琉沁》这篇小说里的事件。

亚历山特娜伯爵夫人告诉我们，当她在托尔斯泰到达底若干天之后到达这城市时，她发现他可怕地兴奋，为了愤慨而在燃烧之中。

这便是他告诉我底前一个晚上发生的事。

一个游行的音乐家已经在许怀兹尔霍夫饭店的

洋台底下演奏了很久；那儿坐着的顾客极多。人人欣赏了那演奏，可是当他举起帽子来要赏的时候，没有人给他一个“苏”（货币名——译者）——自然这是一个不大愉快的事实，而从托尔斯泰看来，这却是形同罪恶一样的。

为报复聚集在那里的漂亮的公众，托尔斯泰挽住了这音乐家的手臂，请他坐在他自己的桌子上，为他要了饭菜和香槟酒。我不能想像他的宾客们，甚至这可怜的音乐家自己是如何地感受他这样的行为底讽刺性的。这把这位作家和他的人格全部都表现出来了。托尔斯泰在这件事上所受的印象是这样深刻，这也感染了别人。这一件事甚至连一些小孩子也感动了，他们爱上了托尔斯泰，要我们一定请他来参加我们的游艇，跟我们一起去继续旅行，结果他答应了。直到今天，他们还记得托尔斯泰多么使他们高兴，他自己也得到了多少的愉悦。

在托尔斯泰的日记中，有这样几段：

七月十五日。拜访许怀兹尔霍夫——全部“烟囱”。小孩子们都很甜蜜，玩到一点。我这样喜欢“烟囱”的味道，惭愧。

七月十八日。我秘密地写完了《琉沁》，从七点写到十点半。奔到他们那儿。跟他们驰车。愉快愉快，在我不知道是否跟他们一起吃饭时有一点儿不愉快……湖上的黄昏光彩夺目，好音乐。给他们朗读《琉沁》。伐华要我喂他，孩子们真可爱。

七月十九日，十时半起床。洗澡，奔到了这两个托尔斯泰那儿。凑巧他们要走。不加思索，我自己也预备走了。坐船到了勾斯邦赫脱，读着勃朗脱（Bronte）。

后来他到了沮立许和巴登巴登。七月二十三日到了那里，他记着：

极重要，我极明晰地，强烈地想到了在我自己的乡村里开办一个为全区域的教育底学校，总之这一类的活动。

这一个想头后来是实行了的，可是到了巴登巴登，著名的赌场，这样强烈地吸引了他，把他携带的钱输光了，还不止输这一点。从他到达的那一天起，日记上这样连载：

七月二十四日。我有恒心地玩轮盘。略负。

七月二十五日。轮盘赌，自晨至晚。负，可是晚上胜了。

七月二十六日。早上起就不舒服。轮盘赌到六点。全部输光。回家吃饭。十分不舒服。夜里把这一切恶毒的扰乱看得很清楚，可是病，又弱。

七月二十七日。从那个法国人那儿借来两百卢布，输了。写信。决不再赌。较平静……波隆斯基也没有钱。情况尴尬。

七月二十八日。清早醒来一身都新鲜。K带了些钱给我。于是洗澡，于是赌钱，于是输光。糟糕！又丧气又羞耻地踱了半天。看医生。决定医一个星期，可是恐怕没有用吧。

七月二十九日。起来晚了……没有钱，没有赌。坏极了，可怕极了。而这样的生活已经持续达一星期！

七月三十一日。屠格涅夫到来了。

八月一日。问屠格涅夫借了钱，而后去输掉了。好久没有这种刑罚我的情形了。

在他的苦恼之中，他又从亚历山特娜·托尔斯泰那儿得到了安慰，她是和大公爵夫人一起旅行的，路线和他也相同。他的日记里记着：

八月三日。到了法朗克府。宫廷。要求在达姆希达脱宫中住。沙夏（亚历山特娜·托尔斯泰）可贵。一个惊奇！一个愉快！我从没有知道过更好的女人。

八月五日他已经到了德莱斯登，在那儿拜访了画廊，而且记在日记里："圣母像深深地感动了我。"经过柏林，坐船从斯丹丁到彼得堡，七月三十一日（旧历）那天他又踏上了俄罗斯的土地。

他的日记中记着：

> 在我的旅行之中，我这样计划了我的未来职务，其一，文学工作，其二，家庭的职务，然后，管理田产。但田产，我必须多多交给我的管事人去，去软化他，改好他，每年只化二千卢布，余款用在农奴身上。总之，我的绊脚不是自由主义的虚荣。自己过活，日行一善本也够了。

此外他还说："自我牺牲并不在于说'你喜欢拿什么，你拿去吧'。而是在于劳动，在于思想，求得把自己交出去。"

这时他读了《依利阿德》的译本和福音书，两者都给了他极大的影响。"我读了那言语不可以形容的，美丽的，《依利阿德》的结束"，他这样记着，而且表示了这两个伟大的作品中间没有联系颇为遗憾。

当他在西欧旅行时，他读了德·托开维尔（De Tocqueville）和爱弥儿·吉拉尔丹（Emile Girardin）的政治论文，和巴尔扎克的《从妹贝德》（Balzac：*La Cousin Bette*），关于他的《人间喜剧》（*Comedie Humaine*）的总序，他评道："浅薄而自满。"在巴黎看到女伶丽丝陀莉之后，他这样评：

> 只不过一个诗意的动态化为五幕虚伪的东西。拉辛（Racine）的诗剧和这一类作品是欧洲诗歌底创伤。谢谢上帝，我们（俄罗斯人）没有这毛病也永远不会有。

可是他对于莫利哀，他说，"《珍贵可笑》（*Precieuses Ridicules*）和《贪婪》（*L'Avare*）——极好"。他读的别的作家是拉司·卡萨司（大约是他的《圣·赫楞那的回忆录》）和阿波特的一本笨拙的小说；也读了瑞典小说家弗莱特里伽·勃莱墨尔（"是一个非常灿烂，引人的奇才，虽然读到女人时总是太甜了一点"）和福莱塔格的

《应有的和有的》(*Soll und Haben*)——“坏得很”；很多的夏绿锐·勃朗脱(Charlotte Bronte)；安徒生的童话，他十分喜欢，和歌德的《威廉·麦斯特》(*Wilheim Meister*)。他本不十分注意歌德的，可是这里却注了“读迷人的歌德”，虽没有提起是歌德的哪一本作品。

他自己则没有写了多少，只时刻地工作着《青年》和《阿尔倍脱》(这一本小说他后来改写了好几次)，《琉沁》一篇是在感情的抑制之下几天就赶了出来的。

七月尾到了彼得堡，一星期之后，他就去了耶斯那耶·朴利阿那。八月八日，早上五点，从莫斯科出发，中途换了一次马，夜十一时到了家。他的日记中是用普希金的四个字开头的：

> “欢呼你，我……”喜悦的耶斯那耶，快活而又悲哀，可是俄罗斯使我憎恶，我觉得这粗糙的，谎话似的生命又开始四面来包围我了。在站上，查琳被打得很凶，我想去阻挡他们，可是伐西利告诉我，我该先去赂贿医生。他告诉了我许多的这一类事，他们鞭打，用刑。

五　欧陆归来

在耶斯那耶，他干了什么可以从他的日记中窥见一二：

钢琴很化费时间……开始让家里的农奴赎取他们的自由……少数农奴愿意出租钱来谋自由……增加了长者们的工资。色情又在刑罚我了。懒惰，烦恼和悲哀。似乎一切都徒然了。理想终不可得到；我几乎毁了我自己。工作，小小名誉和钱财。为什么？享乐的方法——又有什么用？立刻便是永恒的夜。我总觉得我很快就要死的……

只有现在我才知道不是一个人周绕的生命必须整整齐齐的照一个人所须要的那么来处

理，倒是一个人必须破坏它，使自己柔韧，能够适应一切生活……

从早上起，种了一整天树木。

十月中，他伴了他的哥哥尼古拉和妹妹玛利亚去了莫斯科，然后在彼得堡耽了几天，在那里他发现了：一个正急迫地沉醉在公共事业底改革中的世界早已经把他忘记了。

彼得堡起先藐视我，可是后来又搭救了我。我的名誉已经扫地了。或者说不吃香了，使我十分悲恸，可是，现在，我却又平静了。我知道我是有话要说的，而且能够强烈地说，然后，再让公众说他们的话，可是我必须有良心地工作，用我的全副力量；然后……“让我在神坛上唾弃”（这是普希金的话）。

他回到莫斯科和他妹妹和尼古拉住在一个有家具的公寓中。斐特也在那里，他在《回忆录》中时常提到这几个托尔斯泰家人。他告诉我们，玛利亚郡主（一个精练的钢琴家）时常在晚上到他家里来弹琴，有时两兄弟一起伴了她来，有时只有尼古拉一个人，那时他就说：

“辽夫又穿上他的夜礼服，白领带，上跳舞会场去了。”

这时候，托尔斯泰的讲究穿着是十分明显的，我们读到他的外衣上灰色海狸皮领子，他带出带进的时髦的手杖，歪戴的光滑的帽子，鬈曲而棕黑色的头发。

莫斯科正流行着体育，有人要在下午一点至两点之间找托尔斯泰的话，可以到大德米特罗夫卡街的体育馆去，在那儿他穿了运动的衣衫，也许正在做着那跳上一个木马而不准碰倒木马上的一根圆锥底练习。肌肉是十分结实的，十分灵活，但是他的康健时常变坏，特别是托尔斯泰患的牙痛症，时常发而且痛得他利害。

斐特在托尔斯泰家所遇到的访客之中有一位名叫萨尔蒂可夫的，用谢德林（Schedrin）的笔名写作，是俄罗斯一位最辛辣的讽刺家。另外一位访客是B.N. 奇车林（Chicherin），哲学家与法学家，著作有《科学与宗教》，《财产和国家》等，其他的题目三四十年之后托尔斯泰也要研究的。另一个熟人是喀脱可夫(Katkov),《莫斯科通报》和《俄罗斯使者》月刊底编辑，有一些托尔斯泰的主要作品后来在他的杂志上发表。

一八五八年一月，亚历山特娜·托尔斯泰女伯爵拜访了莫斯科。在他的日记中时常提到她。他提着她:“晚上到了托尔斯泰家去。亚历山特娜令人快乐！一个快乐，一个安慰！我从没有遇到过一个女人可以及到她的膝盖的。”

一八五八年五月一日写给她的信上，他说：

> 就在这时候，两只夜莺在我窗子底下唱歌。我在给它们做一个试验，相信我在钢琴上弹震音可以把它们唤到我窗子底下来。这是我偶尔发现的。前几天，我正在弹我常常弹的一个罕顿的奏鸣曲，里面有震音，突然在园子里和在姑母的房间里（她有一只金丝雀）发出了口笛声，吹弄声和震音，来答复了我的震音。我停下来，它们也停了。我又弹弄，它们也跟着来了——两只夜莺和一只金丝雀。这一来

化了我三个小时之久。洋台是敞开的，夜多么温和，青蛙唱它们的歌，还有更夫的嘎嘎的声音。美极了。这封信如果太狂放了，请原谅我。我承认这样的春天和这样的寂寞有点使我失去了理性。我全心肠希望你也是如此。论快乐有时比这时所经历的更强，可从没有像这样地饱满，又和谐的快乐了呢。

她回彼得堡的时候，托尔斯泰一直送她到克林城，顺便拜访了华尔康斯基公主（他母亲的表姐），公主在这一带颇有田产。他和这和善的老太太一起住了几个星期，她还能告诉他许多他的母亲和他的家世的故事。他爱上了这地方的平静的生活，在她家里写了《三个死亡》（*Three Deaths*），翌年正月发表问世。这里面惊人地研究了一个富家妇人，一个穷命的邮车的车夫和一枝树底三个死亡。

一月二十六日，在莫斯科，他去了一个假面跳舞会，记着："两个假面女人。一个是沙玛拉的女子。一百卢布。我弄到了她，这是可怕的。"

二月他回了耶斯那耶·朴利阿那，于是他又到莫斯科，三月中还在彼得堡过了两个星期。这时候显然他热爱音乐，联合了V.P.波特金，潘尔菲利甫（Perfilief），莫尔蒂尔（最近还是他的情敌），他们成立了一个莫斯科音乐学会，后来这个学会成为莫斯科音乐院而由尼可拉·鲁平斯坦（Nicholas Rubinstein）来任院长了。

托尔斯泰这时的密切的朋友S.T.亚克萨可夫，前面已有提及，他是一本曾译成英文名叫《一个俄国绅士》的著作和其他著作的作者。

春天的苏醒的力量在这时托尔斯泰写给他的姑母A.A.托尔斯泰女伯爵的信里显明了：

> 啊，姑母！春天！
>
> 对于好人，活在这世界上是多么好啊；便是对于我这样的人，有时也会是好的。在大自然界，在空气中，在一切里面有希望，未来——一个引动人的未来……有时一个人欺骗了他自己，想想以为快乐和一个未来不仅仅在等着自然界而且在等着自己，这时我就快乐

了。我现在就在这种状态之下，用了显明的自我主义赶忙着把仅仅我自己发生兴趣的话来告诉你。当我清醒地检讨事件的时候，我知道很清楚的，我是一个老的，冷冻的小小洋山芋，而且这洋山芋已经煮熟，加上作料了；可是春天这样地作用于我，使我有时在幻想的狂风之中旋舞，以为我自己是一枝树木，和许多别的树木一样第一次在开放鲜花，而且这枝树木将平静地，简单地而且快乐地繁荣在上帝的世界中。结果是在一年的这个季令中，我内心里有这么一番洗涤，恐怕只有有过同样经验的人可以想像得到。一切古老的——滚了蛋！一切人世的传统，一切懒惰，一切自私，一切缺德，一切乱七八糟的勾当，一切悔恨，甚至忏悔，一古脑你们都滚蛋了吧！……让出地方来，让这奇异的小花，它在春光明媚之中正在含苞欲放！

又这样吹了一阵，结束道：

再会了。亲爱的姑母，我这一番谵语，你不见责我吧，用一个智慧的字眼，含着和善，基督教的和善的，来复我！我很久希望说，你最好用法文写信，女人的思想表现在法文里面，我更容易了解呢。

四日他又回到耶斯那耶，虽然时常不断的到莫斯科去，他总算在乡下过了一个夏天。从莫斯科向南到图拉去，这时还没有铁路，农奴们却相信着公路之旁，新建立的电报线的杆子一旦挂上了线，工事完成，彼得堡方面就要送“自由”来了。甚至于妲蒂阿娜·亚历克山德罗芙娜·艾尔戈尔斯基也不了解这些新完成的玩意儿，有一天沿着公路驰车的时候她就问托尔斯泰，请他解释电报如何可以写信。他尽可能简单明白的说明了，后来她回答：Oui，Oui，je comprends，Mon Cher！（是的，是的，我懂了，我的亲爱的！）到底她懂了多少呢？她一直观察那电报线，直到半个小时之后，她又问了：“可是，Mon Cher L’eon（我亲爱的辽夫），这是怎么回事，怎么半小时以来，我没有看到一封信从这电报线上经过呢？”

斐特和他的妻子离莫斯科或回莫斯科的时候，常常半路上停下来，到耶斯那耶停留一两天，而斐特所记载的妲蒂阿娜姑母，和托尔斯泰对这位老太太的热情的回忆也互可引证。斐特说他和他的妻子“认识了托尔斯泰的可爱的老姑母，妲蒂阿娜·亚历克山德罗芙娜·艾尔戈尔斯基，她接待我们是用那种旧世界的殷勤，使我们踏进一座新房子的时候立刻很舒服。她并不一天到晚的去回忆她的久已消逝了的过去，她全部生活在现时。

“她称呼他们都用小名，她说起塞辽夏·托尔斯泰到他毕罗戈伏的家里去了，可是尼士伦卡要在莫斯科和玛欣伽住得也许久一点，而辽夫奇卡的朋友，狄亚可夫最近倒来拜访过他们呢”，等等。

许多年后，托尔斯泰写下了和妲蒂阿娜在一起过的那长长的秋冬的夜晚里底回忆来，他说他的最好的思想和感情都是在这些夜晚中培养好的。他坐在他的手靠椅中读着，想着，偶尔也听着她和两个用人的和善而温柔的谈话：一个是娜塔莉亚·彼得洛芙娜（一个老太太，住在他家并不是为了有用处，是为了她没有去处），还有一个是年轻的杜南契卡。

这生活的主要的美妙在于不愁物质，而最近邻的人和和气气——谁也不能破坏的关系，而且很闲，却也不感到时间的飞逝，……

图拉的生活之后，在那里的一个邻家那样坏地生活过了：纸牌和吉泊赛女人和打猎以及愚蠢的虚荣，然后回到她那里，回到家来了，我们依照了古老的习惯吻着彼此的手，我吻她可爱的有精力的手，她吻我肮脏的淫乱的手，还依照了古老的习惯我们用法文来致意，然后我便和娜塔莉亚·彼得洛芙娜说说玩笑话，然后坐在我那舒服的手靠椅里面。她很知道我这一时做了些什么而十分的懊恼，可是从来不责备我，总是给我同样的和善，同样的爱，……有一次我告诉她，有一个人的老婆怎样跟了别的男人走掉，我就说，这个丈夫能够去掉这个老婆应该很高兴啰。突然我的姑母举起眉毛来说了，好像这是她蓄意已久要说似的，如果这样做，那丈夫是错的，因为这一来全部毁了那女人了。这话说出之后，她告诉我农奴之间所演的一幕戏。于是她又念了一封我的妹妹玛欣伽寄来的信，她爱她至少就跟她爱我一样，然后说到玛夏的丈夫（她自己的侄子）并不是责备他，只是说起了他给玛欣伽的创痛使她悲哀，……她的一生的要点，不自觉地影响了我的，还是她的仁慈，一般的对人人都没有例外的奇异的仁慈。我要想找出一个什么时候她生过气，或者说过一个尖利的字眼，或者责备了什么人的时候来，可是一连三十年，我想不起这样的例子来。我们的嫡亲的姑母曾经把我们和她分开，这事是深深地刺伤了她的，可是她说起她来也是连篇好话……至于她对待用人的仁慈——这是不用说的了。她所生长的社会中是分出主子和奴才来的，可是她承认这分别，只为了她可以去帮助他们……我那罪恶的生命，虽然直接使她受罪，却从没有直接责备过我。我的二哥舍尔该，她也温和地爱着他，甚至在他娶了个吉泊赛的女子同居的时候，她也不埋怨他。唯一的不安，为了这一件事是发生在有一天晚上，他回家太迟了，她就说："我们的舍尔该怎么啦？"就只是把一向称惯的小名塞辽夏唤了现在的舍尔该……她从没有用文字来教我们怎么样生活，从没有向我说教过。她的一切道德的工作是内心的；外表我们只看到她的行为：这不仅仅是行为；而是她的全生命——和平的，甜蜜的，卑微的，爱的，不烦恼也不自满，而是一个平静的不中断的爱底生命……她的感情如宁静使她的团体显明地诱人，给了她特殊的美妙，使人乐意做她的伴。我从没有知道过她得罪过人，也从没有知道不爱她的人。她从不讲到她自己，从不讲到宗教或者我们应该信奉什么，也从来不谈她信什么，她如何祈祷。她相信一切，只拒绝了一个教条——所谓永恒的受难说。"Dieu, qui est la bonté Meme, ne peut pas vouloir nos souffrances……"（上帝，自身是良善，不会希

> 望我们受难的……）她时常用我父亲的名字称呼我（尼古拉）这使我非常快乐，因为这表明她对我和对我父亲的观念是混合在对我们两人的爱中间的。
>
> 不是她爱我使我快乐。快乐的是爱一切人的，在的，不在的，生的，死的，甚至连动物在内底那种爱的氛围。

讲过了她的良善和感情之后，托尔斯泰在他的回忆中说，虽然他和她一起时的快乐是他欣赏了的，可是当时他不了解这快乐的全部价值，他接下来说：

> 她爱贮藏蜜饯：无花果，姜汁面包和枣子，在她房间里装了好几瓶，我不能忘记，想起来也不能没有楚痛，我几次拒绝了给她一点买这些蜜饯的钱，而她，悲伤地叹了口气不做声了。真的，我自己需要钱，可是我不能想起我拒绝过她而不感到害怕的。

然后，在另一个地方，他讲到了她的诚心诚意为人之后，又说：

而我竟然拒绝了她，拒绝了她啊，拒绝了这无花果，朱古律（不是为了她自己，还是为了给我吃的）这小小的快乐，能使她把零食拿出来给一些问她要零食吃的人的快乐……亲爱的，亲爱的姑母，宽恕了我！Si jeunesse savait，si vieillesse pouvait（但愿年轻的时候能懂得，但愿年老了以后做得到），这意思我并不说要年轻时底良善已是不可能的了，我是说对那些今已不存在的人，他们从未得到过好处，却只忍受着对不起她的行为。

关于辽夫这时在耶斯那耶的生活，长兄尼古拉给斐特写了如下一段幽默的记录：

辽夫奇卡热忱地尝试着要了解农民的生活和农事，这两者，跟我们这些人一样的，他直到现在只不过有一点儿肤浅的智识而已。可是我不知道他的尝试会给他怎么样的认识。辽夫奇卡想一下子把什么都把握得住，丝毫没有欠缺——连他的体育都包含在内。所以他在窗子底下装了一副单杠。自然，他这样凶恶的斗争，除了他的偏执之外，他是很对的；体育和农事并不冲突，可是管事人看起事情来用的眼光总不同，他说："有人来找主人问他的指示了，他穿着一件红色的短上衣，倒挂着，只用一条腿勾住了单杠荡来荡去，他的头发也倒挂下来了，东飘西飘，血液流到了他的脸上来，弄得人家不知道还是听指示的好，还是吓呆了的好！"

辽夫奇卡喜欢了农奴乌梵耕地时候伸直了的膀子，现在他看起来，乌梵是这村子里的精力的象征，像传说中的密古拉一个样子了，他自己伸直了膀子，开始耕地而且非常之"乌梵化"。

这时恰在解放农奴之前，所以地主和农奴之间的关系并不十分好，这一点我们可以参观他的日记：

一八五八年六月十九日。我不写，不读，不想，我忙着农事。争斗正在白热化。农夫们正在试着，可是固执。在格罗蒙的农夫闷在肚子里不说话。我倒是怕我自己。我从没有感觉到的复仇的感觉升腾在我的内心——我想我自己来向这村子的公社报复。我怕我会不公平。

五八年十一月廿七日。不行，我腐化到不可能的程度了。农事是一桩行凶的职业。今天拉左恩撒了谎，我狂怒了，于是用那最坏的习惯喊了一声，“罚打他吧”。我就等他来。我差人去把他送来，可是他们不去带他（以前他在警察那里挨到过一次打了）。我该请求他的原谅。以后我永远不能判决任何人，除非在两个小时的考虑之后……我已经请求他的原谅。给了他三个卢布，这事情却使我难过。

五九年十月九日。今年夏天我两次打了

人……

打人的回忆，或罚人肉刑的回忆，到了托尔斯泰的老年时，最使他难过了，虽然他这种动手脚大抵是非常地例外难得的情形，何况当时的人们都以为这是合法的必须的手段。

一八五八年五月，他写信给斐特：

> 亲爱的小叔叔（或者，我们可以说，亲爱的老孩子）：
>
> 我来涂两个字，说我要使劲儿拥抱你，收到你的信了，吻吻玛利亚·彼得罗芙娜（斐特的妻）底手，向你们作揖。姑母非常感谢你们的信，向你们致意，我的妹妹也向你们致意，这春天是多么地美丽，现在又多美。我在孤独之中尝得好极了。尼古拉哥哥一定在尼古尔斯可依。去抓住他，别让他跑。这个月我想看你们。屠格涅夫到了温席格去治他的膀胱了，说要住到八月。

让恶鬼吵他去。我已经爱得疲倦了。他抛弃了我们，他的膀胱是医不好的。

现在再会了，亲爱的朋友，如果你没有诗做好了给我来看，我到你那儿就要来榨你一下，榨出你一两首诗来——你的

L. 托尔斯泰伯爵。

另一封给斐特的信如下：

啊，老朋友，啊噢！首先，你音讯全无，虽然这是春天了，你知道我们全在想你，而且我像普鲁米修斯一样的被缚在一块岩石上，又饥又渴着要看见你，要听你的声音。你或者跑来，或者送我们一张正式的请帖。其次，你们拉住了我的哥哥，而且是个很好的哥哥，绰号叫“费尔陀西的”（这是指尼古拉的东方的学问的）。这件事主谋的罪犯，我猜起来是玛利亚·彼得罗芙娜，我卑微地鞠躬了，请她把我的亲哥哥放还。放开笑话，他（尼古拉）要我

告诉你们他下星期一定到这里。杜罗齐伊宁也要来，那么你们来吗？老朋友。

一八五八年十月二十四日他写信给斐特：

写小说是愚笨而且羞耻的。诗——好，该创作；可是爱一个人是最愉快的事。也许正和我的意志与愿望相背，不是我而是我心里一个尚未成熟的故事强迫我来爱你们了。有时候的确有这情形。在肥料，在患疥疮的动物之间，什么不好做，可是有时也使人想到创作了。感谢上苍，我现在能不允许我自己动手写他，我也不写了……非常感激你介绍的兽医。我在图拉找了一个，开始把那些疥疮医起来了，可是我不晓得结果如何。——可是让魔鬼都附在它们身上吧——杜罗齐伊宁向我申请，以友谊为口实，要我写小说。我想写。我想天花乱坠的搅一个没有头没有结尾的……可是把笑话放开吧，你的哈飞兹（斐特正在翻译几首哈飞兹的诗）怎样了？随你做什么，我觉得智慧和刚毅的最高峰是欣赏别人的诗，别让我自己的肮脏不堪的问世，让我自己的东西跟我每天吃的面包一起消化了吧。可是有时一个人突然有意思做一个伟大的人物，还没有伟大是使人心焦的，有时甚至于手脚都快起来，快快的吃完了饭，以便开始……寄给我一首诗吧，你翻的哈飞兹中间的最康健的，Pour me faire venir l'eau a la bouhe（也让我流流口水）。行猎使我厌烦了。天气极好，可是我不打算独自行猎。

结了伴，托尔斯泰确是一个好猎者，一八五八年的十二月，在出外猎熊的时候，他还几乎送了命。他写了这个故事，修饰了一下，编在《二十三个故事》中给孩子读的一辑里。事实经过是这样的：

托尔斯泰和他的哥哥尼古拉结识了一位格罗美卡先生，他也爱打猎——但是这种运动与英国人的不相同，读过托尔斯泰的描写的读者想来已知道了。

格罗美卡听说在彼得堡与莫斯科之间，在伏罗卓克的铁道附近底森林里，有一只雌熊和两个幼熊筑了巢穴，和当地的农夫讲定了，约了托尔斯泰两兄弟和别的人们就去猎熊。这个邀请，托尔斯泰接受了，十二月廿一日，辽夫还打死了一只。廿二日，这个集团的人每个拿了两枝枪，安置在森林四周，雌熊的包围圈的出口上面，这些出口把森林像棋盘格子一样的划分了。雇用的农夫，作为打手，要防止这头大兽的奔窜，要把它驱向一个或别个行猎的运动员底附近去。著名的职业猎户奥斯塔可夫视察过一切布置了。宾客们受到了劝告，说要把四周的雪踏平，以便他们有自由行动的范围；可是托尔斯泰（凡是规定了的，他总不肯照做）驳道，他们既是射熊的，当然并不打算和熊打架，无须得把积雪踏平了。于是他手执着双铳的火枪站着雪里，雪齐到了他的胸口。

奥斯塔可夫的呐喊声惊动了那熊，使她从一个出口奔走，冲向一个猎者，可是她看见了他，突然从她的道上避开，取了这样的一条途径，恰好是直通到托尔斯泰那里的。他并没有准备了那野兽底到来，只在她离他六码的地方才开枪，第一枪没有打中，那野兽离开他只有两码的时候，第二枪射中了她的嘴。然而这命中并不能阻止她的奔窜，她已经把他打倒在地面的积雪之中。奔窜之势太大了，那野兽一冲冲了过去，可是她又回过来了，然后托尔斯泰所能感觉到的便是什么笨重而又温暖的东西把他压倒了，而且觉得他自己的头颅被吸进了这野兽的嘴吧。他只能被动地防御一下，尽量把他的头颅缩进在他的肩膀里，还试着把自己的帽子去代替他的脸喂那个熊。这事只不过几秒钟光景，可是已经够那熊摆布他了，一次两次咬不准，第三次把她的牙齿咬到他左眼上下。这时奥斯塔可夫拿了一根小铁棒奔上来了，喊着："你怎么了？你怎么了？"这一来吓住了那熊，她一溜火星逃走了。第二天，她被他们追踪到了，他们杀死了她。而托尔斯泰的伤痕，起先因为皮破血流，流血太多，似乎是很严重的，可是用雪水来洗了他的脸，把他送到最近的镇上，把破口缝了起来，这个伤势却幸而是并不很重的，从此他带了这个疤瘢，作为一次意外的纪念；这雌熊的皮现在还能在耶斯那耶看到。

前一章所谈到的《快乐家庭》大部分是作于一八五

八年的，发表之年则是一八五九年。

一八五九年的第一个月，托尔斯泰在莫斯科，二月四日，参加了莫斯科底俄罗斯文学之友协会，他第一次作了一个公共演说，这一类事，他曾经告诉过我，他素不擅长而且毫不感到兴趣的。他把演讲辞写了出来，本想在这个协会的会报上发表，可是终其一生，这篇东西并没有问世。题目是:《文学中底艺术的本质至上论》，而其中的立足点和他四十年之后在《艺术论》[《什么是艺术？》(*What is Art*？)]中所倡言的一个立足点恰好全部相反。

斯拉夫派的A.S.浩密亚可夫，会议的主席，答复了他，在答辞之中，他说：

> 容许我加一个按语；你这样巧妙地申说了的意见，尽管正确，却还是不能够摧残目前的文学，那临时的，例外的一方面底合法存在的。那所谓永远正确的，那所谓永远美丽的，那所谓永远的不变的，最基础底灵魂的法则，毫无疑问，在人类的思想，冲动，以及在演讲辞中

应该被提起，而且是应该被提在第一位的。这艺术本质，只有这艺术本质是一代又一代地传授下来的，并且是从一个国家散布到另一个国家去的，是被当做可宝贵的遗产的。可是在另一方面，在人底天性，在社会的天性之中，控诉的文学还是不断地被需要着。有的时期，特别在历史中是非常地重要的时期，这样的人的控诉是一种特殊的，颠扑不破的权利，就也特别明确而锐利地在文学之中表达了出来……

艺术自然是完全自由的。它在它自身中间找到理由，找到目的。可是艺术的抽象性的自由与艺术家的内心生活无关。一个艺术家不是一套理论——他并不在思想的领域里，并不在智力活动的园子中，艺术家是一个人，而且是属于他自己的时代底一个人，他常常是这个时代底代表，他完全具有这时代的精神，这时代的明确的或正酝酿的希望。具有了他的性格中底这一个感性（Impressionability）——没有这个，他是不能成为艺术家的，他比其他的人更多地接受了他从中诞生的社会底一切苦痛与一切喜悦……

所以著作家，纯粹艺术的奴仆，有时甚至是不自觉的，违乎他的本意的，成为了一个控制的人物。让我来举你，伯爵，作为例子。你意识地走上了一条一定的道路，非常忠实，不愿意离开它，可是你自己真的是跟控诉文学漠不相关的吗？一个患肺病的邮差死在一个炉火旁边，他的同伴对他的苦痛显然漠不关心（见《三个死亡》），你没有指出了什么社会的疾病，什么罪恶吗？在描写这样的死亡的时候，这些良善的，然而并没有觉悟底人类的灵魂这样地漠不关心和麻木不仁，难道你并不感到苦痛吗？是的，你也感到苦痛，而你也是，不知不觉的一个控诉的作家啊！

这个问题，文学艺术的真实地位，它跟生命的其他部分的关系，以后占去了托尔斯泰许多年的工作，而在十九世纪结束之前，他终于用一部著作说明了他自己的意见，这本著作，凡讨论到这个问题的人都不能忽视而不顾。

四月中他到彼得堡去了，跟A.A.托尔斯泰女伯爵快乐地过了十天。月底，他到耶斯那耶。七月，屠格涅夫从法国写了一封用素体韵文写的长信给斐特，其中有几行是有关于这时候他和托尔斯泰之间的关系的：

用我的名义和尼古拉·托尔斯泰亲吻，
对他的老弟辽夫，为我鞠一个躬。
同样的礼貌给他的妹妹。
在他自己给我的信“又及”中说得好，
“没有理由”让我写信给他，
真的，我知道他是爱了我一点儿的。
而我也爱他同样多的一点儿。造成
我们两人底原料的配合就是这样不同。

这一年冬天，托尔斯泰大部分的时间化在创立几个学校的企图上，校址是打算在他自己的那个田庄上以及在他这田庄附近的地方上的。农村的儿童教育是当时的俄罗斯最需要但最忽略的。托尔斯泰认识了这一点，热忱地研究如何处理这个问题。但这时所做的工作只是他第二次欧游归来以后所做的工作底预备。他自己这时的心灵却并不平静，一八六〇的新年的到来，使他在日记中这样地写：

> 田产的负担，独身生活的负担，各种的怀疑和厌世的思想激动了我的心灵。

一八六〇年二月廿三日。写给斐特的信上说：

> 我读了屠格涅夫的《前夜》。我的意见是这样：写小说是最不讨巧的，特别对这种忧闷的人，自己不知道他们要从生命去拿些什么的人。然而《前夜》比《贵族之家》好得多了，里面有出色的否定的人物：艺术家和父亲。其余的人却并非典型；甚至他们的观点，他们的地位都不是典型的，或者他们都很不足道。这却常常是屠格涅夫的毛病。女孩子写得是不可

救药地糟:“啊,我何等爱你……她的眉毛是长的。”大体上说来,这是时常使我奇怪的事,屠格涅夫有这样的智力与诗的感觉,可是在他的创作方法里,他还是被“放逐”(Banality)在外面,这种“被放逐在外”尤其在他否定什么的时候显而易见,令人想起果戈里(Gogol)来,对于人物没有仁心,没有同情,作者把怪物展览了出来,骂了他却并不可怜他。这一点特别和自由主义的调子不合,和自由主义的步调苦痛地不一致。在哥罗克沙皇(一个神话中的人物)的时代,或者在果戈里的时候,这还是可以的(作家本来可以不去可怜他所写的最不足道的一些人物,可是他该骂得他们至于天崩,或嘲笑他们至于地裂,决不要像我们的忧悒的,消化不良的屠格涅夫那样做)。然而现在还没有别人能写得像他的小说那样,虽然他写的小说还不成功。

奥斯托洛夫斯基的《大雷雨》,我看是坏作品,可是一定卖座。不能责备屠格涅夫和奥斯托洛夫斯基，该责备的是这个时代……现在需要着一些别的：不仅我们该学习和批评，而且我们知道了一点儿的时候，就该拿这一点儿去教张三和李四。

这一封给斐特的信，尾巴上还要他，因为他在莫斯科，代购一点书，其中有一本兽医学，还要兽医的用具，人用刺络针，还要他去看看六个新式的特制的农具，并报告荷兰豆和长穗草的市价，因为托尔斯泰要出售这两种农作物。

这时，他在写《哥萨克人》，计划是一八五二年草就的，但出版了一部分只有一八六二年才完成。

读他的日记时，看到一些记载，是说明他这时的宗教观的。在他读了一本唯物论的著作之后，他记着：

我本能地想到了祈祷者。向谁祈祷？什么是上帝，被这样明白地幻想为一个可以向他请愿的东西，可以和他感应的东西？如果我也这样地幻想的话，他对于我就毫无伟大之可言。

可以向上帝请愿，可以供奉上帝，岂不是意志薄弱的明证。他之所以为上帝，因为“他”的性格不是我所能想像的。是的，他不是一个物质，他是一个法律，一种力量。

他使他的朋友们和熟识他的人们咄咄称奇——他常常抓紧了自己的意见不放，然而有时候他并没有明了了他自己的意见是什么。屠格涅夫写信给斐特：

辽夫·托尔斯泰还是奇僻。一定是生下的时候有神意的。什么时候他才翻好最末一个跟斗而站立在地面上呢？

托尔斯泰，正如他的朋友斐特，正在忽略文学，这个事实，招致了许多人的反对。最急切的自杜罗齐伊宁的，这样写着：

每一个作家有他的怀疑，对自己不满的情绪，这情绪不问其如何之强，如何地合理，人们不应该因此而停止了他和文学的关系，人人应该著作，直到最后为止。可是，你呢，一切好倾向，坏倾向都是特殊地固执的纠缠住了你不肯放的，所以你这人应该比别人更多地想到这个，善意地考虑整个问题……

我们这些人的身上，有一个责任，文学对俄罗斯的社会底非常的重要性是这责任的根源。一个英国人或者一个美国人可以嘲笑这一个事实的，就是说在俄国，不仅是三十岁的人，而且连拥有两千农奴，头发灰白的地主们，都在流着汗读着发表在杂志上底百余页的小说，人人都读，在社会上引起讨论来日夜不分。这固然是因为艺术的特质才造成了这样的结果的，可是仅仅用艺术两个字不能解释它。在别的国家，文学是酒后茶余的消遣，夸夸其谈，不负责任，可是在我们决不如此。我们之间，事情是这样的形成了的，就是一篇小说吧——这是文学形式中最轻佻而卑微的。我们也认为它只是两种东西，或者这是废话连篇，或者它是全帝国的一个领袖的声音在呼号。俄罗斯的读者，由于他们的奇怪的直感，从大批作家之中挑选了四五个警钟似的作家出来，把他们尊为领袖，不愿意有所增，也不愿意有所减。你——一部分因为才能，一部分因为你灵魂中的实际化，而又一部分因为有利的情形里连连地碰到的缘故——已和读者大众有了这可喜的关系。因此，你决不能走开而且躲掉，必须工作到精疲力竭。如果你离开了这作家群，毫不活动，你会消沉下去，至于放弃了你在社会中的一个重要的任务的……

这时，他的长兄尼古拉——像德米脱里一样，有着肺病现象的——他的健康开始来烦恼托尔斯泰了。他们布置了——把尼古拉送到德国去养病。尼古拉出发以后，托尔斯泰写给斐特的信里提到了这事和别的：

我忙得六神无主，七窍生烟了。庄稼的事，以我的田庄上所要做的事来说，够把我毁了。我只希望着一切“乌梵化”(乌梵是一个农奴的名字;“乌梵化”指像这人一样的工作,见前)。家务啊,尼古拉底病(我们还没有得到过他去国以后的消息),妹妹的离家(离家三天了)也占据了我的心而毁了我。独身的生活,就是说,没有一个老婆,想想现在已经太迟了,这是第三样毁我的东西,大体上什么都是跟我失去了和谐的。看看我妹妹底无能为力,想想我的尼古拉的病,明天打算去领张出国护照,也许我要伴我妹妹到外国去,特别是如果我们没有尼古拉的消息,或者有了坏消息的时候。

一八六〇年五月廿六日,日记中记着:

五时即起,指挥工作,无往不利,使我很快慰……晚上为了施肥料的事而生了气。我自己下去动作,流了一身汗,于是一切又很好了,似乎我喜欢了所有的人一样。如果我这样的崇拜工作而没结果，才奇怪呢。

尼古拉的情形并不好，他从苏顿的海塞·纳苏写了信出来：

> 在苏顿我们碰到了屠格涅夫，他还活着，而且很好——这样好，他自己承认他是“几乎”痊愈了。他找到了一个什么德国女孩子而且迷上了她了。我们（指我和我们的亲爱的屠格涅夫）一起玩了棋，可是似乎我们不应该做这件事的：他在想他的德国女孩，我在想我的病……也许我在苏顿至少还要住上六个礼拜，我不能描写我的旅行了，因为我一直病着啊。

六　二次欧游

最后，辽夫 · 托尔斯泰决定伴同他的妹妹和她的孩子出国去了，一八六〇年七月三日（旧历）他们从圣彼得堡搭了轮船到斯丹丁，一路向柏林而去。除了为长兄的病况不安之外，托尔斯泰出国还有别的理由：他希望研究欧洲的教育制度，看看这一方面，人家已有了什么成就，因为现在他已决意献身于这个工作了。

到柏林之后，他牙痛了四天，就留下来，让他的妹妹到苏顿去陪伴尼古拉。他去看了一次医生，因为这时他还有头痛病和痔疮，医生劝他到基星根去治疗。

他在牙痛停止之后，住柏林只不过几天，七月十四日（旧历）动身，那时他已经听了几次演讲，还参观了在 Hand werkersverein（手工业会）主办的手工业夜校，看到了“问题箱”的设备，极感兴趣。这一种引起听众兴趣的设置，使他们随意向演讲者问问题，使他觉得新鲜，他看到由这设置而造成的教室空气的活泼，以及学生和导师之间交换智力底自由，更为惊异不止。几个月后，在伦敦，他看到了同样的事情，他告诉过我，在那儿所看到的，再没有比他在南肯星顿参观的一次讲座更使他感到兴趣的了，那里面工人发了问题，由专家出来答复，用的是最通俗化的说明。

在柏林，他参观了莫阿皮脱监狱，里面是有个个别幽闭的刑罚，他非常地反对他们用这样机械的方法来寻求道德改良之道。他从柏林到了莱比锡，化了一天视察学校；他并不满意，可以从他的日记上看到："到过一个学校了——可怕。为皇帝祈祷；体罚；硬记硬背；受惊了的，麻痹了的孩子……"于是他到德莱斯敦，去拜访了小说家奥尔巴哈，他的新作名叫《一个新生命》（*Ein Neues Leben*），影响了托尔斯泰极深。这小说的主角是福尔铿堡伯爵，军队的官长，闹了事，从监狱中逃了出来，买了一张教师攸金·博门的护照，就用了这假名字，把自己献身于教育农村儿童的工作上。奥尔巴哈走进了托尔斯泰在等候的房间，后者这样地介绍了他自己："我是攸金 · 博门。"用了这样严重的声调，这样不愉快的表情，以至奥尔巴哈吃惊了，甚至以为是有人要告他诽谤罪。然而托尔斯泰连忙解释，"——不是同名，是不同性格——"，就解释了奥尔巴哈的 *Schwarzwälder Dorfgeschichten*（《黑森林的故事》）曾给了他何等良善的影响。

在德莱斯敦停留了三天之后，他去了基星根，这时候，这地方离尼古拉所在的苏顿大约是五个小时的旅行。存心还是考察教育，托尔斯泰一路上读着一本教授法的历史。

从基星根他写了信给妲蒂阿娜姑母说，他觉得治疗于他非常有效，还说：

> 诸通知管事人，庄稼的事，关于收成，关于饲马以及它们的病况，请他详详细细写信告诉我。请校长先生把学校的情形告诉我，学生有多少是在上课，他们学习得如何了。秋后我一定能回家，打算比过去化更多的时间在学校里，我不希望我不在的时候，学校的名气变坏，

我希望从各地来的学生越多越好。

在基星根的时候，他读了倍根（Bacon）和马丁·路德（Martin Luther），结识了朱利士 · 福洛拜尔（Julius Froebel），他是“社会政治学体系”的著者，幼雅园制度的创设者的侄子。福洛拜尔自己也对于教育很有兴趣，而解释他的伯父的见识也要算他是合适的一个人了。

托尔斯泰当跟这新结交的朋友散步，而使这位朋友大为惊奇；倔强地保持自己的见解，他决不肯和人妥协。而在面对着斯拉夫派的时候，却不像他背着他们的时候是个相当底斯拉夫派。俄罗斯的进步，托尔斯泰说，其基础在普及教育之上，在俄国普及教育的结果会比在德国的好，因为俄罗斯的人民还没有发育，而德国人民却已经像受过坏教育的小孩子一样了。普及教育不应该强迫施行。如果它是一种福气，人们会自然而然的要求受教育的，正像饥饿要求饮食一样。

托尔斯泰游览了基星根一带的乡村，然后向北旅行，通过了风景名胜，有历史上的兴味的日耳曼的土地，到艾森巴哈（Eisenbach）之后，拜访了伏姆斯会议（Diet of Worms）之后路德受幽禁的华脱堡（Wartburg）。这位伟大的宗教改革家的人格非常感动他，在看了路德开始译《圣经》的那一个房间之后，他在日记里写道："路德是伟大的。"二十年之后，托尔斯泰自己也从事于解放宗教信仰，背叛当时的教会的工作，他主要的反教会的工具虽不像路德一样的译了全部《圣经》，却译出了四福音来。

同时，尼古拉的健康非但不好，反而更坏了。舍尔该在轮盘赌上输光了钱，决定回国，顺便在基星根看了一次辽夫，告诉他担忧着尼古拉。后来辽夫在哈尔兹（Harz）山中过了两星期，大大的游赏了风景，读了不少书。八月廿六日，他到了尼古拉那儿，他妹妹和她的孩子们也都在苏顿。医生们说尼古拉应该在一个气候温暖的地方过冬，地点选定了吐隆（Toulon）附近的希艾利斯（Hyeres），地中海的岸上。

这一个家族的旅行第一步到曼茵河上的法朗克府（Frankfort-on-Main），A.A. 托尔斯泰女伯爵也在那儿。她把辽夫这次拜访她的故事这样的报告：

有一天海斯的亚历山大亲王和他的太太来找我，突然的，那时候会客室的门大开了，辽夫出现，穿着最奇怪的衣服，令人误认为画像上的西班牙的匪徒。吓得我换不过气来。辽夫显然不喜欢我的客人，立刻就走了。

“谁是这一个单身的客人？”我的宾客们这样问。

“是托尔斯泰啊！”

“啊，我的天！为什么你不告诉我们他是谁呢？读了那些可羡作品之后，我们真真想看看他的人啊。”

责备之辞似雨的投向我，夹杂着对于他的才能的喜悦的赞美。

第二次我见到他的时候，我告诉了他人们如何的赞美他，可是他只注意了一点，说我当时为了他那模样儿涨红了脸。

我迟疑了一下说：“也许是的，你那野蛮的衣服，狰狞的外表，人人都要称怪的。”

“烟囱，这全是烟囱！”他用了稍稍地被

冒犯了的声调吼着。

所以他的怪样子弄得我两面不讨巧。

这一家从法朗克府到了希艾利斯，在那儿，尼古拉是很快的患病更重，更重，一八六〇年九月二十日就过世了。

认识他的人无不羡慕他，爱他，世间也少有这等样的被爱的人物。唯一可以非议他的事是在高加索从军的时候，他脾气也像许多同僚一样地坏，可是退伍以后，他又恢复了自制。我已经讲过在蚂蚁同胞（Ant-Brotherhood）的早年时期中，他如何影响了辽夫，也讲到那根青色的桠枝所埋葬的地方，后来托尔斯泰就葬在这一个原地上。尼古拉生时不断的影响人家，以至脾气不相同的人们都同声赞美了他的可爱和良善。托尔斯泰底爱尼古拉，他的尼古拉的记忆，影响了托尔斯泰批判生命的标准，凡是注意地读他底作品的人，总能发现。

屠格涅夫有一次说：

辽夫·托尔斯泰理论上发展了的卑微的为

人之道，他的长兄在实际生活中是做到了的。他总是住在不能住的房子里，差不多是茅棚，在什么莫斯科的角落里，把他所有的一切都给了最贫困的人。他是一个愉快的伴侣，善讲故事，可是要他写，仿佛机能上不可能的样子，动起笔来像动惯了锄头的农夫拿不动笔一个样的难。

事实上，尼古拉写过很好的《一个猎人的回忆》发表在《同时代人杂志》上。

没有人死得这样使人家哀悼。当夜，辽夫写信给妲蒂阿娜姑母：

亲爱的姑母！——这黑色的标记已把噩耗报告你了。两个星期来，我一个小时又一个小时地等着的事，今天早上九点钟发生了。只有从昨天起，他让我帮助他脱衣服，今天还是第一次他正式的躺在床上，吩咐我们去请一个看护。他一直清醒到死，死前一刻钟他喝了些牛奶，告诉我们说，他有点不舒服。甚至今天他还说笑话，并且对我的教育计划感到兴味。他死前的几分钟里，低语了几次：“我的上帝，我的上帝！”我觉得他是明白他自己的情况的，但又瞒着我们。玛欣伽是今天，四个点钟之前，离开希艾利斯到三里之外她的住所去的。她绝想不到他死得这么快。我刚才阖上了他的眼皮。我马上就要回到你那儿，亲自把一切情形告诉你。我不想搬运他的遗体了。戈里津郡主承当了一切，将给他安排葬仪。

再会了，亲爱的姑母，我不能安慰你。这只是上帝的意志——只能说这一句话。我现在不想给塞辽夏写信。他现在也许出去游猎去了吧，你是知道他在哪儿的。请你告诉他，或者把我的信转给他吧。

葬礼以后的一天，他写给了舍尔该：

我想你已经听到了尼古拉的死讯。你偏

不在，使我为你伤心。这事虽然难受，但一切发生在我在他前面的时候，而且是很有程序地发生的——不像德米脱里（他的三哥）的死，听到他的噩耗时，当时想也不曾想到他。这次却是不同的了。我和德米脱里，只有幼年时期的记忆，只有家族的关系，这次的死者对你我都是一个人格，我们都爱他，我们“敬重”他远胜于此世任何一个人。你懂得有一种积久生怨的自私感觉：免不了死就早一点死吧，现在来写这个，想起以前有过这种念头真是可怕。到他临死的一天，他是那样具有卓越的力量的性格，他是那样具有集中底精力的人，他做了一切来减轻我的负担。临死的那天，他自己穿衣，自己洗澡，早上我去看他，他穿了衣服睡在床上。死前几个小时的时候，他认了命，自愿地让人替他脱衣服。这先是发生在厕所中的。我下楼梯时听到他开了门。回来时找不到他。起先我不敢去看他——他时常不喜欢我们这样做，可是这次他自己喊了：“帮我一下！”

他让了我们，这天完全不同了，又平静，又和气。他并不呻吟，谁也不责备，他赞美了每一个人，还对我说过："谢谢你，亲爱的朋友。"你了解这句话在我们之间的意义。我告诉他早上我听到他咳嗽了，可是为了Fausse honte（假意的羞涩）没有来看他。"不必如此，"他说，"这可以安慰我的。"他受苦吗？他受苦的，可是只在他临死之前一两天他才说出了："这些失眠的晚上是多么可怕啊！早上，咳得使人换不过气，永不停止！那么痛——上帝才知道。再这么一两夜——这是可怕的！"他一次也没有明白地说出他自己的必死无疑。可是他只是不说罢了。临死的那天他还吩咐了要拿一件睡衣，然而当我说了，如果他并不好起来，我和玛欣伽就不到瑞士去，那时他答道："你们道是我会好起来吗？"这样的语调，他显然是知道他要死，可只是为了我的缘故他不说罢了；还是一样的，我也知道什么快发生了，所以这一整天不离开他。外表上看来，他死时毫无苦痛。他呼吸得更慢，更慢——一切就过去了。在他的病中所表示的倒是更多的苦痛，更可怕的状况，你不能想像他的脸，带着他底最好的，欢快的，平静的表情，是多么地美。

昨天他在这里落葬了。我曾经想了一下，要把他的遗体运回故乡，再打电报给你；可是我又考虑了一下。不要碰破了伤痕吧。我为你伤心的是消息到达你那儿的时候你在打猎，你的精力另有贯注，你不能像我们一样的难受。这也是好的。现在我却感到了人家告诉过我的话，在失去了那样的亲人，像他对于我们的亲人之后，一个人是更容易于想起他自己的死来了。

一八六〇年十月十三日，日记中记着：

尼古拉死了快一个月了。这件事可怕地使我和生命相隔离。又是这问题：为什么呢？一天天更接近死了，到哪儿去呢？什么地方都不去！我试着写作，我强迫了我自己可是干不好，因为我不觉得我做的工作有什么重要性，因此不能给他足够的精力和忍耐。就是在葬礼上，我想到了要写一个唯物论的福音书，一个作为唯物论者的基督的传。

我们已经看到了托尔斯泰晚年要做的事，它们的种子如何一个个的种在他的心灵里，在他的幼年中，有了“蚂蚁同胞”的热情，他哥哥的影响，妲蒂阿娜和进香者的影响；于是，结识了伏尔泰（Voltaire）和别些怀疑论者的作品，他埋起了对神秘主义的信仰的炸药；于是，在塞伐斯多波所想到的“创设一个新的宗教，洗涤了教条和神秘主义的基督教”；于是研究路德的改革，而现在一个合理的基督传的意念。

十月十七日，他写信给斐特：

我想你已经知道所发生的事。他在九月二十日死去了，可以说是死在我的手臂之中的。我一生中从没有过这样深刻的印象。他说得是很对，没有比死更坏的事了。可是当一个人好好地想了一想，这是生命的结束，那么也从没有比生更坏的事了。为什么要挣扎，要尝试，一切以前是尼古拉·托尔斯泰的，现在什么也不属于他了？他并不说出他感到死的临近，可是我知道他注意着那临近而来的每一个步伐，明明晓得他还剩下多少和多少，死前若干时，他睡着了，可是突然醒来，恐怖的微语："这是什么？"是这时他所看见的——化入"乌有"之中的他自己。如果他已发现了他自己的无所依赖，则我还能依赖什么？更少了。可以断言的是我或者别人，都决计不能像他那样战斗至死的。两天之前，我对他说："我们要在你的房间里放一个便器。"

"不，"他说，"我很弱，可是还不至于这样弱；我还是挣扎一下。"

直到最后，他并不放弃，为他自己做了一切，尽量使自己有事做。他写了些东西，问起我的文章，给了我一点忠告。我却觉得他这样做并不是为了内心的冲动，只是为了原则的缘故，有一件事——他对于大自然的爱——他是始终不渝的。前一天，他走近他的寝室，因为弱了，倒在敞开的窗子之前底床上。我走到他那儿去，他含着眼泪说：“这一个点钟，我享乐得多么好啊。”

我们从泥土中来，到泥土中去。留下的只是一个——这微弱的希望，在那儿，在大自然中间，我们成为泥土的一部分了，多少还留着些什么，还能留给人看。

一切知道他的人，看到他的临终的人说，“何等平静，和平，他死了”，可是我知道他受了多少的苦。因为他的感觉，没有一点儿是逃过了我的观察的。

我给我自己说了一千次，“让死者埋葬了他们的死亡”。一个人有多少力量总要使多少力量，可是一个石子总是向下掉的，你不能设法叫它上弄。一个人疲劳了是不会笑的。一个人不愿吃的时候是吃不下的。那么，这一切的生命是什么？当明天，死的刑罚就要开始了；痛恨虚伪，痛恨自我底欺蒙，结果总是自我的消失。妙事啊！要有用，要有利于人，生时当欢乐——人们互相的走告；只有你，和快乐，和美德，和功利中包含着真理。可是三十二年来我所得到的真理是我们所在的地位，那么可怕。“生命是这样的，就这样好了；你自己把你自己安顿在生命的中的。”如何安顿？我就这样的过生活！可是一个人的发展愈高，他越能看见这一切底胡闹和欺骄，而所谓真理——他爱真理还比其他一切更甚——可是，可怕得很。在你好好儿的观察了生命，看清楚了以后，你醒来了，吓了一跳，像我的哥哥一样地震惊地说了：“这是什么啊？”

自然，求知之欲，并诉述真理，是只要一个人存在一天，一个人总该求知并且诉说的。现在留下给我的只是这样一个德性的世界了，更高于此的我却跨不进去。我只能这样做，可是，我并不要用你的那种文艺的形式。文艺是一个谎，我却再不能爱一个美丽的谎了。

我要留在这里过冬，因为我此刻在这里，而人，住哪儿岂不都是一样。请来信吧。我爱你正如我大哥爱你一样，你是他临终还记得的人。

一个月之后，我们发现他已经换了另一副口气了：

一个十三岁的孩子，苦痛地死于肺病了。为什么挣扎呢？唯一的解释是他有未来的生命可以补偿他的信仰。如果这信仰不存在，正义也没有了，有也没有用了，追求正义便也是迷信了。

次日，他又写道：

正义乃是人求诸人的主要的要求。在他与宇宙的关系中，人也求这个正义。没有一个未来的生命，生命是有缺陷的。自然学家说，适应它的目的是唯一的，不变的，自然底法则。可是，在人类灵魂的最好底表彰，爱与诗歌之中，这还是缺乏了的。它曾经存在，消失，时常来不及被表彰出来。如果适应未来生命的目的是她唯一的法则，大自然却又给人类以爱，以诗歌的需要，大自然是走出得太远了。

大约在二十年之后，在他的《忏悔录》中间，托尔斯泰用了这样的话来谈到尼古拉的逝世：

另一个可以证明给我：迷信进步不足以做生命的南针底事件是我的长兄的死。智慧，良善，严肃，他年纪虽轻却患了病，吃了一年多的苦，苦痛地死去了，不知道他为什么活了，更不知道他为什么又死去。在他又慢又苦痛的死亡过程中，没有一条定理可以答复他或我这样的问题的。

在他的长兄死后约一个世纪的四分之一时间内，那时托尔斯泰所写的作品中，任何人只要稍加留意，便能发现，为这个“未来的生命”他怀疑了多少长久，如何他这时表示了一个意见，彼时又表示了另一个意见。

在希艾利斯他继续的考察教育问题，为这原因几次跑到了马赛去。他也写作；继续写《哥萨克人》，又开始了一篇普及教育的论文。他那时的情形，从他妹妹那儿我们略有所知，她说起邓杜可大·考萨可夫亲王邀请他们参加一个照例的晚会，这次托尔斯泰是要串一个狮子的角色的，当时他却不到。到会的人，包括了一些“顶好”的人物，渐渐的气闷起来了，尽管主妇努力使大家活泼却无效，最后，一声宣告，托尔斯泰伯爵来了。主妇和宾客立刻兴奋了起来，可是惊奇的发现托尔斯泰穿了一件旅行的袍子，穿了一双木头底的靴！他有了一次长途的步行，赶回来已经很晚，来不及回家去换装束，就一直跑来参加这晚会；他刚一进屋，便开始劝人家穿那最好，最舒服的木底靴。甚至在当时，他也已经是一个可以随心所欲的人物，因此这晚上非但不给他破坏，他的怪样子却提高了大家的情绪。于是唱了不少歌，而伴奏是轮到他来担任了的。

在希艾利斯，长兄死后的托尔斯泰和他的妹妹和她的三个孩子同住在一个寄宿舍中，其余的寄宿者中间有一位泼拉斯金夫人和她的羸弱的九岁的孩子舍尔该，这孩子是肺弱的，可是活下去成了一个诗人，还出版了他的托尔斯泰的回忆录。泼拉斯金描写他这时是一个强壮，阔肩膀的人，有一个好脾气的微笑悬挂在他的脸上，而四周是浓密的厚厚的络腮胡子。一个依旧带着两年前给那熊咬破了的伤痕的大额角上，智慧的慈祥的眼睛从眼眶深处闪耀。“托尔斯泰，”泼拉斯金说，“是我们小团体的灵魂，我从没有看见他气闷过；相反的，他喜欢用他的故事来娱乐我们，有时这些故事是幻异到顶点的。”托尔斯泰起身很早，当他工作的时候，小孩子们可不能去闹他，只能奔进房子一声“早安”。除了他自己是一个不知疲倦步行者之外，他还时常的计划团体的远足，不断地找出新地方来让人去游赏：如波凯洛半岛上的制盐场，如一座圣灵的小山，山上的寺院里有灵验的圣母像的，又如名为“仙女幽窟”（Trou des Fees）的古堡废墟。这些远足总带着一条小驴子，给他们携带粮食，果实和酒的。

沿路托尔斯泰时常给我们讲故事。我记得有一个是关于一匹金马和一枝巨大的树木的，站在树顶上，所有的海洋，所有的城市都可以一览无余。因为我的肺弱，他时常把我放在他的肩膀上，一边走，一边继续的讲故事。不用说我们都愿意为他牺牲我们的生命。

吃饭的时候，托尔斯泰时常给寄宿舍的法国女店主讲许多奇怪的俄罗斯的故事，讲得她们似信非信，最后还得泼拉斯金夫人出来说明，他的故事里，哪些是真的，哪些是他的杜撰。

夜饭之后，或者在洋台上，或者在室内，开始了表演，歌剧或舞剧，钢琴伴奏：孩子们“无情地吵闹着听众”（其中包含两位太太，托尔斯泰和泼拉斯金的看护妇）。之后开始体育训练，托尔斯泰当了教师。“他躺平在地板上，我们也就照了他样子做，不准用手，从地板上坐起来。”他又用绳子做了一套东西挂在门口，自己在上面翻来翻去的表演，弄得孩子们不亦乐乎。

后面的一种把戏弄得太热闹了，太太们就请求托尔斯泰征压这吵闹的声音，他就把孩子们围坐在桌子上，吩咐他们拿了笔和墨水出来。

这时干的事情，从下面可以看到，是些什么了：

“听，”他有一天说，“我要给他们上一堂课了。”

“什么课呢？”眼睛光亮的丽莎问。

他不理外甥女的问题，他继续的说：

“写……”

“写什么呢，舅舅？”丽莎还是问。

“听：我要出题目了！……”

“什么题目呢？”

“一个题目！”托尔斯泰坚定地回答：“俄罗斯和别的国家有什么不同？在我的面前写下来，不准抄别人！听见吗？”他神气活现地说。

半小时之内，这些“作文”交了卷。泼拉斯金得念他的自己的东西，因为他写得上下不清楚，别人都看不懂。在他看来，俄罗斯和别的国家不同在，欢狂节的时候俄罗斯吃滨格饼，从雪上溜下来，复活节的时候他们染红蛋。

“刮刮叫！”托尔斯泰说，就继续看科尔耶的稿本，俄罗斯的不同在于雪，而在丽莎的文稿中，三匹马的雪车占了主要的不同。

为了奖赏这些黄昏时的练习，托尔斯泰到马赛去买了水彩颜料回来，教孩子们画画。

他时常是几乎一整天和孩子们一道的，教他们，参加他们的游戏，调解他们的争吵，这时他就分析了谁是对的，谁是错的。

这时他和一个年轻的俄罗斯的少女雅可武莱娃（Yakavleva）小姐互有吸引，她正住在希艾利斯，可是像许多别的事情一样，毫无结果。

离开了希艾利斯，托尔斯泰，他的妹妹，她的孩子们到了日内瓦，从那儿他独自旅行了尼斯，莱格项，翡冷翠，罗马，和那波勒斯。在意大利，他说，他第一次经验了古物的生动，可是这旅行颇少记录，也并没有在他的作品有什么反映。

他从马赛回到了巴黎，马赛的学校及其他的教育机关他都注意地考察了，他打算发现人类的智力如何可以发展得最好的例证。

那儿的公共小学，在他的印象中最为恶劣。他说，他们所念的都是默诵《教会问答》，《圣经》史和一般历史，数学的四种口诀，法文拼音和会计——最后的一种，因为数学基础不好，毫不切合实用，长大的数字他们能乘出来，可是实际应用的加法减法反而弄不清楚。同样，他们也用硬记的方法来回答法国的历史的问题，可是问题一离开教科书，他们就连亨利第四是凯撒大帝杀死的这样的回答都可以答出来的。

他参观了教会学校的教授法，考察了城里的成人教育的学校以及 Salles d'Asile（贫儿教养院）。他这样的说着：

> 我看到四岁的小孩子像兵士一样的在长凳边上，照着哨子的命令动作，伸出手臂又交在胸前，唱出赞美上帝和他们的恩人的歌，用发抖的奇怪的声音，我确信马赛的教育机关坏到极顶了。

看到这样的学校的人自然能得到一个结论，法国人是一定最笨最粗，伪善而透顶地迷信，几乎是野蛮人的东西了。

然而你只要接触了人民大众，和他们谈过话，就能确实地相信，法国的人民正如他们自信着的，聪明，伶俐，社会化，有自由思想，是真真文明人。找一个，就说三十岁的工人吧：他可以写一封没有错误的信，像他上过学一样，有时写得而且很得体；他懂得一点政治学，自然也懂了一些近代史和地理；他从小说里读到了一点历史，还懂一点自然史，他常常还会画几笔，数学公式恰够他的生意上的应用。他从哪儿学会了这些的？

最近我漂泊在马赛的街道，酒店，唱歌的咖啡座，博物馆，工场，码头和书店这些地方而发现了答案。那回答了亨利第四是凯撒大帝杀死的问题的孩子却是熟知《三剑客》和《基度山恩仇记》的呢。

在马赛，托尔斯泰看到每个人都在念仲马（Dumas）的作品，廉价版本共有二十八种。据他估计，每个星期在唱歌的咖啡座中至少有五分之一的居民是像希腊人和罗马人的受着口头的教育。喜剧和短剧在那儿上演，诗在那儿朗诵，不管是好是坏，这无意中的教育却比之学校中的强迫教育效力大了不知多少。

一八六一年一月他到达巴黎，大部分时间坐在公共车辆中观察别人来消磨时间。他宣称他没有遇到过不包含在保罗·德·高克（Paul de Kork）的这篇和别篇小说中的人物。至于大仲马似的这一位作家，他尤其重视。他有一次说："别跟我乱讲保罗·德·高克不道德了。照英国人的看法，他是不大正当的。毋宁说他是法国人所谓 Leste（莱斯脱派的）或 Gaulois（高卢派的），可是并非不道德的作家。他说的一切话，即使有放肆之处，他的倾向都是道德化的。他是法国的狄更斯……至于仲马，每个人都应背得出他。不谈他的匠心，光是结构也可羡慕。我能读他又读，不觉厌倦，尽管他的故事老是阴谋不轨的题材。"

在巴黎他碰到了屠格涅夫。从法国他又到了伦敦，住了六个星期，因为一直牙痛不能好好的游览这个城市。这也是托尔斯泰的特性，虽然他老是牙痛，而且时常消化不良，可是他难得去请教牙医生。他觉得那些牙医生的设备，非常的不自然，非常的人为，一定是有什么毛病在内的吧。而且，牙医生也不常常能好好地治疗。一个人只要能长久地忍受牙痛，牙痛会自己消灭的，在没有牙医生的时代不是大多数的人类依旧能活下去的吗？所以他把牙痛看做一种最好还是忍耐一下的不幸之一种。

在伦敦的时候，屠格涅夫也来了，他们时常遇到赫尔岑，那时赫尔岑在编一个 *Kolokol*（《钟报》）——这个俄罗斯流亡作家主编的最有势力的报纸。

长时间流亡在外国的赫尔岑，在他的最好的朋友，合作者中间，是诗人 N.G. 俄伽辽夫（Ogarev），他们是莫斯科大学的同学。除了是个有才干的人之外，俄伽辽夫还有一个可爱的性格使他的朋友更爱他；但是在一八九二年写的散文《第一步》（*The First Step*）中间，我们瞥视到是什么使托尔斯泰不能同情这一些人所代表了的进步潮流。他在那里面说：

我刚才读了那些属于四十年代底受有高级教育而又前进的人物中之一，流亡作家俄伽辽夫的书信，写给另一个受有更高教育与更有天赋的赫尔岑的。在这些信中，俄伽辽夫表示了他的忠诚的思想，远大的希望，而且我们不会不看到的——一个年轻人总有些那个——他相当在他的朋友前面夸耀了一番。他谈到改进自我，圣洁的友谊，爱情，侍奉科学与人类等等。而同时，他平静地写道，他常常激恼了他这位生命的伴侣，因为——用他自己的话吧，“回家来，已喝得大醉了，或者失踪了半天，跟一个坠落了的，可爱的东西在一起呢”。……

半个世纪之前正是如此。我和这些人是同时代的。我自己认识了俄伽辽夫，赫尔岑和这些同一招牌，受有同样教育的人物们。这些人的生活中底言行不一致显著得很。忠诚和热忱向善，同时私人的欲念不加检点，他们认为放荡的生活不足以阻止向善的生活，不足以毁坏善的行品，或伟大的行品。他们把没有揉好

> 的面粉放在冰冷的炉子里希望烤出面包来。于是时日流驶，他们开始注意到面包是烤不出来了——就是说：他们的生活弄不出好结果来了——他们从中发现了非常的悲剧。

作为一个著作家的赫尔岑，托尔斯泰最后还是评价极高的，承认他给俄罗斯的智识分子有极大的影响。

在英国，正如在别的地方一样，托尔斯泰看了他可能看到的正流行教育法。他也拜访了下议院，听帕麦斯东演讲了三个小时，可是他不能对这演说下评语，因为"那时候我的英文是用眼睛看，不用耳朵听的"。

在伦敦的时候，他听到了消息，他被委为图拉附近，他自己的区域的和平仲裁人（Arbiter of Peace）。这个职司的责任是调解农奴和他们的前时地主的纠纷。他除了一八七四年在地方自治会（Zemstvo）上就任过一个短时期之外，是他脱离军队以后，唯一的一次做了官。

一八六一年三月三日（新历）亚历山大二世发表了著名的解放农奴宣言的同一天，托尔斯泰离开伦敦，取道比利士京城返俄。在比京他结识了蒲鲁东（《什么是财产？》底作者），这是赫尔岑给他写了介绍信的。蒲鲁东给托尔斯泰以身体强壮的印象，虽然他的理论并没有直接影响了托尔斯泰的生活，二十五年之后托尔斯泰发表的社会，政治，经济的观点染着很深的蒲鲁东主义。他在比京结识的另一个作家是波兰的爱国志士莱勒魏（Lelewel），曾参加一八三〇年的叛动，现在却是一个在非常的穷困之中潦倒生活的老头子了。在比京，托尔斯泰写着《波列科许伽》（*Polikushka*），这跟《一个地主的早晨》一样，是反对农奴制度的。

经过德国的时候，他在魏马停留一下，拜问了大公爵卡尔·亚历山大。不久以前，托尔斯泰读了哥德的《莱内德 · 福赫》（*Reineke Fuchs*），现在去访问了哥德住过的屋子，可是他有兴趣一点的却是福洛拜尔亲自训练了的明娜 · 谢尔霍姆，看她怎样的教授那个幼稚园了。

在耶斯那耶，他跟一个年轻的数学家凯勒结识了，他聘请了他，后来跟托尔斯泰回到了耶斯那耶，帮助他从事教育活动。他也在德莱斯敦停留，又拜访了奥尔巴哈，而关于他，日记里是这样说的：

> 四月廿一日，德莱斯敦：奥尔巴哈是一个最可爱的人，他给我一线光明了……他讲到基督教，正如讲到人类的精神一样，没有更高的东西了。他迷人地朗诵着诗。关于音乐，他说是 Pfllchtloser Genuss（没有责任的快乐）……他已经四十九岁了，爽直，年轻，信仰着，没有为否定所苦恼。

从德莱斯敦写信给妲蒂阿娜姑母，他说他打算从彼得堡回耶斯那耶，因为他打算请求出版一种正在他计划之中的教育杂志。

一八六一年四月二十二日，他已经在柏林了，他认识了那里的神学教育学院院长，一个有光辉的教授家叫第斯脱魏格的儿子，可是他大失所望，发现这人是"一个冰冷的，没有灵魂的腐儒，以为他能用规则和成条来发展并保护儿童们的灵魂的"。

四月二十三日（旧历）他又回到了俄罗斯，这次出国，为时十个月。

他回国带来的有好几个伟大的欧洲作家的全集，海关检查时，就给留下检查了，半个世纪之后，托尔斯泰又提到这些全集来，悲哀地说：“他还在读着它们呢。”

从第一次到第二次欧游归来的时间里面，他读的书和作家们的作品有勃朗特；荷马，他越来越喜欢荷马了；四福音和莎士比亚的《安东尼与埃及女皇》，《仲夏夜之梦》；圣·波夫（Saint-Beuve）；蒙脱洛克的《评论集》（Montluc’s *Commentaires*），评之为“一个勇敢的格士弓人”；麦考莱（Macaulay），他的《英国史》，“我觉得太冷了”；蒙台葛德（Mont’egut）；爱默荪（Emerson）；渥太夫·浮依莱（Octave Feuillet），“一个无穷的天才”；拉倍莱（Rabelais）；奥尔巴哈；倍根；李尔的《文化论》（Riehl’s *Kulturgeschichte*），他“并不喜欢”；《阿当·琵持》（*Adam Bede*）“太悲惨了，虽然这不是真的，而且充满着一个单纯的见解。我不是这样的”；米歇莱（Michlet）的《鸟》（*L’oiseau*）和《虫》（*L’Insecte*），评为“装腔而虚伪”；《吉诃德爷》（*Don Quixote*）；魏斯曼的《论教皇李奥第七和庇斯第八》，和一篇梅里米的《论英国艺术》。他“试了一下，读哈克兰特尔（Hacklander），可怕，坏而且无才能”。他又写道：“蒙田是第一个人，表达了自由教育的意见的。”他又读了《美术艺志》(*Atheneaum*)和《两月评论杂志》(*Revue de Deux Mondes*)。

俄国作家中，他读屠格涅夫(《阿须亚是坏透了的》)，萨尔蒂可夫(《奇才》)，诗人科斯洛夫(Koslov)，说他“一个愉快的无穷的力”，斐特和丘特乞夫。关于那个著名的社论家与编辑家，托尔斯泰写道“喀脱可夫，有限，但恰恰适合了社会”，这句话不仅十分适于喀脱可夫，而正合于大部分的社论家。

这时的他的日记里包含了大部分不相关连的事件，他这样做是希望日后可以回忆，可是其中有一些有趣的思索，评语或记录，例如：

> 吉里耶娃(后为俄尔伽·诺维可夫)夫人是一个出色的，特殊的傻子，当她还年轻美貌的时候，同时便被认为聪明伶俐，因此变傻了的，这样的女人可以找出一大堆。

一八五九年元旦他记的是：“今年必须结婚，否则，永不！”

他非常的中意了一位勒伏夫郡主，但去莫斯科旅行之后，他又认为那吸引了他的计划太幼稚了，他记着：

一八五九年十月九日，拜访勒伏夫家。这次拜访，回想起来是要使我嗥叫的。我决定了这乃是我最后一次的结婚计划，可是这话也说得太幼稚了。

和奇车林谈了一次话之后，记着：

基督并不把永是善恶标准的道德律硬教给人的，他展示给人们看见。

七　和屠格涅夫决裂

冬天的雪溶解了，雪车简直不能通行，来到了这样的季候，还有着太多的雪没有溶解，可是道路却柔软得车轮子滚不动，交通已几乎断绝了。在这样的时候里，托尔斯泰到了莫斯科，但他并没有久等，道路已干燥，车辆也通了。他开始旅行到图拉去，同伴是斐特夫人，那位诗人朋友的太太。托尔斯泰有他自己的车子。斐特夫人也有她自己的车子，同行的还有她的侍女，她是到斐特新近在耶斯那耶附近购得的田庄上去的。为了结伴的缘故，托尔斯泰和侍女换了一辆车而和斐特夫人一起，黄昏里天冷，他借了诗人的一件外衣，把他自己包裹在诗人的外衣里面，并且声称，这样的结果，自然是他要写出一首抒情诗来的了。

到耶斯那耶之后，在五月的第三个星期中，托尔斯泰写了一封信，庆祝斐特底成为一个地主。

我们上次会面迄今，已经多久了啊，我们两人所经历了的，各人又有多少！当我听到了或想到了你，农夫一样的活动，不知道如何高兴才好，我多少的骄傲，现在你也在这行生中放下了手去……有一个朋友是好的，可是他会死去，他会远远离开，或者你跟不上这个朋友，可是一个人只要以地契关系和大自然相结合，或者因为遗产的关系生下来就是土地上的人，这不知要好上多少。人自己有了一部分的大自然。大自然是寒冷的，坚韧的，固执的，精明的，可是她和你做朋友做到你死去为止，那时你便葬身在她里面，现在对这位朋友我的热忱已经较少，我有别的事情把我引诱了，可是我意识到她是在着的，我要绊了一跤，我可以抓住她的手——要没有这一个意识，生命是悲惨的营业啊。

几天之后，接到了屠格涅夫的一个请柬，托尔斯泰去拜访了他一次，最初的几个小时过去了，两个人都互相的感到满意。屠格涅夫刚完成了他宠爱的小说《父与子》（*Father & Sons*），晚饭之后，托尔斯泰就要读一遍，而后发表他的意见。为了舒舒服服地做这一件事，托尔斯泰独自坐在休息室中间，在一张大沙发上躺下。他开始读了，可是他觉得故事是这样的虚伪，题材又这样的不重要，不知不觉就睡了。

“我一醒来，”他自己描写道，“心中纳罕，张开眼睛，刚好看到屠格涅夫背影消逝了。”

虽然出了这一件意外，因为这个缘故又造成了不愉快的感觉，第二天早晨，两个小说家出发去拜访斐特，事先他们并没有通知他。

旅途上疲倦了的旅客睡了几个小时，休息，休息，而斐特夫人却在弄一顿晚饭，“要实惠而且是请客的样子的”。在吃饭的时候，桌上的人都开始活泼泼地谈天起来了，屠格涅夫一向爱吃得讲究，十分欣赏斐特家的男厨子的高明手段。在这种心心相印的时候，香槟流泛了。夜饭吃过，三个朋友到一个离屋子几百码之外的森林中去，一到之后，一边谈话，一边就躺在林子边上茂林丰草中间，继续的谈话，逸兴横飞，十分自由。

第二天，在八点，照常的吃早饭的时候，斐特夫人正在煮暖茶炊，访客进来了。斐特坐在桌子的对面的一端，屠格涅夫在主妇的右手，托尔斯泰在左手。斐特夫人知道屠格涅夫对于他的在法国长大的亲生女底教育十分注意，问他对于他那个英国的女教师满意不满意。屠格涅夫对这个女教师满意，夸扬了她，说出她和他讲定了他的女儿每个月的慈善费用，英国人的算盘非常精明。“而现在，”屠格涅夫接下来说，“她又劝导了我的女儿使她亲手为穷人补破衣服了。”

由托尔斯泰看来，屠格涅夫这样子给女儿以外国教育，她已经几乎忘记了她自己的语言是十分可厌，并且不应该的，这种感觉，无疑，在下面的一个问题中已经表示出来了：

“而你觉得这是很好的吗？”

“自然啊！这一来慈善事业与穷人的日常生活发生关系了。”

“我认为一个女孩子打扮得漂漂亮亮，手里却拿着破衣服，这种行为是不诚实的，像一出舞台上的滑稽戏。”

“我求你不要这样说！”屠格涅夫喊着，鼻子已经一掀一掀了。

“我认为是真实的，我为什么不说呢？”托尔斯泰回答。

“那么你认为我教育我的女儿，教育坏了？”

托尔斯泰答道，他现在的话才是言行一致的。

在斐特能够插嘴之前，七窍生烟的屠格涅夫已经喊了出来：“你再这样的说话，我就锤扁你的头！”从桌子上一跃而起，屠格涅夫两只手抱住了头，奔进隔壁房间去。一秒钟之后，他回来了，向斐特夫人说：“为了天的缘故，请原谅我刚才的失态，我深深地道歉。”于是他又走了。

在这样的事发生了以后，斐特知道把两位客人摆在一起是不可能的了，他们是同坐了屠格涅夫的车子来的，而新近到乡村中来的斐特，虽有马匹，却还是顽劣不驯，还不能套入他唯一的一辆车子。把屠格涅夫送走是容易的，可是送走托尔斯泰却并非没有危险，顽劣的马把托尔斯泰送到了最近的一个驿站上，才雇到了一辆车子。

托尔斯泰的第一个歇脚的站是诺伏晓尔基的一座村屋，在那里他写了封信给屠格涅夫，要他来道歉，并且说回信应送到波哥斯拉夫，他的第二个驿站。屠格涅夫没注意到这个请求，把道歉信送到了斐特家里，托尔斯泰收到时，已经迟了几个小时——他已经勃然大怒了，认为这是新的侮辱，从波哥斯拉夫他派人出去拿手枪，送出第二封信给屠格涅夫，约他决斗，并且说明他不愿意用一般的形式礼貌来决斗，像那些喝了香槟酒就可以和解的文学家，他是焦急着，希望屠格涅夫拿了手枪就到波哥斯拉夫的森林边际上来会他。

这一夜托尔斯泰翻来覆去的睡不着。早上屠格涅夫的第一封回信送来了，其中以客套的谦逊的言辞开始：

荣耀的先生，辽夫·尼古莱耶维奇！——答复大札，我只复述一遍，在斐特之家我就认为应该对你声述的一句话，由于无名火冒了上来，其理由也无须在这里详述的，我无意间地侮辱了你，我请你原谅。从今天早上的事情看起来，像我跟你这样的性格不相近的人物，企图亲亲热热是得不到好结果的；因此我更愿意于在这封信上满足你的要求，因为说不定这封信就结束了我们的关系。我诚心诚意希望这封信使你满意，你愿意如何的处置这封信，我预先声明，无不同意。

最大的尊敬，我光荣地做荣耀的先生底最谦卑的仆人。

依凡·屠格涅夫

斯巴斯基，一八六一年五月廿七日

又及，依凡·彼得罗维奇刚才把我的信带了回来，我的愚笨的用人没有把这信送到波哥斯拉夫却送到诺伏晓尔基。我谦卑地请求你原谅这偶然的，不胜遗憾的错误，还希望我的用人在波哥斯拉夫能见到你。

于是托尔斯泰写信给斐特：

我忍不住的又把屠格涅夫答复我的另一封信拆了开来。我希望你跟这人的关系很好，可是我瞧不起他。我已经复了他了，从此断绝了我们的关系，除非他对我要提出什么要求，我还是可以满足他的。外表上我早已归于平静，可是我的灵魂却扰骚着，觉得我应该要求屠格涅夫先生给我一个更明确的道歉信；这一点我在诺伏晓尔基已经写给他了。他的回信我附上，我十分满意地接受了，只告诉了他我之原谅他并非我们天性的不同，倒是为了一个他自己应该明白的理由。

因为他的信迟到，除了那一信之外，我又送了一封信去，十分强硬，要求他和我决斗，复信还没有来，可是复信要来了，我打算不拆开退回去。这悲惨的故事现在就告一结束，这件事如果并不发生在你府上，我一定这样写的。

屠格涅夫复那挑战的信书是后来才收到的，如下：

尊介说要立等回音，可是我已经觉得无话可说，要说的话，承认你有权利手握武器，要求我听从你而已。你愿意我再向你作已经作过的道歉。这可以使你高兴了。我可以不用文辞的对你说，为了涂去那真真是疯了的我的几句话，我愿意你开枪打我。我竟然说出这样的话来了，这和我的一生的行为不同，我只能说我的荒谬的行动是造成于我们的观点底久已不同，各趋极端的，这话不是道歉——我的意思也不是为了要辩护我自己——这是一个解释。所以，为了要和你永别——这次的意外不可磨灭也不可改变——我认为这是我的责任，再声述一遍，在这次的事情中间，你是对的，我是错的。我再附加的说，在这里，问题不是我愿意或不愿意表示我的勇敢或不勇敢，我承认你的权利，召唤我出来和你决斗，自然这承认就含有接受的意思（并且附议了），同时也承认，原谅不原谅我的权利也在你。你照你的意思抉择吧！我听从你的抉择。我再以全部的尊敬向你致意。

依凡·屠格涅夫

这次吵架还不能立刻就消失呢。就是好脾气的斐特，试着调解这两个脾气极坏的小说家，也弄得困惑起来了。这是他接到的一个托尔斯泰的便条：

我请求你不再写信来了，因为你的信，正同屠格涅夫写来的信一样，我是不拆的了。

斐特按道："所以我进行的调停工作的结果，是和托尔斯泰的外表上的决裂，我甚至已记不起，我们的友谊后来是如何恢复了的。"

四个月还不到，托尔斯泰又为这次吵架后悔了。像《复活》里的南赫留道夫一样，他时常一次次的为他的罪恶和吵架弄得后悔不迭，一春一秋，总要洗涤一次自己的灵魂。就在这样的时候，九月廿五日，他写了封信给屠格涅夫，说起他们的关系，彼此之间这样仇视表示了悔愆，又接下来说："如果我侮辱了你，原谅我；一想到我有个仇人，我简直忍受不了。”不知道屠格涅夫在巴黎的地址，托尔斯泰把信件寄交一个彼得堡的书店老板（他知道屠格涅夫和他是通讯的），请他转去。这封信走了三个月才到达，可是还不仅这封信到得迟，从下面的信中我们可以看到，此外又出了乱子，十一月八日，屠格涅夫写信给斐特了：

> 为此，“再来提最后一次”，关于跟托尔斯泰的不幸的事件的。过彼得堡的时候，我从“靠得住的人”那儿（啊！这些靠得住的人！）听说了，托尔斯泰给我的后一封信（在这封信里他“瞧不起”我）有几个拷贝流通在莫斯科，据说是托尔斯泰自己分发的。我生气了，我送了一封挑战信去，说等我回到俄国和他决斗。托尔斯泰回信说分发那些拷贝的事纯全是捏造之辞，他又附了另外一封信，说明了这事之后，又说我是如何的侮辱他，他却请求我的宽恕，而且拒绝了和我决斗，自然，这件事到这地步必须结束了，我只请求你告诉他（因为他写了

的，我再给他写信的话，任何信件，都是侮辱他）我也拒绝任何的决斗了，等等，希望这一件事，永远埋葬了吧，他的信（抱歉得很）已经给我毁了。他说他另外还给了我一封信，由书店老板达维陀夫转的，我却从未收到。现在，关于这一切——De Profundis（从忧伤的深处呼喊）。

十月中，托尔斯泰在日记上写道：

昨天我收到了屠格涅夫的一封信，说我说了他懦怯，还说是我在分发我写给他的信，他咒诅我。我复信中说这是废话，我也寄了他一信："你说我的行为不光荣，从前你说你要锤扁我的头；可是我觉得我自己是有罪的，请原谅，决斗我拒绝了。"

可是到了这时，这件事却还没有完结呢，因为一八六二年一月七日（新历？）屠格涅夫写信给斐特：

现在有一个简单的问题：你看到了托尔斯泰没有？今天我才收到了九月中，他寄到达维陀夫书店转给我的信（我们俄罗斯的商人做起事情来这样子！）。在这封信里，他说了他是有侮辱我的存心的，请我原谅等等。可是，差不多就在那时，我却送了一封决斗的挑战信去，因为我听到了一些谣言，我记得已告诉过你了。从这一切看起来，我们可以下结论了，我们的星宿在天空中移转的路线确确实实是冤家对头一样的，他自己也说过，我们最好不要碰头。可是你能写信给他，或者亲自告诉他吗？（如果你和他是会面的话）说我（不玩弄文字，不开玩笑）远远地，远远地，非常爱他，尊敬他，同情他，关心他的命运，可是碰在一起时，我们各不相同。那有什么办法呢？我们的生命是命定了的要在两个国家或者在两个星球上过去的。

托尔斯泰显然为屠格涅夫的信所触犯了，而霉头却触到了天真的斐特头上，真真的谦逊，让他自己来宽恕自己的罪过，等等，在托尔斯泰做来是容易的，可是让他的敌人来和他见解相同，这可不行。托尔斯泰喜欢的事情干干净净，明明白白，可是把事情和别人的意见搅在一起，就搅乱了，屠格涅夫曾这样写了信给斐特：

> 最亲爱的阿芳那西·阿芳那西耶维奇！（斐特的教名和父名）——第一，我必须请求你的原谅了，因为我的信造成了这样的结果，意料之外的砖头（法文所谓 tuile）倒掉在你的头上。我想不到托尔斯泰有这种弱点的，虽然我尽管的向着好的方面努力，这一来也多少安慰了我。这大约是一个不准碰到的伤处了。

这两个伟大作家的关系，要好好的判断的话，必须记得屠格涅夫长托尔斯泰十岁，在《战争与和平》之前，名誉也是屠格涅夫高得多；可是托尔斯泰并不买账，相反的，他常常用刺人的冷嘲热骂攻击他和他的意见。如果托尔斯泰审慎从事，愿意放过屠格涅夫，屠格涅夫脾气并不坏，也不是爱吵嘴的人，什么侮辱，什么决斗，都是决不会发生的了。可是这年轻的一人偏要找年老的一人做伴，又尽量的闹自己的脾气；可是并不是托尔斯泰含有毒意，他要求于伟大的人格的极高，伟人不能达到他理想的水准的，他便猛烈地攻击。这对于屠格涅夫自然正是不能忍受的了，因为托尔斯泰既不与当时流行的自由主义底运动热情地合作，对饮食，酒液，女人，纸牌，他又不见得有什么节制；同时，他对于别些不见得有节制的人却攻击得很厉害；如果他忽然又有节制的时候，这样的突兀，这样的严重，根本使他不够资格去像他那样热烈的攻击人家。在这次大大的吵闹之中，屠格涅夫诚然是侵略者，他的一次次道歉实在也不是向了他主要触犯的托尔斯泰，而是向了斐特夫人。他自己也说了的，这是明白易见的，他凭了自己的情感行事。托尔斯泰在收到他第一封信的复信之前，就送出了挑战决斗的信去，这一来是加深了裂痕，更因为他说了瞧不起屠格涅夫，他原谅他的原因“他自己应该明白”。可是，拿斐特来说，他也希望火上加油，托尔斯泰对他可也是非常不逊。谁要读过斐特在三十年之后所写的《回忆录》

的，决不会不看到他——不仅当时他在场而且是多年来，两位作家的好朋友——尊敬托尔斯泰远甚于他的尊敬屠格涅夫。

这一个故事的全部经过之中，我们可以看到使托尔斯泰的人格这样有趣，这样复杂的性格是些什么。他对于一切和他发生了关系的事物都关切到万分。屠格涅夫的行为和屠格涅夫的意见都对他万分重大。女人应该怎样的受教育而长大，这问题的看法也万分认真。同样认真的是，他应不应该和仇人决斗；后来，他应不应该宽恕他；以及斐特应不应该参加在内而居中调停。就是这个事实——他关心一件事比别人要百倍关心——使他成为一个奇才和一个伟大作家的。在他的行为中值得我们惊羡的不是他的举动得当（他的举动常常是极不得当的），而是他热情地“希望着”他能得当地举动。

同一个精神使他和屠格涅夫合不来——他强烈地感到了“天赋最多的人，要最苛刻的对待他”——也使他在晚年期，异常猛烈地攻击了政府制度，攻击了莎士比亚，攻击了伐格纳和一切伟大的制度，伟大的人物。同时这件意外也在托尔斯泰的性格的另一方面上为我们指示了，他这人虽然非常可爱，他的作品虽然吸引了无数的男人和女人，可是他只有很少亲密朋友，而且他是常被人误会的。

V.P. 波特金，和托尔斯泰、屠格涅夫都有关系的，听到了这次吵架以后，写信给斐特：

> 他（屠格涅夫）和托尔斯泰之间，在你府上吵嘴，使我深为悲哀。可是你知道吗，我相信托尔斯泰实际上是一个热情地恋爱着的灵魂；他愿意热烈地爱屠格涅夫，可是不幸他的冲动却遇到了和柔的，好脾气的冷淡。只有冷淡是他受不了的。而又是很不幸的，他自己的头脑子混淆得很，我这样说的意思是指他还没有形成一个正确，固定的世界观和人生观。因此他的信心变得这样的多，因此，他时常趋向极端。他的灵魂被燃烧着不可解除的饥渴；我说“不可解除”是因为今日解除他的饥渴的东西到了明天已经在他的分析之下崩溃了。可是这分析也没有持久的坚固的基础，所以它的结

果也变为Ins Blaue hinein。在一个人的脚底下没有一个坚固的基础是不能创作的。所以他现在不能创作，他将继续地不能够创作直到他的灵魂可以找到立足之点。

八　行政和教育工作

任何人，熟悉俄罗斯当代的历史，而不熟悉托尔斯泰精神状态的话，一定会觉得奇怪的：他的生命史独独跟一八六〇年到六四年的改革运动竟并没有什么关系。一九〇四年的时候，日俄之战激动了革命情绪，他有两段话写给皮留可夫，谈到了他和这些运动的关系了，十分诚恳，坦白。

> 至于这时候（六十年代）我对于我们整个社会激动的情形底态度，我必须说，这是我的好处也是我的坏处了，我不知不觉的反对了任何外形的，流行病似的烦忧，这时候我所以兴奋而且快活，完全因为我自己个人的，内在的动机：我被引到我的教育工作上去，我和农民

接触了。

现在我同样的对目前流行的激动情形起了反感，现在的情形正同过去，过去的情形还温和一些。

托尔斯泰小视自由主义者的改革运动的倾向，可以从发生于图拉的一类夜宴上的事来说明。地方上的选举已经过去了，选出的“和平仲裁人”来拜访了图拉，一个公共的宴会招待了他们。托尔斯泰就在宴上，当大家举杯庆祝亚历山大二世，这个“解放者沙皇”时，他对邻座一个人说：“我干这一杯，特别的高兴。别人是不需要的，农奴的解放，我们只仅仅依赖了皇帝一个人。”

同一类的倾向，更希奇的例子，写在一篇论文中，叫做《教育之进步与定义》，是一年之后发表了的，里面他说印刷品对于人民并无多大用处，他说：

就拿解放农奴来做一个例子，我并不觉得印刷品是在一个进步的意义上帮助解决了这个问题的。如果政府在这件事上没有说了决定性的字眼，报纸上毫无疑问的会用别的方式来解释说不尽的如何如何。我们看到大多数的期刊没有解决土地问题而把农民解放的要求提出，他们用以诘辩的言论可是很富于理性，很聪明，很讽刺（正同那些赞助已经提出了的更自由主义的解决底言论一样）……

虽然托尔斯泰并没有站在改革者的行列中，他却也不是他自己的一个阶级的同党，并不像他许多同类的贵族所希望的一样；我们可以看到图拉的贵族领袖写信给内政部长伐留叶夫，对托尔斯泰被推为和平仲裁人颇不赞同，说他并不受这一带地主们的爱戴。这一个不赞同，使得伐留叶夫进行调查统计，省长附回了一封密函，内开：

伯爵托尔斯泰，我知道他本人，他是有教育，对手上的事情富于同情心的人物，当地的许多地主曾对我表示，说他应该被推为“和平仲裁人”，我不能让我不了解的人来代替他。

托尔斯泰尽了力来在农民和地主之间，进行公平的仲裁，可是在开始的时候，他不善于有条不紊的职司，并且不适合这样的职司是十分明显的。

第一个文件，规定某一地主和他的新近解放了的农奴底关系的，这样地签就，而且送到了农民局："由某某农民之声称，由于彼等之不通文墨，家奴某某代为签字。"这文件中就没有写上人名！因为托尔斯泰是这样的口念了这几个字，而家奴就这样地代写代签了字的，文件上盖上了章他看也不看一遍就发出了。

有时候，他的忍耐是神奇的，跟那些提出了不可能允许的要求底农民办交涉，他们常常固执得搅个不休。有一个目击者报告了托尔斯泰如何到邻近的一个田地上去，那里分配给农民的土地发生了问题了。他接见了三个村中的农民的代表，问他们：

"好了，孩子们，你们要什么？"

他们解释了他们希望得到的土地，托尔斯泰答道："我很抱歉，我不能允许你们。如果我照你们的话做了，地主要受重大损失的。"他开始解释这件事的情况了。

"可是你总可以为我们找个办法出来的，Batushka

（小父亲）。”农民们说。

“不，我不能做这样的事。”托尔斯泰答复。

农民们彼此看看，搔搔头皮，又重复地说了：“可是，你总有办法的，Batushka！”而另一个又追上来说：“如果你肯，Batushka你会想出办法来的！”于是其余的两人赞同地点了点头。

这时托尔斯泰像正教的俄罗斯人惯常做的一样划了十字，说：“上帝是神圣的，我赌咒我不能想出办法来。”可是这些农夫重复着：“你可怜可怜我们，想办法做到它，Batushka！”

最后，托尔斯泰凶恶的，但只是向在场的管事人，说了：“安菲盎移动一个山峰，一座林子，还比说服农夫们容易得多。”

管事人说，这整个谈话化费了不止一个小时，可是伯爵对农民们的友谊态度不变，他一直忍耐到最后。他们的固执并没有使他说出粗暴的字眼来。

托尔斯泰觉得地主比农民还要难弄。他收到了许多恐吓信，殴打他的计划，收到一封决斗的挑战信，还有许多控告呈上了当局。

三个月之后，一八六一年七月中，他的日记上写道：

仲裁并没有给了我多少材料（写作之用），却使我和一切地主起了冲突，使我的康健变坏了。

在这里我们可以看一个他所仲裁的案件的样本。一个阿尔杜可夫人诉说有一个马克·格里哥里耶夫（以前是家奴，所以是没有土地的）认为他“完全自由”，飘然走掉了。

托尔斯泰在他的给这位夫人的复信中说：

马克夫人，得到了我的训示之后，已可以立时带了他的妻子到他喜欢的地方去；我请求你偿付他（一）从解放令公布日起到现在止，三个半月你不合法地命令他工作的工资，（二）殴打了他的妻子，伤痕现在还可见到的，一笔赔偿费。如果我的处决你不满意，你可以向县会议和政府会议控告。这件事我不再做什么解

释了——完全尊敬着你，你的谦卑的公仆

辽夫·托尔斯泰伯爵

这位夫人向县会议控告了，托尔斯泰的决议于是被取消，可是这件案子又提到了政府会议上，他的决议重新被承认。

他在任还不到一年，我们看到他写了一封信，给图拉的农民局，这封信是这样的：

由于我的决定不断地有反驳，现附上在反驳中的案件的清单，这些反驳却都是没有合法根据的，然而在这些和别些的案件中，我的决断曾经，并已经被废除，我所给以的每一个决定后来总要被改动，于农民和地主对于本仲裁人的信心是非常不利的，后者的活动不仅无效且也不可能，谨请农民局委任专员，调查这些案件，我并且得向农民局声明，在这些调查工作完毕之前，本仲裁人的职务是宜于暂时停止的，我已经把我的职权移交了候补人中间最优先的一人了。

第二个月他重新到任，可是六个星期之后，在一八六二年的四月三十日，他因为健康的缘故，把职权交给了代理人，五月二十六日——在就职以后一年期满时——国会通知了图拉省长，说它“已决议将炮兵中校辽夫·托尔斯泰伯爵缘其健康”，撤销了他的和平仲裁人的职务。

行政工作底失败的经验增加了他在后来的作品中反政府底偏激。他一定是同意了卢梭对于民法和刑法底憎恶的，看他在《忏悔录》中这样写道：

> 我的声请，其正义以及其未能实现，在我的心中留下了一个愤怒的萌芽，来反对我们的愚蠢的民政，在这样的民政里，人民的真正的安全和真实的正义常常是牺牲到我说不出的程度的，真是破坏一切秩序，它只帮助了民政的当局来压迫弱者，来为强者赎罪。

无论如何，我们可以断定的，疲劳的，琐烦的行政工作本来就永远不能十分满足的，顶多是妥协，或是因为现实的需要而作的决定，决没有托尔斯泰灵魂深处的抽象原则那样的一回事，本来不适宜于托尔斯泰。他没有按部就班的耐心，勤恳，中庸，这些是做这种工作的必要条件，何况他的热情的才能在这里面也不能发挥出来。要他顺从别人的指示，要他去顾到他们的意见和希望，都是不容易的事。像卢梭一样，他更适宜于在纸上改革世界，甚至于改变他自己的生活习惯都可以，而从事迟缓的社会的改进工作，一寸一尺的移风化俗，对于他是最困难的，可是自有一种人可以像套在马车的车杠上一样，慢慢的拖着人类社会前进。

这时托尔斯泰在行猎之中找到游戏，也时常好几天地和他的朋友 D.D. 奥勃伦斯基亲王在一起，后者描写他是一个勇敢而活跃的猎者，能跳过一切阻碍，更是一个健谈的人。

和他的作为一个和平仲裁人的同时候，托尔斯泰开始了一个事业，是和年轻的一代发生关系的，比较农民和地主们，这些人的吵吵闹闹他最应付不过来，年轻的一代的教育不知容易了多少。从一八五九年的秋天到这一八六二年，他全副心肠地把自己贡献给耶斯那耶及邻近的区域的农村子弟了。

我们已经看到，他的外国旅行的一个主要目的是研究，考察教育的理论与实际，而且他主持耶斯那耶的学校是非常地热忱的。月刊《耶斯那耶 · 朴利阿那》，现在是藏书家的奇珍了，是他一八六二年编辑出版，发表他的教育理论，报告他学校里的结果的。发表了的文章，他后来在编单行本的时候收了点进去，生动地描写了一八六一年十一月十二月里的工作情形，而托尔斯泰的书集的各种版本中，这一篇文章却叫做《一八六二年十一月十二月底耶斯那耶 · 朴利阿那学校》，他实际是发表于这一年的二月份的。在这些小地方，托尔斯泰从不十分注意。像许多俄罗斯的杂志一样，《耶斯那耶 · 朴利阿那》总是脱期的，第一期一月号创刊的时候，已经脱了好几个星期。销路非常有限，出了十二期，托尔斯泰赔本达三千个卢布。

在他的教育工作中，托尔斯泰也表现了他的一般活动中都表现了的优点与缺陷。同样的，他选择的是一个非常重要的工作；同样的，他时时刻刻目空一切，非到他有了成就，全人类都是不得救的样子；同样的，他相信他自己可以快刀斩乱麻；同样的，热忱的天才的力量使他的造就超过了可能的程度，虽然这些造就是他开始的时候的抱负，十分之一还不到。

他的教育文章这样富于独创性，这样头脑清楚，虽有过激的意见，却还是值得深思的。他把教育的定义，界说为：“一个人类的活动，求平等的欲望是它的基础，一个经常的求智识进步底倾向。”这一点，他这样地举例以说明，一个数学的教师，自己是一个能把握住一些数学的理论的法则的师长，必须能帮助他的学生也来把握他所有的一切；法文，化学或哲学的教师，情形亦是相同。在这目的达到了的时候，教育活动就自然而然停止了。不论在哪儿，不论什么时候，使学生提高到跟教师平等的教育是好的。而且做到这一步也越快越好，越近于这一步越好。不近或者不快就是不好了。同样在文学中（教育的间接的方法），著作家能够做到最容易地灌输他的智识给读者的是写得最好的书。

所谓“一个经常的求智识进步底倾向”，托尔斯泰的意思是教育所追求的平等，并不是低低的水准，水准是高的；就是说：并不是要教师忘记他们的智识，而是要学生的智识增加。然而许多教育制度的根据却并不是使智识平等，而是根据了别的一些虚伪的基础的。

虚伪的基础是：（一）第一点，最平常的，孩子求学，求的是免得受刑罚；（二）孩子求学，求的是奖赏；（三）孩子求学，求的是要自己比别人更好；（四）孩子或年轻人求学，求的是在世界中间得一个较好的地位。

谈到把孩子送到学校里去并不为了他们的天性的发展，而是为了把他们放进模型里去，托尔斯泰声称，“这样的教育，随意的把人塑成一套定型，是僵化的，不合理的，不可能的”。

他非常反对考试，因为了考试者的一方面的专制，因为了受考试者的一方面的欺诈。

在什么情形之下他问道，一个孩子能最快地得到智识呢？“一个孩子或一个大人，只有起劲的时候，才容易接受一切，认为嘻嘻哈哈是学校的一个敌人或一种阻碍，就铸成大错了。”

学生的心灵状态是成功的教育最重要的条件，要得到好结果，自由是必须的。孩子不要学或不想学的时候不应该强制他学。

你只要看一看同一个孩子在家里，在街上，在学校里的情形就知道了。在这里你看到了一个活泼的，好奇的心灵，在眼睛里微笑，在嘴唇上也微笑，到处找智识，为了快乐，时常用他自己的表情明白清楚又强烈的表达了他的思想；而在那里你看到一个疲劳的，畏缩的心灵，只用他的嘴唇皮的动作，翻覆念着别人的思想，别人的字眼，那样的衰弱，恐惧，无精打采——这孩子的心灵像蜗牛缩进了他的壳。一个人只要看一看这两种情形，就能知道哪一种是更适宜于发展一个儿童天性的了。我所谓“学校心理”的这种奇怪的生理学的现象，我们都是不幸地知道得很清楚的，造成了这一些：想像力，创造力，思维力，高级的能力的退避，它们是让位给半野兽的能力，没有想像也没有思维地念几个字的行为了。

当学生被束缚于“学校心理”下面的时候，我们就碰到了“常见的，绝不偶然的事实”，最愚蠢的学生在一班中最高，而最聪明的学生在一班中却是最低。

简单的说，一个孩子的智力正在这孩子是自由的时候是真真的活跃的，教师的主要的工作就在“研究自由的孩子”，发现如何供给他智识的方法。所以“教育的唯一的方法是实验，它的唯一的标准是自由”。

要学生服从，要他们在教室中安静，使学校变成刑场，可以造成德国人所谓 Verdulmen 的使人愚蠢的效果的。

学校的制度并不为了便利孩子们的学习，却是为了便利教师们的教育。孩子们的声音，动作和快乐，这些是使他们学习得好所必须的，却不利于教师，所以在今天的监狱一样的学校中，发问题，谈话和活动都是禁止了的。

强迫教育“不是给羊群一个牧羊人，而是给牧羊人以一群羊”。

> ……要任何一个对象成功必要研究，在教育中，对象是一个自由的儿童，然而教育家却用他们自己的方法来教育——这方法他们自己看起来是很不差的，可是这方法要行不通的时候，他们不改变自己的方法，却改变孩子们的性格……除非实验能成为学校的基础，每一个学校不妨说是一个教授法的试验室，否则

学校是一定拖在世界进步的一般步序之后的。

对于寄宿的学校托尔斯泰也没有多大的敬意：

在家庭里，生活的舒适——水，火，好的饮食，烹调得很好的饭餐，房间里的清洁和舒服——都是依赖着母亲和整个家庭的小心调理的。调理得越小心越是舒服，越是马虎便越是不舒服。这是一个简单的道理，无可置疑的，也比之法兰西语文，亚历山大大皇帝的事迹更富于教育意味。而在一个寄宿的学校中，这种日常的，非常重要的劳动的酬报一点儿看不见了，吃饭总是不好也不坏，食品不干净也不脏，地板不亮也不暗，因为女工们不出力也不能出力，可是她也没有她自己的一个地方可以随她的意弄得干净或不弄干净，她也没有一个机会用一些不用的布条子，缎带来缝起一件衣服来。

他对于日校，寄宿学校和大学是一样的挑衅：

在他们的底下都有着一个同样的原则：用一个人或一个小团体来依照他或他们的意思支配人民。

他又加重了说：

学校已把，在他们最好的几年里的孩子们，从真实的生命中拉开了，这还不够，它要把三岁的孩子从母亲的影响之下拉开。各式各样的教育制度想出来（Kleinkinderbewaahranstalten，育婴学校，Salles d'asile），这些我们下面再谈。现在只差了一个蒸汽机器底发明来代替母亲了。大家同意的只是这些学校还没有完美，只有我一个人认为他们是有害的。

他又申辩了，说没有一个人或一群人可以有权利强迫地把教育教给别的人，教师也没有这权利，他只有贡献出已经有的智识，如果孩子们觉得这些智识不容易消化，或煮得不好，教师应该尊重孩子们的这种权利：

> 今天的学校，教这个而不教那个，用这方法而不用那个方法有什么根据呢？
>
> 今天，我们从何而能坚信，毫不怀疑我们的智识，认为可以有一个权利让我们去强迫地教育别人呢？随便找一个中世纪的学校，在路德以前或以后的，来看看，我们可以看到他们有如何的坚信，他们是如何的不怀疑他们所知道的，何者之为真与何者之为假！对于他们，这是很容易知道的，希腊文是唯一的主要的教育，因为亚历斯多德是用希腊文的，而且没有人怀疑他的教条，直至好几个世纪以后。僧侣们如何敢要求经文的研究呢？经文是站在一个不变的基础之上的。路德要求从希伯莱原文读《圣经》，要求强迫去读，他是确信了的，上帝在这一个语言中表达了他自己。显然的，在一

个人的批判力还没有形成之时，学校是教条主义的，而学生们背诵上帝所显示的真理，正同背诵亚历斯多德的科学和魏琪尔的诗，西塞罗的演讲一样的自然，若干个世纪之内，没有人能够想像得到更真的真理，或更美的美丽，可是我们这时代的学校又是在如何的地位了呢？这种教条主义还是保存着的，在一个教室里灵魂不朽的学说在教授着，在隔壁一个教室里却告诉了学生，所谓“灵魂”便是人与青蛙同具的神经系统；在教堂里，在听到了一个尼姑的儿子念给他们听而不予解释的约西亚（Joshua）的故事之后，学生们又知道了太阳并不绕地球转；而且在魏琪尔的美丽解释给学生们听了之后，他又找到了亚历山大，仲马的小说（他化六个便士就买到了他的小说），而仲马的小说尤其美丽，在我们这时候，教师所能信仰的只是，世上无真理，已存在的只是合理的，进步是好的，退步是坏的，虽然还没有人知道，还没有能相信在进步里面，包含着什么样的内容？

在另一篇论文中，他说：

路德主张从希伯莱原文教授经文，而不主张从教会神父的注释。倍根跟着说研究大自然，应从大自然，而不从亚历斯多德。卢梭主张了，学习生命从生命，依从自己的理解而不从过去的试验。教授法的哲学家们，每向前一步，都是在解放一步，把过去时代里信以为科学底教育年轻的一代的观念解放了，而代以更适应年轻的一代需要的学科。

他又说：

常常读到，常常听到，家庭情形，父母的愚昧，田地劳作，村中的游戏，等等是主要阻碍了学校功课的。可能的，这些真阻碍了教授专家们计划中的学校功课，可是现在已到了时候，来理解上述等等倒是一切教育的基础，绝不应该仇视或阻碍学校工作，相反的它们是它

> 的主要的原动力……愿望知道什么东西和任何东西，这些愿望正该学校来回答的，都从这些家庭的情形中产生。教育应该满足这些从生活中产生的问题。可是我们学校既没有激发这些问题，远谈不到满足这些来自实生活的需求……对于这些问题，学生们既已得不到答案了，更可怪的是警察条例一样的学校不允许学生开口，甚至他要出外一次也不能开口，只能做手势，为了不破坏教室的肃静，或不打断了教师的言语。

最大问题，托尔斯泰说，是：（一）我该教什么？（二）我必须如何教？他指出若干世纪之前，在俄罗斯和在西欧，这样的问题是不可能发生的。当时的教育与宗教结合在一起，做一个学者意思是学习经文。在回教国家中，教育与宗教的结合依旧势所必然。学习只是学可兰经，就是说学阿拉伯文。可是一旦学习什么的标准不再是与宗教有关，学校脱离了宗教而独立的时候里，教什么的问题便一定要发生。它之所以不突然发生，只因学校的脱离宗教过程是慢慢的。可是这一天终要来到，问题在面前了；却并没有一个明确的指示，我们的教育界的人物并没有哲学，也没有什么同意了的意见。在高级教育中有人主张了古典教育，有人主张了科学教育，而在初级教育中，教会办的学校有一套教育，反教会创办的学校又有另一套教育。在这种情形之下，唯一的标准就是学生们希望的，他们的父母所希望的是什么。于是托尔斯泰跟着说明俄罗斯人民大众所需要的是俄文和教会的斯拉夫的文字和数学教育。

至于如何教授，他申辩道，这是包括在这个问题之中的，如何建立愿意学习者与愿意教授者，两者之间的关系，他说道：

> 也许没有人会反对的，教授和学生之间的关系是一种自然的关系，凡违反自然关系的，那么都是强迫的关系。如果如此，那么一切学校的教授方法的标准都看它自然得或多或少，都看它强迫的成分的或多或少了。孩子们强迫越少的就越好，受强迫越多的就越坏。我很高

兴，证明这样是不需要的了。大家能同意，致成不愉快或致成苦痛的食物，药物或则运动，对于康健是很不好的，学问亦然，强迫学龄儿童咬嚼沉闷的或憎恶的东西大可不必，如果强迫有所必需，这事实只证明所用方法的缺陷。一切教授孩子们的人大约都注意到，教员知道得最少的题目，最不爱教，万一必须他教，他就得用更严酷的方法了，就得强迫得更多；而相反的，教员最拿手的题目，他最爱教，他的教授法也就更自由而且更自然了。

如果仔细地研究历史，就能够发现，教授法的每一次进步就是强迫性的每一次的减少，学习的更加容易，和教师学生之间的关系底更加自然。

人们要问了，学校里可以自由到什么程度呢？我这样回答这个问题，自由的界限常常是教授的智识和他的能力所划定的。这样自由不能记下来；它的衡量只是教师所具有的智识和才能，或多或少的结果。自由不是一条规则，

> 两个学校相比较时，或者检讨新的方法时，它是一个准绳。更少强迫性的学校是比更多强迫性的学校更好一点。新方法是好的，假如学校里应用这新方法的时候毋须得加添条文，而假如应用起来要加添严酷性的话，当然是坏的了。

从他的谈教育的主题上，托尔斯泰涉及了其他的问题的讨论，相当的使我们想起二十五年之后他著述的一篇辉煌的论文来。

他受有相当的斯拉夫派的影响，这表示在他们假定了的，俄罗斯可以沿一条她自己的道路以求进步，跟西欧的道路不关的一点之上。“进步”，像他的同时代人一样，他是相信的，现在他却提出了问题，而且对麦孜莱的《英国史》第三章大肆攻击了，在这一章里，托尔斯泰说，他没有证明了任何真正的进步。勃克尔（Buckle）假定了他的《文化史》是根据进步的原则的，托尔斯泰也攻击了，特别是勃克尔对待黑格尔（Hegel）的批评，在达尔文（Darwin）出现之前，智识分子的自由主义者都是把黑格尔当做础石的。

托尔斯泰的文章，饶有兴味，刺激而富于启发性，而且有他从学校中得来的实际的经验，可是在教育界中间得不到鼓励。

十三年之后所写的文章中，他提起了一八五九——六二年之间他的试验：

> 这时候我得不到教育杂志的同情，甚至也得不到反对的意见，我所提出的问题只遇到冷淡而已。真的，在不重要的地方倒有人攻击了几下，可是问题本身却不受人注意。这时我年轻得很，冷淡我真受不了。我不了解我，跟我提出的问题——“你如何知道教什么和如何教？”的问题，正像在土耳其贵族的集会里，当他们讨论向人民收税的问题的时候，有一个人跑去告诉他们一样：“先生们，在我们讨论向每一个人民收多少税之前，我们先来考虑，我们有什么权利来向人民收税呢？”自然，贵族们睬也不睬他，自顾自继续他们的讨论的。

在记录耶斯那耶·朴利阿那学校的真实工作情形之前，有一件事得提一提起，虽然是小事，却十分重要，是能帮助我们理解后期的托尔斯泰的。

他自己的人格从没有被人怀疑过，读者还能记得在塞伐斯多波时，他拒绝了一笔依照军队中的惯例已属于他的钱。这次在他的杂志里发表了一篇一个小学生写的小说，他非常地赞美了一顿。故事是一个家庭里的父亲，穷得不堪，但从军回来，却有闲钱化费，他向他的妻子解释，“我是发军饷的，把饷发给弟兄们，却总有几个钱留下，我把他们节起来了”。

托尔斯泰评论这小说的时候，说：

> 这就说明，这个兵变富了，而且这样简单，这样自然的变富了，正像每个发财的人一样，——不过是别人的钱，朝廷的或什么人的钱凑巧过了一过他的手。有的读者说这件是不道德的，而且人民对朝廷的看法，像看的一条乳牛一样，这段应该删去，断不能容许。可是，不谈它艺术上的价值，我却正好宝贵这故事中

的这一特点。朝廷的钱可不是时常要过一过别人的手的？为什么不会在一个戈尔台之流的离家的士兵手里经过呢？

提到这朝廷的钱，起先看看像是不道德的，然我的意见，却有最甜蜜，最感动人的一种性质。我们的圈子里的作家，为了要把他的主角写成一个忠实的理想，多少次在他的想像之中展览了他自己的肮脏，下流的天性。在这里，相反的，作者却要他们的主角快乐。他回家本就已经够了，可是把他家里的多年的穷困了却也是需要的。钱从哪里来呢？从并非一个人的朝廷！如果作者要他致富，他必需拿别人的钱，那么钱底这样的来源倒可以说是最合理，最合法的了。

托尔斯泰的生活态度是惊人的。他对于个人道德，具有明敏的卓见，可是当问题涉及公共道德的时候，他的看法有时不免于错误。

从这件事的道德观点转到经济的观点上来，要有财富，“必须拿别人的钱”这话，西方人听到了一定会觉得奇怪，这样的中世纪的或东方的概念，而且说得又多么的勇敢。我们的世界中，近几世纪来财富已经大大的因发明，组织，善于利用大自然的资源，分工，还因为了合作，使互助的各个人和各工业结合在一起而增加了，叫我们相信，得到财富的唯一的方法只是剥夺别人已有的财富，我们是不容易相信的。

译者后记

关于这个伟大的灵魂，其书信集，传记与回忆录，谈话录与研究不知有多少万种。据戈宝权先生说：“如果你能把我所藏的波留可夫的四本‘托氏传’译出来，那就顶好了。”可是这四本东西，现在不晓得流落在何处，就是译者此地所译的莫德的两本《托尔斯泰传》，也是他所“珍”藏的，却自己也不知道“珍藏”在那里了，由译者在一位友人处觅得的……

译者因为做了一点“托尔斯泰研究札记”，其中抄译了不少的阿尔麦·莫德的《托尔斯泰传》，朋友们看见，就说我大可以译出全部来。后来，茅盾先生要我译东西，我就把《青年托尔斯泰》的书名开了上去；于是承诺了的事必须做到，动了笔，如期交了卷，心里十分安慰，波留可夫的四本虽没有译，莫德的总算弄出了一部分。原来莫德这部传记一共有七十万字，如果全译，又可能是一件出版界的大事，人力物力财力，译者读者书店大家要吃力。所以截至最近为止的计划，只译它的一半，却已经是三十万字或稍多一点。除了现在出的《青年托尔斯泰》算第一部，其中的许多现实情况，跟中国这样相像；其次便是《托尔斯泰的结婚》，这一个时期内所包含的，从《战争与和平》与《安娜·卡列尼娜》的创作，直到《忏悔录》；马上，第三部是《托尔斯泰的晚年》。书名又开出了，自然承诺了的事必定做到。有没有希望将来弄个全译本呢？因为探求这个深邃的灵魂，是一件有益处的工作，了解一个伟人怎样生活，他的生活态度怎样，跟阅读他的作品一样重要，而譬如，托尔斯泰的宗教观，实在是近世纪的“人”底最复杂的一个现象的反映，目前的计划中虽没有包含了，总希望将来包含它，有一天真能把这个译本全部弄光，读者该也是高兴的吧。

莫德是英国人，而且在托尔斯泰的最后时期，又是妻党，这部传记不免有不公允之处，不过他也尽量的公允，到了如此的地步，书是值得一读的，虽然这一点我也该提一提起。还有，我感谢戈宝权先生替我校阅俄名译音。别的话我就没有了。

（三十二年十月十五日）